中上級を教える人のための
日本語文法ハンドブック

白川博之●監修
庵 功雄・高梨信乃・中西久実子・山田敏弘●著

スリーエーネットワーク

© 2001 by IORI Isao, TAKANASHI Shino, NAKANISHI Kumiko, and YAMADA Toshihiro

All rights reserved. No part of this publication may be reproduced, stored in a retrieval system, or transmitted in any form or by any means, electronic, mechanical, photocopying, recording, or otherwise, without the prior written permission of the Publisher.

Published by 3A Corporation.
Trusty Kojimachi Bldg., 2F, 4, Kojimachi 3-Chome, Chiyoda-ku, Tokyo 102-0083, Japan

ISBN978-4-88319-201-4 C0081

First published 2001
Printed in Japan

まえがき

　この本は、松岡弘先生の監修の下、同じ著者たちが昨年世に送った『初級を教える人のための日本語文法ハンドブック』の中上級編です。
　前著（以下、「初級編」と呼ぶ）を執筆中の4人から中上級編（つまり本書）の監修を頼まれたのは、いつのことだったでしょうか。とにかく思いがけない話でした。光栄な話で有り難いとは思うけれども、何しろ自分は「監修」などできるような年回りでもないし、第一、その実力もないから、と最初は二の足を踏んでいました。その私が思い切って大役を引き受けたのは、一にも二にも4人の日本語教育への思いに深く共感したからです。
　いわく、日本語文法学界の最新の研究成果を日本語教育の現場の先生方のためにわかりやすく、しかも、体系的に整理して解説した本がなかなかない。願わくは、対症療法的なハウツー物ではなく、そうかといって、日本語教育との接点が見つけにくいような、学問的過ぎる本でもない、いわば、日本語研究と日本語教育の橋渡しをするようなハンドブックを作りたい。ついては、かねがね白川がそのような必要性を説いていたと思うから、ぜひ監修を頼む。そういうことだったと思います。
　「日本語研究と日本語教育の橋渡し」—これが我々を結びつける合い言葉でした。意気に感じた私は、非才も省みず監修を引き受けることにしました。
　さて、中上級編を監修するにあたって、私が特に気を配ったのは、次の3点です。

①断片的な知識の羅列に終わらず、個々の文法項目を初級編で示した枠組みの中で体系的に整理できるようにする。
②基本的な文法項目は初級編との重複を恐れず取り上げ、使用場面や類義表現に配慮して説明しなおすことにより、「使える」文法知識にする。
③学習者・教師の立場に立った、「かゆいところに手の届く」記述にする。

　中上級の教育について、私は前々から次のような疑問を感じていました。初級の文法がある程度体系的に教えられ、教えるべき内容も教師・教科書

に関わらず大同小異であるのに対して、中上級では、個別の語彙・表現の問題に終始していて、「中上級の文法」というものについての共通理解がないに等しいというのが現状ではないか。

　もっと言えば、初級から上級までを見通した文法的な説明が欠けていて、初級を教えるときには、来るべき中上級での語彙・表現レベルでの発展・応用まで気が回らず、中級を教えるときは、今度は、初級でやったことと関係づけることなく語彙や表現を詰め込む結果になってはいないか。早い話が、初級と中上級の接続がうまく行っていないのではないか。

　こういった問題意識から、①②の方針を打ち出しました。

　実は、初級編の監修者の松岡先生も同じような趣旨のことを「まえがき」で記していらっしゃいます。「教師としては、初心者クラスであっても、初級から中級へ、そしてまた上級へと向かっていく教授過程全体を視野に入れ、個々の文法事項や文型についても、より根底的なものに根ざした包括的な理解をもってのぞむことが必要ではないか」。私もまったく同感です。この中上級編ではまさに初級を含めた「教授過程全体を視野に入れて」記述したつもりですので、中上級を教える方はもちろんのこと、初級を教える方にもぜひ読んでいただきたいと思う次第です。

　③については、多くを語る必要はないでしょう。いくら学問的に正確で立派なことを書いたつもりでも、記述が専門的過ぎたり、日本語の学習・教授に資するところがなかったりでは、この種の本としては失格だと思います。学問的に裏付けのあることを、わかりやすく、しかも、学習者の掻いて欲しがっている痒いところを外さずに掻く（書く）という方針を徹底しました。

　いろいろ御託を並べましたが、我々の思いが実際にどの程度実を結んでいるかは、読者の皆様のご判断を仰ぐほかありません。率直なご意見・ご感想などをぜひお聞かせ頂けたらと思います。また、これを叩き台にしてよりよい文法書が次々に現れてくれれば、我々としてはそれこそ望外の幸せです。

2001年6月

白川　博之

本書の使い方

1．全体の構成

　本書では、中上級の範囲を日本語能力試験２級以上のレベルとし、必要な文法項目を43のセクションに分けて解説しています。その中の多くは、初級編の個々のセクションの記述を受け継ぎつつ、さらに高度な内容を扱ったものになっています。基本的なことについても、本書で繰り返し述べるようには努めましたが、初級編で詳しく書かれていることがらには、参照記号（→初級編§○）を付してありますので、必要に応じて参照してください。

2．各セクションの構成

　各セクションはリード（導入）部分と これだけは 　 もう少し 　もう一歩進んでみると の３つの段階に分けて記述されています。

　リード部分は各セクションの冒頭にあり、ここを読めば、鳥瞰図的にその分野を眺めることができます。

　日常の教室活動に必要な文法上の情報は これだけは と もう少し の部分に書かれています。 これだけは にはその項目を教えるにあたって最低限知っておくべき情報を挙げてあります。 もう少し には学習者の習得レベルや興味に応じて提示すると有益な情報が書かれています（項目によってはこの もう少し の部分がないこともあります）。類似形式との言い換えの可否なども主にこの部分で取り上げています。なお、セクションによっては最後にまとめとして、そのセクションで取り上げた形式を全体の中でもう一度位置づけています。

　 もう一歩進んでみると では、そのセクションで取り上げた文法項目についての補足的な情報の他、その項目の理論的な位置付けや、他の文法項目との関連などについて述べています。また、一部には方言文法など、より広い視野に立った記述もあります。

　研究上重要な参考文献を簡単な解説とともに紹介していますので、より理

解を深めたいときに利用してください。

3．記号

○　例文が文法的に正しい場合には普通何も付けないで示しますが、特に例文の一部を文法的に正しくない形と比較する形で示すときには○を付けて文法的に正しい形を示します。
×　その例文（または例文の一部）が文法的に正しくないことを表します。
?　その例文（または例文の一部）が、まったく文法的に正しくないわけではないが、不自然であるとする日本語話者もいる場合に使います。
\#　その例文（または例文の一部）が文法的には正しくても意図した表現の意味とは異なる場合に用います。また敬語などの誤った使い方によって失礼な感じを与えたりする場合にもこの記号で表します。
{　／　}　例文の一部について、比較する形を示す場合に使います
φ　ゼロ、すなわちそこには形式がないことを意味します。例えば「彼φ、来た？」は、「彼、来た？」を表します。
cf.　参照する語形または文を挙げるときに用います。
→　参照するセクション（§）を示します。
下線　そのセクションで取り上げている形式を示すときに使います。ただし、{　／　}で交替形が示されている場合には省略します。
波線、破線　そのセクションで中心的に扱っている形式の他に強調したい形式がある場合に用います。他に網掛けや枠を使う場合もあります。

＜接続＞には、動詞や形容詞などにその形が後続する場合に、前の動詞や形容詞がどのような形になるかが書いてあります。

辞　辞書形
否　否定形
Vマス　動詞のマス形語幹（「書きます」の「書き」、「食べます」の「食べ」の部分）
テ　動詞・イ形容詞・ナ形容詞のテ形

タ	動詞・イ形容詞・ナ形容詞のタ形

      ＊ここでいうタ形は普通形の肯定の形（「書いた、青かった、元気だった」）のみを示し、否定の形（「書かなかった、青くなかった、元気ではなかった」）や丁寧な形（「書きました、青かったです、元気でした」）は含みません。

- ナイ　動詞・イ形容詞・ナ形容詞の否定形語幹
- バ　動詞・イ形容詞・ナ形容詞のバ形
- V 意向　動詞の意向形
- V 可能・普　動詞の可能形の普通形（plain form）
- Vナイ　動詞の否定形語幹（「書かない」の「書か」、「食べない」の「食べ」の部分）
- V テイル　動詞のテイル形
- 普　普通形（plain form）：辞書形、タ形、ナイ形、過去否定形
- 丁　丁寧形（いわゆるデス・マス形）
- Na　ナ形容詞
- Naな　「〜な」で終わるナ形容詞
- A　イ形容詞
- A中止　イ形容詞の中止形
- Aナイ　イ形容詞の否定形語幹（「小さくない」の「小さく」の部分）
- A／Na語幹　イ形容詞あるいはナ形容詞の語幹部分
  - イ形容詞「美しい」の場合は「美し」
  - ナ形容詞「元気な」の場合は「元気」
- N　名詞
- Nの　名詞に「の」が後続した形

目　次

まえがき ……………………………………………………………… iii
本書の使い方 ………………………………………………………… v

§1．指示詞 …………………………………………………………… 2
　　1．対話における文脈指示
　　2．文章における文脈指示
　　　2-1．「これ」と「それ」
　　　2-2．「この」と「その」(1)
　　　2-3．「この」と「その」(2)
　　　2-4．「今」や「ここ」を指す場合
　　3．指すものを受けるときの形
　　　3-1．「そう」
　　　3-2．「こんな」類と「こういう」類
　　4．指すものが後から出てくる場合

§2．格助詞(1)－対象－ ……………………………………………… 14
　　1．に対して－動作・感情・態度が向けられる対象を表す表現－
　　2．について、に関して、をめぐって－関係する対象を表す表現(1)－
　　3．にまつわる、にかかわる－関係する対象を表す表現(2)－

コラム　文法化 ……………………………………………………… 21

§3．格助詞(2)－手段、原因、根拠、情報源－ …………………… 22
　　1．によって、を通じて、をもって－手段を表す表現－
　　2．で、によって、から、のせいで、のおかげで、のため(に)、に、につき、とあって、ゆえ(に)　－原因・理由・根拠を表す表現－
　　3．によると、によれば－情報源を表す表現－
　　4．に沿って、に即して、に基づいて－基準を表す表現－

viii

§4．格助詞(3)－状況－ ·· 30
　1．において、にて、にして、でもって、をもって
　　　－空間的・時間的な位置や境界を表す形式－
　2．にかけて、にわたって、を通じて
　　　－空間的・時間的範囲を表す形式－
　3．によって、次第で、いかんで、に応じて、とともに
　　　－状況に応じた変化・対応を表す形式－
　4．を問わず、にかかわらず
　　　－多様な状況に対して一定であることを表す形式－
　5．なくして、なしに、をぬきにして、なしで
　　　－非存在的状況を表す形式－
　6．XをYに－付帯状況を表す従属節に相当する表現－

コラム　対照研究(1)－(複合)格助詞－ ·· 43

§5．格助詞(4)－その他の形式と一般的な特徴－ ·· 44
　1．として、にとって－資格・立場－
　2．他の格で表される名詞句の順序や範囲を表す「から」と「まで」
　3．複合格助詞の様々な形
　4．のこと－名詞の性質を変えるために用いる接辞－

コラム　連体と連用 ·· 55

§6．並列助詞 ·· 56
　1．～と～、および、ならびに－全部列挙の形式－
　2．～に～－累加や取り合わせを表す形式－
　3．～や～（など）、～とか～とか、～やら～やら、～だの～だの
　　　－部分列挙の形式(1)－

4．～といい～といい、～といわず～といわず、～であれ～であれ、
　　　　～にしても～にしても、～にせよ～にせよ、～にしろ～にしろ、
　　　　～でも～でも－部分列挙の形式(2)－
　　5．～か～（か）、～なり～なり、または、あるいは、もしくは
　　　　－選択的列挙の形式－

コラム　気づかれにくい方言の文法(1) ……………………………… 67

§7．時間を表す表現(1)－テンス－ ……………………………………… 68
　　1．主節のテンスの注意すべき用法
　　2．発見、再認識（想起）を表すタ形
　　3．静的述語のテンス
　　4．モダリティ形式のタ形
　　5．従属節のテンス
　　6．名詞修飾表現のテンス

§8．時間を表す表現(2)－アスペクト－ ……………………………… 82
　　1．テイル形
　　　1－1．テイル形の基本的用法
　　　1－2．経験・経歴を表すテイル形
　　　1－3．テイル形と「～たことがある」
　　　1－4．完了、反事実を表すテイル形
　　2．その他のアスペクト形式
　　　2－1．直前・開始を表す形式
　　　2－2．継続を表す形式
　　　2－3．終結・直後を表す形式
　　3．～ところだ

§9．立場を表す表現(1)
　　－直接受身文・「YはXがV」型構文・相互文－ ……………… 102
　　1．直接受身文と間接受身文

2．能動文と直接受身文の使い分け
　　　2－1．動作の受け手（Y）が有情名詞の場合
　　　2－2．動作の受け手（Y）が無情名詞の場合
　　3．受身と似た意味を持つ「［名詞］を［動詞］」表現
　　4．「YはXがV」型構文－目的語の主題化－
　　5．二者の間で相互に行われる動作－相互文－

　コラム　「なる」と「する」と「させる」……………………………115

§10．立場を表す表現(2)－間接的な影響を表す表現－………………………116
　　1．間接受身文
　　2．持ち主の受身
　　3．受身文と「～てもらう」文・「～てくれる」文
　　4．「XはYがV」型構文

§11．立場を表す表現(3)－使役文・使役受身文など－………………………126
　　1．様々な使役文
　　　1－1．使役文の基本的用法
　　　1－2．原因を主語にした使役文
　　　1－3．責任者を主語にした使役文
　　　1－4．Yの動作や変化を表す使役文
　　　1－5．その他のやや特殊な使役文
　　2．使役を含む表現
　　　2－1．使役受身文
　　　2－2．～させてやる、～させてくれる、～させてもらう
　　3．使役文と他動詞文
　　　3－1．形の対応
　　　3－2．使役文と他動詞文の用法の違い
　　4．使役と似た意味を持つ「［名詞］を［動詞］」表現

§12. 自動詞と他動詞 …………………………………………………… 144
   1．自動詞と他動詞の使い分け
      1－1．動作主（Y）の存在の有無
      1－2．動作の過程の有無
   2．再帰的な他動詞文など
   3．自動詞文と類似した意味を持つ表現
      3－1．自動詞文と他動詞の受身文
      3－2．自動詞文と他動詞の可能文
   4．複合動詞と動詞の自他

§13. 授受の表現 ………………………………………………………… 160
   1．授受動詞とその周辺の表現
   2．「(〜て)くれる」と「(〜て)もらう」の使い分け
   3．授受の補助動詞を使うとき・使わないとき
   4．授受の補助動詞表現の恩恵を表さない用法
      4－1．「〜てやる・〜てあげる」文の恩恵を表さない用法
      4－2．「〜てくれる」文の恩恵を表さない用法
      4－3．「〜てもらう」文の恩恵を表さない用法

   コラム　対照研究(2)―授受の表現― ………………………… 173

§14. 可能と難易の表現 ………………………………………………… 174
   1．可能はどんなときに使うのか・使わないのか
   2．可能形の状態性
   3．〜得る（うる・える）―可能性を表す表現―
   4．不可能を表す表現
   5．困難を表す表現

   コラム　格の交替 ………………………………………………… 185

   コラム　ヴォイス ………………………………………………… 186

§15．引用表現 ………………………………………………… 188
　　１．動詞型引用表現
　　　１－１．基本形
　　　１－２．可能形・自発形
　　　１－３．受身形
　　２．名詞型引用表現

§16．比較の表現 ……………………………………………… 198
　　１．より、に比べてetc.－二つの事物を比較する表現－
　　２．一番、～ほど～はないetc.－三つ以上の事物を比較する表現－
　　３．にしては、わりに(は)－基準・標準と比較する表現－

§17．話し手の気持ちを表す表現(1)－判断－ ………………………… 206
　　１．だろう、まい、と思うetc.、(の)ではないかetc.
　　２．はずだ、にちがいない、はずがない、わけがないetc.
　　３．かもしれない、恐れがあるetc.
　　４．そうだ、という、ということだetc.

§18．話し手の気持ちを表す表現(2)－義務・勧め・許可・禁止など－ ……220
　　１．べきだ
　　２．ものだ
　　３．ことだ
　　４．その他の表現
　　　４－１．ざるをえない、ないわけにはいかない、必要がある
　　　　　　　　－「なければならない」との違いが問題になる表現－
　　　４－２．～といい、～ばいい、～たらいい、～ほうがまし
　　　　　　　　－「ほうがいい」との違いが問題になる表現－
　　　４－３．必要はない、までもない
　　　　　　　　－「なくてもいい」との違いが問題になる表現－

xiii

§19. 話し手の気持ちを表す表現(3)－意志－ ················· 232
　1．意向形（「しよう」）、ル形（「する・しない」）
　2．（よ）うとする（意向形＋とする）
　3．つもりだ
　4．ことにする

コラム　対照研究(3)－「いっしょに行きたいですか」－ ············· 241

§20．話し手の気持ちを表す表現(4)
　　－感嘆・詠嘆、感情の強調など－ ················· 242
　1．なんと～、どんなに／何＋助数詞～、～とは／なんて
　2．ものだ、ことだ
　3．てしかたがない、てたまらない、かぎりだetc.

コラム　気づかれにくい方言の文法(2) ················· 251

§21．話し手の気持ちを表す表現(5)－疑い、確認－ ············ 252
　1．質問を表す表現
　2．確認・聞き手の知識の活性化を表す表現
　　2－1．だろう
　　2－2．ではないか
　　2－3．ね
　3．疑い・不確実さを表す表現
　　3－1．か
　　3－2．かな、かしら
　　3－3．だろうか
　　3－4．のではないか

コラム　規範文法と記述文法 ················· 271

§22．話し手の気持ちを表す表現(6)－終助詞－ …………………………272
　　1．よ
　　2．ね
　　3．よね
　　4．なあ、わ、ぞ、っけ、の

§23．関連づけ ……………………………………………………………282
　　1．「のだ」の様々な用法
　　　1－1．「のだ」による関連づけ(1)－理由、解釈－
　　　1－2．「のだ」による関連づけ(2)－言い換え－
　　　1－3．「のだ」による関連づけ(3)－発見－
　　　1－4．「のだ」による関連づけ(4)－再認識－
　　　1－5．「のだ」による関連づけ(5)－先触れ－
　　　1－6．「のだ」による関連づけ(6)－前置き－
　　　1－7．関連づけを表さない「のだ」－命令、認識強要－
　　2．「わけだ」の様々な用法
　　　2－1．関連づけを表す「わけだ」
　　　2－2．「わけだ」を含む否定表現
　　3．「のだ」と「わけだ」
　　　3－1．肯定文の場合
　　　3－2．疑問文の場合
　　　3－3．否定文の場合

コラム　従属節の文らしさ ……………………………………………299

§24．否定と疑問の表現 …………………………………………………300
　　1．否定の表現
　　　1－1．基本的な否定
　　　1－2．部分否定
　　　1－3．二重否定
　　　1－4．その他の否定

2．疑問の表現
　　　2－1．通常の疑問文
　　　2－2．前提を持つ疑問文
　　　2－3．否定疑問文

§25．「は」と「が」 ………………………………………314
　　1．「は」と「が」の基本的な違い
　　2．「は」の用法(1)－主題－
　　3．「は」の用法(2)－対比－
　　4．「が」の用法(1)－中立叙述－
　　5．「が」の用法(2)－総記－
　　6．「は」と「が」と「ゼロ」
　　7．述語と格関係を持たない「は」
　　8．複文における「は」と「が」の係り方

§26．とりたて(1)－主題、対比－ ………………………330
　　1．とりたて助詞概観
　　2．主題を表す表現
　　　2－1．は、なら etc.－主題を表すとりたて助詞－
　　　2－2．とは、というのは－聞き手が知らないものを説明するための表現－
　　　2－3．といえば、というと、といったら、はというと、なら－関連づけて示すための表現－
　　　2－4．だが、のことだが、ということだが－主題的な前置き表現－

コラム　対照研究(4)－「は」と「が」－ ……………………339

§27．とりたて(2)－限定、付け加え、数量の見積もり－ ………340
　　1．限定を表すとりたて表現
　　　1－1．のみ、に限り、にすぎない－「だけ」とほぼ同じ意味で交換できる限定表現－

1－2．だけだ－「だけ」を含むヴァリエーション－
1－3．～さえ…ば、に限って、を限りに、ならでは(の)、にかけては、はともかく－「だけ」と同じ意味で交換できない限定表現－
1－4．～だけしか…ない、～をおいてほかにない
－「だけ」とは交換できないが「しか」とほぼ同じ意味で交換できる限定表現－
2．こそ－際立たせるために使うとりたて助詞－
3．だけでなく、ばかりでなく、のみならず、ばかりか、はもちろんのこと、に限らず、にとどまらずetc.－付け加えを表すとりたて表現－
4．数量の見積もり－「数量詞＋は」「数量詞＋も」－

コラム　条件と主題 …………………………………………………… 357

§28．とりたて(3)－評価－ ……………………………………………… 358
1．さえ－極端なものを取り立てて意外な気持ちを表したい場合－
2．でも－極端なものを取り立ててその他の普通のものを暗示したい場合－
3．まで－意外な要素を付け加えたい場合－
4．など、なんて－検討の範囲を外れていることを表したい場合（問題外、当然）－
5．くらい－「低レベルだから当然最も可能性が高い」と言いたい場合－
6．評価を表すとりたて助詞の使い分け
　6－1．「さえ」vs.「も」
　6－2．「さえ」vs.「でも」
　6－3．「さえ」vs.「まで」
　6－4．「など」vs.「くらい」
7．数量詞を取り立てて評価を表すとりたて表現
　7－1．多い（大きい）という評価を表す

7－2．少ない（小さい）という評価を表す
　8．とりたて助詞「も」の派生的用法
　　8－1．意外さを表す「も」の詠嘆的用法
　　8－2．「も」の婉曲的用法
　　8－3．文副詞における「も」

§29．名詞修飾表現 ……………………………………………… 384
　1．「という」を含んだ名詞修飾表現
　2．制限的名詞修飾と非制限的名詞修飾
　3．非制限的名詞修飾
　　3－1．意味・用法
　　3－2．談話における働き
　4．様々な名詞修飾表現
　　4－1．場面を表す名詞修飾節＋「ところ」
　　4－2．被修飾名詞が名詞修飾節の中にある名詞修飾表現

§30．複文(1)－条件－ ………………………………………… 398
　1．仮定条件を表すもの
　2．反事実的条件を表すもの
　3．確定条件を表すもの
　4．事実的条件を表すもの

§31．複文(2)－理由・目的－ ………………………………… 412
　1．理由を表す基本的な表現
　2．「から」を含む理由を表す表現とその周辺
　3．理由を表すその他の表現
　4．目的を表す表現

§32．複文(3)－逆接・対比－ ………………………………… 424
　1．「けど」類－事実的逆接＜客観的、対比的＞－
　2．対比の表現

3．「のに」類－事実的逆接＜主観的＞－
4．「ても」類－仮定的逆接－

§33．複文(4)－「～て」・付帯状況・相関関係など－ ················ 438
1．～て
2．～ないで、～なくて、～ずにetc.
3．～ながら、～つつ、～ついでにetc.
4．～だけでなく、～ばかりでなく、～ばかりかetc.
5．～ば～ほど、～につれて、～にしたがってetc.

§34．複文(5)－時間－ ··· 450
1．～とき(に)、～あいだ(に)、～うちにetc.
2．～と同時に、～た(か)と思うと、～か～ないかのうちにetc.
3．～てから、～てはじめて、～てからでないと、～た上で、～て以来etc.

§35．接続詞 ·· 462
1．順接
　1－1．だから、それで、そのためにetc.－［原因・理由－帰結］型－
　1－2．すると、それならetc.－［条件－帰結］型－
2．なぜなら、というのはetc.－理由述べ－
3．けれども、しかし、それなのにetc.－逆接－
4．つまり、要するに、例えばetc.－言い換え・例示－
5．そして、それから、それにetc.－並列・添加－
6．なお、ただし、ただetc.－補足－
7．または、それともetc.－選択－
8．一方、逆に、反対に－対比－
9．ところで、それでは、さてetc.－転換－
10．このように、こうしてetc.－総括－

§36. 待遇表現 ··· 482
　1．待遇表現の全体像
　2．初級で学習した敬語への補足的事項
　　2－1．素材待遇
　　2－2．対者待遇
　3．丁寧に話すための運用的な方略

コラム　運用論（pragmatics） ················· 495

§37. 話しことばにかかわる表現形式 ················· 496
　1．名詞句の表し方
　2．無助詞
　3．その他の現象

§38. 文体 ··· 502
　1．文体とは
　2．文体の混交(1)－従属的な文の場合－
　3．文体の混交(2)－独立した文の場合－
　4．従属節の従属度と丁寧形

§39. 省略 ··· 510
　1．名詞句の省略(1)－1、2人称の場合－
　2．名詞句の省略(2)－3人称の場合－
　3．助詞の省略（→§37）

§40. 名詞・代名詞 ······································· 514
　1．代名詞
　　1－1．1人称代名詞（主語を表す場合）
　　1－2．2人称代名詞（主語を表す場合）
　　1－3．3人称代名詞（人を表す場合）

2．名詞
　　2－1．相対性を持つ名詞
　　2－2．親族を表す名詞

§41．接辞 ………………………………………………………… 526
　1．主に品詞を転換させる働きをする接辞
　2．主に意味を加えたり変化させたりする働きをする接辞
　　2－1．～たち、～ども、～方、～ら、諸～－複数－
　　2－2．～人、～者、～家、～員、～士、～師、～屋－人－
　　2－3．～賃、～費、～金、～料、～代－金銭－
　　2－4．～式、～風、～流－様式－
　　2－5．～向け、～向き、～用－使用者・使用目的－
　　2－6．～中、～時、～代－時間－
　　2－7．～だらけ、～まみれ、～ずくめ－様態－
　　2－8．～げ、～がち、～気味、～っぽい－傾向－
　　2－9．真～、大～－強意－
　　2－10．その他（再～、当～、本～）
　3．非生産的な接辞

コラム　ことばの変化 ……………………………………………… 545

§42．漢語 ………………………………………………………… 546
　1．漢語の文法的分類
　2．サ変動詞
　　2－1．基本的な性質
　　2－2．自動詞用法と他動詞用法
　　2－3．名詞化
　3．重要な接辞
　　3－1．品詞を変える接辞
　　3－2．否定を表す接辞

§43. 文法と音声の関係 …………………………………………… 558
 1．文の意味とイントネーション
  1－1．基本的なイントネーション
  1－2．文のタイプとイントネーション
  1－3．終助詞の種類とイントネーション
 2．情報の新旧とプロミネンス
  2－1．基本的なプロミネンス
  2－2．語順転換とプロミネンス
  2－3．対比とプロミネンス
  2－4．制限的修飾／非制限的修飾とプロミネンス

コラム　日本語は特殊な言語か ………………………………… 570

コラム　文と文のつながりの二つのパターン ………………… 571

あとがき ………………………………………………………… 573

中上級を教える人のための
日本語文法ハンドブック

§1. 指示詞

　文中で名詞(句)が何を指すのかということはコミュニケーションを円滑に進める上で重要です。指示詞は聞き手（または読み手）に対して名詞句が指しているものを知らせる働きを持っています。
　例えば、(1)のように言うと聞き手は話し手の近くに注目し、(2)のように言うと聞き手は話し手から離れた場所に注意を向けます。

　　(1)　<u>こんな</u>ところに財布が落ちてるよ。
　　(2)　<u>あんな</u>ところに財布が落ちてるよ。

　このように、指示詞は基本的に聞き手（または読み手）に、指しているものを探させる合図のような働きをするものです。指示詞で重要なことはコ、ソ、アなどの形式とそれが指すものとの関係、つまり、指し方ですが、これには指すものが話の現場に存在する**現場指示**（→初級編§1）と、指すものが話の現場ではなく談話やテキストの中に出てくる**文脈指示**があります。
　文脈指示について考える際には、聞き手の存在が問題となる対話における文脈指示とそれが問題とならない文章における文脈指示に分けて考えることが必要です。ここではそのことを踏まえて次のような点について考えます。

文脈指示の種類
　1．対話における文脈指示（聞き手の存在が問題となる場合）
　2．文章における文脈指示（聞き手の存在が問題とならない場合）
文脈指示にかかわるその他の問題
　3．指すものを受けるときの形
　4．指すものが後から出てくる場合

1. 対話における文脈指示

(1)　A：昨日田中に会ったんだけど、{○あいつ／×そいつ}相変わらず元気だったよ。
　　　B：{○あいつ／×そいつ}は本当に元気だね。
(2)　A１：友人に田中という男がいるんですが、{×あいつ／○そいつ}は面白い男なんですよ。
　　　 B：{×あの人／○その人}はどんな仕事をしているんですか。
　　　A２：大学で英語を教えてるんです。

これだけは

◆聞き手が存在する**対話における文脈指示**ではアとソの使い分けが主に問題となります。両者の使い分けの原理は次のようにまとめられます。なお、このセクションで破線を付けた語は指示詞の指すもの（先行詞）です。

　　話し手と聞き手が共に直接知っているものはアで指し、そうでないものはソで指す

◆この用法でアが使われるのは話し手と聞き手が共に指すものを直接知っている(1)のような場合だけです。この場合、先行詞が固有名詞でも「という」や「って」を付けません（→§37）。

(1)'×A：昨日、田中という男に会ったんだけど、あいつ相変わらず元気だったよ。（聞き手も「田中」を直接知っている場合は不適）

◆一方、話し手と聞き手の少なくとも一方が指すものを直接知らない場合はアは使えず、ソが使われます。(2)A1は話し手は直接知っているが聞き手は直接知らない場合であり、(2)Bは聞き手は直接知っているが話し手は直接知らない場合です。こうした場合、先行詞が固有名詞ならそれに「という」や「って」を付けなければなりません（→§37）。

(2)'×A１：友人に田中がいるんですが、そいつは面白い男なんですよ。

話し手も聞き手も直接知らないというのは次のような場合です。

(3)　吉田：田中さんは若いとき東京に住んでいたそうだけど、
　　　　　　｛×あのころ／○そのころ｝のことを聞いたことある？
　　　佐藤：僕も｛×あのころ／○そのころ｝のことには興味があるんだけど、田中さんから聞いたことはないんだ。

もう少し

◆「知っている」か否かは直接会った／見たか否かによります。例えば、(4)A2の場合、Aは「林さん」がBの友人であることは知っていますが、「林さん」に「直接」会ったり、顔を見たりしたわけではないのでアは使えないのです。

(4)　A1：Bさんのお友達に林さんという方がいらっしゃるそうですが、今度｛×あの方／○その方｝を紹介してもらえませんか。
　　　B：いいですが、何のご用なんですか。
　　　A2：今書いている論文のことで｛×あの方／○その方｝に伺いたいことがあるんです。

◆聞き手の存在が問題とならない「独り言」の場合はアが使われます。

(5)　｛○あのレストラン／×そのレストラン｝の料理はうまかったなぁ。

◆話し手が直接知っていて聞き手が直接知らない(2)A1のような場合にアを使うと、(5)のような独り言の場合と同じになって、聞き手の存在を無視した形になるため、このような場合には通常ソが使われるのです。
◆対話における文脈指示ではコはあまり使われませんが、(2)A1のような話し手が直接知っていて聞き手は知らない場合には通常コも使えます。

(2)"　A1：友人に田中という男がいるんですが、こいつは面白い男なんですよ。

◆会話中に名前をど忘れしたときはア（主に「あれ」）が使われます。これは前述の原理の応用です。例えば、(6)の「あれ」は「資料」という語をど忘れしたときに話の流れを保つために「資料」の位置に挿入されたものです。

(6)（秘書に）今度の会議のあれだけど、明日までに作っといて。

なおこの用法の「あれ」は話し手が言いにくい語の代わりにも使われます。

(7)（本を貸した相手に）この前お貸ししたあれですけど、いつごろ返していただけますか。（「あれ＝（先日貸した）本」）

2. 文章における文脈指示

ここからは**文章における文脈指示**を考えます。文章における文脈指示はいくつかの場合に分けられますが、それらに共通して次のことが言えます。
　　文章における文脈指示ではアは使われない
従って、文章における文脈指示ではコとソの使い分けが問題となるわけですが、基本的にはソが使われます。

２－１．「これ」と「それ」

> (1) 昨日近所で本を買った。｛これ／それ｝はお気に入りの作家の新作だ。
> (2) A社の下請け会社のB社が倒産した。｛○これは／?それは｝円高の影響でA社の輸出が減少したためである。

これだけは

◆「これ」「それ」は(1)のように具体的な名詞（人、ものなど）を受けるのが基本で、この場合は「この／その＋Ｎ」に置き換えられます。しかし、指すものが文の内容などの場合はどちらかしか使えないことがあります。

◆「これは」は(2)のように、「これは～ためだ／からだ」の文型で、指すものの原因・理由を詳しく述べるときに使われます。この表現は次のような強調構文（→初級編§31）を使った表現と同様のものです。

(2)' A社の下請け会社のB社が倒産した。B社が倒産した<u>のは</u>円高の影響でA社の輸出が減少した<u>ためである</u>。

もう少し

◆次のような場合には「それ」のほうが よく使われます。

① 名詞句の一部だけを受ける場合

これは(3)や(4)のような場合です。この場合「それ」は「男性の平均寿命」「大学における男女差別」という名詞句全体ではなく、その一部である「平均寿命」「男女差別」だけを指します。この用法は「これ」にはありません。

(3) 男性の平均寿命は女性の｛×これ／○それ｝より短い。
(4) 大学における男女差別は企業における｛×これ／○それ｝以上だ。

② 先行詞が「こと、もの」などで終わり、その直後で指すものを受ける場合

(5) 私が大学で学びたいこと、｛？これ／○それ｝は人生の目標だ。
(6) 私がずっと大事にしてきたもの、｛×これ／○それ｝は母の形見のこのイヤリングです。

こうした表現は(5)'のような「それ」を除いたものとほぼ同じ意味を表しますが、(5)'のような表現より先行詞の部分を強調する効果があります。

(5)' 私が大学で学びたいことは人生の目標だ。

2－2.「この」と「その」(1)

(1) 子どものころ祖母に1冊の絵本を買ってもらった。私は｛この本／その本｝が大好きで、何度も読み返したものだ。
(2) 「天は人の上に人を作らず。人の下に人を作らず」｛○このことば／×そのことば｝は慶應義塾の創始者福沢諭吉のものである。
(3) 私はコーヒーが好きだ。｛○この飲物／×その飲物｝はいつも疲れを癒してくれる。
(4) 田中さんは小学生のときまったく泳げなかった。｛×この田中さん／○その田中さん｝が今度水泳で国体に出場するそうだ。

これだけは

◆2-2と2-3では「この／その＋N」について考えます。「この／その」には二つの用法があります。2-2では「この／その＋N」全体で指すものの内容を繰り返す用法を扱います。この用法では(1)のように「この」も「その」も使えることが多いですが、「この」だけが使える場合や「その」だけが使える場合もあります。次のような場合は「この」だけが使われます。

① 指すものが前の文（連続）の内容や発言そのものであるとき
② 指すものを言い換えて受けるとき

①は(2)のような場合で、この例では破線部の内容を「ことば」という名詞で表しています。

②は(3)のように指すものを別の表現で言い換える場合で、この例では「コーヒー」を「飲物」で言い換えています。

◆一方、「その」だけが使われるのは次のような場合です。

③ 「その＋N」を含む文（または節）の内容が指すものを含む文（または文連続）の内容に対して逆接的・対比的であるとき

例えば(4)では「その」の文の内容（国体に出場する）が指すものを含む文の内容（小学生のとき泳げなかった）と逆接的なので「その」が使われます。

もう少し

◆(4)のように「その」しか使えない場合には2回目以降に繰り返された名詞に（一般の原則に反して）「は」ではなく「が」がつきます（→§25）。

(4)' 田中さんは小学生のときまったく泳げなかった。その田中さん{？は／〇が}今度水泳で国体に出場するそうだ。

◆2-2の用法では次のように「この」や「その」が不要な場合もあります。

(5) 帰り道に公園を通りかかると男の人が倒れていた。φ男の人は頭から血を流していた。

◆同じ名詞を繰り返す際には接頭辞「同—」が使われることもあります。「同—」は使い方が「この」と似ていますが、文章でしか使われません。

(6) 彼は共産党の支持者だ。同党は1922年の結党以来一度も党名を変えていない。

2−3.「この」と「その」(2)

> (1) この薬はまだ開発されたばかりなので、{×この効果／○その効果}はまだ十分にはわかっていない。
> (2) 大阪府の知事に太田氏が当選した。{○この結果／○その結果}全国で初めての女性知事が誕生した。

これだけは

◆「(この／)その」にはもう一つ「〜の」という意味の用法があります。この用法では通常「その」が使われます。ただし、(2)のように指すものが文相当の内容である場合、言い換えると名詞が「結果、理由、原因」などの場合には「この」が使えることがあります。

もう少し

◆この用法で使われる名詞は意味的に「〜の」が必要なものです。例えば、「効果」はそれだけでは意味が完結せず、「薬の／宣伝の」などのことばとともに使われて初めて意味が完結します。このような名詞を**相対性を持つ名詞**と言います（→§40）。なお、この用法の「その」は英語の所有代名詞（my, your, his, her, its, their）に相当するものです。

◆この用法で「その」を使うのは硬い文体に限られます。話しことばでは「その」を省略するのが普通です。例えば、(3)の「結果」を「その結果」と言っても間違いではありませんが、文体的に硬すぎるため普通は使われません。

(3)　医者：それでは今日血液検査をして帰ってください。結果は1週間
　　　　　　後に聞きに来てください。

2－4.「今」や「ここ」を指す場合

> (1)　このごろ忙しくてなかなか趣味の登山ができない。
> (2)　江戸時代は武士の時代だ。この時代、江戸の人口の1割が武士だった。
> (3)　「方言」をここでは「共通語以外のことば」と定義しておく。

これだけは

◆次に考えるのは「今」や「ここ」に関する表現です。これらの中には現場指示の一種とも考えられるものもありますが、便宜上そうした場合もここで扱います。なおここで扱う表現はコに限られます。
　「今」に関する表現には次のようなものがあります。

(4)　これまで、これから、このごろ、この＋期間、ここ＋期間……
(5)　これまで日本語を勉強してきました。これからもずっと勉強していきたいと思います。
(6)　私が日本に来てから5年になります。初めはあちこちに遊びに行きましたが、{この2年間／ここ2年間}は論文を書くのに忙しくあまり遊びに行けませんでした。

　これらは「今」や「最近」と置き換えられることが多いです。例えば、「これまで／これから」は「今まで／今後」と、「このごろ」は「最近」と、「この＋期間／ここ＋期間」は「最近＋期間」とそれぞれ置き換えられます。また、(2)のように特定の時が話題の場合、その時を指すにはコが使われます。
◆一方、「ここ」に関する表現には次のようなものがあり、論文や学術書などでよく使われます。

(7)　ここ、この{本、論文…}、この{章、節…}

(8) この本で私が述べたかったのは、日本語には多くの方言があり、それぞれが独自の世界を作り上げているということである。

(9) この章の結論を簡単に述べると次のようになる。

なおこの場合の「この」は通常接頭辞「本−」で置き換えられます。「本−」のほうが硬い表現です。例えば、「この論文／章／節」は「本論文／本章／本節」と置き換えられます。なお、「この本」は「本書」と置き換えられます。

3. 指すものを受けるときの形
3−1. 「そう」

> (1) A：明日も雨が降るかな。
> 　　 B：{×こう／〇そう}思うよ。
> (2) 彼が会議に出席するなら、私も{×こうします／〇そうします}。
> (3) 私も朝寝坊だが、弟は私以上に{×こうだ／〇そうだ}。

これだけは

◆「そう」は「言う、思う」などの目的語である「〜と」を受けます。例えば、(1)Bの「そう」は「明日も雨が降ると」を受けています。
◆「そう」には「(名詞句＋)述語」を受ける用法もあります。(2)のように先行詞が「(名詞句＋)動詞」の場合は「そうする」、それ以外の品詞の場合は(3)のように「そうだ」の形が用いられます。これらの場合、「こうする」「こうだ」は使えません。

もう少し

◆(1)のような「〜と」を指す用法の場合、相手の発言を受ける場合には「そう」しか使えませんが、そうでない場合は「そう」も「こう」も使えます。

(4) 「東京で歌手になる。」兄が{こう／そう}言って家出をしたのは5年前のことだ。

3－2.「こんな」類と「こういう」類

> (1) 近所の女の子がけがをした子猫を拾ってきて大事に育てている。殺伐とした事件の多い中{こんな話／こういう話}を聞くとほっとする。
> (2) 母：今日はこの服を着ていきなさい。
>   娘：{○こんな服／?こういう服}いやよ。子どもみたいじゃない。
> (3) 社長：今日、手形が不渡りになった。
>   社員：会社が倒産したということですか。
>   社長：{×そんなこと／○そういうこと}だ。
> (4) 社長：今日、手形が不渡りになった。
>   社員：それは{×どんなこと／○どういうこと}ですか。
>   社長：会社が倒産したということだ。

これだけは

◆名詞を修飾する指示詞には「この／その／あの」(「この」類)、「こんな／そんな／あんな」(「こんな」類)、「こういう／そういう／ああいう」(「こういう」類)などがあります(→初級編§1)が、このうち、「こんな」類と「こういう」類には違いがあることがあるので注意が必要です。

◆(1)のように文(連続)を受ける場合は基本的に「こんな」類も「こういう」類も同じように使えます。

◆一方、(2)のように指すものを否定的に捉える場合は通常「こんな」類が使われます。「こんな」類はこうした含意を持ちやすいので注意が必要です。

◆(3)の「そういうこと」は相手の発言内容を受けてそれを肯定するときに使われます。この場合「そんなこと」は使えません。なお、否定する場合は「そういうことではない／そういうわけではない」などが使われます。

> (5) 社長：今月の給料の支払いは少し遅くなりそうだ。
>   社員：会社が倒産するということですか。
>   社長：そういうわけではない。大丈夫だ。

(4)の「どういうこと」は相手の発言内容や意図がよくわからないときに相手に尋ねるために使われます。この場合「どんなこと」は使えません。
◆「こういう」類には「こういった／そういった／ああいった」「こうした／そうした／ああした」などのバリエーションがあります（→初級編§1）が、これらは機能的には「こういう」類と機能的には同じものです。

4. 指すものが後から出てくる場合

> (1) <u>こんな話</u>がある。<u>2025年には日本の人口の4分の1が65歳以上の高齢者になる</u>というのだ。
> (2) <u>これ</u>は噂だけど、<u>田中課長、来年大阪支社に転勤になる</u>そうだよ。

これだけは

◆ここまでは指すものが指示詞より前に現れる場合のみを扱いました。文脈指示にはこれ以外に、指すものが指示詞の後に現れる用法があります。ここではこれを扱います。
◆この用法では通常コが使われます。また指すものは通常、文です。このうち、(1)のように「コ……。＜指すもの＞」という構造の場合は「こんな＋N」が使われます。一方、(2)のように「コ……けど／が、＜指すもの＞」という構造の場合は「これ」または「この＋N」が使われます。この場合の「けど／が」は前置きを表します（前置きについては§23を参照）。
◆この用法では指すものより指示詞が先に現れます。指示詞は指すものが決まることによって初めて意味をなす語なので、それが談話に先に現れると、聞き手／読者はそれが指すものを知ろうとし、後から出てくる指すものの内容に注意が向けられます。これがこの用法が持つ談話上の機能です。

もう少し

◆この用法では通常コが使われますが、(3)(4)のように、硬い書きことばではソが使われることもあります。

(3) 人は<u>それ</u>と気づかないうちに、<u>他人の心を傷つけている</u>ことがある。
(4) <u>その</u>導入をめぐって大反対が起こった<u>消費税</u>が商品にかけられるようになってからもう10年以上が経過した。

もう一歩進んでみると

◆指示詞はそれ自体が指すものを持つのではなく、現場や文脈の中にあるものを指すことによってそれ自体の指す対象が決まるという性格を持っています。こうした性格は代名詞とも共通するものです。

◆ここで「指すもの」と呼んだものを専門書では**指示対象**と呼んでいます。文脈指示の場合には**先行詞**と呼ぶこともあります。

◆1〜3で見たように文脈指示では指すものが指示詞より先に現れるのが普通です。こうした用法を**前方照応**と言います。一方、4で見た指すものが指示詞より後から現れる用法を**後方照応**と言います。後方照応では指すものは指示詞の後から現れますが、この場合も「先行詞」という語を使います。また、2-2で扱ったようなタイプの「この」と「その」の用法を**指定指示**、2-3で扱ったようなタイプの「この」と「その」の用法を**代行指示**と呼びます。こうした用語について詳しくは庵功雄(1995)を参照してください。

○**参考文献**

庵　功雄 (1995)「コノとソノ」宮島達夫・仁田義雄編『日本語類義表現の文法 (下)』くろしお出版
　★文脈指示用法について概観するとともに、2-2, 2-3で扱った「この」と「その」の使い分けが詳述されている。

木村英樹 (1983)「「こんな」と「この」の文脈照応について」『日本語学』2-11
　★後方照応について詳しく扱っている。

金水　敏・田窪行則 (1992)「日本語指示詞研究史から/へ」金水・田窪編 (1992)所収
　★指示詞の研究史を巧みにまとめているとともに、談話管理理論の立場からの指示詞研究の有効性を論じている。

──────────編 (1992)『日本語研究資料集　指示詞』ひつじ書房
　★指示詞関係の重要な論文が集められており有益。

三枝令子 (1998)「文脈指示の「コ」と「ソ」の使い分け」『一橋大学留学生センター紀要』創刊号, 一橋大学留学生センター
　★経済学、商学の専門文献の語彙調査をもとに、文脈指示用法のコとソの使い分けについて詳述している。

§2. 格助詞(1)
－対象－

　名詞句と述語との関係を表す格助詞には「が・を・に・へ・と・から・より・まで・で」がありますが、「について」や「によって」などの形式がこれらの格助詞の代わりに名詞句と述語との関係を表すことがあります。このような格助詞相当の形式を**複合格助詞**といいます。
　複合格助詞の多くは「格助詞＋動詞の活用形」に由来し、中でも「に」や「を」と「動詞のテ形」の組み合わせが多くあります。また「のおかげで」など「の＋名詞＋その他の格助詞」の形のものもあります。
　複合格助詞が用いられる理由としては大きく二つ考えられます。一つはデ格など多様な意味を持つ格の意味をよりはっきりさせるためです。もう一つは格助詞では言い表せない（言い表しにくい）意味を表すためです。
　§2では「を」や「に」に当たる対象を表す格助詞を見ていきます。
　なお、格助詞は述語に続いていく形式です。名詞が後に来る場合には「×図書館で勉強」のように格助詞をそのままの形で用いることはできません（→初級編§3）。複合格助詞にも述語に続いていく形と名詞が後に来る形がありますが、ここでは述語に続く形を中心に扱い、名詞に続く形については§5でまとめます。

1. に対して
－動作・感情・態度が向けられる対象を表す表現－

(1) 市民団体は知事の無責任な行動に対して抗議した。
(2) 敵国に対して出された要求はすべて拒否された。

これだけは

◆「に対して」は動作・感情・態度の向けられる対象を表します。
◆「に対して」は多くの場合、ニ格で言い換えることができます。

 (3) 市民団体は知事の無責任な行動に抗議した。cf.(1)
 (4) 若い人は政治{に／に対して}期待をしていない。

◆「に対して」は次の場合に使うことができません。
 ① ヲ格で表される対象

 (5) 田中はいやみを言う上司{○を／×に対して}殴ってしまった。
 (6) その少女は田中君{○を／×に対して}愛していた。

(6)は感情の向かう対象がヲ格で表されますので、「に対して」を用いることはできません。
 ② ニ格で表される対象のうち動作が直接及ぶ対象

 (7) 彼は彼女の長い髪{○に／×に対して}そっと触れた。
 (8) お別れに、彼女のほほ{○に／×に対して}キスをした。

◆形容詞を述語とする文で「〜に対して」が使われることもあります。この場合、「[形容詞]態度をとる」などの意味になります。

 (9) 山下は彼女に対して冷たかった。（＝冷たい態度をとった。）

◆(2)のように受身文で動作主と混乱しやすい場合には、「に対して」を使うことによって対象であることがはっきり表されます。

もう少し

◆「に対して」は「対する」という動詞に由来します。「対する」は「向かい合う」という意味で、接触しない状態での動作や状態の向けられる方向を表します。上で説明した「に対して」の意味はここから生じています。
◆名詞を修飾する形の「に対する」と「に対しての」は「に対して」よりもやや広く動作や感情の対象一般に付きます。

(10) 不良グループのA君{に対する／に対しての}暴行は執拗に続いた。
　　cf. ×不良グループはA君に対して暴行した。
(11) 子ども{に対する／に対しての}愛情は尽きることがない。
　　cf. ×子どもに対して愛する。

◆中国語や韓国語などを母語とする話者は、「に対して」と「にとって（→§5）」をよく混同します。これはこれらの言語で「に対して」と「にとって」が同じ形式で表されることによるものです（→コラム 対照研究(1)）。
　「にとって」は、「重大だ、難しい、大切だ」などの評価を表す語が述語になり、そのような評価をもたらす人やもの、出来事が主語になります。この点で「に対して」とはっきり区別されます。

(12) この文型は初級の学生{×に対して／〇にとって}難しい／重要だ／大切だ／...。
(13) 先生は学生{〇に対して／×にとって}厳しい／優しい／...。

◆「兄は数学が好きなのに対して弟は絵が好きだ。」のような「のに対して」は§32で扱います。

2. について、に関して、をめぐって
　　－関係する対象を表す表現(1)－

(1) 最近、人生について考えることが多い。
(2) 彼は消化器の治療に関して自信を持っていた。
(3) 国会の会期延長をめぐって与野党が議論した。

これだけは

◆「について」と「に関して」は述語が表す動作や状態が関係する対象を表す形式です。
◆「について」は「考える、話す、語る、述べる、聞く、書く、調べる」な

ど、言語による情報を扱う動詞が述語に来ます。

(4) 講演会では環境問題について話しましょう。
(5) あの事件について変な噂を聞きました。
(6) 私は図書館の資料で中部地方の方言について調べました。

　形容詞については「よく知っている」という意味での「詳しい」や「知らない」という意味の「無知だ」といっしょに用いられます。
◆「に関して」は多くの場合、「について」と置き換えられます。

(7) 講演会では環境問題に関して話しましょう。
(8) あの事件に関して変な噂を聞きました。
(9) 私は図書館の資料で中部地方の方言に関して調べました。

　「考える」などの思考活動動詞の場合、「に関して」はやや不自然です。

(10) ? 最近、人生に関して考えることが多い。 cf.(1)

◆「に関して」は「について」よりやや書きことば的です。
◆「をめぐって」は「争う、議論する、対立する」などの動詞とともに用いられ、争いや対立によって追求する対象を表します。
◆「をめぐって」は(3)のように言語による情報を扱う動詞が続く場合、「について」と「に関して」で言い換えることができます。

(11) 国会の会期延長{について／に関して}与野党が議論した。 cf.(3)

　「をめぐって」のほうが結論に至る過程の長さを含意します。
◆「争う、対立する」など、言語による情報を含まない動作には「をめぐって」のほうが自然です。

(12) 国会の会期延長{○をめぐって／?について／?に関して}与野党が対立している。

◆「をめぐって」は動作主が単独で行う動作には用いません。

(13) ×講演会では環境問題をめぐって話しましょう。

もう少し

◆「について」と「に関して」には、次のような主題化された用法もあります。

(14) 保証金 {についてはノに関しては} 部屋を空けるときに返却する。

これは「～について言えば、～に関して言えば」という意味で、主題を表す「は」で言い換えることができます。

(15) 保証金は部屋を空けるときに返却する。

◆「について」と「に関して」は「に対して」と異なりヲ格名詞句をとる言語による情報を扱う動詞とともに使うことができます。

(16) 環境問題 {○について／○に関して／×に対して／○を} 話し合った／調べた／…。

◆「について」には割合を表す用法もあります。

(17) 紹介した客一人について500円もらえる。

3. にまつわる、にかかわる
　　 －関係する対象を表す表現(2)－

> (1) 彼はこの城にまつわる不思議な話をし始めた。
> (2) 彼は国連で軍縮にかかわる業務に従事しています。

これだけは

◆「にまつわる」と「にかかわる」は動詞などの述語に続く形として「にまつわって」や「にかかわって」などの形を持ちません。常に「にまつわる」と「にかかわる」の形で名詞の前で用いられます。

◆「にまつわる」は「話、伝説、逸話、噂」など「話」という意味を持つ名

詞に続き、「話の内容が～に関係する」という意味を表します。
◆「にまつわる」は多くの場合「についての」で置き換えることは可能ですが、「についての」よりも「にまつわる」のほうが間接的な感じがします。
　そのため「話」に近い意味を持っていてもより直接的に対象とかかわる「質問」や「議論」には「にまつわる」を使うことはできません。

(3)　山田議員の環境問題{○についての／×にまつわる}質問は新聞でも大きく取り上げられた。

もう少し

◆「まつわる」は動詞として辞書にも登録されていますが、文末では用いられず常に複合格助詞として使われます。

(4)×彼の不思議な話はこの城にまつわった／まつわっていた。 cf.(1)

◆「にかかわる」は「に関係する」という意味を持ちます。(2)のように「(単に) 関係がある」ことを表す用法と、次の(5)のように「問題」や「重要／重大なこと」という意味を持つ名詞が続き、「直接的に大きく関係する・重要な意味を持つ」ことを表す用法があります。

(5)　経済構造の転換は日本の将来にかかわる重大な問題だ。

もう一歩進んでみると

◆複合格助詞は、格助詞に動詞のテ形もしくは連用中止形を付けることによって構成されるものが多いのですが、なぜこれを複合格助詞としなければならないのでしょうか。
　例えば「にこたえて」という形式があります。この形式は、次のような文で用いられます。

(1)　その歌手は観客のアンコールの声にこたえてもう一曲歌った。

しかし、文末で用いて次のように言うことも可能です。

(2) その歌手は観客のアンコールの声に笑顔で<u>こたえた</u>。

(2)のような場合、これは「こたえる」という動詞であって、(1)はその動詞の継起的用法のテ形と考えることができます。

「にかかわる」も「直接的に大きく関係する・重要な意味を持つ」ことを表す用法など、文末でそのまま使えることがあります。

(3) 経済構造の転換をしないまま放置しておくと、日本の将来<u>にかかわる</u>。

一方、「について」など上に挙げた複合格助詞は、文末で用いることはできません。

(4)×最近考えた問題は人生<u>についた</u>。

このように文末での形を欠きテ形もしくは連用中止形で述語に係っていく形のみで用いられるものを(典型的な)複合格助詞と言うのです。

「について」は、名詞に続く形として「について<u>の</u>N」という形をとり、動詞の辞書形を用いた「×につくN」という形は持ちません。このことは、この「について」がすでに動詞の「付く」とはまったく別の存在であることを示しています(→コラム「文法化」)。

○参考文献
森田良行・松木正恵（1989）『日本語表現文型』アルク
　★複合格助詞を含む複合的な表現の最も詳しい記述。

コラム
文法化

　§2～§5に挙げる複合格助詞のいくつかは動詞に由来しています。例えば「環境問題について答弁する」や「講堂において講演を行う」といった場合の「～について」や「～において」は動詞「付く」「置く」と語源的に関係があります。しかし「～について」や「～において」には、動詞が本来持っていた「付く」や「置く」といった動作の意味は含まれていません。

　このように、ある（いくつかの）語が特定の言語的な環境で（まとまって）文法的な意味や働きを担う形式になる現象を**文法化**と言います。

　文法化した形式は、元の語とは違った環境で使われたり、現れる環境に制限があったりします。上に挙げた「～について」と「～において」は「×答弁は環境問題についた」や「×講演は講堂におけばいい」のように終止形や条件の形で使うことはできません。また、間に他の語が入らないのが普通です。「×環境問題によくついて答弁する」や「×講堂にはおいて講演を行う」と言うことはできません。

　「～ておく」などの補助動詞や「～だす」などのような複合動詞にもこの現象が多く見られます。

　「試験に備えて勉強しておく」の「～ておく」は動詞「置く」から来ていますが、動詞としての「物品をある場所に置く」という意味を持っておらず、前に来る動詞が「ある目的のためにあらかじめある行為を行う」ことを表します。また、「雨が降りだす」の「～だす」も、「出す」という動詞の空間移動の意味はなく「始める」と意味的に近くなっています。

　このような「～ておく」や「～だす」は前の動詞のテ形やマス形語幹に接続するという環境で、本来の語とは異なった意味、すなわちアスペクト的な意味を持つ形式として文法化しています。

　日本語ではこの他に接続の表現やモダリティ表現など、多様でやや抽象的な意味を表す文法形式がこのような文法化という現象を経て形成されています。

　一方で、§2の「もう一歩進んでみると」で述べるように、中にはもとの語の意味を大きく残していると考えられるものもあります。どこまでを複合格助詞やアスペクト形式などといった文法化した形式と認めるかは難しい問題を含んでいます。

§3. 格助詞(2)
－手段、原因、根拠、情報源－

　格助詞の「で」は①場所、②材料、③手段・道具、④原因・理由、⑤範囲、⑥まとまり、⑦内容といった様々な意味を持ちます（→初級編§2）。これらの意味は、場所を表す名詞である「公園」に「で」が付けばデ格は①の場所の意味を持つというように、前に来る名詞の性質によって解釈されています。

　格助詞の「で」は、このように多くの意味を持つため、意味を理解しにくい場合もあります。特に文が長くなった場合には、意味を特定化しやすい形式を使って述語と名詞句の結びつきをわかりやすく表示しなければ、文の意味が通じにくくなります。このために複合格助詞が用いられます。

　ここではデ格の持つ意味を中心に、特に手段や原因、根拠を表す表現を扱います。なお、一部の形式は「雨が降ったおかげで」の「おかげで」のように名詞修飾の形をとることで原因・理由の複文表現ともなります。このようないわゆる接続助詞に相当する形式も一部扱いますが、詳しい用法については§31を見てください。

1. によって、を通じて、をもって－手段を表す表現－

(1) 松井は自社株の売却によって大金を得た。
(2) 今日ではインターネットを通じて多くの取引がなされている。
(3) 質問の回答は書面をもって三日以内に通知いたします。

これだけは

◆手段を表す「によって、を通じて、をもって」は格助詞の「で」を用いて表すこともできます。

(4) 松井は自社株の売却で大金を得た。
(5) 今日ではインターネットで多くの取引がなされている。
(6) 質問の回答は書面で三日以内に通知いたします。

「によって、をもって、を通じて」は「で」と比較して文体的にやや硬く感じられます。

◆「によって」は「で」よりもやや硬い表現ですので、個人的な動作の手段としては使われません。

(7) 私は毎日会社へバス{×によって／○で}通っています。
(8) はしがなかったのでボールペン{×によって／○で}弁当を食べた。

次の(9)(10)のような客観的な出来事の手段としては「によって」と「で」のどちらも用いられます。

(9) 電車が大雨で不通になったので、バス{○によって／○で}乗客を輸送することになった。
(10) この小学校では天体望遠鏡{○によって／○で}毎晩天体観測を行っている。

◆「を通じて」は行為や情報伝達を媒介するものを表します。

(11) マネージャーを通じてその俳優の出演を依頼した。
(12) そのニュースは通信社を通じて海外に発信された。

◆「を通じて」には変化の原因となる経験を表す用法もあります。この場合「によって」で表すこともできますが、「を通じて」のほうが相対的に長期にわたる経験であるという印象を受けます。

(13) 留学生との交流{を通じて／によって}彼は視野を大いに広げた。

◆「によって」と「を通じて」は節全体を手段とする場合もあります。

　　⑭　田中は会議を欠席する<u>ことによって</u>反対の意思を示した。
　　⑮　ボランティア活動に参加する<u>ことを通じて</u>多くのことを学んだ。

◆(3)のような「をもって」は「という体裁・形式で」という意味で用いられますが、文体的に硬い用法です。
　「をもって」の他の用法は§4で扱います。

もう少し

◆「によって」が無意志動詞とともに用いられる場合には原因・理由（→2）の意味になります。

　　⑯　この夏の猛烈な暑さ<u>によって</u>農作物に大きな被害が出た。

◆「によって」は「よる」という動詞から来ています。「よる」は「因る・依る・拠る」とも書くように原因の所在や動作・判断の依拠を表します。「によって」には次のような用法もありますが、原因の所在や動作・判断の依拠という点でここで見た「によって」と共通しています。

　　⑰　あいつは人<u>によって</u>態度をころっと変える。（変化の基準→§4）
　　⑱　法隆寺は聖徳太子<u>によって</u>建てられた。（受身の動作主→初級編§30）

◆「によって」は名詞修飾の形として「によるN」を用います。「によるN」は個人的な意志による動作の手段としても用いられます。

　　⑲　バス<u>による</u>通勤を始めて3ヶ月経った。cf.(7)

◆「を通じて」に似た形式として「を通して」があります。

　　⑳　代理人を｛○を通じて／○を通して｝球団に移籍を打診した。

動詞としては「通す」が一般的に用いられます。次の場合「を通じて、を通して」の形になっていますが複合格助詞ではありません。

　　㉑　仕事の話はマネージャー｛×を通じて／○を通して｝ください。

◆「を通じて」「を通して」には「その期間中ずっと」という意味もありま

す（→§4）。

2. で、によって、から、のせいで、のおかげで、のため(に)、に、につき、とあって、ゆえ(に) －原因・理由・根拠を表す表現－

> (1) 地震{で／によって}多くの家が倒壊した。
> (2) たばこの火の不始末から大火事になった。
> (3) ワープロのせいで最近の学生はろくに漢字を覚えていない。
> (4) ワープロのおかげで文書作成が速くなった。
> (5) その学生は貧しさのため(に)進学をあきらめなければならなかった。
> (6) あまりの暑さに気を失う人が続出した。
> (7) 工事中につき徐行してください。
> (8) 夏休みとあってどこの海も子ども連れで混んでいる。
> (9) 貧しさゆえ(に)田中は子どものころ、いつもおなかをすかせていた。

これだけは

◆(1)～(9)に挙げた格助詞「で、から、に」と、複合格助詞「につき、とあって、のせいで、のおかげで、のため(に)、ゆえ(に)、によって」は原因・理由・根拠を表します。

「とあって、せいで、おかげで、ため(に)、ゆえ(に)」は動詞など述語を含む節に付いて複文を形成します。これらの形式については初級編§23および中上級編§31を見てください。ここでは格助詞「で、から、に」と複合格助詞「につき、によって」について説明します。

◆原因・理由を表す代表的な格助詞は「で」です。「で」は原因・理由の他にも様々な意味を持ちますので、意味を明確にするために「によって」などの複合格助詞を用います。

◆「によって」も広く原因・理由を表します。「によって」は(1)など多くの場合に「で」で言い換えることができます。

◆原因・理由を表す「で」の中には「によって」で置き換えられないものもあります。

(10)　風邪{○で／×によって}寝込んでいる。
　(11)　彼は両親の離婚問題{○で／×によって}悩んでいる。

　(10)は「風邪を引いたこと」の結果として「寝込んだ」のではなく、付帯状況としての「風邪を引いている」ことが「寝込んでいる」ことの理由となっています。(11)のような心理動詞が続く場合も同じです。このような場合には「によって」は使えません。
◆「から」はすぐに原因と結果が結びつかない遠い原因（遠因）を表すのに用います。(2)では「たばこの火を始末しなかったこと」が時間をかけて大火事に結びついたことを表しています。逆に瞬時に原因と結果が結びつく場合には「から」は使えません。

　(12)　たばこのポイ捨て{○で／×から}あたりに充満していたガスが爆発した。

　また、述語が意志動詞の場合、動作の理由を「から」で示すことはできません。

　(13)　病気{○で／×から}進学を断念した。

◆「から」は「考える」「推察する」などの思考・判断を表す動詞とともに用いられ判断の根拠を表すこともあります。

　(14)　現場に残された証拠から犯人は田中であると考えられます。

　思考・判断を表す動詞は(14)のように可能形で表される他、「思われる」のように自発の形が用いられることもあります。
◆「に」は前に置かれた名詞が表す出来事がきっかけとなって他の出来事が起きることを表します。そのため述語は心理状態などの無意志的動作に限られます。

　(15)　予期せぬ敗戦に選手は皆力を落としていた。
　(16)　中田はきれいに決まったシュートに気をよくしたようだ。

　この場合「で」を用いて言うこともできますが、きっかけとしての意味は薄れます。
◆「につき」は掲示など不特定の読み手に対して意思を表明したり依頼・命

令・禁止を表現したりする場合に用いられます。

(17) 店内改装中につきしばらく休ませていただきます。

事実の原因・理由を表す場合には用いられません。この場合「で」を使います。

(18) 店内の改装 {×につき／○で} 1週間休業した。

◆「につき」は常に書きことばで用いられるやや硬い表現です。

もう少し

◆「で」と違って「から」が遠い理由（遠因）を表す理由は、「で」と「から」の空間的な捉え方の違いで説明されます。「で」は動作の生じる場所を表すのに対して、「から」は本来移動などの範囲の一端を表しもう一方の端と離れています。
　このような「から」の性質は、受身文で動作をする側と受ける側が接触しない場合に限って動作をする側を「から」で表せることと同じ原理によるものです（→初級編§30）。

◆「に」には、「田中に殴られた」のように受身文の動作主を表したり、「おじいさんにお年玉をもらった」のように「もらう、借りる」などの動詞の場合のものや情報の出どころを表したりする性質があります。ここで見たきっかけを表す「に」の用法はこのような出どころに近い性質のものです。

◆受身的な出来事が原因・理由になっている場合や、受身的な出来事の原因・理由に対しては「で」は使えず「に」を用いなければなりません。

(19) 販売員のあまりに熱心な勧誘 {○に／×で} つい契約書にサインをしてしまった。（＝勧誘されたので）
(20) 子どもたちの純真さ {○に／×で} 心を打たれた。

3. によると、によれば －情報源を表す表現－

(1) 今朝の新聞によると北日本で大雪が降ったそうだ。
(2) 日銀によれば景気は回復傾向だということだ。

これだけは

◆「によると、によれば」はどちらも、(1)のように「新聞、報告書、手紙、予想、発表」など情報内容を持つ名詞や、(2)のようにそれらを発表する機関を表す名詞に付いて、それらの名詞が情報源であることを表します。

◆「によると、によれば」は話し手みずからの判断ではなく他に判断の根拠となる情報源が存在することを表します。そのため文末には「らしい、そうだ、ということだ」のような形式が用いられます。

(3) 気象庁によるとこの夏は非常に｛×暑かった／○暑かったらしい／○暑かったそうだ／…｝。

◆情報源となる名詞（またはその名詞が表す情報の発信者）自身の動作を表すのはやや不自然です。

(4) ?日銀によれば金利の引き上げを行わないとのことだ。
(5) ?星野さんからの手紙によれば来年日本に戻ってくるそうだ。

この場合には引用の形を用います（→§15）。

(6) 日銀は金利の引き上げを行わないと発表した。
(7) 星野さんは来年日本に戻ってくると手紙に書いてきた。

◆「で」は単独ではこのような情報源を表しませんが、「では」の形で情報源を表すことがあります。この場合「によると」で言い換えられます。

(8) 先生の話｛では／によると｝田中くんが大学を辞めたとのことだ。
(9) 環境省の発表｛では／によると｝東京湾の浅瀬が残されるそうだ。

このような「では」が使えるのは「話」や「発表」など情報自体を表す名詞の場合に限られます。情報を伝えるものや機関には付きません。

(10) 新聞｛×では／○によると｝大雪が降ったそうだ。
(11) 気象庁｛×では／○によると｝この夏は暑かったそうだ。

これは場所の「で」の読みになってしまうためです。

◆「によると、によれば」は条件の形から来ていますので名詞修飾の形はありません。

4. に沿って、に即して、に基づいて －基準を表す表現－

> (1) 社員は皆決められた方針に沿って準備を進めた。
> (2) この法律はもう時代遅れだ。実態に即して改める必要がある。
> (3) 与野党党首会談の合意に基づいて法案を作成する。

これだけは

◆「に沿って」は英語のalongにあたり、(4)のような「川」など「長いものに沿って」の意味を持ちます。

> (4) 道に迷ったので川に沿って山を下った。

この「長いものに沿って」という意味から、「方針、指導、あらすじ、手順」など時間的な長さを持った名詞とともに用いる用法もあります。

> (5) 教えられた手順に沿って会場の準備を進めた。

◆「に即して」は「実態、現状、時代」など現実の状態を表す名詞に付き、「それに合わせて」という意味を表します。
◆「に基づいて」は様々な名詞に付いて「それを基礎として」という意味を表します。
◆「に沿って」は「で」で言い換えることができますが、「に即して、に基づいて」は基本的に言い換えることができません。

> (1)' 社員は皆決められた方針で準備を進めた。
> (2)'×この法律はもう時代遅れだ。実態で改める必要がある。
> (3)'×与野党党首会談の合意で法案を作成する。

これはこれらの複合格助詞がより個別の実質的な意味を持つためです。

○参考文献

奥田靖雄（1983）「で格の名詞と動詞とのくみあわせ」言語学研究会編『日本語文法・連語論（資料編）』むぎ書房
　★デ格の用法について非常に詳しい記述がある。

§4. 格助詞(3)
－状況－

状況を表す複合格助詞には次のようなものがあります。
1．空間的・時間的な位置や境界を表す形式：において、にて、にして、でもって、をもって
2．空間的・時間的範囲を表す形式：にかけて、にわたって、を通じて
3．状況に応じた変化・対応を表す形式：によって、次第で、いかんで、に応じて、とともに
4．多様な状況に対して一定であることを表す形式：を問わず、にかかわらず
5．非存在的状況を表す形式：なくして、なしに、をぬきにして、なしで
6．付帯状況を表す従属節に相当する表現：XをYに

状況を表す形式の中にはデ格に近いものもありますが、デ格で表されるよりも多様な状況を表すために様々な形式が用いられているのです。

1．において、にて、にして、でもって、をもって
　　－空間的・時間的な位置や境界を表す形式－

(1) 我が国の領海内において違法な操業を行った漁船が拿捕された。
(2) パーティは４階富士の間にて行います。
(3) 彼は40歳にしてようやく結婚相手を見つけた。
(4) 来年３月でもって長く勤めたこの会社を辞めることになった。
(5) これをもってパーティを終了させていただきます。

これだけは

◆「において、にて、にして、でもって、をもって」は出来事が起きる場所や時間を表す表現です。これらは「で」で置き換えることができます。

(1)' 我が国の領海内で違法な操業を行った漁船が拿捕された。
(2)' パーティは4階富士の間で行います。
(3)' 彼は40歳でようやく結婚相手を見つけた。
(4)' 来年3月で長く勤めたこの会社を辞めることになった。
(5)' これでパーティを終了させていただきます。

「において、にて、にして、でもって、をもって」は、語によって多少差がありますが、スピーチなどの公の場面の話しことばや書きことばで使われるやや硬い表現です。「で」にはこのような制限はありません。

◆「において」は動作や出来事の場所や時間を表します。

(6) 卒業式は10時から大ホールにおいて行われます。
(7) 明治時代においてはまだまだ女性の地位は低かった。

(7)のように時間を表す場合は「に」の代わりに使われています。

(7)' 明治時代にはまだまだ女性の地位は低かった。

◆「において」は判断の範囲を表す「で」の代わりに用いられることもあります。

(8) 容疑者は大筋｛において／で｝犯行を認めている。
(9) 宝くじで大金を手にした人はある意味｛において／で｝不幸である。
(10) この旅客機は速さの点｛において／で｝他に勝るとも劣らない。

◆「にて」は出来事が起きる場所や時間を表します。
時間を表す場合は終了する期限のみを表します。

(11) 受付は3時にて｛○終了いたしました／×開始いたしました｝。

この点でも「で」と同じ用法を持つと言えますが、期間を表す「で」は「にて」を使って言うことはできません。

(12)　新幹線は東京と大阪の間を2時間半{○で／×にて}走ります。

　また、「にて」はかなり硬い表現で(2)のように催し物などの案内掲示や案内状などで用いられる定型表現です。

もう少し

◆「にして」は年齢や期間とともに用いられます。

(13)　彼は50歳にして山登りを始めた。
(14)　バイオリンを習い初めて3か月にしてすでにかなり上達した。

単なる時間を表すことはできません。

(15)×受付は3時にして終了しました。

　この場合、その年齢や期間が通常想定されるよりも高い・長い（あるいは低い・短い）ことを感嘆を込めて表現しています。通常想定される年齢や期間を述べる場合には使いにくいです。

(16) a.？新郎の田中くんは22歳にして大阪大学を卒業しました。
　　 b.　新郎の田中くんは22歳にして大阪大学の助手になりました。

◆「をもって」は開始や終了という区切りの時を表します。

(17) a.　私は昨年3月をもってあの大学を辞めた。
　　 b.　私は昨年4月をもってこの大学に着任した。

「をもって」の手段としての用法は§3を見てください。

◆「でもって」は終了の時を表すことはできますが、開始の時を表すことはできません。これは「で」や「にて」と同じ特徴です。

(18) a.○私は昨年3月でもってあの大学を辞めた。
　　 b.×私は昨年4月でもってこの大学に着任した。

◆この他に「でもって」は「で」のほとんどの用法を持ちます。

(19) a. 図書館でもって勉強する。　　（場所）
　　 b. 紙でもって人形を作成する。　　（材料）
　　 c. 大雪でもって電車が止まる。　　（原因・理由）
　　 d. １日でもって仕事を完了する。　（期間）

「でもって」は話しことばでもよく用いられます。

◆時間を表す「において」は「時代、～期（上半期、バブル期）、年末、～（の)時点」などの限られた語に付きます。

(20) ｛○上半期／○年末／？３月／？３月５日｝においては株価は安定していた。

一方、名詞修飾の形の「における」は広く時間を表す名詞に付きます。

(21) ｛○上半期／○年末／○３月／○３月５日｝における株価は先行きの不安を感じさせるものではなかった。

◆「にして」はナ形容詞のテ形（「～で」）としても使われます。

(22) 頑強にして堅固な要塞　　（＝頑強で堅固な要塞）

2. にかけて、にわたって、を通じて
　　－空間的・時間的範囲を表す形式－

(1) 昨夜未明から明け方にかけて大きな地震が相次いで起きた。
(2) 地震は１ヶ月にわたって続いた。
(3) ６月は１年を通じて最も雨の多い月だ。

これだけは

◆「にかけて、にわたって、を通じて」は空間的あるいは時間的な範囲を表すために用いられる複合格助詞です。

◆「にかけて」は二つ以上の範囲にまたがって出来事が生じる場合に用います。この場合一方の範囲を表すのに「から」が用いられます。

　　(4)　春から夏にかけて富山湾ではよく蜃気楼が見られる。
　　(5)　東北地方から北海道にかけて今夜は大雪になるでしょう。

◆「にわたって」は空間的あるいは時間的に広範囲を表す名詞に付いて「その範囲全体で」という意味を表します。

　　(6)　火山の噴火で島全域にわたって火山灰が降り注いだ。
　　(7)　その祭りは１ヶ月にわたって繰り広げられる。

◆「を通じて」は期間や区間を表す名詞に付いて「～の間ずっと」という意味を表します。

　　(8)　熱帯地方では１年を通じて寒暖の差があまり大きくない。
　　(9)　北陸自動車道は雪のため全線を通じて50キロ規制になっている。

「を通して」もほぼ同じ意味で用いられます。

もう少し

◆「にわたって」は単独で範囲を表す名詞に付くのが原則ですが、特に空間的に広範囲であることを表す場合に「にかけて」の意味で用いられることもあります。

　　(10)　昨夜未明、東北地方から関東地方にわたって広い地域で地震がありました。

◆「にかけて」は空間的・時間的な範囲の両端が漠然としている場合に用います。そのため次の場合には「にかけて」は使えず、「まで」を用います。

　　(11)　２時から３時ちょうど{×にかけて／○まで}テレビを見た。

3. によって、次第で、いかんで、に応じて、とともに
　　－状況に応じた変化・対応を表す形式－

> (1)　すいかは大きさによって値段がまったく違う。
> (2)　運動会の種目は天候次第で多少変更になることもあります。
> (3)　今回の試験の結果いかんで進学をあきらめなければならなくなるかもしれない。
> (4)　購入金額に応じて様々な特典が受けられます。
> (5)　時代とともに人々の価値観が変わる。

これだけは

◆「によって、次第で、いかんで、に応じて、とともに」は状況の変化や多様性によって事態が変化したり、様々な状況に対応したりする関係にあることを表す表現です。

◆「によって」はこのような関係を表す最も一般的な形式で、次の三つの意味で用いられます。

　① 様々なAに対してBが変化する

　　(6)　酒は保存状態によって味が大きく変わってくる。
　　(7)　敬語は使い方によっては、かえって相手に失礼になることもある。

(6)は「保存状態が変われば味が変わる」という条件とその帰結という意味を持ちます。(7)も同様です。

　② 様々なAに対してBを変化させる

　　(8)　市場ではすいかの重量によって卸値を付けている。

　③ 様々なAが様々なBを持つ

　　(9)　歴史に対する考え方は人によって様々である。

(9)は「様々な人が様々な考え方を持つ」という多様性を表します。

◆「次第で」と「いかんで」は①の意味しか持ちません。

　　⑽○敬語は使い方{次第で／いかんで}は、かえって相手に失礼になる
　　　　 こともある。
　　⑾×市場ではすいかの重量{次第で／いかんで}卸値を付けている。
　　⑿×歴史に対する考え方は人{次第で／いかんで}様々である。

◆「に応じて」は②の意味しか持ちません。

　　⒀×敬語は使い方に応じて、かえって相手に失礼になることもある。
　　⒁○市場ではすいかの重量に応じて卸値を付けている。
　　⒂×歴史に対する考え方は人に応じて様々である。

◆「とともに」は「Aが変化すればBも変化する」という意味を持ちます。
Aは節でもかまいません。

　　⒃　熟成とともに酒は味が変わる。
　　⒄　年を取るとともにものの考え方も変わってくる。

もう少し

◆「とともに」に似た表現に「につれて」「にしたがって」などがあります。
これらは§33を見てください。

4．を問わず、にかかわらず
　　　－多様な状況に対して一定であることを表す形式－

　　⑴　いじめ相談の電話は昼夜を問わず24時間受け付けています。
　　⑵　天候にかかわらず運動会は予定通り行います。

これだけは

◆「を問わず、にかかわらず」は状況の変化や多様な状況に対して事態が変化せず一定であるという関係を表す形式です。

◆「を問わず」は次のような名詞に付きます。

　①「男女、晴雨、昼夜、（国の）内外」など反対概念を含む名詞
　②「年齢、性別、天候、大きさ」など複数の要素を含むと考えられる名詞
　③「公立私立、与党野党」など反対概念の語を並列して挙げたもの

◆上の①の名詞の中には「にかかわらず」といっしょに用いられないものがあります。②や③の名詞とはともに用いられます。

　(3)　この競技は男女{○を問わず／×にかかわらず}参加できます。
　(4)　この競技は性別{○を問わず／○にかかわらず}参加できます。

もう少し

◆「を問わず、にかかわらず」は複文では「ても」が近い意味を持ちます（→初級編§25）。(1)と(2)は「ても」を用いて言い換えられます。

　(1)'　いじめ相談の電話は昼でも夜でも24時間受け付けています。
　(2)'　晴れても雨が降っても運動会は予定通り行います。

◆「にかかわらず」は動詞や形容詞の肯定と否定あるいは反対語を併置したものに続くこともあります。「を問わず」にはこの用法はありません。

　(5)　雨が降る降らない{×を問わず／○にかかわらず}運動会を行います。
　(6)　量の多い少ない{×を問わず／○にかかわらず}不用品を持ってきてくださればトイレットペーパーと交換いたします。

◆「によらず」も同様の意味を表しますが、単独では用いにくく、通常、「のいかんによらず、がどうであるかによらず」などの形で用いられます。

　(7)　天候のいかんによらず運動会は予定通り行います。

「によらず」は3で見た「によって」の否定の形です。
◆ほかにも「Nのいかんを問わず／にかかわらず」のように「のいかん」を含む表現もあります。「いかん」は「どうであるか」という意味です。
◆「を問わず、にかかわらず、のいかんによらず」はいずれも「ず」という

否定の形を含んでいます。これは現代語にすれば「ないで」に当たりますが「×を問わないで、×にかかわらないで、×のいかんによらないで」などの表現としては使われません（→コラム　文法化）。

5. なくして、なしに、をぬきにして、なしで
　　－非存在的状況を表す形式－

> (1)　努力なくしては何事も成し遂げられない。
> (2)　過去の正しい認識なしに未来を築くことはできない。
> (3)　財政状態の健全化をぬきにして日本の将来は語れない。
> (4)　今日はアルコールなしでまじめな話をしよう。

これだけは

◆「Nなくして～」と「Nなしに～」は共に「Nが存在しないという仮定的状況において～」という意味を表します。(1)(2)は条件文の「Nが（い）なければ～」とほぼ同じ意味で言い換えられます。

　　(1)'　努力がなければ何事も成し遂げられない。
　　(2)'　過去の正しい認識がなければ未来を築くことはできない。

◆「Nをぬきにして～」には二つの意味があります。
　①　仮定的な条件を表す場合
　「Nを考慮に入れなければ～」「Nを考えなければ～」という意味が根本にあります。

　　(3)'　財政状態の健全化を考慮に入れなければ日本の将来は語れない。

　単に「Nが存在しなければ～」という意味の場合には使うことができません。この場合は「Nなくして～」や「Nなしに～」を使います。

　　(5)　空気{×をぬきにして／○なくして／○なしに}人は生きられない。

② 事実に対する付帯的な状況を表す場合

「Nはしないで、Nはさておき」などの意味を持ちます。

(6) 堅苦しい挨拶はぬきにしてさっそく一杯やりましょう。
(7) 冗談はぬきにしてもう研究なんかやめてしまいたい。

この場合、よく「Nはぬきにして」の形で用いられ、多く「～」に勧誘・依頼・命令や意志・願望などのモダリティ表現が来ます。

◆「Nなしで～」は上の②の意味で用いられます。複文では「～ないで」に相当します。

(4)' 今日はアルコールを飲まないでまじめな話をしよう。

もう少し

◆「Nなしで～」とよく似た意味のものに「Nなしに～」があります。

(8) 彼女は予告{なしで／なしに}いつも突然現れる。
(9) 臓器提供は家族の同意{なしで／なしに}行うことはできない。

ただし「P(節)ことなしに～」を「Pことなしで～」と言うことはできません。

(10) 臓器提供は家族が同意すること{×なしで／○なしに}行うことはできない。

6．XをYに－付帯状況を表す従属節に相当する表現－

(1) スキーを片手に彼はロッジを黙って出ていった。
(2) 暑さを口実にして勉強をさぼってばかりいる。

これだけは

◆「XをYに」で表される句はYとして表される名詞の性質によって次の

様々な状況を表します。

① **身体的・精神的所持**
　a. **所持場所**：手（片手、両手）、胸…

　(3)　ドアを開けると彼は花を両手に微笑んで立っていた。
　(4)　楽しかった思い出を胸に僕は帰国した。

　b. **所持の名目**：思い出、（手）土産…

　(5)　友人たちとの楽しかった日々を思い出に帰国の途に就いた。
　(6)　地酒を土産に友人の家を訪ねた。

② **物理的状況**
　c. **時間**：最後、限り、皮切り、境、機会、きっかけ、契機、前…

　(7)　そのコンサートを最後に彼女は引退した。
　(8)　武道館を皮切りに全国12カ所でコンサートを開く。

　d. **空間**：（目の）前、後ろ、バック、背景、中心、舞台、会場、拠点…

　(9)　富士山をバックに写真を撮りましょう。
　(10)　「ローマの休日」はローマの下町を舞台に繰り広げられる物語だ。

　e. **抽象的位置**：ピーク、頂点、最高；軸、基準、中心、もと；よそ…

　(11)　日本への留学生の数は1995年をピークに減り続けている。
　(12)　賃上げ要求は3％を軸に進められている。
　(13)　娘は親の心配をよそに定職にも就かずふらふらしている。

③ **理由・目的**
　f. **理由**：理由、口実、言い訳…

　(14)　前首相は体調不良を理由に国会の証人喚問に応じない。
　(15)　息子は暑さを口実に勉強しないで遊んでばかりいる。

　g. **目的**：目的、目標、目当て…

　(16)　男は財産を目当てに彼女に近づいた。

④ 役割・資格

　　h. **役割**：主人公、ヒロイン、肴…

　⑰　この映画は深田恭子をヒロインに作られた。
　⑱　思い出話を肴(さかな)に飲み明かした。

　　i. **資格**：たより

　⑲　地図をたよりに商談相手の会社を訪ねた。

もう少し

◆これらa〜iに共通するのは「XをYに」が述部の表す出来事に対して背景的な状況を示しているということです。

　例えば(3)の「ドアを開けると彼は花を両手に微笑んで立っていた。」は述部の「彼が立っていた（コト）」が主たる出来事です。その出来事の背景的状況として「花を両手に（持っていた）コト」が表されています。

　これは複文の付帯状況のテ節と同じ機能です（→初級編§21）。実際、ほとんどの例文がテ節で言い表せます。

　　(3)'　ドアを開けると彼は花を両手に持って微笑んで立っていた。
　　(9)'　富士山をバックにして写真を撮りましょう。

◆この「XをYに」で言い表せるのは基本的に「XをYにする」と「する」という動詞が用いられるものです。とくに②の物理的状況や③の理由、④の役割・資格のほとんどは「XをYにする」の形で言えます。これらは「Xを（臨時的に）Yに充てる」という意味があるものと考えられます。

　①の身体的・精神的な所持は「する」よりもむしろ「持つ」のほうが言いやすく感じられますが「する」でも言えないことはありません。

　「XをYにする」で言い換えにくいものは次のものです。

　　⒀'×娘は親の心配をよそにした。
　　⒃'？男は（彼女の）財産を目当てにした。
　　⒆'？地図をたよりにした。

⒆'のように「～せざるをえなかった」とするとよくなる場合もありますが、それでも構文的な制限があることは事実です。

これらは固定した表現として「～をよそに、～を目当てに、～をたよりに」という複合格助詞に近くなってきていると考えられます。

もう一歩進んでみると

◆主たる出来事の背景的な状況を示す方法としては複文（→§33）や名詞修飾節（→§29）が一般的です。その中で複合格助詞を用いるのは場所や時間といった相対的に単純なものです。

○参考文献

寺村秀夫（1983）「「付帯状況」表現の成立の条件－「ＸヲＹニ……スル」という文型をめぐって」『日本語学』2 - 10　明治書院（『寺村秀夫論文集Ⅰ－日本語文法編－』に収録　くろしお出版）

村木新次郎（1983）「「地図をたよりに、人をたずねる」という言いかた」渡辺実編『副用語の研究』明治書院

　★いずれも「ＸをＹに」に関する詳細な論文。

コラム
対照研究(1)―(複合)格助詞―

(1) ×私に対してこれは簡単だよ。

(1)は中国語母語話者によく見られる誤用で、正しくは「私にとって」となります。では、なぜこうした誤用が見られるのでしょうか。

こうした誤用の背景には学習者の母語である中国語の影響があると考えられます。張麟声(2001)によると、日本語の「～にとって」と「～に対して」は共に中国語の「对(＋漢字)」に相当します(「对」は「対」の簡体字)。

(2) 「当人にとっても迷惑な話だ」(松本清張「砂の女」)
("对他本人这也是个负担。")
(3) この種の仕事は私に(とって)は適切ではない。
(这种工作对我不合适。)

このように、「～にとって」と「～に対して」のどちらの意味の場合も中国語では「对」が使われること、しかも「对」は「～に対して」の「対」でもあることが(1)のような「～に対して」の過剰使用に結びついています。

一方、(4)は韓国語母語話者に多い誤用ですが、これは韓国語では「乗る」に当たる動詞が目的語に「を」相当の助詞を取るためです(田窪行則(1987))。

(4) ×今日は自転車を乗って来ました。(○自転車に)

このように、学習者は外国語を使う際、母語の規則を流用することがよくあります。これを**転移**と言います。転移には結果的に正しい表現を導く「正の転移」とともに、(1)(4)のような誤用につながる「負の転移」もあります。

ある言語の特徴を考えるとき、その言語だけではわからないことが他の言語との比較からわかることがあります。そうした目的で行われる研究を**対照研究**と言います。対照研究は日本語教育(外国語教育)にとっても有益です。

○参考文献
田窪行則(1987)「誤用分析(3)」『日本語学』6-6
張 麟声(2001)『日本語教育のための誤用分析―中国語話者の母語干渉20例―』
　スリーエーネットワーク

§5. 格助詞(4)
－その他の形式と一般的な特徴－

　名詞と述語との関係を表す多様な意味の中から§2〜§4までで対象、手段、原因、根拠、情報源、状況に関する形式について扱いました。しかし、これらの分類には入らない複合格助詞もいくつか存在します。§5では上の分類ではくくれない複合格助詞について見ていきます。

　また「から」「まで」は、「5ページから10ページまでを勉強した」のように格助詞の「を」といっしょに使われることがあります。この「から」「まで」は格助詞ではなく**順序助詞**と呼ばれます。このような順序助詞についてもここで見ていきます。

　動詞に由来することが多い複合格助詞には様々な形のバリエーションを持つものがあります。ここでは複合格助詞に関するいくつかの特徴についても見ておくことにします。

1. として、にとって －資格・立場－

> (1) 私は日本語の教師<u>として</u>ローマで3年教えたことがあります。
> (2) ローマで過ごした3年間は僕<u>にとって</u>一生の宝物だ。

これだけは

◆ 「として」は動作や状態の主体の（臨時的な）資格や立場を表します。

> (3) 大橋君は選手代表<u>として</u>宣誓を行った。
> (4) そのころ母は音楽の教師<u>として</u>中学校で働いていた。

(3)では「大橋君」が「宣誓を行う」ときの資格として「選手代表」であることが出来事として言い表されています。
◆「として」には「扱う、見なす」などヲ格目的語に資格を与える意味を持つ動詞とともに用いられ対象の資格や立場を表す用法もあります。

 (5) A国はそのNGOの代表を国賓として丁重に扱った。

◆「として」には形容詞述語、名詞＋「だ」とともに用いられその状態の名目を表す用法もあります。

 (6) この地方は絹織物の産地として有名だ／名高い。
 (7) 富士山は日本人がイメージする山として典型的な山だ。

この場合、「で」を使っても言うことができます。

 (8) この地方は絹織物の産地で有名だ／名高い。

次のような「知られている」とともに用いられる例もこの類の表現です。

 (9) この地方は絹織物の産地として知られている。

◆「として」は「としては」の形で用い、述部に表す動作や状態に対して判断を行う立場を、個人的なものと限定しながら表します。

 (10) 自分としては間違ったことは言っていないと考えています。
 (11) あんな服でも着ている本人としては似合っているつもりなのだろう。

(10)の「自分」、(11)の「本人」の他に「私」などの人称代名詞や「当人、～の身」など「人」を表す名詞が用いられます。
◆「にとって」は、述部に「重要だ、大切だ、簡単だ」のような価値判断を表す形容詞の他、「一生の宝物だ、かけがえのない人だ、ささいなことだ、命の恩人だ」などの価値判断を含む「名詞＋だ」が来て、そのような価値判断・評価を行う立場を表します。

 (12) 日本にとってアジアの国々との関係はますます重要になる。
 (13) 危ないところを救ってくれた田中さんは私にとって命の恩人です。

◆「にとって」とともに用いられるこれらの述部は、あくまでその立場という範囲について有効な状態です。そのため「美しい、汚い、貴重だ、有名だ」などの客観的な状態を表す表現が述語に来ることはありません。

　　(14)　彼女は私にとって{×美しい／×有名だ}。

この場合、「私は彼女が〜と思う」などの表現を用います。
◆学習者の母語によっては「にとって」と「に対して」との使い分けが問題になることがあります。この点については§2を見てください。

もう少し

◆「として」は、「指名する、推薦する」のように「AがBをCにV」型の文型をとる動詞の場合、「(C)に」の代わりに用いられることもあります。

　　(15)　国会は民自党の田中党首を第73代首相として指名した。

また、「見なす」のように「AがBをCとV」型の文型をとる動詞の「(C)と」の代わりに用いられることもあります。

　　(16)　その国は多くの難民を不法滞在者として見なし本国へ送還した。

この場合、「見なす」という動詞が省略されることもあります。

　　(17)　その国は多くの難民を不法滞在者として本国へ送還した。

◆「として」には複合助詞としての資格・立場を表す用法の他に次のような用法もあります。

　　(18)　田中は自分の家族のことを一言として話さない。（否定数量の強調）
　　(19)　大学改革が叫ばれてはいるが一部を除いて大学の体質は依然として変わっていない。（副詞の強調）
　　(20)　二度と社の方針に反対しないことを条件として解雇を免れた。
　　　　　　　　　　　　　　　　　　　　　　　　（XヲYニ型付帯状況句）

(18)のような否定数量の強調はとりたて助詞の「も」と置き換え可能です。「として」で一番多いのは(19)の副詞の強調で、これは(19)のように「依然」

という「として」がない形と相互に置き換え可能な場合もありますし、次の(21)のように「と」の付いた形と置き換わるものもあります。

　　(21)　恐竜たちは6500万年前地球上から忽然{として／と}姿を消してしまった。

　(20)のような用法は§4の「XをYに」の「に」の代わりに「として」が用いられたものです。ただし、「XをYに」のすべてが「として」で言い換えられるわけではありません。時間・空間・抽象的位置などの物理的状況、理由・目的といった行動の精神的状況、役割・資格の中でも、「して」が動詞の「する」の意味をより濃く残しているものだけが言い換え可能です。
◆「にとって」には次のような関係を捉える立場を表す用法もあります。

　　(22)　この学校の校長は、私にとって叔父にあたる人だ。

2. 他の格で表される名詞句の順序や範囲を表す「から」と「まで」

> (1)　順に名前を呼ばれた人から部屋に入った。
> (2)　昨日は教科書の90ページから110ページまでを勉強した。

これだけは

◆ここで挙げる「から」と「まで」は、格助詞とは異なり、動詞との結びつきを持ちません。代わりに他の格で表される名詞句の順序や範囲を表します。このような「から」と「まで」を**順序助詞**と言います。
　(1)では「〜が部屋に入る」のガ格名詞句について、その順序を「名前を呼ばれた人から」と指定しています。一方、(2)では「〜を勉強する」のヲ格名詞句の範囲を「90ページから110ページまで」と示しています。
◆格助詞とともに用いられる場合には「から／まで＋格助詞」の順になります。ただし格助詞が省略されることもあります。

(3) 景気回復は年を越してからが正念場だ。
(4) 昨日は教科書の90ページから110ページまで∅勉強した。

格助詞「から、まで」とともに用いられることはありません。

(5)×地震が起きた際、近くの友達から遠くの親戚までから電話をもらった。

(5)は格助詞との併用という点で(3)と同じですが、形式が同じであることによっていっしょに用いるのが避けられています。

もう少し

◆このような順序助詞は名詞句の一部として被修飾名詞句を形成します。

(6) 昨日勉強した 90ページから110ページまで は難しかった。

3. 複合格助詞の様々な形

(1) 授業で文法 {○に関する／○に関しての} アンケートを行った。
(2) 自衛隊の演習は、近隣諸国 {○に対して／○に対し／○に対しまして} 脅威とならないよう配慮しなければなりません。

これだけは

◆複合格助詞の多くは動詞のテ形と同じ形をしています。テ形は動詞など述語に続いていく形ですから名詞に続いていく場合には辞書形にするかもしくは「テ形＋の」の形にする必要があります。

(3) 武力ではなく話し合い {？によって／○による／○によっての} 問題解決が望まれる。
(4) 東京湾の埋め立て {×をめぐって／○をめぐる／○をめぐっての} 議論は、環境大臣の一声で決着した。

cf. 委員たちは東京湾の埋め立て{○をめぐって／×をめぐる／×をめぐっての}議論した。

◆動詞に由来する複合格助詞は丁寧形が用いられることがあります。

　(5)　次に会社の概要につきましてご説明申し上げます。
　(6)　先ほどの説明に関しましてご質問いたします。

　このような丁寧形は実際の発話では多く聞かれるものですが、誤った使い方であるという意識を持つ人もあるようです。
　また語によって自然さに差もあります。「をめぐって」「につれて」などは丁寧形を用いるとやや奇異に感じられます。

　(7)？私どもの道路建設をめぐりまして住民の方々から様々なご意見を頂戴いたしました。
　(8)？融資額が減るにつれまして私どもの会社の業績も悪化して参りました。

　また名詞に続く形は丁寧形は用いられません。

　(9)×武力ではなく話し合いによります問題解決が望まれております。

　これは名詞修飾節でデス・マス形が用いられないのと同じ理由です。

もう少し

◆実際には述語に続く形のテ形でも、名詞に続く形（辞書形・「テ形＋の」）のいずれでもいい場合もあります。

　(10)　委員たちは新しい道路の建設{○をめぐって／○をめぐる／○をめぐっての}議論を激しく戦わせた。

　この場合、テ形の「をめぐって」は「議論を戦わせた」を修飾し、辞書形と「テ形＋の」は「議論」を修飾しているのですが、実質的な意味に差はありません。
　このように述語に続く形と名詞に続く形がどちらも用いられるのは次の場合です。

① サ変動詞「議論する、勉強する」が「議論をする、勉強をする」のように格助詞「を」を伴う場合
② 「議論をする」の意味で「議論を戦わせる」など「する」の代わりに他の動詞が用いられる場合
③ 受身形で「議論がなされる」や「議論が戦わされる」などの形で用いられる場合

コラム「連体と連用」も参考にして下さい。

◆名詞に続く形には(4)に挙げた辞書形、「テ形＋の」の他に、少数ですがタ形が用いられることもあります。

(11) 授業では文法に関した質問が一番多かった。

4. のこと －名詞の性質を変えるために用いる接辞－

(1) ちゃんと私｛○のことを／○を｝見ていてね。
(2) あの人｛○のことが／○が｝好きなの。
(3) 夫は私｛○のことを／×を｝ちっとも考えてくれません。
(4) 先生、授業｛○のことで／#で｝聞きたいことがあるのですが。

これだけは

◆「のこと」は人やものや場所などを表す名詞（モノ）に付いて「～に関する様々なこと」という意味を表す働きを持ちます。このような性質を「コト性」と呼びます。

◆「のこと」は(1)の「見る」や次の(5)の「知って(い)る」など知覚や知識を表す述語の場合、対象となる人は基本的に「のこと」があってもなくても意味は変わりません。

(5) ねえねえ、彼｛○のこと／○φ｝知ってる？

◆(2)の「好きだ」や「嫌いだ、気になる」など感情を表す動詞や形容詞の場

合、対象がガ格で表されることがありますが、同様に「のこと」があってもなくても使えます。

(6) 家{○のことが／○が}気になって電話をかけてみた。

ただし「好きだ、嫌いだ」は人以外の場合、「のこと」は使えません。

(7) 私、お刺身{×のことが／○が}好きなの。

◆対象に働きかける動詞の場合、「のこと」は使わないのが原則です。

(8) 窓から入ってきた蚊{×のことを／○を}殺した。
(9) 誤って前の車{×のことに／○に}ぶつかった。

ただし「殴る、いじめる」など対象としての人の状態を変化させない働きかけを行う動詞は「のこと」が相対的に許容されやすい傾向にあります。

(10) 生意気なので田中{？のことを／○を}殴った。
(11) 私より先に結婚する林さん{？のことを／○を}いじめた。

◆(3)のような「考える」や「思う、思い出す、覚え(てい)る」など思考・記憶を表す動詞は、人やもの、場所を表す名詞を対象とする場合、格助詞単独では表しにくく「のこと」を使ったほうが自然です。

(12) 年老いた両親{○のことを／？を}思うと涙が出た。
(13) 初めて会った日{○のことを／#を}覚えてる？

(13)で「初めて会った日を覚えてる？」とすると具体的な日付を聞いていることになってしまいます。

◆「で」など多様な意味を持つ格助詞は、前に来る名詞の性質によって「で」の意味が変わります。例えば「学校」などの場所を表す名詞に付いた「で」は場所を表しますし、「紙」など材料となるものに付けば材料を表します（→初級編§2）。

特に場所・時間やものなどの名詞のコト性を表す場合には「のことで」を使わなければなりません。(14)(15)で「で」を用いると「授業時間に」「金の延べ棒を使って」という場所・時間や道具の意味になってしまいます。

5. 格助詞（4）―その他の形式と一般的な特徴―

(14)　先生、授業｛○のことで／＃で｝質問があります。
(15)　被害者と加害者は金の延べ棒｛○のことで／＃で｝言い争っていたとの証言がある。

(14)(15)の「のことで」は「について」で言い換えることもできます。

もう少し

◆「考える」や「思う」などの動詞は「人」を対象としてはとらない性質の動詞です。このように動詞がそれが本来とらない種類の名詞といっしょに用いられる場合には「のこと」のような形式を使って名詞の性質を変えてやる必要があります。

　これは「人」を表す名詞が「行く、来る」など移動動詞の着点になるときにニ格単独では表せず「のところに」としなければならないことと似た現象です（→初級編§37）。

もう一歩進んでみると

◆複合格助詞のバリエーションについて次のページにまとめておきます。
◆「複文」とあるのは複文でもその形式を使うことができるかどうかを示します。○はそのままの形で複文でも使えることを、×は使えないことを示します。●は「の」を省いた場合に複文で使えることを表します。
◆「文末」とはそれ自体が文末で使えるかどうかを表します。×は使えないことを、△はやや使いにくいことを示します。●はテイル形であれば文末で使えることを表します。
◆複合格助詞は格助詞では言い表せない（あるいは言い表しにくい）名詞句と述語との意味的な関係を表すために用いられます。名詞句と動詞との間に存在する意味は、文の必須成文としてのヲ格やニ格が表す対象という意味よりもデ格などが表す状況のほうが多様で、そのため複合格助詞も状況を表すものが多くなっています。

　また複合格助詞自体、「を」で始まるものよりも「に」で始まるもののほうが多いのも同じ理由で説明されます。

複合格助詞の一覧表

§	形　式	マス形語幹	丁寧形	名詞修飾の形	複文	文末
2	に対して	に対し	に対しまして	に対しての／に対する	★	×
2	について	×	につきまして	についての	×	×
2	に関して	に関し	に関しまして	に関しての／に関する	×	×
2	をめぐって	をめぐり	をめぐりまして	をめぐる／をめぐっての	×	×
2	にまつわる	×	×	[名詞修飾の形のみ]	×	×
2	にかかわる	×	×	[名詞修飾の形のみ]	×	×
3	によって	により	によりまして	による（／によった）	×	△
3	を通じて	を通じ	を通じまして	を通じての（／を通じた）	×	×
3	をもって	(をもち)	をもちまして	をもっての	×	×
3	につき	[マス形語幹の形のみ]	につきまして	×	×	×
3	とあって	×	とありまして	×	○	×
3	のせいで	×	×	(のせいによる)	●	○
3	のおかげで	×	×	(のおかげによる)	●	○
3	ゆえに	×	×	ゆえの	○	○
3	によると	×	によりますと	×	×	×
3	によれば	×	×	×	×	×
3	に沿って	に沿い	に沿いまして	に沿った	×	●
3	に即して	に即し	に即しまして	に即した	×	●
3	に基づいて	に基づき	に基づきまして	に基づいた	×	●
4	において	×	におきまして	における	×	×
4	にて	×	×	にての	×	×
4	にして	×	×	にしての	×	×
4	でもって	×	×	×	×	×
4	にかけて	にかけ	にかけまして	にかけての	×	×
4	にわたって	にわたり	にわたりまして	にわたっての／にわたった	×	●
4	を通じて	を通じ	を通じまして	を通じての（／を通じた）	×	×
4	次第で	×	×	次第の	×	○
4	いかんで	×	×	いかんの	×	○
4	に応じて	に応じ	に応じまして	に応じての／に応じた	×	×
4	とともに	×	×	×	○	×
4	にしたがって	にしたがい	にしたがいまして	にしたがっての	○	×
4	につれて	につれ	につれまして	につれての	○	×
4	を問わず	×	×	×	○	○
4	にかかわらず	×	×	×	○	○
4	なくして	×	×	×	×	×
4	なしに	×	×	×	×	×
4	をぬきにして	×	をぬきにしまして	をぬきにした	×	×
4	なしで	×	×	なしの	×	×
5	として	×	としまして	としての	×	×
5	にとって	にとり	にとりまして	にとっての	×	×

5. 格助詞（4）―その他の形式と一般的な特徴―

◆「に関しまして」など複合格助詞の丁寧形については、新聞紙上などで時々誤用としてやり玉にあげられています。話しことばの場合、状況に対して過剰に配慮をすることもしばしばで、「もうお話になられましたか」のような二重敬語が用いられることもあります。複合格助詞の丁寧形も同じ状況に対する過剰な配慮意識の現れと考えられます。
◆表中の★は別の意味になることを意味します。「に対して」については§32を見てください。
◆この他の形式についてはそれぞれ以下を参照してください。
　「といっしょに」：初級編§2
　「のために」（利益）：初級編§11
　「に代わって」：初級編§11
◆§2でも述べましたが複合格助詞として認めるものには段階があります。「を使って、を経由して」などは「でもって、を通じて」などと似た意味を持ちますがこれらはこの本では取り上げませんでした。その理由は「使う、経由する」が動詞として文末でも使えることが第一です。ただし、これらの意味が連続していてどちらも類似の場面で使えることは注意しておく必要があります。

○**参考文献**
奥津敬一郎（1966）「「マデ」「マデニ」「カラ」－順序助詞を中心として－」『日本語教育』9（『捨遺 日本文法論』ひつじ書房（1996）再収）
　★2で挙げた「から」「まで」に関する詳細な論文。
佐伯哲夫（1976）『語順と文法』（第14章）関西大学出版・広報部
　★複合格助詞の定義、用法、様々な形への概説的な記述がある。
砂川有里子（1987）「複合助詞について」『日本語教育』62
　★複合格助詞の性質について述べられている。
馬小兵（1997）「複合助詞「として」の諸用法」『日本語と日本文学24』（筑波大学）
　★「として」についての詳しい記述がある。

コラム
連体と連用

　日本語学では**連体**という用語も**連用**という用語も用いられることが少ないですが考え方としては重要です。

　連体とは体言、つまり形式名詞や準体助詞を含む名詞句を修飾することです。動詞・イ形容詞の場合、いわゆる連体形の他に、否定や過去の形を含む plain form によって、ナ形容詞の場合には〜ナの形によって表されます。「名詞句（＋格助詞）＋ノ」も連体に含めます。

　一方、連用とは動詞や形容詞、副詞などの用言を修飾することで、いわゆる連用形（動詞のマス形語幹、イ形容詞の〜クの形、ナ形容詞の〜ニの形）によって表されます。格助詞（名詞句と名詞句を結びつける「の、と、や」を含まない）は名詞句と述語との関係を表しますので、述語を修飾すると考え連用修飾に含めて扱います。

　日本語では次の(1)〜(3)のように a の連体の形を使う場合と b の連用の形を使う場合がほぼ同じ意味を表すことがあります。

　(1)　{ a. 低い／b. 低く } 雲が立ちこめる。
　(2)　彼女 { a. からの／b. から } 手紙が届いた。
　(3)　環境問題 { a. についての／b. について } 議論が活発に戦わされた。

　しかし、すべての場合に相互に置き換え可能であるわけではありません。
　連体の形は修飾する名詞句の前に置かれなければなりませんが、連用の形は述語の前であればその名詞句よりも後になることがあります。

　(1)'　雲が { a. ×低い／b. ○低く } 立ちこめる。

　また、動詞が必要とする格以外の場合には連体の形を使わなければなりません。(2)のように「〜から届く」は言えますが、(2)'のように「〜から捨てる」とは言えません。

　(2)'　彼女 { a. ○からの／b. ×から } 手紙を破いて捨てた。

　さらに、相互に置き換えることが可能でも意味が異なることも多いです。

　(4)　{ a. 赤い／b. 赤く } 壁を塗る。
　(5)　{ a. 新大阪までの／b. 新大阪まで } 新幹線で行った。

　(4)aは変化前の状態を、(4)bは結果の状態を表します。また、(5)aの新幹線は新大阪行きですが、(5)bはそうとは限りません。

§6. 並列助詞

　名詞と名詞を並べて示す働きを持つ助詞を**並列助詞**と呼びます。
　並列助詞は、該当する要素をすべて挙げる**全部列挙**の形式、該当する要素の例を挙げる**部分列挙**の形式、挙げた要素の中から選択する**選択的列挙**の形式に分けられます。
　また単独の助詞ではありませんが同様の働きを持つ複合形式もあります。
・全部列挙：※〜と〜
・部分列挙：※〜や〜（など）、〜とか〜とか、〜やら〜やら、
　　　　　〜だの〜だの、〜といい〜といい、〜といわず〜といわず、
　　　　　〜であれ〜であれ、〜にしても〜にしても、〜にせよ〜にせよ、
　　　　　〜にしろ〜にしろ、〜でも〜でも、
・選択的列挙：※〜か〜（か）、〜なり〜なり
※印は初級編でも取り上げた表現です。
　「〜に〜」という累加の形式もここで扱います。
　「および」「ならびに」「または」「あるいは」は辞書では接続詞に分類されるのが普通ですが、並列助詞と類似した働きを持つためここで扱います。

1. 〜と〜、および、ならびに −全部列挙の形式−

(1) さっき、田中と小林が来たよ。
(2) 銀行で口座を開く際には身分証明書および印鑑をご持参ください。
(3) 納税、勤労、ならびに教育は国民の三大義務である。

これだけは

◆全部列挙の形式は、述部に述べることに該当するものをすべて挙げる場合に用いられます。例えば(1)では「来た」のは「田中と小林」だけであって他の人は「来た」という条件を満たしません。

◆全部列挙の最も一般的な形式は「〜と〜」です。「〜と〜」は名詞と名詞以外を並べて挙げる場合以外には使いません（→初級編§3）。

◆(2)や(3)のように「および」と「ならびに」も二つ以上の該当するもの（名詞）をすべて挙げる場合にも用いられます。

◆三つ以上の名詞を並べて挙げる場合、「〜と〜」はそれぞれの名詞と名詞の間に置くことができるのに対し、「および」と「ならびに」は基本的に最後の名詞の前だけに置かれます。

(4) a. 郵政省と自治省と総務庁は2001年1月に総務省に統合された。
   b. 郵政省、自治省、{および／ならびに}総務庁は2001年1月に総務省に統合された。

◆「および、ならびに」は硬い文体で用いられます。

(5) 新郎、新婦、ならびにご両家の皆様、本日はおめでとうございます。
   cf. ?すみません、ビール{および／ならびに}枝豆をください。

もう少し

◆「および」と「ならびに」は、辞書では接続詞に分類されますが、名詞以外のものを結びつける働きは持ちません。

(6) ×昨日、洋服を新調しました。{および／ならびに}靴も購入しました。

接続詞とされるのは、(4)bのように前の名詞と切り離して発音されることによります。「と」は常に前の名詞に付いて発音されます。

(4) a. ○郵政省と自治省と総務庁は2001年1月に総務省に統合された。
(4)' ×郵政省、自治省、と総務庁は2001年1月に総務省に統合された。

◆「および」と「ならびに」と同様の働きを持つ形式には「それと、それに、それから」があります。これらはややくだけた文体でも用いられます。

(7) ピザにポテト、{それと／それに／それから}サラダももらおうかな。

「それと、それに、それから」も接続詞（→§35）です。
◆特定の形式を使わないで「、（音声的にはポーズ）」だけによって、並列を表すこともあります。

(8) 郵政省、自治省、総務庁は2001年1月に総務省に統合された。

2. ～に～ －累加や取り合わせを表す形式－

> (1) 大根ににんじんに、えーと、それからトマトをもらおうかしら。
> (2) 「月に雁」とはよく言ったものだ。

これだけは

◆「～に～」は先に挙げたものに付け加えて後の要素を挙げたり（**累加**）、特定の取り合わせとして要素を挙げる形式です。
◆累加の「～に～」は先に挙げたものに付け加えて後の要素を挙げていくという意味から、思いつくまま挙げるという印象が感じられます。

(3) イタリア旅行ではいろんな都市を訪ねたわ。ローマにフィレンツェでしょ、それからミラノにヴェネツィアも行ったかしら。

◆「～に～」には(2)や次の(4)のようによく組み合わされるものを並べて言うときにもよく用いられます。

(4) ビールにおつまみはいかがですか。

もう少し

◆累加の接続詞「それに」はこの用法の「に」が含まれています。
◆「Vマスにv」という形が用いられることもあります。

　　(5)　自分で考えに考えて出した結論を先生は尊重してくれなかった。

　この場合、「念入りに、繰り返しねばり強く」などの意味を持ちます。
◆「Vマスにv」はサ変動詞には使いません。

　　(6)×大学院時代は、研究しに研究した。

3.　〜や〜（など）、〜とか〜とか、〜やら〜やら、〜だの〜だの －部分列挙の形式(1)－

> (1)　桜や桃など、春には色とりどりの花が咲く。
> (2)　東京とか大阪とか大きな町は家賃が高いんだよ。
> (3)　彼女の部屋は洗濯物やら紙くずやらで足の踏み場がない。
> (4)　郵便受けはチラシだのダイレクトメールだのでいっぱいだった。

これだけは

◆部分列挙の形式はある範疇に該当するものの一部を挙げると同時にその他にも該当するものがあることを暗示します。
◆部分列挙の最も一般的な形式は「〜や〜（など）」です（→初級編§3）。
◆「〜とか〜とか」は物事や動作の具体例を挙げて説明するややくだけた表現です。

　　(5)　富山とか石川とか北陸地方の県には、おいしい魚料理が食べられる温泉旅館が多いんだって。今度いっしょに行こうよ。
　　(6)　暇なときは散歩をするとか読書をするとかして過ごしています。

6. 並列助詞

名詞句を列挙する(5)のような場合、直後に「北陸地方の県」という前に挙げた名詞句を包含する名詞句が来る場合もあります。
　動作を表す動詞を列挙する(6)のような場合、後の「とか」には「する」を続けなければなりません。この場合、「～たり～たり」（→初級編§21）で言い換えることができます。

　　(7)　暇なときは散歩をし<u>たり</u>読書をし<u>たり</u>して過ごしています。

◆「～だの～だの」は「～とか～とか」に近い意味を持ちますが、現在では否定的なニュアンスで用いられるのが普通です。

　　(8)　少年たちは被害者から恐喝した金をゲーム<u>だの</u>パチンコ<u>だの</u>に使っていたようだ。
　　(9)　勉強しろ<u>だの</u>塾へ行け<u>だの</u>と親にしつこく言われて気が滅入った。

◆「～やら～やら」も「～とか～とか」に近い意味を持ちますが、特に存在や感情などの状態に様々な要素が混在して整理されていない状態を示すときに用いられます。

　　(10)　この部屋には古い機械<u>やら</u>雑誌<u>やら</u>がごちゃごちゃ置かれている。
　　(11)　部長に早期退職を勧告されたとき、悔しい<u>やら</u>情けない<u>やら</u>で死にたい気分だった。

　(10)はガ格で表されている存在主体が乱雑である様を表し、(11)は「死にたい」という気持ちの原因となった複数の複雑な感情がデ格で表されています。

もう少し

◆「～とか～とか、～だの～だの、～やら～やら」は名詞以外の要素にも付きますが、「～や～（など）」は名詞以外の要素には付きません。

　　(12)×パーティで歌を歌う<u>や</u>踊りを踊るなどしました。

◆「～とか～とか」は名詞に続く場合、(5)の「～とか～とかN」の他、「～とか～とかのN」や「～とか～といったN」の形でも用いられます。

⒀　富山とか石川 { とかの／といった } 北陸地方の県にはおいしい魚料理が食べられる温泉旅館が多い。

◆「〜とか」は特に話しことばではよく単独で用いられます。

⒁　北海道とか、どっか遠くへ行きたいなあ。

4.　〜といい〜といい、〜といわず〜といわず、〜であれ〜であれ、〜にしても〜にしても、〜にせよ〜にせよ、〜にしろ〜にしろ、〜でも〜でも　−部分列挙の形式⑵−

> ⑴　この車は燃費といい走行性といい抜群だ。
> ⑵　若者たちは休み時間といわず食事中といわずいつでも携帯電話を離さない。
> ⑶　新聞であれ雑誌であれ、何でも毎日読み続けることが大切だ。
> ⑷　ワイン買ってきて。赤でも白でもいいけどイタリアのワインね。

これだけは

◆部分列挙の形式には3で挙げた形式の他に、「〜といい〜といい、〜といわず〜といわず、〜であれ〜であれ、〜にしても〜にしても、〜にせよ〜にせよ、〜にしろ〜にしろ、〜でも〜でも」という形式も用いられます。
　これらは「どの例をとってみてもその種類に属するものは」という仮定的なニュアンスを含んでいます。
◆「〜といい〜といい」には次に挙げる二つの用法があります。

⑸　田中といい山下といい、営業の奴らはろくな注文を取ってこない。
⑹　彼は容姿といい服装といいパッとしないわ。

⑸は、主語に該当する例を挙げる用法で、「AといいBといい、Xは…」と

いう構文で用いられます。この場合、XはAとBという要素を含む名詞句です。
　(6)のような主語の持っている側面を具体例として挙げて評価する用法は、「XはAといいBといい…」という構文で用いられます。この場合、AとBはXの持つ性質や特徴です。

◆「～といわず～といわず」は代表的なものを挙げて「それだけではなくすべてにおいて」という意味を持ちます。「いつでも」「どこでも」「誰でも」「何でも」などの語句を後ろに伴うことがよくあります。

　(7)　若者たちは休み時間といわず食事中といわずいつでも携帯電話を離さない。

◆「～であれ～であれ」「～にしろ～にしろ」「～にせよ～にせよ」「～にしても～にしても」「～でも～でも」は、複数の例を挙げて「どの例をとってみてもその種類に属するものは…」という意味で用いられます。

　(8)　ローマ｛であれ／にしろ／にせよ／にしても／でも｝アテネ｛であれ／にしろ／にせよ／にしても／でも｝古代遺跡が多く残る都市では地下鉄一本作るのも大変だ。

　(3)は「何でも毎日読み続けることが大切だ」の「何でも」に該当する例として「新聞」と「雑誌」を挙げています。また、(8)は「古代遺跡が多く残る都市」に該当する例として「ローマ」と「アテネ」を挙げています。

◆これらの形式には動詞や形容詞を列挙する用法もあります。ただし、「～であれ～であれ」と「～でも～でも」は「の」が必要です。

　(9)　水泳をする｛のであれ／にしろ／にせよ／にしても／のでも｝マラソンをする｛のであれ／にしろ／にせよ／にしても／のでも｝十分な準備運動が必要だ。

もう少し

◆「～といい～といい」は挙げている要素について述部で挙げる動作や性質を持つことを述べるのに対して、「～といわず～といわず」はその他の要素まで含んでその範疇のものはすべて述部で挙げる動作や性質を持つことを表すのが基本です。

◆「～といわず～といわず」は§4の「を問わず」と近い意味を持つことがあります。

　　(10) a. 昼といわず夜といわず為替相場は時々刻々と動いている。
　　　　b. 昼夜を問わず為替相場は時々刻々と動いている。

◆「～であれ～であれ」の類は、仮定的状況を含まない出来事を表すことはできません。

　　(11) ×弁論大会には田中｛であれ／にしろ／にせよ／にしても／でも｝小林｛であれ／にしろ／にせよ／にしても／でも｝参加した。

同じ過去でも次のような表現は言うことができます。

　　(12) 　弁論大会には日本人学生｛であれ／にしろ／にせよ／にしても／でも｝留学生｛であれ／にしろ／にせよ／にしても／でも｝参加できた。

(12)は「日本人学生であっても留学生であっても参加しようと思えば参加できた」という仮定的な状況を含んでいます。

◆「～でも～でも」には次のような決まった表現もあります。この場合には他の形式で言い換えることはできません。

　　(13) 　矢でも鉄砲でも持ってこい。
　　(14) 　なんでもかんでも文句を言えばいいっていうもんじゃないんだよ。

5. ～か～(か)、～なり～なり、または、あるいは、もしくは －選択的列挙の形式－

(1) お飲物は、コーヒーか紅茶、どちらになさいますか。
(2) 子育てで悩んでいるときは、近所の人なり市の育児相談室なりに相談して、一人で悩まないほうがいいですよ。
(3) 明日は午後から雨または雪が降るでしょう。
(4) （銀行で）口座を開く際には、免許証あるいは健康保険証をご提示ください。

これだけは

◆選択的列挙は、挙げた要素の中から一つを選択する場合に用います。
◆選択的列挙を表す最も代表的な形式は「〜か〜」です。他に「〜なり〜なり」や接続詞の「または、あるいは、もしくは」なども用いられます。
◆「〜なり〜なり」は文末に(2)のような勧めや、次のような依頼、義務、希望などのモダリティ表現が来ることが多いです。

(5) 参考書が必要なら買うなり借りるなりして用意してください。
(6) 日曜日は図書館が閉まっているので、学生は自分の部屋なり大学会館なりで勉強しなければならない。
(7) 夏休みになったら旅行に行くなり田舎に帰るなりしてリフレッシュしたい。

◆選択を表す形式はすでに行ったことなど確定した出来事には使えません。

(8)×参考書が必要だったので買うなり借りるなりして用意した。

ただし複数の主体や対象が存在する場合には使うことができます。

(9) 参考書が必要な学生たちは買うなり借りるなりして用意した。

◆「〜なり〜なり」は名詞句にも動詞などの述語にも付きます。
　名詞に付く場合、普通(2)の「〜なり〜なりに」のように格助詞は最後に付きますが、ニ格、デ格、ト格の場合は「〜になり〜になり」など、「なり」の前に格助詞を入れることもできます。この場合、「に」は必ず繰り返します。

(2)' 子育てで悩んでいるときは、近所の人になり市の育児相談室になり相談して、一人で悩まないほうがいいですよ。

ガ格やヲ格の場合、必ず「〜なり〜なりが／を」となります。

(10)a. ○製品に事故があった場合、作った人なり売った人なりが責任を問われなければならない。
　　b. ×製品に事故があった場合、作った人がなり売った人がなり責任を問われなければならない。

◆「または」と「あるいは」は話しことばでも使われますが、やや硬い言い方になります。

もう少し

◆「または」「あるいは」は「〜か」といっしょに「雪かまたは雨が降ります」「免許証かあるいは健康保険証をご提示ください」のように言うこともできます。このため「または」や「あるいは」は名詞に付属する助詞ではなく接続詞という分類が通常されるのです。

もう一歩進んでみると

◆並列助詞には「〜にしても〜にしても、〜でも〜でも」のように条件の形式を用いるものや「〜といい〜といい」や「〜といわず〜といわず」のようにテ形やその否定形に相当する表現が用いられるものがあります。
　また「〜であれ〜であれ、〜にせよ〜にせよ、〜にしろ〜にしろ」といった、形として命令形が用いられているものもあります。
　これらは動詞や指定辞の「〜だ」の活用形から作られていますので、格助詞は続きません。
◆このような条件の意味で命令形が用いられていることは、一見奇異に感じられるかもしれません。
　命令形は次の「〜てみろ」のように固定した表現として条件の意味を持っている場合があります。

(1) あいつに口応えなんかしてみろ、何倍にもなって返ってくるぞ。

◯参考文献

寺村秀夫（1970）「「あるいは」「または」「もしくは」「ないし（は）」」『講座正しい日本語』4巻　明治書院（『寺村秀夫論文集Ⅰ』(1992)に再収）
　★並列を表す接続詞を扱った論文。実例調査を基礎に文体差だけでなく文法現象を詳しく論じている。

寺村秀夫（1982）「並列的接続とその影の統括命題〜モ、シ、シカモの場合」『日本語学』3-8　（『寺村秀夫論文集Ⅰ』(1992)に再収）
　★名詞の場合だけでなく幅広く並列といった現象を概観した論文。

まとめ

	形式	格助詞の後続	制限
全部列挙	〜と〜	－	特に制限なし
	および ならびに	－	硬い文体
累加・取り合わせ	〜に〜	－	特に制限なし
部分列挙	〜や〜（など）	○	特に制限なし
	〜とか〜とか	○	特に制限なし（ややくだけた文体）
	〜やら〜やら	○	存在や感情などの状態に様々な要素が混在して整理されていない状態
	〜だの〜だの	○	通常、否定的ニュアンスを伴う
	〜といい〜といい	×	特に制限なし
	〜といわず〜といわず	×	特に制限なし
	〜であれ〜であれ 〜にしても〜にしても 〜にせよ　〜にせよ 〜にしろ　〜にしろ 〜でも〜でも	×	その種類全体に共通する性質の表現 仮定的状況を含まない出来事は来ない
選択的列挙	〜か〜（か）	○	特に制限なし
	〜なり〜なり	○	勧め、依頼、義務、希望などの表現が多い 複数主体を除き、確定した出来事には使えない
	または あるいは もしくは	－	やや硬い文体

コラム
気づかれにくい方言の文法(1)

　留学生に教えた日本語が実は方言だった。こんな経験はありませんか。
　方言の語彙を共通語と思いこんで使うことはよくあることですが、文法にも方言と気づかないで使っている表現が結構あります。
　格助詞については次のような言い方があります。

(1)　犬からかまれて痛かった。
(2)　学生たちから引っ越しの手伝いに来てもらった。

　(1)や(2)のような「から」は、それぞれ九州と新潟県などで用いられています。受身や「～てもらう」文では「みんなから愛されている」や「母からみかんを送ってもらった」のように動作主を「から」で表すことがありますが、共通語では「かむ」など対象に接触する動詞の受身文や「(手伝いに)来る」など自動詞の「～てもらう」文では動作主を「から」で表すことはできません。
　補助動詞にも方言と気づかないで共通語場面で用いるものがあります。

(3)　田中先生はまだ仕事をしてみえます。
(4)　何回でも無料で準備してあげます。＜青森県弘前交通安全協会「入会のしおり」＞
(5)　これ、食べられ。

　(3)のような「～てみえる」は名古屋を中心とした東海地方の一部で尊敬の補助動詞として用います。共通語でも「お見えです」という形を使いますので、「～てみえる」も共通語であるという意識が働きやすいのでしょう。
　共通語の「～てあげる」は(4)のように機関が一般に呼びかける場合には用いません。このような「～てあげる」は青森県などで使われています。
　命令形を和らげるために尊敬語の「～(ら)れる」を用いる方言もあります。富山県の広い地域では「こっちへ来られ」などの命令形が方言と気づかれずに使われています。類似した表現には大分で用いられる「～されてください」があります。共通語の「～なさい」も尊敬形式の「～なさる」の命令形から来ていますので、形式は違っても発想には共通点があります。
(参考文献は「気づかれにくい方言の文法2」にまとめて示します。)

§7. 時間を表す表現(1)
－テンス－

　ここでは時間を表す表現であるテンスについて考えます。**テンス**は出来事が起こったときと発話時／基準時との時間的前後関係を表す概念ですが、主節と従属節では性質が異なります。また、中上級レベルではル形とタ形の混在も問題となります。

1. 主節のテンスの注意すべき用法

> (1) 最近よく雨が降るなぁ。
> (2) 彼女はよく気がつく。
> (3) 　A：(午後1時ごろに) もう昼ごはんを食べた？
> 　　　B：いや、{？まだ食べない／○まだ食べていない／×食べなかった}。
> (4) (デパートの売場で)
> 　　　A1（客）　：これ、ください。
> 　　　B1（店員）：ありがとう{○ございます／？ございました}。
> 　　　(客が代金を払って売場を去る)
> 　　　B2（店員）：ありがとう{×ございます／○ございました}。

■これだけは

◆ここでは主節のテンスについて考えます。テンスの原則は次の通りです。(5)からわかるように、タ形は述語の種類にかかわらず過去を表すのに対し、ル形が未来を表すか現在を表すかは述語の種類によります。

(5) ル形のテンス

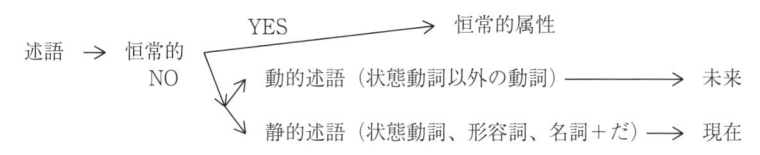

```
述語 → 恒常的 ─YES→ 恒常的属性
         NO
         ↓→ 動的述語（状態動詞以外の動詞） ────→ 未来
         ↓→ 静的述語（状態動詞、形容詞、名詞＋だ）→ 現在
```

◆ル形には(1)(2)のような繰り返しや恒常的性質を表す用法もあります。

◆タ形には過去を表す用法の他に(現在)完了を表す用法があります。「完了」というのは基準となる時間（基準時）との時間的前後関係を表すもので、基準時がいつであるかに対応して、「現在完了」「過去完了」「未来完了」の三つの種類があります。このうち、タ形が表すのは現在完了です。

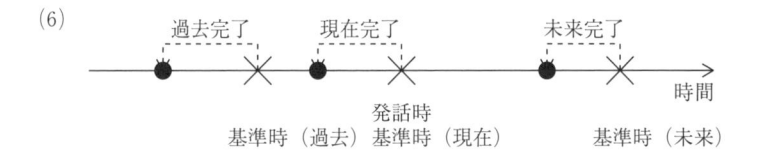

(6)

```
    過去完了     現在完了            未来完了
────●────×────●────×─────────●────×────→
         基準時（過去）  発話時           基準時（未来）  時間
                    基準時（現在）
```

過去完了はテイタ形で、未来完了はテイル形で表されます（→§8）。

(7) 私が着いたとき、映画は（すでに）始まっ<u>ていた</u>。（過去完了）
(8) 私が着く前に、映画は終わっ<u>ている</u>（だろう）。　（未来完了）

なお、テイル形が現在完了を表すこともあります。

(9) A：この本は読みまし<u>た</u>か。
　　B：はい、<u>もう</u>読ん<u>でいます</u>。

ただし、疑問文では使いにくいなど、典型的な用法ではありません。

(3)' A：?（午後１時に）<u>もう</u>昼ごはんを食べ<u>ている</u>?

◆現代共通語では現在完了の否定は「まだ〜ていない」で表すのが普通ですが、少し以前までは「まだ〜ない」が一般的でした。現在でもそのなごりとして、非意志的自動詞の場合には「まだ〜ない」も使われます。もちろん、この場合でも「まだ〜ていない」は使えます。

(10)　A：お湯沸いた？
　　　B：いや、まだ沸かない／まだ沸いていない。

もう少し

◆繰り返しを表すル形で重要なのは過去にもあって今後も確実に起こる（と話し手が思っている）ことにはル形が使われるということです。例えば、(11)の場合、事実として咳が出たのは過去のことでしかありませんが、話し手は今後もしばらく咳が出続けると考えているためル形を使っているのです。

(11)　（医者への説明）咳がよく出るんです。

ここでもし(11)'のようにタ形を使うと未来も続くという含意が消え、今は咳が止まったということになります。

(11)'　咳がよく出たんです。

◆(現在)完了には出来事や動作が終わった直後であることを示す機能があります。例えば、(4)B2では一連の接客行動が終わったということを示すためにタ形が使われています。逆に、(4)B1ではまだ接客行動は終わっていないのでタ形はやや不自然です。

(4)　（デパートの売場で）
　　　Ａ１（客）　：これ、ください。
　　　Ｂ１（店員）：ありがと｛○ございます／？ございました｝。
　　　（客が代金を払って売場を去る）
　　　Ｂ２（店員）：ありがと｛×ございます／○ございました｝。

◆「ありがとうございます」と同じく感謝や謝罪を表すものに「すみません」「失礼します」などがありますが、この場合のテンスは次のようになります。
◆「すみません」は自分の行為に関する謝罪や相手の行為に対する感謝を行為の直後に述べるときに使います。

(12)　（広場で野球の練習中、球が他の家のガラスを割った。その家で）
　　　どうも｛○すみません／？すみませんでした｝。

⒀　A：（本屋で新聞の広告を見せながら）この本がほしいんですが。
　　B：少々お待ちください。（本を持ってきて）こちらですね。
　　A：どうも｛○すみません／？すみませんでした｝。

　一方、行為と謝罪の間に時間的隔たりがある場合や時間や手間を要する相手の行為に対する感謝を述べる場合は「すみませんでした」も使われます。

⑿'　（⑿の状況だがその家が留守で後日謝りに行った場合）
　　どうも｛すみません／すみませんでした｝。
⒁　A：これ先日頼まれた資料です。
　　B：わざわざお持ちいただいて、どうも｛すみません／すみませんでした｝。

◆「失礼します」は他人の部屋・家・職場などに出入りするときに使います。

⒂　（部屋に入るとき・出るとき）｛○失礼します／×失礼しました｝。
⒃　（相手より先に帰るとき）お先に｛○失礼します／×失礼しました｝。

「失礼しました」は相手に対する謝罪のときにしか使いません。

⒄　A：（電話で）田中さんのお宅ですか。
　　B：違います。
　　A：｛×失礼します／○失礼しました｝。

◆「誓う、宣言する、命名する、認める」などの動詞はル形でしか使えない用法を持っています。例えば、⒅の「誓います」はタ形やテイル形などに変えられません。これは「誓う」ということばを発することが「誓う」という行為そのものであるためです。こうした動詞を**遂行動詞**と言います。

⒅　（スポーツの大会の宣誓）私たち選手一同は正々堂々と戦うことを誓います。
⒆　（オリンピックの開会式）ここに第〇回オリンピック大会の開会を宣言する。

　なお、これらの動詞がタ形で使われることもありますが、その場合は過去

7. 時間を表す表現（1）―テンス―

71

の出来事の描写であって、遂行動詞としての用法ではありません。

(19)' オリンピック委員会の会長がオリンピックの開会を宣言した。

2. 発見、再認識（想起）を表すタ形

> (1) 探していた傘、こんなところにあった。
> (2) お名前は何とおっしゃいましたっけ。
> (3) 会議は明日だった。
> (4) 明日吉田さんと会うんだった。

これだけは

◆タ形には**発見**を表す用法があります。この場合の「発見」は発話時と発話時以前の出来事を結びつけるものです。例えば、(1)は発話時以前に紛失して探していた傘が見つかったことを表しています。この場合、「〜た」は先行文脈における傘を探していた時期を表します。

(1) 探していた傘、こんなところにあった。

```
                          発話時
─────×──────────┼─────────────→
     傘を探していた    傘を見つける      時間
```

◆(2)は一度聞いた名前を忘れたので改めて聞く場合ですが、この場合もタ形を使うことで、名前を聞くのは初めてではないということを表しています。この場合、もしル形を使うと名前を聞くのは初めてだということになります（厳密には話し手がそのように認識していることを表します）。

(2)' お名前は何とおっしゃいますか。

こうした**再認識**の用法でタ形が使われる理由は、発見の場合と同じで、タ形は初めて名前を聞いた時点を指しているのです。

(2) お名前は何とおっしゃいましたっけ。

```
                        発話時
    ────×─────────┼────────────→
      初めて名前を聞く   再び名前を聞く      時間
```

もう少し

◆(1)のような「発見」の場合、主語は文頭に来ます。これに対し、(1)'のような先行文脈を持たない発見の場合はタ形は使えませんし、主語が文頭に来ることもありません ((1)"は(1)に対応する意味にはなりますが、(1)'に対応する意味にはなりません)。

　　(1)' こんなところに傘が{○ある／?あった}。
　　(1)" 傘、こんなところにあった。

◆(3)のような名詞文の場合、タ形は再認識を表すことができます。この場合、本来タ形と一緒に使われることのない「明日」のような未来を表す語をタ形といっしょに使うことも可能です。

◆しかし、タ形が再認識を表すのは名詞文や「ある」などの静的述語の場合に限られ、動的述語の場合はタ形では再認識を表すことはできません。

　　(4)' ×明日吉田さんと会った。

こうした動的述語に関する再認識を表すときは(4)のように「のだった」を使います（→§23）。

◆「のだ」にも発見を表す用法があります（→§23）が、これとタ形や「のだった」を比べると、「のだ」による発見はその場で初めて発見したことを表すのに対し、タ形や「のだった」は再認識を表す点に違いがあります。

　　(5)a.（掲示を見て）明日会議があるんだ。
　　　b.（掲示を見て）明日会議があるんだった。

例えば(5)aと(5)bを比べると、(5)aは掲示を見たその場で「明日会議がある」という情報を初めて認識したということを表すのに対し、(5)bは掲示を

見たその場で「明日会議がある」という忘れていた情報を再認識したということを表します。

3. 静的述語のテンス

> (1) 去年私は32歳｛○でした／×です｝。
> (2) Ａ：北海道の美瑛に行ったんでしょ。どうだった。
>   Ｂ：実にきれいな町｛だった／だ｝ね。
> (3) Ａ：教室の鍵はかけましたが、換気用に窓は開けておきました。
>   Ｂ：それは｛まずかった／まずい｝な。窓から鳩が入るんだよ。
> (4) 彼は私の友人｛○でした／？です｝が、去年亡くなりました。
> (5) さっきここにいた男性は私の友人｛×でした／○です｝。
> (6) 川端康成は優れた文学者｛であった／である｝。

これだけは

◆テンスは発話時との時間的前後関係を表すものですから、過去の動作・出来事・状態はタ形で表されるのが原則です。これは動的述語については問題ありません。例えば、(7)(8)のタ形をル形に変えることはできません。

> (7) 昨日みんなでパーティーを｛○した／×する｝。
> (8) 昨日大雨が｛○降った／×降る｝。

これは静的述語でも(1)のように過去でしかあり得ないものの場合には同様に当てはまります。
　逆に、未来を表す場合にはタ形を使うことはできません。

> (9) 明日は研究室に｛○いる／×いた｝。

◆しかし、静的述語の場合は(2)(3)(6)のように過去に関することであってもル形が使える場合があります。
◆過去に関することにル形が使える場合は大きく次の二つに分けられます。

① 話し手が過去に体験したことで発話時にもその属性が残っている場合
② 過去の出来事に関する話し手の判断を表す場合

①は(2)の「きれいな」のように、その属性が話し手が体験した時点だけのものではなく発話時にも存続している場合です。こうした場合は、話し手が体験した時点（体験時）に注目するとタ形が使われ、発話時にもその属性が存続している点に注目するとル形が使われることになります。

(10)

```
          タ形        ル形
  ─────────×──────────┼────── 属性（きれいな）
          体験時      発話時              時間
```

②は(3)の「まずい」のように、過去の出来事に関する話し手の判断を表す場合です。こうした場合は、判断した時点（判断時）が発話時であることを示すにはル形を使い、出来事の時点（出来事時）に焦点を当てて述べるにはタ形を使います。

(11)

```
          タ形        ル形（判断）
  ─────────×──────────┼────── 
          出来事時    発話時（＝判断時）    時間
```

もう少し

◆①②は過去の出来事・状態が発話時にも存続している場合ですが、状態などが存続していない場合はル形は使えません。例えば、(4)の「彼」はすでに死亡しているため、ル形は使えません。(5)でタ形が不自然なのはタ形を使うと男性が死亡したことになってしまうためです。

◆ただし、タ形は必ずしもその事物が存在しないことを述べるとは限らず、属性だけが存在しなくなったということも表せます。例えば、(12)を彼が健在であるときに言うと、今は優れた文学者ではないという意味になります。

(12) 彼は優れた文学者だっ<u>た</u>。

◆②の判断時と出来事時のズレという現象は次に見る反事実的な用法につな

がるものです。
◆以上見た現象とは別に、小説の地の文ではル形とタ形が混在することがよくあります。この現象には厳密な決まりはありませんが、⒀の①のようにある事物の描写をしている場合はル形が使われやすくなります。これは、こうした場合のル形がいわばその現場に立ってカメラで映像を撮っているような臨場感をもたらす効果があるためです。

⒀　一カ月以前、彼は娼婦の町にい<u>た</u>。店の前に佇んでいる一人の女から好もしい感じを受けたので、彼は女の部屋へ上っ<u>た</u>。（略）
映画雑誌のグラビア頁から切り取られたらしいクローズ・アップで、レンズを正面から凝視している北欧系の冷たい顔は、その一部分が縦に切り捨てられ、従って片方の眼は三分の一ほど削りとられてい<u>る</u>。　　　　　　　　　　　　（吉行淳之介「驟雨」）
　　　　①

ル形とタ形の混在は話しことばでも一人語りの場面でよく見られます。

⒁　気がついたら知らない部屋に閉じこめられていまし<u>た</u>。カーテンが閉まっていて真っ暗<u>です</u>。ビデオカメラがこっちに向けられているような気がしまし<u>た</u>。本当に怖かっ<u>た</u>です。

4.　モダリティ形式のタ形

（1）　彼はパーティーに来る<u>はずだった</u>。
（2）　大統領は辞職する<u>べきだった</u>。

これだけは

◆モダリティ形式のタ形は**反事実**を表すことが多いです。例えば、(1)は実際は彼はパーティーに来なかったということを述べています。
◆モダリティ形式のタ形が反事実を表すのは、出来事時と判断時がずれるた

めです。例えば、(2)では「大統領が辞職するべき」時期は過去ですが、その判断をしているのは発話時です。そして、発話時から過去の出来事を見て「大統領が辞職する」のに適当な時期が過去にあったということを述べることにより、間接的にそれが実現しなかったという反事実を表しているのです。

(3)　　　　大統領が辞職する(べき)　　　　判断
　　　　―――――×――――――――――|―――――――→
　　　　　　　　出来事時　　　　　　　発話時

もう少し

◆（過去における）反事実はテイタ形でも表されます（→§8）。

(4) あのとき野党がもっと追及していれば、大統領は辞職<u>していた</u>。

◆モダリティ形式のうち、「ようだ、（様態の）そうだ、らしい」のタ形は反事実を表しません。例えば、(5)(6)は通常、事実と逆の出来事を表しません。

(5) 彼女はパーティーには行かない<u>ようだった</u>。
(6) シャツのボタンが取れ<u>そうだった</u>。

これらのモダリティ形式は何らかの証拠に基づく判断を表しますが、これは言い換えると判断の対象となるもの（「彼女」や「シャツのボタン」）が判断の基になるような外見的特徴を持っているということであり、そのタ形はそうした外見的特徴が存在したことを示すに過ぎないのです。

5. 従属節のテンス

(1) 日本へ<u>来る</u>前5キロ太った。
(2) 日本から<u>帰った</u>あと5キロ痩せた。
(3) 田中さんが話し<u>かける</u>から、ドラマの結末を見損なってしまった。

これだけは

◆従属節のテンスは基本的に主節が表す時間（主節時）との時間的前後関係を表します。つまり、従属節のル形は主節と同時かそれより後の出来事を、従属節のタ形は主節よりも前の出来事を表します。例えば、(1)と(2)はそれぞれ次のような時間的前後関係を表します。

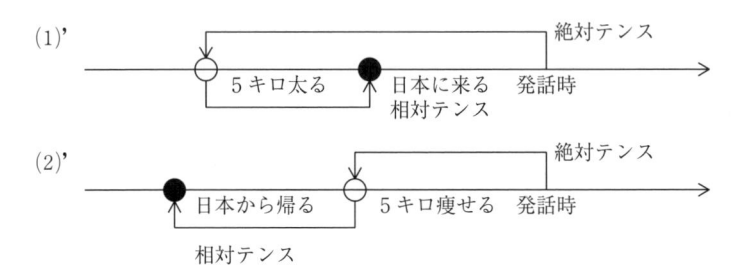

```
(1)'                        ┌─────絶対テンス─────┐
         ──────○────────●──────────────→
              5キロ太る  日本に来る    発話時
                     └相対テンス┘

(2)'                        ┌─────絶対テンス─────┐
         ──────●────────○──────────────→
              日本から帰る 5キロ痩せる   発話時
              └相対テンス┘
```

もう少し

◆主節のテンスは発話時との時間的前後関係のみで決まるため**絶対テンス**と呼ばれるのに対し、従属節のテンスは主節時との時間的前後関係を表し、発話時との前後関係を表さないため、**相対テンス**と呼ばれます。この相対テンスというのは完了（タ形）か未完了（ル形）かということでもあります。

「〜前(に)」の「〜」にはル形しか来ることができず「〜あと(で)」の「〜」にはタ形しか来られないのは、「〜前(に)」の場合の主節の出来事（○）と従属節の出来事（●）の時間的前後関係が意味的に(1)'のようなものでしかあり得ず、「〜あと(で)」の場合は意味的に(2)'のようなものでしかあり得ないためです。

◆従属節のル形には主節時以前を表せるものがあります。(3)の「話しかける」がその例で、この場合出来事の生起順は「話しかける→結末を見損なう」の順であり、(1)と同様の「結末を見損なう→話しかける」ではありません。

ル形が(3)のような時間関係を表せる条件については難しい点もありますが、(3)のような場合にはタ形を使うことも可能で、タ形ならば「話しかける→結末を見損なう」という時間関係を表せることに問題はありません。従って、学習者はこうした現象があるということを知っていれば十分です。

6. 名詞修飾表現のテンス

> (1) 大学で{○書いた／×書く}手紙をポストに投函した。
> (2) その店で{働いていた／働いている}男性がテレビに出た。
> (3) 田中さんが英語を{×話せた／○話せる}人を探していた。
> (4) 今日は着物を{○着た／×着る／○着ている}人が多い。
> (5) 彼は{○優れた／×優れる／×優れている}作品を多数残した。

これだけは

◆名詞修飾表現（(5)のような節とは言いにくいものも含む）のテンスは5で見たものと若干異なります。特に主節が過去のときが問題となります。

◆原則として主節が過去のときは名詞修飾表現の中でもタ形またはテイタ形が使われます。特に、(1)のように名詞修飾表現の出来事が主節より前の場合にはタ形しか使えません。これは5の一般の複文の場合と同じです。

◆一方、名詞修飾表現の述語が動的述語でそれが表す出来事が主節と同時の場合は(2)のようにテイタ形のほかにテイル形も使えます。

◆これに対し、(3)のように名詞修飾表現の述語が属性を表す場合にはル形が使われ、タ形は使われません。次の例も同様に考えられます。

> (6) {×激しかった／○激しい}雨が降った。

◆「着る、かぶる、（眼鏡を）かける」などの装着に関する動詞や「（きれいな目を）する」などの身体の性質を表す動詞、「腐る」などの変化動詞を名詞修飾表現で使った場合、タ形とテイル形の違いがなくなります。これはこの場合動詞が動詞らしさを失って形容詞的なものになるためです。

◆動詞の中には(5)の「優れる」のように形容詞的にしか使われないものがあります。こうした動詞は名詞修飾表現では常にタ形で使われます。一方、文の場合は常にテイル形で使われます。こうしたタイプの動詞は金田一春彦(1950)の分類に従って「第四種の動詞」と呼ばれています。

> (7) 彼の作品は{○優れている／×優れた／×優れる}。

もう少し

◆「あのとき、昨日」のような過去を表す語が名詞修飾表現に含まれるときにはテイタ形しか使えません。

 (8) その店で去年{○働いていた／×働いている}男性がテレビに出た。

◆名詞修飾表現の述語が静的述語の場合はル形もタ形も使えますが、意味が異なることがあります（同じ意味で使える場合もあります）。

 (9) 彼の家に{あった／ある}絵は私の知り合いが描いた。

 例えば、(9)でル形を使った場合は現在も絵が彼の家にあることになりますが、タ形を使った場合はそうした含意はありません。なお、現在は絵が彼の家にない場合にはタ形しか使えません。これは3で見たのと同じ現象です。
◆(4)(5)のような場合、名詞修飾表現の中のタ形は特定の時間を表していません。一方、(1)(2)のような場合の名詞修飾表現中の「～た」は過去を表しています。名詞修飾表現のテンスが一般の複文の場合と（やや）異なるのは(2)のように主節が過去でそれと同時のことを表す場合に「～た」の他にル形やテイル形も使える点です。また、(4)(5)のようにタ形が特定の時間を表さず形容詞的意味になる場合があるのも名詞修飾表現に固有の現象です。

もう一歩進んでみると

◆テンスに関して中上級レベルで最も問題となるのは静的述語の場合です。3で見たように、この場合、ル形とタ形の違いは視点を出来事時に置くか発話時に置くかの違いになります。そのため、テキストの中でル形とタ形が混在することがよく起こることになります。

 動的述語の場合に通常ル形とタ形の混在が起こらないのは、動的述語で表される出来事や動作は発話時と切り離されているか、発話時とつながっているかがはっきりしているためです。そして、切り離されている場合にはタ形かテイタ形が使われ、つながっている場合にはテイル形が使われます。

(1)a. 昨日は雨が降っ<u>た</u>。
　b. 昨日は雨が降っ<u>ていた</u>。
(2)　昨日から雨が降っている。

　例えば、(1)aと(1)bは出来事をひとまとまりの点的なものと捉えるか、広がりのある線的なものと捉えるかという違いはあります（→§8）が、発話時と切り離されている点は共通しています。一方、(2)は「雨が降る」という出来事が昨日から発話時まで継続しているということを表しており、発話時とつながっているのです。この場合、(1)bと(2)は発話時とつながっているかという点ではっきり異なっており、両者が入れ替わることは通常ありません。ただし、小説の地の文や一人語りの場合は例外となります。

○参考文献
岩崎　卓（1994）「ノデ節、カラ節のテンスについて」『国語学』179
　★ノデ節、カラ節のテンスの中に相対テンスとは言えないものがあることを指摘し、そうした現象が起こる条件について記述している。
金田一春彦（1950）「国語動詞の一分類」金田一春彦編（1976）『日本語のアスペクト』むぎ書房に再掲
　★日本語のテンス・アスペクト研究の出発点となった論文。
工藤真由美（1995）『アスペクト・テンス体系とテキスト』ひつじ書房
　★小説の地の文におけるテンスの機能についての考察がある。
─────（1998）「非動的述語のテンス」『国文学解釈と鑑賞』63-1, 至文堂
　★静的述語のテンスに関する最もまとまった記述。
寺村秀夫（1984）『日本語のシンタクスと意味Ⅱ』くろしお出版
　★テンスに関する基本文献。
日高水穂（1995）「「マダ～シナイ」と「マダ～シテイナイ」－未実現相の否定表現－」宮島達夫・仁田義雄編『日本語類義表現の文法（上)』くろしお出版
　★現在完了の否定形におけるゆれについての詳しい考察がある。
益岡隆志（1991）『モダリティの文法』くろしお出版
　★小説の地の文のテンスに関するまとまった記述がある。

§8. 時間を表す表現(2)
－アスペクト－

　ここではもう一つの時間を表す表現であるアスペクトについて考えます。
アスペクトは開始、継続、終結などの出来事の局面を表す概念です。
　ここで取り上げる形式は次のようなものです（※は初級編で扱ったもの）。

※テイル形、※～たことがある、～ことになる
＜直前・開始＞～かける、～ようとする、※～始める、※～だす
＜継続＞※～続ける、※～つつある
＜終結・直後＞※～終わる、※～終える、～きる、～つくす、～たばかりだ
＜ところだ＞※～ところだ、※～たところだ、※～ているところだ、
　　　　　　～ていたところだ、～ところだった

1．テイル形
1－1．テイル形の基本的用法

> (1) 田中さんは部屋で勉強をし<u>ている</u>。
> (2) 掛け時計が止まっ<u>ている</u>。
> (3) 佐藤さんは毎日散歩をし<u>ている</u>。

これだけは

◆**テイル形**の最も基本的な意味は、①動作・出来事の継続（**進行中**）と②変化の結果の継続（**結果残存**）に大別できます。どちらの意味になるかは基本

的には動詞の意味によって決まっており、(2)のような変化動詞の場合は②の意味になり、それ以外の動詞（状態動詞を除く）の場合は①の意味になります。なお、状態動詞はテイル形を持ちません。

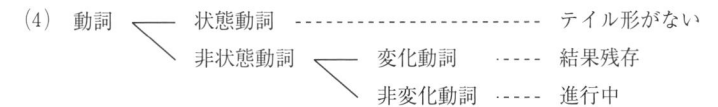

(4) 動詞 ─┬─ 状態動詞 ──────────── テイル形がない
　　　　　└─ 非状態動詞 ─┬─ 変化動詞 ───── 結果残存
　　　　　　　　　　　　 └─ 非変化動詞 ──── 進行中

◆テイル形は「毎〜」「いつも」「ときどき」などの繰り返しを表す語とともに使われると**習慣**を表します。
◆「進行中」「結果残存」「習慣」のそれぞれを図示すると次のようになります。

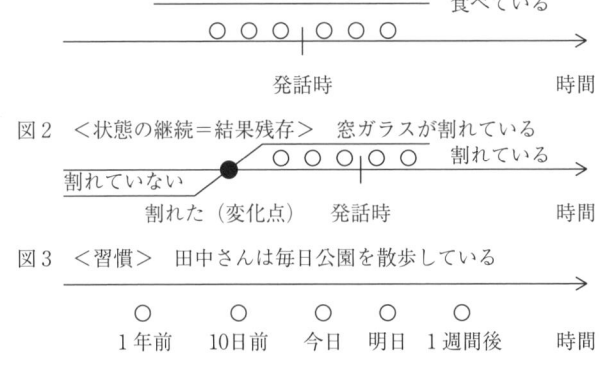

図1　＜動作・出来事の継続＝進行中＞　田中さんは昼ごはんを食べている
　　　　　　　　　　　　　　　　食べている
　　　　　　　　○○○｜○○○
　　　　　　　　　発話時　　　　　　　　時間

図2　＜状態の継続＝結果残存＞　窓ガラスが割れている
　　　　　　　　　　○○○○○　割れている
　　割れていない
　　　　　　　割れた（変化点）　発話時　　　時間

図3　＜習慣＞　田中さんは毎日公園を散歩している
　　　　　○　　　○　　　○　　　○
　　　1年前　10日前　今日　明日　1週間後　時間

1－2. 経験・経歴を表すテイル形

(1) 田中さんは去年まで3年間この店で働いている。
(2) この橋は5年前に壊れている。

これだけは

◆テイル形には主語の経験や経歴を表す用法があります。(1)は経験、(2)は経歴を表すものです。
◆テイル形が**経験・経歴**を表すのは文で表されている出来事と発話時の間に

連続性がないことがわかるときに限られます。例えば、(1)は「去年まで」という語があることで「この店で働く」という行為が現在は行われていないことがわかるためテイル形は経験・継続を表します。これに対し、(1)'のようにすると「この3年間」というのは発話時を含むのでテイル形が進行中を表すことになります。

 (1)' 田中さんはこの3年間この店で働いている。（進行中）

◆経験・経歴を表すテイル形は過去を表す語とともに使えます。

 (3) 田中さんは3日前ここで食事をしている。（経験・経歴）

◆経験・経歴のテイル形は過去の動作、出来事、状態を発話時（＝現在）とかかわりのあるものとして述べるものです。例えば、(2)は5年前に起こった「この橋が壊れる」という出来事の影響が現在も残っているということを表します。これを図示すると次のようになります。

 図4 (2) この橋は5年前に壊れている（経験・経歴）

```
━━━━━●╍╍╍╍╍╍╍╍╍╍╍╍╍▽━━━━━━━━▶
　　　壊れる（5年前）　発話時（現在）　　時間
```

経験・経歴では影響が発話時にも残っているのですが、それは目に見える具体的なものではありません。したがって、5年前に壊れた橋が修復されず今も壊れたままである場合には(2)ではなく(2)'（＝結果残存）になります。この場合を図示すると図5のようになります。

 図5 (2)' この橋は5年前から壊れている（結果残存）

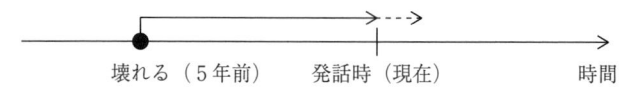

```
━━━━━●━━━━━━━━━━━━━╌╌▷━━━━━━▶
　　　壊れる（5年前）　発話時（現在）　　時間
```

◆これに対し、タ形には図4で表されるような発話時とのかかわりというニュアンスはなく、単に出来事が過去に起こったということを述べるだけです。これを図示すると次のようになります。

図6　この橋は5年前に壊れた（過去）

```
─────────●─────────┼──────────────→
       壊れる（5年前）  発話時（現在）    時間
```

もう少し

◆経験・経歴には二つの用法があります。一つは過去の出来事の影響が現在も残っているということを表すものです。この場合、文脈的にそうした影響の存在が問題となることが必要です。例えば、(4)はこの橋の耐震性が問題となる文脈であり、ここでは「5年前に壊れた」というこの橋の属性を問題にすることが意味を持つため、タ形よりもテイル形のほうがよく使われます。

(4)　この橋は5年前に壊れている。だから、大きな地震が来たら心配だ。

◆もう一つの用法は「歴史的現在」とも言うべき用法です。これは次のように何らかの証拠（手帳などの記述、記憶etc.）に基づいて述べる場合です。

(5)　証言によると、犯人は3日前ここで食事をしている。

この場合、出来事が起こったのは過去ですが、その記録は発話時に存在するため、タ形やテイタ形ではなくテイル形が使われるのです。

(5)'　?証言によると、犯人は3日前ここで食事をした。

こうしたテイル形は学術論文などでよく使われます。

(6)　田中氏は問題の論文で次のように｛○述べている／?述べた｝。

◆テイル形が経験・経歴を表すのは次のような理由によります。

まず、図2からわかるように、テイルはある1点（変化点）以降の状態の継続（結果残存）を表すことができます。一方、図4からわかるように、経験・経歴のテイル形は過去の出来事を発話時と結びつけます。両者の類似点と相違点は図4と図5のように図示できます。

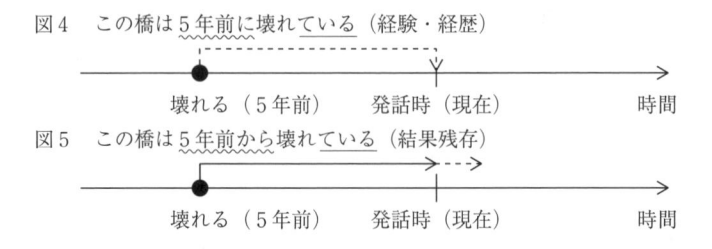

図4　この橋は5年前に壊れている（経験・経歴）

壊れる（5年前）　発話時（現在）　時間

図5　この橋は5年前から壊れている（結果残存）

壊れる（5年前）　発話時（現在）　時間

　つまり、両者の相違点は、経験・経歴では出来事は5年前に終わっていて、それを発話時から振り返っているにすぎない（具体的な継続はない）のに対し、結果残存では5年前に起こった出来事の結果が発話時までずっと具体的に継続していることにあります。一方、類似点は、どちらも出来事と発話時が「つながっている」（広い意味で「継続」している）という点にあります。

◆歴史的現在を表すテイル形は時間軸に沿って出来事を述べる場合によく用いられますが、そうした文脈では**辞書形＋ことになる**も使われます。

(7) 1955年の『経済白書』は日本が復興期を過ぎたとして、「もはや戦後ではない」ということばを載せている。日本はこの後、1973年の第一次石油危機の頃まで高度経済成長を続けることになる。

「辞書形＋ことになる」はこうした文脈においてその時点（発話時から見ると過去）における未来を表すのに使われます。

1-3. テイル形と「〜たことがある」

(1) 田中さんは3年前にその映画を｛見ている／見たことがある｝。
(2) 田中さんはおとといその映画を｛○見ている／×見たことがある｝。
(3) 私はなまこを｛？食べている／○食べたことがある｝。

これだけは

◆経験・経歴を表すもう一つの形式が**〜たことがある**です。ここではテイル

形と「〜たことがある」の違いを考えます。
◆両者の第一の違いは「〜たことがある」は動詞以外に接続できることです。

 (4) 田中さんは大学の講師だったことがある。

◆一方、テイル形のほうが適当なのは(2)のように発話時からあまり隔たっていない時間のことを述べる場合です。これは「〜たことがある」が発話時からある程度隔たったことを述べるのにしか使えないためです。
◆テイル形は述部が主語の経歴として有意味なときしか使えません。(3)の「なまこを食べる」というのは主語の経歴と解釈できないためテイル形は使いにくいのです。「〜たことがある」は単に経験を述べるのに使えるため、（出来事が発話時からある程度隔たっていれば）こうした場合でも使えます。

1－4. 完了、反事実を表すテイル形

> (1) 私が部屋に入ったとき彼は（すでに）死んでいた。（完了）
> (2) あのとき彼が助けてくれなかったら僕は死んでいた。（反事実）

これだけは

◆テイル形には完了を表す用法があります。
◆**完了**は基準時以前に動作や出来事が終わっていることを表す用法で、基準時の違いによって、未来完了（基準時が未来）、現在完了（基準時が発話時）、過去完了（基準時が過去）があります。それぞれの形は次のようになります。

(3)

	肯定	否定
過去完了	（すでに）〜ていた	（まだ）〜ていなかった
現在完了	（もう）〜た （もう）〜ている	（まだ）〜ていない ＜（まだ）〜ない＞
未来完了	（すでに）〜ている(だろう)	（まだ）〜ていない(だろう)

それぞれの例は次のようになります。

(4) a. 着いたとき映画は（すでに）始まっていた。　（過去完了・肯定）
　　b. 着いたとき映画は（まだ）始まっていなかった。（過去完了・否定）
(5) a. 映画はもう始まった。　　（現在完了・肯定）
　　b. 映画はもう始まっている。　（現在完了・肯定）
　　c. 映画はまだ始まっていない。（現在完了・否定）
(6) a. 着くまえに映画は始まっているだろう。　（未来完了・肯定）
　　b. 着くまえに映画は始まっていないだろう。（未来完了・否定）

◆**反事実**は事実と反対の仮定（X）をしてXが実現していればYという事態が生じたと述べるものですが、結局Yが実現しなかったことを述べることになります（→§30）。例えば、(2)は「あのとき彼が助けてくれない」（X）ということが起こっていたら「僕が死ぬ」（Y）ということになったと述べていますが、実際は彼は助けてくれたので僕は死ななかったと述べる表現になります。

◆反事実には現在の事実に反する内容を述べるものと、過去の事実に反する内容を述べるものがあり、前者はテイル形で、後者はテイタ形で表されます。

(7) （今）金があればあの宝石を買っている。　（現在における反事実）
(8) あのとき金があればあの宝石を買っていた。（過去における反事実）

もう少し

◆テイル形（過去の場合はテイタ形）には次の三つの用法があります。

(9) a. 私は昨日飛行機に乗っていた。　　　　　　　　　（進行中）
　　b. 彼が電話してきたとき私はすでに飛行機に乗っていた。（完了）
　　c. 彼の電話がなければ私は墜落した飛行機に乗っていた。（反事実）

まず「進行中」「完了」と「反事実」の違いは、前者ではテイル形で表される動作・出来事（「飛行機に乗る」）が実現したのに対し、後者では実現しなかった（つまり「飛行機に乗らなかった」）という点にあります。

一方、「進行中」と「完了」の違いは「もう／すでに」という副詞が共起するか否かにあり、共起すれば完了、しなければ進行中になります。ちなみ

に、(9)bから「すでに」を除くと進行中の解釈になります。

◆反事実はテイル形／テイタ形で表されるのが普通ですが、「～のに」「～のだが」などで言いさす場合などはル形／タ形も可能です。

(10)a. 金があればあの宝石を買う{のに／のだが}。
　　b. あのとき金があったらあの宝石を買った{のに／のだが}。

2. その他のアスペクト形式

ここではテイル形以外のアスペクト形式を取り上げます。

2-1. 直前・開始を表す形式

> (1) 彼はビールを飲みかけたが、結局一滴も口にしなかった
> (2) 水が浴槽からあふれようとしている。
> (3) アメリカの景気が悪くなり{○始めた／?だした}。
> (4) 突然目覚まし時計が鳴り{始めた／だした}。

～かける、～かけのN、～かけだ

これだけは

<接続>　Vマス＋かける、Vマス＋かけのN、Vマス＋かけだ

◆～かけるは動作や出来事が始まる**直前**を表します。

「～かけた」とタ形にすると実際はその動作や出来事が実現しなかったことを表します。例えば、(5)は実際には彼が泣かなかった場合に使われます。

> (5) 彼はスピーチの途中で泣きかけた。

一方、「～かけている／かけていた」とテイル形／テイタ形にすると、実際に起こる／起こった動作や出来事の直前ということを表します。

(6) 彼はビールを飲みかけていた。

もう少し

◆「〜かける」の類義表現に「〜かけだ」があります。
◆〜かけだは「〜かける」と似ていますが、「〜かける」とは異なり、常に実現したことを表します。例えば、(7)aは読み始める直前だがまだ読んでいない状態を表す(のが普通である)のに対し、(7)bはまだ全部読んではいないが少なくとも一部は読んだ状態を表します。

(7)a. 彼女はその本を読みかけていた。
 b. 彼女はその本を読みかけだった。

◆また、「〜かけだ」は「もの」を主語にして使うこともできます。

(8) その本は{○読みかけだ／×読みかけている}。

◆名詞修飾の形として「〜かけのN」がありますが、これは「〜かけだ」に対応するものであるため、すでに動作や出来事が始まっていることが含意されます。例えば、(9)の「チーズ」は少し食べられており、(10)の「本」には読んだ形跡があります。

(9) 机の上に食べかけのチーズが置いてあった。
(10) ベッドの横に読みかけの本が広げられていた。

一方「〜かけていたN」は「〜かけていた」と同じく開始直前を表します。

(6)'「火事！」と聞いてビールを飲みかけていた彼は外に飛び出した。

◆「〜かける」と「〜ところだ」には次のような違いがあります。
　「〜かける」は1人称の現在のことには使えませんが、「〜ところだ」は使えます。なお、1人称でも過去のことには「〜かける」も使えます。

(11)a. 私は家に{×帰りかけている／○帰るところだ}。
 b. 私はそのとき家に{○帰りかけていた／○帰るところだった}。

◆「～かけている」がすでに実現した事態を表せるか否かには語彙による違いや方言差、個人差などがあります。例えば、⑿は東京方言話者にとっては（実現する直前だが）未実現の事態しか表せないのに対し、⒀は（京阪方言話者だけでなく東京方言話者にとっても）すでに実現した事態を表す解釈が得やすいです。

⑿　雨が降りかけている。（東京方言話者にとってはすでに雨が降っているという解釈はしにくい。京阪方言話者にとってはこの解釈は自然。）

⒀　彼はごはんを食べかけている。（すでに食べているという解釈で○の東京方言話者もいる。京阪方言話者にとってはこの解釈は自然。）

～ようとしている

これだけは

＜接続＞　V 意向 ＋ としている

◆～ようとしているは出来事が起こる直前であることを示します。例えば、⑵は水があふれだす直前であることを示していますし、⒁は出掛ける直前ということを表します。この場合は意志動詞も無意志動詞も使えます。

⒁　電話がかかってきたとき、私は出掛けようとしていた。

～始める、～だす

これだけは

＜接続＞　Vマス＋始める／だす

◆「～始める」と「～だす」は**開始**を表す形式です。

◆～だすは⒂のように主語が無生物である場合や、⒃のような人間の生理現象を表す場合によく使われます。

⒂　雨が降りだした。

⒃　赤ちゃんが泣きだした。

「～だす」は「突然」というニュアンスで使われることが多いです。

◆～始めるは開始を表す最も一般的な形式であり、⑮⑯のように「～だす」が使える場合の他に、⑰⑱のような意志動詞の場合にも使えます。

⑰　6時から料理を作り始めよう。

⑱　昨日、レポートを書き始めました。

ただし、状態動詞のように明確な開始時点がない動詞には後接しません。

⑲×最近、部屋にゴキブリがい始めた。

もう少し

◆「行く」などの移動動詞に「～始める」が後接すると繰り返し行われる行為を始めるという意味になります。例えば、⑳は習慣的に行われる「学校へ行く」という行為が昨日から始まったという意味を表しますが、個別の行為の「学校へ行く」ということの開始時点（家を出るetc.）は表しません。

⑳　弟は昨日から学校へ行き始めた。

2－2. 継続を表す形式

(1) 彼女は10時間ぐらい眠り続けた。
(2) 春になって池の氷が溶けつつある。

～続ける

これだけは

＜接続＞　Vマス＋続ける

◆～続けるはテイル形と同じく**継続**を表します。「～続ける」が表す継続は動作・出来事が終結しないことを表すのに対し、テイル形は動作・出来事が

ある時点で行われている／起こっていることを表します。

(3) a. 雨が降り続けた。
    b. 雨が降っていた。

例えば、(3)aと(3)bを比べると、(3)aは雨がある一定期間降るという状態にあったことを表すのに対し、(3)bはその意味の他に、ある時点において雨が降るという出来事が起こっていたということも表せます。従って、「3時間」のような期間を表す語はどちらにも使えますが、「私が見たとき」のような時点を表す語は「〜続ける」といっしょには使えません。

(3)' a. ｛○3時間／×私が見たとき｝雨が降り続けた。
     b. ｛3時間／私が見たとき｝雨が降っていた。

もう少し

◆「続ける」は単独の動詞（本動詞）として使われるときは他動詞ですが、アスペクトを表す場合には自動詞といっしょにも使われます。なお、自動詞の「続く」は「降る」「鳴る」など一部の動詞に限って使われます。

(4) 雨が降り｛続けた／続いた｝。
(5) 学校の鐘が鳴り｛続けている／続いている｝。
(6) 彼は家まで歩き｛○続けた／×続いた｝。

〜つつある

これだけは

<接続>　Vマス＋つつある

◆〜つつあるは変化の過程を表す表現で、変化動詞に後接します。例えば、(2)は池の水分が氷（個体）から水（液体）に変化する途中の段階であることを表します。テイル形との違いは変化動詞に後接したテイル形は通常変化の結果の状態を表すという点にあります。例えば、(2)'は池の水分が氷から完全に水に変わったあとという出来事を表します。両者の違いを図示すると図

8. 時間を表す表現（2）—アスペクト—

7のようになります。

図7 (2)' 池の氷が溶けている

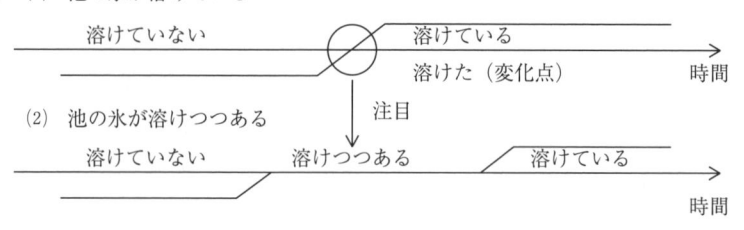

溶けていない｜溶けている
　　　　　　　溶けた（変化点）　　　時間

(2) 池の氷が溶けつつある
溶けていない｜溶けつつある｜溶けている
　　　　　　注目
　　　　　　　　　　　　　　　　　時間

2−3. 終結・直後を表す形式

> (1) 彼女はフルマラソンを走り<u>きった</u>。
> (2) 友人と、日頃思っていることを語り<u>つくした</u>。
> (3) 彼女は昼食を10分で食べ<u>終わる</u>と、すぐに出掛けた。

〜きる

これだけは

＜接続＞　Vマス＋きる

◆〜きるは動作や出来事が完全に行われることを表します。意志動詞に後接した場合には動作を意志的に**終結**させることを表します。

◆「〜きる」は全体量が決まっていて、それを全部行うことがある程度の重要性を持つ動作に後接するのが最も適しています。例えば、(1)'は全体量が決まっていないため使えませんが、(1)の「フルマラソン」のように全体量を指定すると「走りきる」も使えるようになります。一方、(4)の宿題をすることは学生にとって当然のことであるため不自然になります。こうした場合は一般的な表現である「〜終える／終わる」が使われます。

　　(1)' ×彼女は運動場を走り<u>きった</u>。 cf.(1)
　　(4) ?彼は1時間で宿題をやり<u>きった</u>。

もう少し

◆「〜きる」が無意志動詞に後接した場合は完全にその状態になるという意味を表します。例えば、(5)はあの男の性格が完全に腐った状態にあるということを表します。

(5) あの男の性格は腐りきっている。
(6) スプレー缶は中のガスが抜けきってから捨ててください。

〜つくす

これだけは

<接続> Vマス＋つくす

◆〜つくすは動作を意志的に終結させることを表します。
◆「〜つくす」は全体量が決まっているものをすべて（抽象的な意味を含めて）「消費する」という動作に後接します。例えば、(2)(7)では「日頃思っていること」「父親の財産」が全体量であり、それをすべてなくすというのが「語りつくす」「使いつくす」ということの意味になります。一方、「フルマラソンを走る」ということは何かをすべてなくすということではないため、「〜つくす」は不自然になります。

(7) 彼は父親の財産をギャンブルで使いつくした。
(8) 彼女はフルマラソンを{？走りつくした／○走りきった}。

〜終わる、〜終える

これだけは

<接続> Vマス＋終わる／終える

◆〜終わる／終えるは動作の終結を表す最も典型的な形式ですが、「走る・遊ぶ」のような明確な終結点を持たない動作や出来事を表す動詞や、「いる」のような状態動詞には後接しません。

(9)×一人で公園を走り終わった。 cf. 一人で公園を走った。

　また、「割れる」のような変化動詞や「行く・来る」のような移動動詞（＝位置の変化を表す動詞）は過程を持たず、終結点もないので、やはり「～終わる」は使えません。

(10)×私は学校へ行き終わった。 cf. 私は学校へ行った。
(11)×ゴキブリが死に終わった。 cf. ゴキブリが死んだ。

◆「～終える」は「～終わる」とほぼ同義ですが、「～終わる」より書きことば的です。

3.　～ところだ

(1)　これから出掛けるところです。
(2)　レポートを書いているところです。
(3)　今、帰ってきたところです。
(4)　もう少しで火事になるところでした。

これだけは

＜接続＞　　V 辞 ・ タ ・テイル・テイタ＋ところだ

◆以上扱ったアスペクト形式以外にアスペクトを表す形式に「～ところだ」があります。「ところだ」は辞書形、タ形、テイル形、テイタ形に後接し、直前、継続、直後などのアスペクトを表します。

◆**辞書形＋ところだ**は動作が行われる直前であることを表し、**～たところだ**は動作・出来事が終結した直後であることを表します。

◆「辞書形＋ところだった」「～ていたところだ」は(4)や(5)(6)のように反事実を表す文としても使われます。

(5)　教えてもらわなかったら別の住所に手紙を出していたところだ。
(6)　教えてもらわなかったら別の住所に手紙を出すところだった。

もう少し

◆「ところ」には次のような具体的な用法もあります。この場合、「ところ」は「場所」で置き換えられます。

 (7) ここは田中さんが住んでいる<u>ところ</u>です。

◆(1)〜(6)のような「ところ」は(7)より抽象的ですが、この場合の「ところ」は「場面」あるいは「局面」と捉えることができます。例えば、「辞書形＋ところだ」「〜たところだ」は写真や映像のように、動作・出来事の直前、直後を捉えて表現したものと見ることができます。

◆〜ているところだは「〜」で表される動作・出来事が一連の動作・出来事の一部であることを表します。例えば、人形を作っている人には(8)Aのように話しかけることができます。これはこの場合の質問が「今、人形作りのどの段階ですか」という意味であるためです。

 (8) A：(人形を作っている人に) 今、何をし<u>ているところ</u>ですか。
    B：人形に目を付け<u>ているところ</u>です。

これに対し、(9)のように一連の動作・出来事の一部と解釈しにくいものの場合は「〜ているところだ」は使えません（テイル形は動作の継続のみを表すことができますから、こうした場合でも使えます）。

 (9)×博君は公園で遊ん<u>でいるところ</u>です。
  cf.(9)'博君は公園で遊んでいます。

また、電話で(10)のように言うのが通常不自然なのも同様に説明できます。

 (10)？(電話で) 今、何をしてるところ？
  cf.(10)'(電話で) 今、何してる？

◆「〜ているところだ、〜ていたところだ」は「ちょうど」という副詞とともに使われることが多いです。

 (11) A：これからそっちに行ってもいい？
    B：<u>ちょうど</u>ケーキを焼い<u>ているところ</u>だから、いっしょに食べましょう。

<～たところだ vs.～たばかりだ>

◆「～たところだ」と似た意味を表すものに「～たばかりだ」があります。次のような場合、両者とも使えます。

　⑿　今、外出先から{帰ったところです／帰ったばかりです}。

◆**～たばかりだ**は単に何らかの出来事の直後であることを表すのに対し、「～たところだ」には新たな動作・出来事に移る前の段階というニュアンスがあります。⒀で「～たところだ」が不自然なのは「生まれた」の次の段階が想定しにくいためです。

　⒀　この子は一昨日{○生まれたばかりです／?生まれたところです}。

これに対し、⒁のように「電車に乗る→会社に着く」といった一連のプロセスが読み取りやすい場合には「～たところだ」のほうが自然です。

　⒁　今電車に{○乗ったところです／?乗ったばかりです}ので、会社に着くまでにはあと30分ぐらいかかります。

もう一歩進んでみると

◆テイル形／テイタ形は継続を表す形式です。これは言い換えると、出来事を広がりのあるものとして（**線的**に）捉えるということです。これに対し、ル形／タ形は出来事をひとまとまりのものとして（**点的**に）捉えます。

　⑴a. 先日私は旅館に泊まった。
　　b. 先日私は旅館に泊まっていた。

　例えば、⑴aは「旅館に泊まる」という出来事を点的に捉えているのに対し、⑴bは同じ出来事を線的に捉えています。これは物理的時間の長さの違いによるのではありません。これを図示すると次のようになります。

図8　――――――　テイタ形
　　　　　　　　　　　｜　　　　　　→
　　　　○　　タ形　　発話時　　　時間

◆このようなル形／タ形とテイル形／テイタ形の機能の違いのために、テキストにおける文の許容度に違いが出てきます。

(2)a. 先日旅館に｛○泊まった／×泊まっていた｝。b. 翌日山に登った。
(3)a. 先日旅館に｛○泊まった／○泊まっていた｝。b. 夜地震があった。

(2)a、(3)aでタ形を使った場合は出来事（「旅館に泊まる」と「山に登る」、及び、「旅館に泊まる」と「地震がある」）が連続して起こったことを表します。一方、(3)aでテイタ形を使った場合は「旅館に泊まる」という状態が継続している間に「地震がある」という出来事が起こったことを表します。(2)aでタ形を使った場合と(3)aでテイタ形を使った場合を図示すると次のようになります。

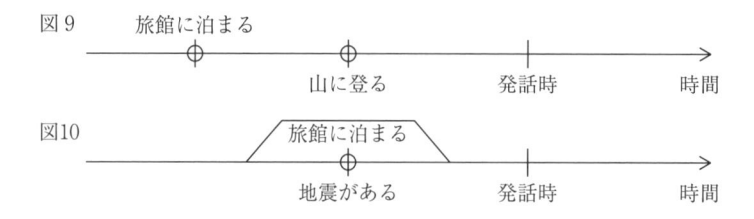

図9　　旅館に泊まる
　　　　　　　　　山に登る　　発話時　　時間

図10　　　旅館に泊まる
　　　　　　地震がある　　発話時　　時間

(2)aでテイタ形を使った場合が不適格になるのはこの場合の出来事の間の関係が図9、図10のどちらのパターンにも当てはまらないためです。
◆(2)(3)はタ形とテイタ形に対する対立ですが、これはル形とテイル形についても言えます。

(4)a. 雨が降ります。
　　b. 雨が降っています。

この場合も、ル形は出来事を点的に捉え、テイル形は出来事を線的に捉えますが、眼前で起こっていることは始めから終わりまで見通せないため、ル形は現在を表すことができず未来を表し、現在を表すにはテイル形を使わなければならなくなるのです。これを図示すると次のようになります。なお、これはテイル形を持つ動的述語の場合に限られます。

8. 時間を表す表現（2）―アスペクト―

図11　　　　　テイル形　　　　ル形

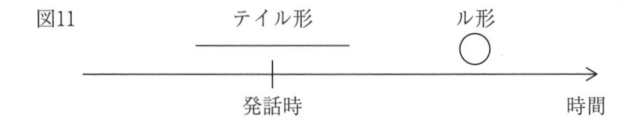

発話時　　　　　　　時間

◆ル形／タ形とテイル形／テイタ形の間には上で見たような違いがありますが、この違いは複数の出来事の間の関係を表す機能を持っています。

　動的述語を述語とする連文において、ル形／タ形は出来事を継起的に描くのに対し、テイル形／テイタ形はその前の文と同時のことを描きます。

　　(5) a. 田中さんが部屋に入った。b. 部屋には灯りがついた。
　　(6) a. 田中さんが部屋に入った。b. 部屋には灯りがついていた。

　例えば、(5)はa, bともタ形なので出来事が継起的になります。従って、部屋の灯りがついたのは田中さんが部屋に入ったあとになります。一方、(6)bはテイタ形なので(6)aと同時の事態を表します。従って、部屋の灯りがついたのは田中さんが部屋に入る前になります。両者における出来事の関係を図示すると次のようになります。

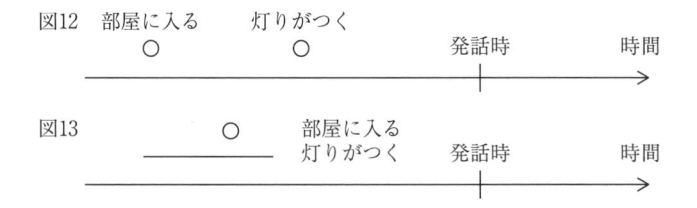

図12　部屋に入る　灯りがつく　　　発話時　　　時間

図13　　　　　　○　部屋に入る
　　　　　　　　　　灯りがつく　　発話時　　　時間

◆ここではテイル形を中心に見ました。テイル形が「進行中」と「結果残存」（及び「習慣」）という意味を持つことは広く知られており、初級でも必ず導入されますが、テイル形には他にもここで見たような「経験・経歴」「完了」「反事実」という意味があります。こうした多様な意味の大部分は「継続」という意味でまとめられますが、個々の用法の違いにも注意が必要です。

○参考文献

金水　敏（2000）「１時の表現」仁田義雄・益岡隆志編『日本語の文法2　時・否定

ととりたて』岩波書店
　★テンス・アスペクトに関する最新の包括的記述が見られる。
工藤真由美（1989）「現代日本語のパーフェクトをめぐって」『ことばの科学3』むぎ書房
　★進行中、結果残存以外のテイル形の用法に関する重要な研究。
―――（1995）『アスペクト・テンス体系とテキスト－現代日本語の時間の表現－』ひつじ書房
　★アスペクト形式がテキスト内で持つ機能について詳述している。
寺村秀夫（1978）「「トコロ」の意味と機能」『寺村秀夫論文集Ⅰ』くろしお出版に再録
　★「ところ」に関する重要な指摘が見られる。
―――（1984）『日本語のシンタクスと意味Ⅱ』くろしお出版
　★「もう一歩進んでみると」で取り上げた現象を指摘するなど、アスペクト研究に大きな示唆を与えた研究。
森山卓郎（1984）「アスペクトの意味の決まり方について」『日本語学』3-12
　★時定項分析という独自の枠組みでアスペクトを記述している重要な論文。

§9. 立場を表す表現(1)
－直接受身文・「YはXがV」型構文・相互文－

　出来事をそこにかかわる様々な立場から描くヴォイスの表現として、初級編では**受身、使役、使役受身**の三つの表現を扱いました（→初級編§30）。中上級編では直接受身（§9）、間接受身（§10）、使役・使役受身（§11）に分けてもう少し詳しく見ていきます。

　直接受身文に似た表現として名詞と特定の動詞を組み合わせて表現することもあります。受身文「暴行される」は名詞＋動詞の「暴行を受ける」と意味的にほぼ同じです。また、能動文「XがYをVする」の目的語Yを主題化した「YはXがVする」は、動作を受ける側により注目した表現である点で受身文と共通した特徴を持っています。§9ではこれらの直接受身文に関連する表現も扱います。

　また、「XとYが殴り合った」のような**相互文**と呼ばれる表現についてもここで見ていきます。

1. 直接受身文と間接受身文

> (1) 春男は先生にかわいがられていた。　　（直接受身文）
> (2) 先生に春男をかわいがられて嫉妬した。（間接受身文）

これだけは

◆受身文には**直接受身文**と**間接受身文**があります（→初級編§30）。
◆直接受身文は、能動文の目的語（ヲ格やニ格の名詞句）が受身文の主語に

なる受身文です。直接受身文が迷惑を表すか否かは出来事の内容が迷惑か否かによって決まります。

　(3)a.（私は）先生に褒められた。
　　b.（私は）先生に叱られた。

(3)aは「先生が私を褒めた」、(3)bは「先生が私を叱った」という能動文に対応する直接受身文です。(3)aには迷惑の意味が感じられません。(3)bは一見迷惑を意味しているように見えますが、これは「先生が私を叱った」という出来事を迷惑と捉えていることによるものです。つまり直接受身文という構文が迷惑の意味を持っているのではありません。

◆間接受身文は、動作の受け手ではない名詞句が受身文の主語になる受身文です。間接受身文の意味はどのような出来事を含んでいても常に迷惑になります。

　(4)a. 良子の夫が真実を知っているコト　　　（出来事）
　　 b. 良子は夫に真実を知られて困っていた。（間接受身文）

(4)aのような「良子の夫が真実を知っている」という出来事自体は迷惑の意味を持っていません。しかし(4)bのような間接受身文では必ず迷惑の意味を表します。「困っていた」の代わりに「喜んだ」とすることはできません。

　(4)c.×良子は夫に真実を知られて喜んだ。

間接受身文という構文は出来事の意味にかかわらず、常に迷惑の意味を持っています。

◆このように間接受身は能動文と意味が明らかに異なります。能動文との使い分けが問題となるのは直接受身文です。

もう少し

◆「XがYにZをV」という構文をとる「与える、渡す、貸す、売る…」などの三項動詞（→初級編§38）には、受け手を主語にした直接受身文にできるものとできないものがあります。

受け手を主語にした直接受身文にできる動詞：
　与える、授与する、渡す、贈る、…
受け手を主語にした直接受身文にできない動詞：
　貸す、売る、やる、くれる、送る…

(5) #神谷に車を売られた。
(6) #私は不動産屋からパンフレットを送られた。

(5)(6)は主語の「私」が迷惑していると解釈される間接受身です。
◆受け手を主語にした直接受身文にできない三項動詞の多くには、受け手の立場から見た対応する動詞があります。「貸す、売る、やる／くれる」は「借りる、買う、もらう」が対応しています。
　これらの動詞の存在によって、受け手の立場からの表現として受身を使う必要がないのです。
◆「教える」は、受け手を主語にした動詞「教わった」がありますが、「教えられた」が直接受身文でも用いられます。

(7) 留学中に友達に多くのことを{教えられた／教わった}。

2. 能動文と直接受身文の使い分け

(1) 先生に褒められた。　cf. #先生が私を褒めた。
(2) 鉄道が敷かれた。　cf. #鉄道会社が鉄道を敷いた。
(3) ブラジルではポルトガル語が話されている。
　　cf. #ブラジルでは人々がポルトガル語を話している。

これだけは

◆初級編§30では受身文を用いる典型的な場合として次の五つを挙げました。
① 動作主側より動作の受け手側について何かを言いたい場合

(4) Gチームの松井選手はDチームの川上投手に三振に打ち取られた。

② 複文において前件の主語と後件の主語をそろえる必要がある場合

　(5) 親に抱きしめられて、その子は本当に嬉しそうだった。

③ 動作主がわからなかったり不問である場合

　(6) その村では多くの民話が語り継がれている。

④ 不特定の人が何かの動作をし、話し手がその動作を受ける場合

　(7) 暗闇でいきなり呼び止められた。

⑤ 「(悪夢に) うなされる」など能動形を持たない場合

　ここでは能動文「XがY{を／に}Vする」とそれに対応する直接受身文「YがX{に／によって}Vされる」がどのように使い分けられているかを、動作主と動作の受け手の性質に重点を置いて見ておきます。

2−1. 動作の受け手（Y）が有情名詞の場合

> (1) a. ？突然、通りがかりの人が私を呼び止めた。
> 　　b. ○突然、（私は）通りがかりの人に呼び止められた。
> (2) a. ×通りがかりの人が私に呼び止められた。
> 　　b. ○（私は）通りがかりの人を呼び止めた。

これだけは

◆能動文でも受身文でも、動作主と動作の受け手がどちらも人などの動作を行うことができる**有情名詞**の場合、動作主も動作の受け手も次のような順序で主語になりやすい傾向があります。

　　　話し手　＞　話の場にいる人　＞　第三者

第三者の中でも次のような順序があります。

　　　話し手が身近と感じる第三者　＞　身近と感じない第三者　＞　不問

不問というのは「誰とは特に特定しない。一般的に」という意味です。

◆動作主がこのような序列の中で最も下の方にある「身近と感じない第三者」や不問の場合、動作主が能動文の主語にはなりにくく、動作の受け手を主語にした受身文が選ばれやすくなります。(1)や次の(3)の場合、aのように言えなくはありませんが、bのほうが自然です。

 (3)a. ？誰かがあなたを愛していますか。
  b. ○あなたは誰かに愛されていますか。

 2で挙げた①③④はこのような序列による制限の一つと考えられます。
◆逆に、(2)aや次の(4)aのように、この序列の下位に位置する人が主語になり動作主が上位に位置する人である受身文は、単独の文では不自然に聞こえます。

 (4)a. ×真由子は僕に愛されている。
  b. ○僕は真由子を愛している。

もう少し

◆日本語の文章・談話では、二者間で起こった出来事を描く場合、どちらにも偏らず中立の立場から描く方法と、一方に偏った立場から描く方法があります。

 (5) 田中くんと林さんは仲が悪い。昨日、田中くんが林さんの悪口を言ったら、林さんは田中くんをひっかいた。
 (6) 田中くんは林さんと仲が悪い。田中くんは、昨日、林さんの悪口を言ったら、林さんにひっかかれた。

 (5)は中立の立場で描いています。この場合、能動文と受身文が交互に現れます。一方、(6)は「田中くん」の立場から描いています。この場合は主語を「田中くん」にそろえて、受身文が用いられています。
◆一方に偏った立場から描く場合（そのほうが多いです）は、話し手自身や話し手に近い人が出来事に出てくる場合や、話の主人公が決まっている場合などです。

 (5)(6)の「田中さん」の代わりに「私」や「私の妹」とすると、(8)のように「私」や「私の妹」の立場から描くほうが自然です。

(7)？私（／妹）と林さんは仲が悪い。昨日、私（／妹）が林さんの悪口を言ったら、林さんは私（／妹）をひっかいた。

(8) 私（／妹）は林さんと仲が悪い。昨日、私（／妹）が林さんの悪口を言ったら、林さんにひっかかれた。

◆ここで挙げた順序はある文を単独で言った場合に有効です。複文の前件などでは必ずしもこのような順序にならないことがあります。

(9) 突然、通りがかりの人が私を呼び止めてこう言った。 cf.(1)a

(10) 太郎の妹は太郎にたたかれたのに、文句を言わなかった。

２－２．動作の受け手（Y）が無情名詞の場合

(1) 昨日深夜、学校の窓ガラスが何者かによって割られたそうだ。
(2) 電話はベルによって発明された。

これだけは

◆動作主が人などの有情名詞で、動作の受け手がものなどの**無情名詞**の場合、通常、動作主が主語になります。ものである動作の受け手を主語にした受身文は、特定の表現意図をねらった場合を除いて一般的ではありません。

(3)×その木は私{に／によって}切り倒された。
(4)×ステレオが子ども{に／によって}壊された。

この場合、(3)'(4)'のように能動文で言います。

(3)' 私はその木を切り倒した。
(4)' 子どもがステレオを壊した。

◆動作の受け手が無情名詞の場合で受身文が用いられるのは次の二つの場合です。

・動作主を主語にしたくない場合…動作主が不問
・動作の受け手を主語にしたい場合…受け手について何か述べる

◆現象文（→初級編§27）のように文全体が新情報の場合、動作主が不問（誰とは特に特定しない。一般的に）であれば、無情名詞を主語にした受身文が使われます。それ以外の場合は受身文は使いにくく感じられます。

(5) a. ○公園の木が何者かによって切り倒された。
　　 b. ？公園の木が｛市役所の職員／その木のせいで日が当たらなくて困っていた田中さん｝によって切り倒された。
　　 c. ○｛市役所の職員／木のせいで日が当たらなくて困っていた田中さん｝が公園の木を切り倒した。

現象文とは文全体を新しい情報として捉えて聞き手に伝える表現です。このような表現意図を持つ場合、動作主に注目した能動文(5)cが自然です。しかし(5)aのように動作主が不問の場合には受身文が用いられます。

◆動作の受け手が持つ性質や受け手についての重大なエピソードを述べる場合には、ものを主語にした受身文が用いられます。動作の受け手について述べるのですから動作の受け手は「は」で取り立てられる旧情報であるか、もしくは「〜というものは」という意味を持つものです。

(6) 公園の木は子どもたちに愛されている。
(7) ベルリンの壁は自由を求める民衆たちによってついに崩された。

(2)は「電話というもの」について「発明」という重大な出来事を述べています。重大なエピソードは動作の受け手の持つ特徴の一つと考えられます。次の2文を比べてみてください。

(8) a. ○この電話はジェームスディーンによって使われたことがある。
　　 b. ×この電話は友達の田中によって使われたことがある。

(8)aが自然で(8)bが不自然なのは、「この電話」の特徴として挙げる価値のある情報であるかどうかという差によるものです。

3. 受身と似た意味を持つ「[名詞]を[動詞]」表現

> (1) a. 審判は選手に<u>注意を与えた</u>。
> b. 選手は審判から<u>注意を受けた</u>。

これだけは

◆実質的な動作を表す名詞と動詞を組み合わせて能動・受動に似た対応を見せる表現があります。(1)は次の(2)と実質的に同じ意味を持ちます。

> (2) a. 審判は選手に<u>注意した</u>。
> b. 選手は審判から<u>注意された</u>。

◆能動・受身共に「[名詞]を[動詞]」表現で表されるものには次のようなペアがあります。左が能動、右が受身に相当する表現です。右肩に＊を付けたものは「する」を付けてサ変動詞で表せないものです。

　与える・受ける：注意を、影響を、攻撃を、評価を、許可を、ダメージを＊、
　　　　　　　　　ショックを＊…
　与える・得る：評価を、承認を、許可を、保証を…
　あびせる・あびる：攻撃を、批判を…（「多数を一度に」という意味を持つ）

◆受身形に相当する表現だけが「[名詞]を[動詞]」表現で表されるものもあります。能動形は「注目する」のようにサ変動詞で表されます（ただし＊を付けたものは除く）。

　集める：注目を、支持を、期待を、尊敬を…（「多数の人から一度にいい
　　　　　感情を」という意味を持つ）
　買う：反発を、反感を＊、ひんしゅくを＊…（ある行為に対して悪い反応
　　　　を受ける場合に使う）
　許す：逆転を、独走を、リードを、得点を、介入を…（「相手の好ましく
　　　　ない行為をしかたなく」という意味を持つ）

他に「(足止めを/おいてけぼりを*) くう」、「(好評を*/絶賛を) 博す」、「(誤解を/批判を) 招く」「(痛い一敗を*) 喫する」などが受身形に相当する意味を持ちます。

◆このような「[名詞]を[動詞]」表現はすでに表現自体の中にヲ格が存在するため普通の能動文・受動文とは異なる格をとることがあります。

(1)aのような能動形に相当する表現では動作を受ける人「選手」をニ格で表します。また(1)bのような受身文相当の表現の動作主「審判」をカラ格（またはニ格）で表します。ニ格は受け手と混乱するおそれがありますので避けられる傾向があります。

(3)a. 空軍はその街{○に/×を}攻撃をあびせた。cf. 街を攻撃する
b. その街はA国空軍{から/に}攻撃をあびた。

4.「YはXがV」型構文－目的語の主題化－

(1) 田中は太田{a. が殺した／b. に殺された}んだ。
(2) その柿は太郎{a. ○が食べた／b. ×に食べられた}。

これだけは

◆(1)aは「太田が田中を殺した」のヲ格目的語である「田中」を主題化して文頭に持ってきた文です。このような構文を**目的語を主題化した「YはXがV」型構文**（以下、「YはXがV」型構文）と言います。

(1)bのような受身文も「YはXがV」型構文も、対応する能動文の主語以外の要素が主題化されて文頭に来ている点で共通しています。

(3)　太田 が 田中 を 殺した　　（能動文）
(1)a. 田中は 太田 が 殺した　　（目的語を主題化した「YはXがV」型構文）
(1)b. 田中は 太田 に 殺された　（受身文）

◆(1)aの「田中は」は動作の受け手であるヲ格名詞句が主題化されたもので

す。動作の受け手を主題化するのは、(4)のように前の文脈で取り上げられているなど特にヲ格名詞句について述べたい場合と、(5)のように対比的に提示する場合です。

(4) 彼はいつもあのセーターを着ている。あのセーターは彼の死んだお母さんが編んだものだそうだ。

(5) 中国からの留学生は井上先生が教え、韓国からの留学生は岡部先生が教えている。

◆2-2でYがものの場合、受身文は不自然になりやすいと述べました。(2)bのような受身文は不自然です。

これに対し「YはXがV」型構文は単純に目的語について言いたい場合に用いる表現です。(2)aのように「その柿」について言いたい場合であれば、Yがものの場合も使えます。次の(6)も同様の例です。

(6) そのコンピュータはさっき小川{○が使ってた／×に使われていた}よ。

◆Yがものの場合でも、Yが持つ性質や重大なエピソードを述べる場合には、どちらの表現も自然で意味も同じです。

(7) アメリカ大陸はコロンブス{○が発見した／○に発見された}。

もう少し

◆動作主Xが特に問題とされない場合、受身文は自然ですが「YはXがV」型構文は不自然です。

(8) a. ○2000年夏のオリンピックはシドニーで開かれた。
    b. ×2000年夏のオリンピックは（IOCが）シドニーで開いた。

◆「YはXがV」型構文はヲ格以外の名詞句を主題化することもできます。

(9) 田中(に)は小林が声をかけているはずだから、これで全員に連絡がいったはずだ。

◆「Yの面倒を見る」のような場合も「YはXがV」型構文にすることがで

きます。

(10) その学生は｛○私が面倒を見ています／×私に面倒を見られています｝。

5. 二者の間で相互に行われる動作－相互文－

(1) 50年ぶりに再会した親子は抱き合って喜んだ。
(2) 酒を酌み交わしてお互いに今までの苦労を話し合った。

これだけは

◆動詞の中には「結婚する、戦う、試合をする」など二人以上が互いに動作を相手に対して行うことを表す動詞があります。
　このような動詞は次の2通りの文型で表されます。

(3)a. 高杉くんといずみちゃんが結婚した。
　 b. 高杉くんがいずみちゃんと結婚した。

◆(3)aは二人を主語にした言い方で、(3)bは一方を主語にして動作の相手をト格で表した言い方です。この場合(3)aの「と」は並列助詞で(3)bの「と」は格助詞です。
　(3)aは二人の位置を入れ替えても同じ意味を持ちます。

(4) いずみちゃんと高杉くんが結婚した。

(3)bでは入れ替えると、誰のことについて言いたいのかが変わります。

(5) いずみちゃんが高杉くんと結婚した。

◆相互的な意味を持たない動詞を相互的な動作として表す場合、「～合う」をマス形語幹に付けて「愛し合う、話し合う」などの複合動詞を作ります。

(6) 高杉くんといずみちゃんは愛し合っていた。

この場合も「〜と〜が…」と「〜が〜と…」の二つの文型が可能です。
◆相互文では「お互いに、相互に」などの副詞を使うこともありますが、これらの副詞だけでは相互的な動作であることを十分には表せません。

(7) 再会した親子はお互いに{×抱いた／〇抱き合った}。

もう少し

◆「〜合う」は二人以上の人物が代わるがわる行う動作を表すこともあります。

(8) 主任がケガをして入院したので、少しずつお金を出し合ってお見舞いの品を買った。
(9) 子どもたちは順番に子犬を抱き合った。

　上で見た(1)などの相互文では、動作主と受け手が相互に入れ替わってお互いに動作をしたり受けたりしています。これに対し、(8)(9)では、複数の動作主が受け手に対して交互に（順番に）動作を行っています。
　ト格が現れないのもこのような交互の用法の特徴です。またこの用法では「お互いに」などの副詞は用いられません。
　ただしこのような用法の「〜合う」は日本語話者によっても自然さの判断に差があるようです。
◆数は多くありませんが「〜合わせる、相〜」などの方法で相互的な動詞を作ることもあります。

(10) 両国は平和条約を早期に結ぶよう申し合わせた。
(11) 二つの現象は表面的には違っていても相通じるところがある。

　「〜合わせる」は「申し合わせる、示し合わせる」など対象を一致させるという意味を持つ場合に使われます。そのため主語の動作が相互に行われる場合には使えません。
　また「相〜」も「相通じる、相容れない、相対する」など限られています。

もう一歩進んでみると

◆直接受身は大きく分けて二つの目的に用いられています。一つは「ＸガＹ

{ヲ／ニ} V」という出来事に対応する形で、Yの立場に立って述べるためです。もう一つは対応する能動文は考えられますが、実際にはもっぱらYについて何か（属性など）を言うことを目的としたものです。

　前者は出来事を描いたものですから、動作主とその動作の受け手が存在します。ある出来事を受け手の側から描くことは、受け手の側により着目した文脈で用いられるか、または動作主の側に立って描く必要がない（あるいは描くことができない）ことを意味します。話し手の身内や近しい人の立場に立った文脈で受身を用いるというのは前者で、その立場からの一貫した描き方が求められます。一方の動作主の側に立たないことは、動作主が不問であったりぼかす必要があるということによります。

　後者のようなYについて何かを述べる受身文は、「～ている」など状態的な形式をとることが多く、この場合には動作主というよりもそのような状態をもたらすものとしてXが存在しています。中には「井上さんの家は木に囲まれている」のように、対応する能動文「木が井上さんの家を囲んでいる」自体が実際には使われない（もしくはかなり使いにくい）場合もあります。

　なぜ受身を使うのか、また使わなければならないのか、一つの文だけを取り出してこの問題に取り組むのでなく、様々な文脈に置いたときにどのような出現をするのかを考えていくことが必要です。

○**参考文献**
益岡隆志（1991）「受動表現と主観性」仁田義雄編『日本語のヴォイスと他動性』
　くろしお出版
益岡隆志（2000）『日本語文法の諸相』（第5章）くろしお出版
　★以上の2論文は受身を受動化の動機の点から分類している。
仁田義雄（1999）「相互構文を作る「Vシアウ」をめぐって」『阪大日本語研究』10
　大阪大学文学部日本語学講座
　★「～合う」の最も詳しい論文。
村木新次郎（1991）『日本語動詞の諸相』ひつじ書房
　★3で挙げた「注意を与えた・注意を受けた」型の詳しい解説がされている。

受身文の研究はこの他にも様々な立場から様々な主張がされています。

コラム
「なる」と「する」と「させる」

自動詞・他動詞と似た対応に「なる」と「する」の対応があります。

(1) a. 　　　　　　部屋が明るくなりました。　　[イ形容詞+なる]
　　b. 学生たちが　部屋を明るくしました。　　[イ形容詞+する]
(2) a. 　　　　　　部屋がきれいになりました。　[ナ形容詞+なる]
　　b. 学生たちが　部屋をきれいにしました。　[ナ形容詞+する]
(3) a. 　　　　　　太郎は医者になるつもりです。[名詞+になる]
　　b. 太郎の母は　太郎を医者にするつもりです。[名詞+にする]

このような対応は§12で見た自動詞と他動詞の対応と平行に捉えられます。

(4) a. 　　　　　　電気がつく自。
　　b. 田中さんが　電気をつける他。

「なる」と「する」の対応が自動詞と他動詞の対応と異なるのは、特に人がヲ格に来ている場合です。人がヲ格に来ている場合、「する」の代わりに「させる」を使うこともあります。

(5)　太郎の母は太郎を医者にさせるつもりです。

(5)は実際に(3)bと同じ意味で広く使われる表現ですが、やや不自然に感じる人がいるかもしれません。これは(3)bのような表現があり(5)が冗長的に感じられるためと考えられます。

主語が原因となってヲ格の人物が感情を抱く場合、「する」は不自然で「させる」が用いられます。

(6)　彼の何気ない優しさが私を嬉しく{？した／○させた}。
(7)　先生の不用意な一言は子どもたちを悲しく{？した／○させた}。

このような「させる」は§11　1−2にある原因を主語にした使役文と考えられます。

○**参考文献**
定延利之（2000）『認知言語論』（第4章）大修館書店

§10. 立場を表す表現(2)
－間接的な影響を表す表現－

受身には**直接受身**と**間接受身**という2種類の受身があります。
  能動文：多くの日本人が<u>この歌を知っている</u>。
直接受身文：この歌は多くの日本人に<u>知られている</u>。
間接受身文：夫に秘密を<u>知られた</u>。
間接受身文は動作の受け手の立場から描いた文ではなく、出来事から間接的な影響を主語が受けていることを表す文です。
このような間接的な影響を受けていることを表す表現には、他に「～てもらう」文、「～てくれる」文、「XハYガV」型構文があります。

1. 間接受身文

> (1) 隣の人に一晩中<u>騒がれて</u>眠れなかった。
> (2) 論文に書こうと思っていたことを他の人に先に<u>書かれて</u>しまった。

これだけは

◆次のような出来事が起こったとします。

  (3) 隣の人が一晩中騒いだ。
  (4) 論文に書こうと思っていたことを他の人が先に書いた。

これらの出来事から好ましくない影響を間接的に受けたことを表すのが、(1)(2)に挙げた間接受身文です。

◆間接受身文は、(3)のように目的語をとらない動詞からでも(4)のように目的語をとる動詞からでも作れますが、共通することは能動文に含まれない名詞句が主語になっていることです。

「他の人が論文を書く」という出来事を含む次の(5)aは直接受身文で(5)bが間接受身文です。

 (5)a. （今までの常識を覆す）論文<u>が</u>書<u>かれた</u>。
   b. 私は（書こうと思っていた）論文<u>を</u>他の人<u>に</u>書<u>かれた</u>。

◆間接受身文は必ず人（あるいはそれに準ずる団体など）が主語になります。特に「私」が主語になることが多く、その場合は省略されるのが普通です。
◆動作主は必ずニ格で表されます。「によって」は使えません。

 (6) 隣の人{○に／×によって}一晩中騒がれて眠れなかった。

もう少し

◆(6)のように間接受身文で「によって」を使えないのは、「によって」が原因の所在を表す複合格助詞（→§3）だからです。

間接受身文は「隣の人」という動作主自体からではなく「隣の人が一晩中騒いだ」ことから影響を受けていることを表しますので、動作主単独に「によって」は付きません。(6)は次のようにすれば正しい文になります。

 (6)' 隣の人に一晩中騒がれたこと<u>によって</u>眠れなかった。

◆第三者が間接受身文の主語になることもありますが、その場合、(7)b(8)bのようにテ節以下に主語の感情を表すことが多くなります。

 (7)a. 田中さんは近所の子どもに垣根を<u>壊された</u>。
   b. 田中さんは近所の子どもに垣根を<u>壊されて怒っている</u>。
 (8)a. 林はライバルの吉田に花子さんに先にラブレターを<u>送られた</u>。
   b. 林はライバルの吉田に花子さんに先にラブレターを<u>送られて困ってしまった</u>。

(7)aも(8)aもまったく不自然とは言えませんが、何らかの感情を表したb

のほうがより自然に感じられます。

◆間接受身文によって表される迷惑の感情は、その出来事が意図的に起こされた場合に顕著に表されます。一方、意図的に行われたのではない出来事は間接受身になりにくいです。特に(9)や(10)のように動作を意図的に起こすことのできない無生物をニ格にして間接受身文を作ることはできません。

(9) ×先日の火事で家に焼けられて、住むところがない。
(10) ×高いマンションに建たれて日が当たらなくなった。
　　cf. 高いマンションを建てられて日が当たらなくなった。

2. 持ち主の受身

> (1)　田中さんは先生に頭をなでられた。
> (2)　すみません、財布を取られたんですが。

これだけは

◆能動文が「XがYのNをVする」の形で表される場合、Yが人間など意志を持つ有情名詞であれば対応する受身文は「YはXにNをVされる」の形で表されます。

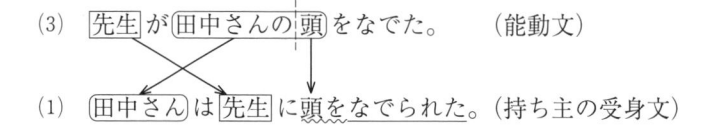

(3)　先生が田中さんの頭をなでた。　　（能動文）

(1)　田中さんは先生に頭をなでられた。（持ち主の受身文）

(1)や(2)のような受身文を**持ち主の受身文**と言います。
◆持ち主の受身文は、構文的には間接受身文と共通点がありますが、場合によってはむしろ直接受身文と同様の性質を持つことがあります。
◆能動文(3)の目的語「田中さんの頭」を主語にして(1)'のように言うのは不自然です。

(1)'　? 田中さんの頭が先生になでられた。

(1)はYという人の立場から所有物であるNに起きた出来事を描いているのに対し、(1)'は目的語Nというものの立場から出来事を描いています。日本語ではYという人の立場から出来事を捉えるほうが自然です。
　(2)も同様に(2)'のような表現は自然さを欠きます。

　　(2)'？私の財布が<u>取られた</u>んですが。

◆持ち主の受身文は、主語が直接受身文と同じく動作を直接受ける場合と間接受身文と同様に出来事からの間接的な影響を受ける場合とがあります。
　どのような名詞句が受身文の主語になるかは直接受身文および間接受身文と異なっていますが、それぞれの構造が持つ意味は直接受身文と間接受身文の区別と同じように考えることができます。
◆持ち主の受身文は動作の受け方によって次の二つの意味を持ちます。
　①　Nという身体部位や所有物においてYがVという動作を受ける場合
　　→迷惑を表すか否かは出来事の内容が迷惑か否かによって決まります（直接受身文と同様の解釈）。

(1)は「頭」という部分において主語の「田中さん」が「なでる」という動作を受けたことを表しています。この場合、持ち主の受身という構文は被害の意味を持っていません。(1)は「田中さんは先生に頭をなでられて嬉しそうだった」ということができます。
　同様に次のような持ち主の受身文は被害を表しません。

　　(4)　自分の作った作品を皆に<u>褒められて</u>嬉しかった。
　　(5)　山田は論文を<u>評価されて</u>I国の研究機関に就職した。

(4)(5)共に「私が褒められた」「山田が評価された」のように主語が動作の受け手となっています。
　②　Nという身体部位や所有物がVという動作を受けるが、Y自身はVという動作の直接の受け手になっていない場合
　　→出来事の意味にかかわらず、持ち主の受身文という構文は被害を表します（間接受身文と同様の解釈）。

(2)は「私」が「取る」という動作を直接受けたわけではありません。(2)は「誰かが財布を取ったコト」から主語の「私」が被害的な影響を受けている

ことを表しています。

次の持ち主の受身文は被害の意味を持ちます。

(6) 田中さんは息子を先生に叱られて怒っている。
(7) 大切にしている骨董品を子どもに触られた。

被害の意味を出さない場合には「～てもらう」を用います。

(6)' 田中さんは言うことをきかない息子を先生に叱ってもらった。

もう少し

◆Nの性質によって①②どちらのタイプになるかは、必ずしも決まっているわけではありません。ただし身体部位など持ち主と切り離して扱うことができない（または難しい）ものは①のタイプになりやすく、「かばん」などの所有物のように切り離して扱えるものは②のタイプになりやすい傾向があります。

(8) a. 子どもは先生に頭をなでられて嬉しそうだった。
　　b. 彼女はかばんを触られて｛×嬉しそうだった／○嫌そうだった。｝

◆所有物のように切り離して扱えるものでも、「ほめる、評価する」など評価を表す動詞の場合は、①の意味になりやすいです。

(9) かばんを皆にほめられて嬉しかった。

◆「Yの面倒を見る、世話をする」など「面倒を見る、世話をする」がまとまりとして一つの意味を持つ場合、Yを主語にした持ち主の受身文にすることはできません。⑽⑾は被害の意味になってしまいます。

⑽ # 避難してきた人は、ボランティアの人に世話をされた。
⑾ # その留学生は山下さんに面倒を見られています。

このような場合、「～てもらう」文や「～てくれる」文を使います。

⑽' 避難してきた人は、ボランティアの人に世話をしてもらった。
⑾' その留学生は山下さんに面倒を見てもらっています。

◆「Yの面倒を見る」などと同じ構文を取る「名詞＋動詞」の組み合わせの中には、「Yの保護をする、救助をする」などのように「YはXに保護をされた、救助された」と言いやすいものもあります。

3. 受身文と「～てもらう」文・「～てくれる」文

(1) a. 監督からもう一度だけチャンスを<u>与えられた</u>。
    b. 監督からもう一度だけチャンスを<u>与えてもらった</u>。
    c. 監督がもう一度だけチャンスを<u>与えてくれた</u>。
(2) a. 田中さんに私の好きな歌を<u>歌われた</u>。
    b. 田中さんに私の好きな歌を<u>歌ってもらった</u>。
    c. 田中さんが私の好きな歌を<u>歌ってくれた</u>。

これだけは

◆(1)aのような直接受身文では、表される出来事は意味的に中立です。主語にとってその出来事が迷惑なことであるかないかは、出来事の捉え方によって決まります。

(1)aと同じ出来事「監督が私にチャンスを与える」を「私」が恩恵的に捉えていることを積極的に表したい場合には「～てもらう」文や「～てくれる」文を用います。

◆(2)aのような間接受身文では、主語は出来事を迷惑なものとして捉えています。その出来事を恩恵的に捉えていることを表す場合には「～てもらう」文や「～てくれる」文を用います。

◆「～てもらう」文は動作主に依頼して動作を行ってもらうという使役的な意味を持つことがあります。

一方、「～てくれる」文にはこのような使役的な意味はありません。出来事から恩恵的な影響を受けることを表す場合、「～てくれる」文を用いたほうが適切な場合があります。

◆「～てもらう」文と間接受身文は影響を受ける人を主語にした表現です。

これに対し、「～てくれる」文は動作を行う人が主語になります。

もう少し

◆「XがYにZをV」の文型をとる三項動詞には、Yを主語にした直接受身にならない動詞があります。その場合、「～てもらう」文や「～てくれる」文で表します。

(3) a. ＃実家の母からみかんを送られた。
　　b. ○実家の母からみかんを送ってもらった。
　　c. ○実家の母がみかんを送ってくれた。
(4) （留守電のメッセージを聞いたあとで）僕が留守の間に何度も電話を｛×かけられた／○かけてもらった／○かけてくれた｝ようだね。すまない。

このような動詞については§9の1を見てください。

◆「買う」や「作る」のような動詞が「XがYにZをV」の文型をとることがあります。

(5) 夫が妻に花を買う。
(6) 夫が妻にケーキを作った。

このような動作の結果として生産されるものを受け渡しする動詞の場合、ニ格目的語の「人」を主語にすると被害の意味を持つ間接受身となります。被害の意味がない場合には「～てもらう」文を使います。

(7) 妻は夫に花を｛○買ってもらった／＃買われた｝。
(8) 妻は夫にケーキを｛○作ってもらった／＃作られた｝。

このような動詞は基本的に動作のみを表す動詞です。動作の結果として生じたものの受け手Yは本来動詞が必要とする名詞句ではありません。

4.「XはYがV」型構文

> (1) 田中さんは奥さんが家出して困っている。
> (2) 田中さんは息子さんが大学に合格して嬉しそうだ。

これだけは

◆話しことばでは、主題化された人や団体などの名詞句Xのあとに「YがV」のようなガ格名詞句を伴った節が来ることがあります。このような表現をここでは「XはYがV」型構文と呼びます。

この構文は、自動詞だけでなく、(2)のようにニ格目的語をとったり、(3)のようにヲ格目的語をとったりすることもあります。

(3) 田中さんは息子が教師を殴ってしまって困っている。

◆「XはYがV」型構文では、Xはそれ以降に続く「YがV」という出来事から間接的な影響を受けています。

その影響は、(1)のように迷惑のニュアンスを持つこともありますし、(2)のようにそのようなニュアンスを持たないこともあります。

(1)のように迷惑のニュアンスを持つ場合、間接受身文と同じ意味になります。

(4) 田中さんは奥さんに家出されて困っている。

(2)のように迷惑のニュアンスを持たない場合、特にその出来事を恩恵的に捉えていれば「てくれる」を使うこともできます。

(5) 田中さんは息子さんが大学に合格してくれて嬉しそうだ。

◆この構文では「Y」は必ず「X」の所有物や関係者になります。

(6) 私は、三日前、{○家内／×隣の家の猫}が家出しました。
(7) 田中さんは火事で{○家／×隣町の工場}が焼けたそうだ。

(7)で「隣町の工場」が文法的になるのは、「田中さん」がその工場の所有

者の場合だけです。

もう少し

◆「XはYがV」型構文も、間接受身文や「～てもらう」文などと同様、「YがV」という出来事から「X」が何らかの間接的影響を受けることを表す表現です。

「XはYがV」型構文は間接受身や授受の補助動詞表現のように動詞に「れる／られる」や「～てもらう」などの形式を付けて表されるわけではありません。そのためやや不安定な表現で書きことばでは用いられにくい性質の構文です。

もう一歩進んでみると

◆出来事から間接的に影響を受けることを表す表現を間接関与表現などと言います。間接受身文は典型的な間接関与表現です。また、持ち主の受身文や授受の補助動詞構文の一部なども間接関与表現です。
◆間接受身は積極的に出来事が迷惑であることを表す表現です。

(1) あいつが先に司法試験に合格したよ。
(2) あいつに先に司法試験に合格されたよ。

(1)の能動文は「あいつが先に司法試験に合格した」という出来事を報告しているだけで、その出来事に対しての話し手の感情は表現されていません。一方、(2)のような間接受身文は「あいつが先に司法試験に合格した」という出来事から話し手が抱いた何らかの迷惑の感情を表現するために用いられています。話し手の感情の表現が間接関与表現を用いる理由です。

この点で、(2)は残念な気持ちを表す「～てしまう」や「～やがる」と意味的に近くなります。

(3) あいつが先に司法試験に合格しちゃったよ。
(4) あいつが先に司法試験に合格しやがったよ。

◆間接関与表現は出来事には直接的に関与しない談話の参加者が出来事から受ける間接的な影響を表す表現です。間接関与表現の一つである間接受身文

は、主語が何らかの影響を受けることを表す点で、直接受身文と類似していますが、影響の受け方の点で大きく異なっています。

○参考文献
天野みどり（1991）「経験的間接関与表現－構文間の意味的密接性の違い－」仁田義雄編『日本語のヴォイスと他動性』くろしお出版
　★様々な間接関与表現を特に主語名詞句とヲ格名詞句の関係を中心に論じている。
菊地康人（1990）「『ＸのＹがＺ』に呼応する『ＸはＹがＺ』文の成立条件－あわせて、〈許容度〉の明確化－『文法と意味の間－国広哲弥教授還暦退官記念論文集－』くろしお出版
　★『ＸはＹがＺ』構文の成立条件を詳しく扱っている。
寺村秀夫（1982）『日本語のシンタクスと意味Ⅰ』（第3章1.4節）くろしお出版
　★間接受身に関して間接関与表現全般を視野に入れた考察をしており説明がわかりやすくまた本質をついたものとして重要。
益岡隆志（1991）「受動表現と主観性」仁田義雄編『日本語のヴォイスと他動性』くろしお出版
　★受身を中心に間接的な影響を受ける表現も詳しく扱っている。
水谷信子（1985）『日英比較　話しことばの文法』（第Ⅲ章）くろしお出版
　★受身文の諸問題を英語との比較を通じて詳しく解説。
山田敏弘（2001）「日本語のベネファクティブの記述的研究(8)」『日本語学』20-6
　★間接受身を含めた間接構造の構文について従来の説の問題点を指摘。

§11. 立場を表す表現(3)
－使役文・使役受身文など－

　受身と並んで最も典型的なヴォイスの表現の一つに使役があります。使役には様々な意味があり、意外に学習者を悩ませます。
　また、使役を含んだ表現として使役受身、「～させてくれる・～させてもらう」なども頻繁に用いられます。

1. 様々な使役文
1－1. 使役文の基本的用法

> (1) 母親は息子に一生懸命勉強させた。
> (2) 子どもたちを遊ばせておいて、その間に買い物に行ってきた。

これだけは

◆Yが「XがVする」という出来事を引き起こす場合、「YがXをVさせる」または「YがXにVさせる」という表現を用います。このような表現を含んだ文を使役文と言います。

◆使役文には次のような意味があります。

① XがVしようとしているか否かを問わずYがXに働きかけてVさせる
② XがVしようとしている（または実際にしている）のを、Yが妨げないことによってXにVさせる（またはし続けさせる）

①は**強制**、②は**許容・放任**などと呼ばれる用法です。①と②の違いは、Y

が「XがVする」ことに対してどれぐらいの影響を持つかの違いです。
◆(1)は①の用法で最も典型的な使役表現です。
　このような用法の使役文は、「～ように、～ようと、～ために」などの目的を表す節（→§31）や「無理に、無理やり」などの副詞を伴うことがあります。

(3)　母親は息子を一流大学に入れようと、一生懸命勉強させた。
(4)　人にお酒を無理に飲ませてはいけません。

◆(2)は②の用法の使役表現です。

(5)　そんなに出張に行きたいのなら行かせてやるよ。
(6)　母は息子が家を出ていくのに気がついたが、黙って行かせた。
(7)　負け犬はよく吠えると言うだろ。言いたい奴には言わせておけ。

　文脈や状況からXがVする意志を持っていることがわかる場合にこのような使役表現が用いられます。
◆②の用法の使役表現は「～てやる、～てくれる、～てもらう」などの授受の補助動詞（→2-2）や「～ておく、～てみる」を伴うことが多いです。

もう少し

◆使役表現は基本的にXが有情名詞で意志的にVすることが可能な場合に用いられます。無情名詞の場合には他動詞が用いられることが多いです。

(8)　学生たちは大学祭の看板を｛○立てた他／×立たせた自使｝。

◆Xが意志を持たない無情名詞でも、その無情名詞が「自然にVする」という性質を持っている場合には、使役表現を使うことがあります。この場合の使役表現は②の意味で使われています。

(9)　冷蔵庫に入れておいたトマトを腐らせてしまった。
(10)　ここでゼラチンを加え、しばらく冷蔵庫に入れて固まらせます。

　他動詞との違いについては3を見てください。

1−2. 原因を主語にした使役文

> (1) （突然、深夜に訪ねてきて）びっくりさせてごめんなさい。
> (2) 首相の事故に対する認識の甘さが対応を遅れさせたのだ。

これだけは

◆使役文には次の③の用法もあります。

　③　Yが原因となって「XがVする」という出来事を引き起こす

　③の用法では、原因となるYは(1)の「突然深夜に訪ねてきたこと」や(2)の「首相の事故に対する認識の甘さ」のような出来事です。
◆(1)の場合、Yは有情名詞Xが抱く感情を表す原因です。
　この用法では、次のような感情を表す動詞が用いられます。

　　悩む、驚く、びっくりする、落胆する、がっかりする、泣く、笑う、
　　怒る、楽しむ、喜ぶ、悲しむ、苛立つ、嘆く、怯える、…

> (3) あんまりがっかりさせないでください。
> (4) 子どもの小さなプレゼントが親を喜ばせるものだ。
> (5) 景気回復に対する政府の無策ぶりは国民を苛立たせた。

◆「私」などが抱く主観的な感情を表す場合、使役文はやや不自然です。

> (6)? 首相の突然の辞意が（私を）驚かせた。
> (7)? 彼の無責任な態度が（私を）がっかりさせた。

　Xが「国民、人々、世間」など一般の場合は、使役文も不自然さは感じられません。

> (6)' 首相の突然の辞意は世間を驚かせた。
> (7)' 政府の無策ぶりは国民をがっかりさせた。

◆(2)はYが無情名詞Xに内在するVという性質を実現させる原因を表しています。

(8) 政府の対応の遅れが被害を広がらせたわけです。
(9) 寒いところでノートパソコンを使うとバッテリーを消耗させる。

もう少し

◆(2)のような原因を表す使役文は、出来事を主語にすることが多いため、硬い印象を与えます。話しことばでは次のように言うことができます。

(2)' 首相の事故に対する認識が甘かったために対応が遅れたんだ。
(8)' 政府の対応が遅れたから被害が広がったわけです。

◆(2)のような原因を表す使役表現は、他動詞を用いることもあります。

(2)" 首相の事故に対する認識の甘さが対応を遅らせたのだ。
(8)" 政府の対応の遅れが被害を広げた。

使役と他動詞の用法の違いについては3-2を見てください。

1-3. 責任者を主語にした使役文

(1) お待たせしてすみません。
(2) この店は客にこんなまずいものを食べさせるのか。

これだけは

◆使役文は「XがVする」という出来事をYがもたらす表現です。この「XがVする」という出来事が主語または話し手にとって好ましくない場合、それをもたらしたYの責任という意味が出てくることがあります。
◆責任は具体的に2種類の含意として感じられます。
　(1)のように話し手の責任を表す場合には、後悔のニュアンスを伴うことがあります。この場合、文末では「〜てしまう」を伴うことがあります。

(3) 財布を忘れて、彼に食事代を<u>全部払わせて</u>しまった。
(4) 自分の不注意で彼に<u>けがをさせて</u>しまった。

また(2)のように聞き手や他者の責任を表す場合には非難の意味で用いられます。

(5) よくも恥を<u>かかせた</u>な。

もう少し

◆責任という含意は①強制、②許容、③原因のいずれの使役文でも感じられます。責任の意味が生じるのは、「XがVする」という出来事が主語または話し手にとって好ましくない場合です。
◆責任を表す使役文は、実際に回避する手段がない出来事に対して用いることもあります。

(6) 私は先の戦争で息子を<u>死なせて</u>しまった。

このような用法は、Y（私）が何もしなかった（できなかった）ことによって「X（息子）がVする（死ぬ）」という出来事を許容してしまった（防げなかった）という結びつきを描くことで、Y（私）の責任を表したものです。

1－4．Yの動作や変化を表す使役文

(1) 田原さん夫婦は子どもの進学問題で<u>頭を悩ませて</u>いる。
(2) 杉は毎年２月下旬頃から<u>花粉を飛散させ</u>始める。

これだけは

◆XがYの一部の場合、使役文は次のような意味を持ちます。

④ Xに着目しながらYの動作や変化を表す

◆(1)のような使役文では、XはYの身体部位という関係にあります。このような表現には次のようなものがあります。

　頭を働かせる、頭を悩ませる、息を弾ませる、体を休ませる、顔を曇らせる、顔をほころばせる、髪をなびかせる、気を利かせる、口を滑らせる、口を尖らせる、声を弾ませる、心を躍らせる、神経を尖らせる、目を光らせる、目を楽しませる、目を走らせる、胸を膨らませる

　(3)　もっと頭を働かせて考えなさい。
　(4)　「どうして来なかったの」と聞くと、彼は一瞬顔を曇らせた。

　これらの多くは慣用的な表現として用いられます。

◆(2)のような使役文ではXは無情名詞Yの部分の関係にあります。このような表現には次のようなものがあります。

　花を咲かせる、車輪をきしませる、轟音をうならせる、煙をたなびかせる

　(5)　この地方で梅は2月中旬に花を咲かせる。
　(6)　列車は煙をたなびかせながら走り去っていった。

もう少し

◆使役形の中には他動詞と類似したものが多くあります。「口を滑らせる、胸をときめかせる」などは使役形の「口を滑らす、胸をときめかす」とほぼ同じ意味で用いられます。

このような使役形と他動詞については§12の2を見てください。

1－5.　その他のやや特殊な使役文

(1)　神戸まで車を走らせる。
(2)　彼はさっきから卵を立たせようと一生懸命になっている。
(3)　雨を降らせた前線は東海上に去りました。

これだけは

◆1-1から1-4までに挙げた使役文以外に次のような使役文があります。

 ⑤ 機械や道具のXを操作することを表す
 ⑥ 「Vしにくい」性質を持つXを「Vする」ようにすることを表す

◆(1)のように⑤の操作を表す用法の使役文はあまり多くありません。

 (4) 作家は軽妙に筆を走らせていた。

◆(2)のように⑥の「Vしにくい」性質を持つものを矯正して「Vさせる」ことを表す使役文とは次のようなものです。

 (5) 下り坂をすべり落ちていく車を懸命に押さえて止まらせた。

この用法では他動詞もほぼ同じ意味で用いられます。

 (2)' 彼はさっきから卵を立てようと一生懸命になっている。
 (5)' 下り坂をすべり落ちていく車を懸命に押さえて止めた。

◆(3)のように天候を表す表現は擬人化されやすい性質を持っています。このような用法は他に「雷鳴をとどろかせる」などがあります。

もう少し

◆同じ「立つ」でも次の場合には使役にすることはできません。

 (6)×大学祭の看板を立たせた。

(6)の「看板が立つ」は(2)の「卵が立つ」とは異なり困難さが感じられません。このような場合には他動詞「立てた」を用いなければなりません。

2. 使役を含む表現
2−1. 使役受身文

> (1) みんなの前で歌を歌わされた。恥ずかしかった。
> (2) 彼は腰の持病に悩まされている。

これだけは

◆意志動詞の使役受身形は一般的に、動作主の自発的な意志によってではなく、他者の意志によってその動作を行う場合に用いられます。
　このような意味を含まない場合には自動詞や他動詞の能動形を用います。

　(3) a. テレビを見ていたのにお使いに｛×行った／○行かされた｝。
　　　b. 大好きな歌手のコンサートに｛○行った／×行かされた｝。
　(4) a. 納豆は苦手なのに無理やり｛×食べた／○食べさせられた｝。
　　　b. 好物の納豆を｛○食べた／×食べさせられた｝。

　出来事が動作主にとって好ましく、その出来事が他者の許容によって実現する場合には「〜させてくれる」や「〜させてもらう」を用います（→2-2）。

◆Yが原因となって「XがVする」という出来事を引き起こす場合にも、使役受身文が用いられます。

　この場合、Vは「悩む、驚く、びっくりする、落胆する、がっかりする」などの感情を表す無意志動詞の一部および「考える、反省する、思案する」などの思考を表す動詞です。

　原因Yはニ格で表されます。

　(5) 首相の突然の辞意表明には驚かされた。
　(6) 彼の無責任な態度にはがっかりさせられた。
　(7) ブランド品ばかり買いあさる観光客の姿に、真の豊かさとは何かを考えさせられた。

もう少し

◆(5)(6)のように感情を表す無意志動詞の使役受身形は、自動詞と置き換えてもほとんど意味は変わりません。

(5)' 首相の突然の辞意表明には｛驚いた_自／驚かされた_{自使受}｝。
(6)' 彼の無責任な態度には｛がっかりした_自／がっかりさせられた_{自使受}｝。

◆感情を表す自動詞でも「喜ぶ、楽しむ、うきうきする」などの積極的に喜びを表す動詞は使役受身形は用いることができません。

(8) 春樹は何気ない妻の一言にとても｛○喜んだ_自／×喜ばされた_{自使受}｝。
(9) すばらしい音楽に一時｛○楽しんだ_自／×楽しまされた_{自使受}｝。

2-2. 〜させてやる、〜させてくれる、〜させてもらう

> (1) そんなに行きたいのなら行かせてあげるよ。
> (2) やりたいようにやらせてくれたおかげで、いい成果を上げられた。
> (3) 腕にけがをして、1週間、夫に食べさせてもらった。
> (4) 次の研究会では私に発表させてもらえませんか。

これだけは

◆使役と授受の補助動詞の組み合わせ「〜させてやる、〜させてくれる、〜させてもらう」は、Xがしようとしていること（または実際にしていること）をYが許容するという出来事を恩恵的に表現しています。

◆「〜させてもらう」は2-1で見た使役受身文と意味的に補い合っています。

(5)a. 顔色が悪いといって、妻に病院に行かされた。
　　b. 具合が悪かったので、会社に電話して病院に行かせてもらった。

(5)aも(5)bも動作主以外のYが「病院に行く」ことを「させた」という意

味を持ちますが、(5)aはXがYに強制され不本意ながら「行く」のに対して、(5)bはXが望むことをYが許容して「行く」ことを表しています。
◆「～させてもらう」は謙譲的表現として用いられます。

　(6)　用があるのでお先に帰らせていただきます。
　(7)　先生の小説、読ませていただきました。

　(6)(7)はY（この場合、聞き手）の許容を前提とした表現形式である「～させてもらう」という形をとることで、謙譲の意味、つまり動作の主体以外の人物を高めるという待遇的配慮を表しています。
　単に「帰ります」「読みました」としても実質的な意味としては同じですが、待遇的配慮をしない表現となります。
◆「～させてもらう」は「～させてもらえませんか、～させてもらいたい（んですが）、させてもらえたらありがたいのですが」など、許可を求める表現としても用いられます。この場合「～させていただく」もよく用いられます。

　(8)　皆さんの力で次の選挙に勝たせてもらいたい。
　(9)　先生のご幼少の頃のお話を聞かせていただけたらありがたいのですが。

もう少し

◆許可を求める表現は、「～させる」（許容する）と「～てもらう」（依頼して恩恵的出来事を受ける）に「～たい」（願望）または「～えませんか」（状況実現の可能性の問いかけ）などが組み合わされてできています。
　「～させてもらいませんか」とすると許可を受けることへの誘いかけもしくは問いかけの意味になります。

　(10)　寒いねえ。あったき火だ。ちょっとあたらせてもらいませんか。

◆最近、次のような「～させてもらう」を実際に耳にすることがあります。

　(11)？私から話させてもらいます。
　(12)？先にお釣りを渡させていただきます。

このような「～させてもらう」には違和感を感じる人も少なくないようです。

このような場合、謙譲語を用いるほうが自然です。

(11)' 私からお話しいたします。
(12)' 先にお釣りをお渡しいたします。

3. 使役文と他動詞文

　他動詞文「YがXをVt」と、自動詞「XがVi」の使役文「YがXを／にVi－使役」とは、「XがVする」という出来事を含み、その出来事を生じさせるYが存在する点で共通した特徴を持っています。
　また、他動詞と自動詞の使役形は形の上でも非常に似ているために、区別が問題となります。

3－1. 形の対応

これだけは

◆他動詞と自動詞の使役形には次のような形の対応があります。

タイプ	自動詞	自動詞の使役形1	自動詞の使役形2	他動詞
A1. -aru：-eru	上がる	上がらせる	上がらす	上げる
A2. -aru：-u	刺さる	刺さらせる	刺さらす	刺す
B1. -reru：-su	隠れる	隠れさせる	隠れさす	隠す
B2. -reru：-ru	売れる	売れさせる	売れさす	売る
B3. -areru：-u	生まれる	生まれさせる	生まれさす	生む
C1. -ru：-su	写る	写らせる	写らす	写す
C2-1. -eru：-asu	逃げる	逃げさせる	逃げさす	逃がす
C2-2. -u(≠-ru)：-asu	動く	動かせる	動かす	動かす
C3. -iru：-osu	起きる	起きさせる	起きさす	起こす
D1. -u(≠-ru)：-eru	開く	開かせる	(開かす)	開ける
D2. -eru：-u(≠-ru)	聞こえる	聞こえさせる	聞こえさす	聞く
D3. -u(≠-ru)：-eru	育つ	育たせる	育たす	育てる
D4. -eru：-u(≠-ru)	焼ける	焼けさせる	焼けさす	焼く
D5. 例外	寝る	寝させる	寝さす	寝かせる／寝かす
サ変1.	開店する	開店させる	―	開店する
サ変2.	上昇する	上昇させる	―	―

◆C2-2類では自動詞の使役形２と他動詞が同じ形になっています。このような動詞には「動く、乾く、飛ぶ、泣く、ふくらむ、沸く、減る、及ぶ、腐る」など、基本的な動詞が多く含まれます。

◆「す」で終わる他動詞は使役形２と活用形の一部で混同しやすい傾向があります。

もう少し

◆使役形は二つの活用型を持ちます。

	辞書形	ナイ形	テ形	バ形	意向形
語幹＋ -(s)aseru型	書かせる 見させる	書かせない 見させない	書かせて 見させて	書かせれば 見させれば	書かせよう 見させよう
語幹＋ -(s)asu型	書かす (見さす)	書かさない (見さない)	書かして (見さして)	書かせば (見させば)	書かそう (見さそう)

一般に、全体としてⅠ類活用をする下段の「語幹＋-(s)asu」型はあまり用いられません。

◆C2類の他動詞の中には二つの活用型を持つものがあります。

	辞書形	ナイ形	テ形	バ形	意向形
語幹＋ -aseru型	遅らせる 震わせる 膨らませる 滑らせる	遅らせない 震わせない 膨らませない 滑らせない	遅らせて 震わせて 膨らませて 滑らせて	遅らせれば 震わせれば 膨らませれば 滑らせれば	遅らせよう 震わせよう 膨らませよう 滑らせよう
語幹＋ -asu型	遅らす 震わす 膨らます 滑らす	遅らさない 震わさない 膨らまさない 滑らさない	遅らして 震わして 膨らまして 滑らして	遅らせば 震わせば 膨らませば 滑らせば	遅らそう 震わそう 膨らまそう 滑らそう

一般にⅡ類活用型「語幹＋-aseru」型（上段）がよく用いられます。

３－２．使役文と他動詞文の用法の違い

> (1) 救急隊員は負傷者をベッドに｛a. 寝かせた他／b. 寝させた自使｝。
> (2) 人形を箱に｛○入れた他／×入らせた自使｝。

これだけは

◆自動詞の中には、「集まる、逃げる」のように対応する他動詞を持つものと「走る、泳ぐ、悩む、驚く」のように持たないものとがあります。
　使役文と他動詞文との使い分けが問題になるのは、このような自動詞と他動詞の対応がある場合です。
◆使役文は、意志を持って「Vする」Xに対してYが強制したり促したりして動作を起こさせることを表す表現です。これに対し他動詞文は、Xの意志を考慮に入れず「XがViする」という出来事がYによって引き起こされることを表す表現です。
◆上に述べた原則から次のような使い分けが出てきます。
◆Xが意志を持つ有情名詞の場合、原則的には自動詞の使役文を用います。

> (3) 先生は順番に生徒の名前を呼び、｛×立てた他／○立たせた自使｝。
> (4) 中を見学したい人は自由に｛×入れ他／○入らせ自使｝てやった。

◆Xが有情名詞の場合であっても、次の場合には他動詞文が用いられ自動詞の使役文は用いられません。
　A．Yの行為そのものが問題となる場合

> (5) 警官は捕まえた犯人を｛○逃がして他／×逃げさせて自使｝しまった。

(5)は「警官」の行為による責任が問題となっています。
　B．有情名詞Xの意志に反してYが出来事を起こす場合

> (6) 警察が銀行強盗を｛○捕まえた他／×捕まらせた自使｝。
> (7) 挑戦者はチャンピオンを３分で｛○倒した他／×倒れさせた自使｝。

C. 意志を持つ有情名詞Xがその意志によって動作を行えない場合

(8) 救急隊員は重傷で動けない負傷者をベッドに｛○寝かせた他／×寝させた自使｝。

(9) 消防団員は炎の中から子どもを｛○助けた他／×助からせた自使｝。

A～Cはいずれも有情名詞Xの意志を考慮に入れない表現です。

◆Xが有情名詞の場合、他動詞文と自動詞の使役文の両方が使えることがあります。これは特に位置変化を表す動詞の場合です。

(10) 彼は私を車に｛乗せた他／乗らせた自使｝。

(11) 台風が近づいてきたので生徒たちを家へ｛帰した他／帰らせた自使｝。

(12) 先生は生徒たちを校門の所に｛集めた他／集まらせた自使｝。

◆Xが意志を持たない無情名詞の場合、一般的には他動詞文が用いられ、自動詞の使役文を用いることはできません。

(13) 積もった雪を日なたに出して｛○溶かした他／×溶けさせた自使｝。

(14) 犯人はひげを｛○生やしていた他／×生えさせていた自使｝。

◆Xが無情名詞の場合でも「自然にVする」性質を持つ場合、他動詞文でも自動詞の使役文でも言うことができます。

(15) この凝固剤を使うと、プラスチックを早く｛固める他／固まらせる自使｝ことができる。

(15)ではプラスチックは放っておいても「固まる」性質があります。

もう少し

◆「見る」は他動詞ですが、この「見る」の使役形「見させる」と他動詞の「見せる」も同じような対応を持ちます。

(16) 先生は学生たちにビデオを｛見せた／見させた｝。

(16)では、「見せた」が学生が寝ていてもかまわないのに対して、「見させた」は学生がビデオを見ていなければなりません。

◆再帰的な他動詞（→§12）の使役文も、他者に対する他動詞文との使い分けが問題になる場合があります。

(17)　母親はりょうくんに服を｛着せた／着させた｝。

「着せる」は「りょうくん」が何もしなくても使うことができますが、「着させる」は「りょうくん」が「着よう」という意志を持って自分で着る場合に使われます。

◆他動詞文と自動詞の使役文とでは、副詞的な成分の係り方が異なります。

(18)　先生は学生たちをゆっくり体育館に｛入れた 他／入らせた 自使｝。

(18)は他動詞文の場合、先生が「ゆっくり」という様態で動作を行ったという意味にしかなりませんが、自動詞の使役文の場合、その解釈に加えて学生たちの動作の様子が「ゆっくり」であるという解釈もできます。

後のほうの解釈は「学生たちがゆっくり体育館に入る」という自動詞文から来ています。

4.　使役と似た意味を持つ「[名詞]を[動詞]」表現

> (1)　映画「E.T.」は多くの人に感動を与えた名作である。
> (2)　市長は、成人式で騒いだ新成人たちをあえて告発することで、成人としての自覚を促した。

これだけは

◆実質的な動作を表す名詞と動詞を組み合わせて使役に似た意味を持つ表現があります。(1)(2)は(1)'(2)'と実質的に同じ意味を持ちます。

(1)'　映画「E.T.」は多くの人を感動させた名作である。
(2)'　市長は成人式で騒いだ新成人たちに成人としての自覚をさせた。

このような表現には次のようなものがあります。

郵 便 は が き

料金受取人払郵便

麹町局
承認

1862

差出有効期間
2026年1月31
日まで
（切手不要）

１０２-８７９０

東京都千代田区　　　２２５
麹町3丁目4番
トラスティ麹町ビル２F

㈱スリーエーネットワーク
日本語教材愛読者カード係 行

|||||||||||||||||||||||||||||||

お買い上げいただき、ありがとうございます。このアンケートは、より良い商品企画のための参考と致しますので、ぜひご協力ください。ご感想などは広告・宣伝に使用する場合がありますが、個人情報は無断で第三者に提供することはありません。

ふりがな		男・女
		年　齢
お名前		歳

	〒
ご住所	
	E-mail

ご職業	勤務先/学校名

当社より送付を希望されるものがあれば、お選びください

☐ 図書目録などの資料　　☐ メールマガジン　　☐ Ja-Net（ジャネット）
「Ja-Net」は日本語教育に携わる方のための無料の情報誌です
WEBサイトでも「Ja-Net」や日本語セミナーをご案内しております

スリーエーネットワーク　sales@3anet.co.jp　https://www.3anet.co.jp/

アンケート　　　　　　　お答えいただいた方の中から抽選で毎月5名様に記念品を差し上げます

お買い上げになった本のタイトルは？（必須項目）

● ご購入書店名

_____ 市・区町・村 _____ 書店 _____ 支店

● 本書をどのようにして知りましたか？

- □ 書店で実物を見て
- □ 新聞・雑誌などの出版物で見て→出版物名_____
- □ 知人のすすめ　　　　　　　　　□ 当社からの案内
- □ 当社からのメールマガジン　　　□ 当社ホームページ
- □ 当社以外のホームページ→ホームページ名_____
- □ ネット書店で検索→ネット書店名_____
- □ その他_____

● 本書のご感想、出版物へのご要望などをお聞かせ下さい

価　格： □ 安い（満足）　　□ 相応（まあまあ）　　□ 高い（不満）
カバーデザイン： □ 良い（目立った）　　□ 普通　　□ 悪い（目立たなかった）
タイトル： □ 良い（内容がわかりやすい）　　□ 普通　　□ 悪い（内容がわかりにくい）
内　容： □ 非常に満足　　□ 満足　　□ 普通　　□ 不満　　□ 非常に不満
分　量： □ 少ない（薄すぎる）　　□ ちょうどいい　　□ 多い（ボリュームがある）

自由にご記入下さい

● 本書をどのような目的で購入しましたか？

- □ 大学・日本語学校などの採用教科書　　□ ボランティア日本語教室の教科書
- □ 個人教授用の教科書　　　　　　　　　□ ご自身の参考書
- □ その他_____

促す：自覚を、奮起を、再考を、注意を、反省を、熟考を…
与える：感動を、満足を、動揺を…
もたらす・きたす：混乱を…

対応する使役形は「自覚させる」などです。

◆このような表現は「［名詞］をする／される／させる」と同じ意味を他の動詞を用いて言い表したものです。「する」などで言い表せるのにもかかわらず意味のある動詞を用いてこのような表現をすることは、文体的に硬いという印象を与えます。

もう一歩進んでみると

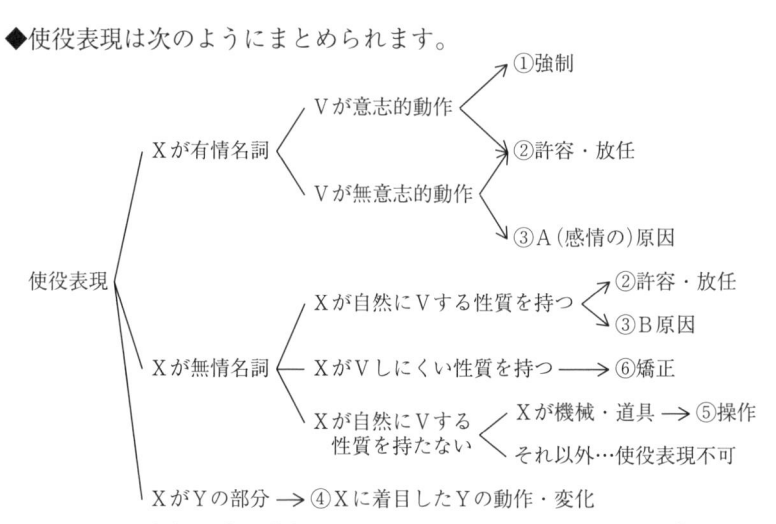

◆使役表現は次のようにまとめられます。

```
                        ┌ Vが意志的動作 ┬→ ①強制
          ┌ Xが有情名詞 ┤               └→ ②許容・放任
          │             └ Vが無意志的動作
          │                              └→ ③A（感情の）原因
          │
使役表現 ─┤                                      ┌→ ②許容・放任
          │             ┌ Xが自然にVする性質を持つ ┤
          │             │                        └→ ③B原因
          ├ Xが無情名詞 ┼ XがVしにくい性質を持つ ──→ ⑥矯正
          │             │                        ┌ Xが機械・道具 →⑤操作
          │             └ Xが自然にVする ────────┤
          │               性質を持たない          └ それ以外…使役表現不可
          │
          └ XがYの部分 → ④Xに着目したYの動作・変化
```

1-3で見た責任を表す使役文は、XやV個別の性質ではなく「XがVする」という出来事が主語または話し手にとって好ましいか好ましくないかによって生じる意味です。

◆自動詞の使役文と他動詞文の使い分けは次のようにまとめられます。

			他動詞文	自動詞の使役文
自動詞が対になる他動詞を持つ	Xが有情名詞	原則	×	○
		例外A　Yの行為に重点	○	×
		B　Xの意志に反した行為	○	×
		C　Xが意志的に動作できない	○	×
		D　Vが位置変化を表す動詞	○	○
	Xが無情名詞	原則	○	×
		例外　Xがに自然にVする性質を持つ	○	○
自動詞が対になる他動詞を持たない			−	○

　Xが有情名詞の場合はXに働きかけてその意志で動作を起こさせる使役文を用いるのが原則です。例外はいずれも基本的にはXをモノ扱いした場合と考えることができます。

　逆にXが無情名詞の場合、Xに働きかけることはできませんので他動詞文を用います。例外のXが自然にVする性質を持つ場合は、有情名詞扱いをしているものと考えることができます。

◆Vが自動詞の場合、使役文ではXがニ格とヲ格のどちらでも表されます。

　これについては様々な使い分けが説明されることがありますが、Xをモノ扱いして意志に関係なく動作を行わせる場合にはヲ格を、Xの意志を尊重してその意志で動作を行わせる場合にはニ格を用いるのが基本です。

　ヲ格を用いるのは他動詞と共通した特徴で、強制の意味がより強く感じられるのはこのようなXの意志を考慮に入れない性質のためです。

○参考文献

佐藤里美（1986）「使役構造の文」『ことばの科学』1　むぎ書房
　★現時点で出版されている中で最も詳しい記述。用例も豊富。

柴谷方良（1978）『日本語の分析〜生成文法の方法』（第6章）大修館書店
　★強制と許容の使役文について、ヲ格とニ格の使い分けも併せて論じている。
寺村秀夫（1982）『日本語のシンタクスと意味Ⅰ』（第3章）くろしお出版
　★使役のいろいろな特徴をヴォイスの観点から詳しく論じている。それまでの先行研究の概観もある。
森田良行（1995）『日本語の視点−ことばを創る日本人の発想』（11.日本的な使役の表現）創拓社
　★様々な意味の使役について解説している。
由井紀久子（1990）「受給動詞の運用−オマエニクレテヤル・（サ）セテモラウについて−」『日本学報』9（大阪大学文学部）
　★「〜させてもらう」についての詳しい論考がある。
鷲尾龍一（1997）『ヴォイスとアスペクト』（三原健一との共著）（第Ⅰ部第3章）研究社出版
　★使役と受身の対称性を論じている。広くヴォイスを捉えるためには必読の書。

§12. 自動詞と他動詞

　動詞にはヲ格目的語をとらず直接受身で用いられない**自動詞**と、ヲ格目的語をとり直接受身で用いることのできる**他動詞**とがあります。自動詞と他動詞の対応（自他の対応）がある場合、典型的には次のように表されます。

　　自動詞の文型　　　XがVi
　　他動詞の文型　　　YがXをVt

　初級編（§10）では主に形の対応の観点から自動詞と他動詞の対応を扱いました。中上級編では自動詞と他動詞の使い分けを重点的に見ていきます。
　また、自動詞は他動詞の受身と、他動詞は自動詞の使役と、それぞれ文型として類似しています。

　　⎧ 自動詞文　　　　　「ドアが開く」
　　⎩ 他動詞の受身文　　「ドアが開けられる」
　　⎧ 他動詞文　　　　　「先生が学生たちを教室に入れる」
　　⎩ 自動詞の使役文　　「先生が学生たちを教室に入らせる」

　他動詞文と自動詞の使役文については§11で説明しています。ここでは自動詞文と他動詞の受身文を中心に見ていきます。

1. 自動詞と他動詞の使い分け

> (1) 手が滑って｛×コップが割れて_自／○コップを割って_他｝しまった。
> (2) すみません。次の富山行きの飛行機は何時に｛○出ます_自／×出します_他｝か。

これだけは

◆対応する自動詞と他動詞は同じ出来事を表すことがあります。

(3)a. もしもし、ハンカチが落ちました（自）よ。
　b. もしもし、ハンカチを落としました（他）よ。

(3)aの自動詞文では「ハンカチ」がガ格で表されるのに対して、(3)bの他動詞文では「ハンカチ」がヲ格で表されています。

自動詞と他動詞の誤用は「ハンカチを落ちる」や「ハンカチが落とす」のような格の選択や形の選択の誤りによるものも少なくありません。

しかし、自動詞と他動詞が(3)のようにいつも相互に置き換え可能というわけではありません。むしろ、(1)(2)のように文脈によって（自動詞・他動詞と格の対応は正しくても）一方しか用いられない場合が多くあります。

ここでは、このような使い分けの原則を見ていきます。

1-1. 動作主（Y）の存在の有無

(1)　風で｛○ドアが開いた（自）／×ドアを開けた（他）｝。
(2)　来月の『言語学』という雑誌に去年投稿した私の｛○論文が載る（自）／×論文を載せる（他）｝。

これだけは

◆無情物（意志を持たないもの）が主語になる自動詞は、対応する他動詞と次のような関係があります。

(3)a.　　　　　電気がつく（自）。
　b. 田中さんが電気をつける（他）。

(3)のaとbは共に「電気がついていない」状態から「電気がついている」状態への変化が生じたことを表します。違っているのは、その変化を生じさ

せる動作主Yが、(3)aのような自動詞文では表されていないのに対し、(3)bのような他動詞文では表されているという点です。(3)bでは「田中さん」が動作主です。

◆自動詞文で動作主が表されないのは、次の二つの理由によるものです。

① 出来事が自然現象や自動的に起こるものであり動作主が存在しない
② 出来事に動作主が存在するが動作主の意志（意図）が問題とならない

②は①と比べて日本語学習者にとって習得が難しいようです。

◆①の動作主が存在しない自然現象や自動的に起きる出来事とは(1)や次の(4)(5)の場合です。

(4) しばらく見ないうちに｛○背が伸びた_自／×背を伸ばした_他｝ね。
(5) この機械は、ボタンを押せば｛○券が出る_自／×券を出す_他｝ようにできている。

次の(6)(7)のようにスケジュールや予定としてすでに決まっていることに対しても自動詞が用いられます。

(6) 銀行は3時に｛○閉まります_自／×閉めます_他｝。
(7) （本屋で）すみません、『言語学』という雑誌は何日に｛○出ます_自／×出します_他｝か。

◆②の動作主が存在するが動作主の意志（意図）が問題とならないのは(2)や次の(8)(9)の場合です。

(8) 駅前に大きなマンションが建った_自。
(9) 先日のコンビニ強盗が捕まった_自んだって。

(8)(9)はいずれも「（マンションを）建てる」や「（強盗を）捕まえる」という行為を行う動作主が存在します。このような場合でも動作の過程ではなく結果に重点を置いた表現として自動詞を用います。

このような自動詞には他に「植わる、いたまる、煮える、（湯が）沸く、写る、（絵が）掛かる」などがあります。

◆意志に反して出来事が起きる場合にも自動詞が用いられます。

(10)　A：ここに車を止めてはいけませんよ。
　　　　B：すみません。故障して{○動かない_自／×動かさない_他}んです。

(10)で他動詞を用いると「意志的にそのような行為を行わない」という意味になり表現の意図が異なってきます。

もう少し

◆(10)のように意志に反して出来事が起きる場合には、他動詞の（不）可能の形で置き換えることもできます。

(11)　A：ここに車を止めてはいけませんよ。
　　　　B：すみません。故障して動かせない_他可んです。

他動詞の可能形については3-2で詳しく述べます。

◆他動詞は意志的に何かを行う場合の他、「不注意によって防げなかった」ことを表す場合にも用いられます。

(12)　昨日、駅からの帰り道で{×財布が落ちた_自／○財布を落とした_他}。
(13)　よそ見をしていて{×車がぶつかってしまった_自／○車をぶつけてしまった_他}。

このような他動詞文は「戦争で息子を死なせた」という使役文と類似した用法です。

◆ある種の複文では自動詞・他動詞の選択に制限が見られます。

(14)　ボタンを押して{×ジュースが出た_自／○ジュースを出した_他}。
(15)　ボタンを押したら{○ジュースが出た_自／#ジュースを出した_他}。

いずれも継起的に生じる二つの出来事を表す場合に用いられます。

「〜て」（→初級編§21）は手段を表す場合、同じ主語の意志的な動作でなければなりません。そのため同じ主語の他動詞が選ばれます。

一方、(15)のような主節が過去になっている「〜たら」（→初級編§24）は、後件が発見の意味を持ちますので自動詞が選択されます。他動詞は前件の動作主と後件の動作主が異なる場面であれば可能です。

1－2. 動作の過程の有無

> (1) （開店を待っている人が）おっ、{○開いた_自／×開けた_他}。
> (2) a. ひもが切れている_自。
>   b. ひもを切っている_他。

これだけは

◆自動詞は(1)のように変化の結果生じた状態を認識したことを表す場合や、そのような状態が生じないことを表す場合にも用いられます。

> (3) しばらく見ないうちに髪の毛{○伸びた_自／?伸ばした_他}ねえ。
> (4) 電気、なかなか{○つかない_自／×つけない_他}なあ。おっ、やっと{○ついた_自／×つけた_他}。

(3)の「伸ばした」と(4)の「つけない、つけた」は、第三者の動作主が意志的に行ったことをあえて表したい場合には用いますが、変化の結果状態あるいは未変化の状態を表すことはできません。

◆このような結果と動作の過程の区別が顕著に現れるのが「～ている」を付けた場合です。(2)aのように自動詞に「～ている」が付くと結果の状態を表すのに対し、(2)bのような他動詞＋「～ている」は動作の持続を表します。

もう少し

◆「電話をかける・電話がかかる」「大学を受ける・大学に受かる」のように、他動詞が動作の過程を表し自動詞がその結果を表すことがはっきり区別される動詞の対もあります。

> (5) 大学を受けた_他けれど受からなかった_自。
> (6) 何度も田中の家に電話をかけた_他けど話し中だった。10回目でやっとかかった_自と思ったら今度は誰も出なかった。

◆1－2および1－2で挙げたいくつかの規則は、次のような大きな一つの原

則から生じるものです。

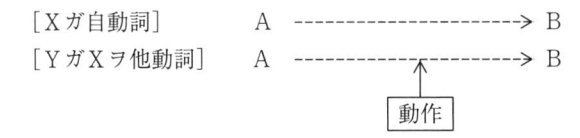

　　　［Xガ自動詞］　　　A ----------------→ B
　　　［YガXヲ他動詞］　A ----------------→ B
　　　　　　　　　　　　　　　　　　↑
　　　　　　　　　　　　　　　　　動作

　自動詞文はXがAという状態からBという状態へ変化したことを表すだけであるのに対して、他動詞文はXがAという状態からBという状態へ変化が何らかの動作によって生じることを意味します。
　他動詞文がこのような動作を伴うということは、1-1で見た動作主が存在するということですし、1-2で見てきた動作の過程が（自動詞文と比べて）得られやすいということでもあります。
　このような違いが自動詞・他動詞の選択に大きくかかわっています。
◆「他動詞＋てある」を用いると「自動詞＋ている」と同様、結果残存を表します（→初級編§6）。

　　（7）　窓が{a.開けてある／b.開いている}。

　(7)aは「窓を開ける」という動作をした人（動作主）が含意されるのに対して、(7)bはそのような動作主が含意されません。
　このような動作主の含意の有無は、「〜てある」や「〜ている」の性質というよりも他動詞に続くか自動詞に続くかの違いによるものです。

2.　再帰的な他動詞文など

> (1)　妻は赤い服を着て、白い帽子をかぶって買い物に行った。
> (2)　階段で足を滑らして、骨を折った。
> (3)　山口さんは今年4月に大学を変わったばかりだ。

これだけは

◆他動詞の中には動作主の体の一部や持ち物などを目的語にとるものがあり

ます。このような他動詞文は他者に対して動作が及びませんので、自動詞的な性質を持っていると言えます。このような目的語と他動詞を含む文を**再帰的な他動詞文**（または単に**再帰文**）と言います。

◆再帰的な他動詞文には次のような動詞（と目的語の組み合わせ）があります。

① 衣服等の着脱に関する動詞：着る、脱ぐ、かぶる、履く…
② 体の一部を目的語とした動詞：足／手／骨…を折る、目を覚ます、（怒りに）身／全身／唇を震わす、腰／足…を冷やす、足／口を滑らす、身を焦がす、手を焼く、胸をときめかす、目／傷口を腫らす…

◆①の「着る、脱ぐ、かぶる、履く」などの動詞は、動作主が自身でする動作を表します。他者に対して行う動作は表しません。

(4) ここで靴を脱いで、スリッパを履いてください。
(5)a. 4歳の息子は、毎朝、自分で幼稚園の服を着る。
　 b. ×母親は毎朝、息子に服を着る。

他者に対して行う動作は「着せる、脱がす、かぶせる、履かす」などの動詞（他動詞や自動詞の使役形）を用います。

(6) ここで子どもたちの靴を脱がせて、スリッパを履かせてください。
(7) 母親は毎朝、息子に服を着せる。

◆②の体の一部を目的語とした動詞には次のようなタイプがあります。

(a) 意志的に行えるもの
(b) 意志的に行えないもの、または通常意志的に行わないもの

(a)には「手を振る、唇に（口紅を）塗る」などがありますが、これは体の一部を対象とした動作と見ることができます。他人の体の一部であってもこれらの動詞を使うことができます。

②に挙げた目的語と動詞の組み合わせはすべて(b)のタイプです。(2)や次の例は意志的な動作ではありません。

(8) 田中は理不尽な解雇の通知を受け、怒りで身を震わした。
(9) 朝、目を覚ますと隣に知らない人が寝ていた。

(10)　冷え性の方は腰を冷やすとよくないですよ。

慣用的な表現が多いのもこの類の特徴です。

もう少し

◆①のような衣服等の着脱に関する動詞は、再帰的な他動詞と他者に対する他動詞とが、自他の対応に似た対応を持ちます。

　　　　　　［自分で～する］　　　　　　　　　　［他者に～する］
　　学生が部屋に入る（自動詞）　　　　　学生を部屋に入れる（他動詞）
　　子どもが服を着る（再帰的な他動詞）　子どもに服を着せる
　　　　　　　　　　　　　　　　　　　　　　　（他者に対する他動詞）

ここからもわかるように再帰的な他動詞は自動詞に近い意味を持っています。◆②に挙げた目的語＋他動詞は「身を震わす」や「身を焦がす」など一部を除いて対応する自動詞文があります。

　(2)'　階段で足が滑って自、骨が折れた自。
　(9)'　朝、目が覚める自と隣に知らない人が寝ていた。
　(10)'　冷え性の方は腰が冷える自とよくないですよ。

この場合、「足、目、腰」などの所有者は「の」ではなく、主題化されて「は」で表されます。

　(11)　朝、電話のベルで私｛○は／×の｝目が覚めた自。

◆再帰的な用法と少し異なりますが、自動詞の中で「移る、変わる」は主語の場所の移動や所属の異動の意味で用いられるときにヲ格名詞句をとります。

　(12)　喫茶店で隣の人がたばこを吸い始めたので、席を移った。
　(13)　ストーカーにつきまとわれて今年すでに3回アパートを変わった。

この用法以外にはヲ格名詞句はとりません。

　(14)　林さんに久しぶりに会ったけど｛×髪型を変わって／○髪型が変わって／○髪型を変えて｝いたのですぐにはわからなかった。

◆「開(あ)く」は自動詞ですが「目、口」に限って目的語に取ります。

　　(15)　田中君が{目／口}を開(あ)いて_自寝ている。

3.　自動詞文と類似した意味を持つ表現
3－1.　自動詞文と他動詞の受身文

> (1) a. 風で窓が開(あ)いた_自。
> 　　b. 煙が充満してきたので部屋の窓が一斉に開けられた_{他受}。
> (2) a. 駅前の大通りに高層マンションが建った_自。
> 　　b. 駅前の大通りに高層マンションが建てられた_{他受}。

これだけは

◆「XがVi」という自動詞文と「Xが（Yに／によって）Vt-受身」という他動詞の受身文とは、Xを主語にした表現という点で同じです。
◆自動詞文は動作主に関して次のいずれかの特徴を持ちます。

　① 　出来事が自然現象や自動的に起きるものであり動作主が存在しない
　② 　出来事に動作主が存在するが動作主の意志（意図）が問題とならない

他動詞の受身文には①は存在しません。
◆(1)a は自然現象ですので自動詞が用いられています。
　自然現象の場合、変化の原因である「風」はデ格やニヨッテ格などで表すことはできますが、他動詞の受身文にすることはできません。

　　(3)×風で窓が開けられた_{他受}。

逆に(1)bのような場合、自動詞を用いると意味が変わってきます。

　　(1)b. 煙が充満してきたので部屋の窓が一斉に開けられた_{他受}。
　　(4)　 煙が充満してきたので部屋の窓が一斉に開(あ)いた_自。

(1)bでは「誰かが窓を開けた」わけですが、(4)では「機械的にそういう仕掛けになっていた」という解釈が普通です。これは通常「窓は人が開けるものだ」という社会的通念によるものです。

◆(2)は「ビルは誰かが建てるものだ」という社会的通念によって必ず動作主が存在しますが、自動詞が使える例です。

このような自動詞には「植わる、いたまる、煮える、(湯が)沸く、捕まる、写る、(絵が)掛かる」などがあります。

(5) 苗がきれいに{植わっている_自／植えられている_他受}。
(6) 二人を殺した犯人が警察に{捕まった_自／捕まえられた_他受}。
(7) 書斎の壁には2枚の絵が{掛かっている_自／掛けられている_他受}。

このような自動詞は状態の変化の結果を表す文脈でよく用いられます。

もう少し

◆動作主が人など意志を持って行動をするものの場合、動作主が自分の意志によってする動作は自動詞で表し、他の人にさせられる動作は他動詞の受身で表します。

(8) 新人タレントを募集したところ全国から大勢の若者が{○集まった_自／×集められた_他受}。

◆「植わる、いたまる、煮える、(湯が)沸く、捕まる、写る、(絵が)掛かる」などの自動詞が常に他動詞の受身と同じ意味を持つわけではありません。

動作主が発話の場にいる場合などは、他動詞の受身形が使いにくく感じられます。

(9) 苗、きれいに{○植わった_自／×植えられた_他受}ねえ。
(10) ピーマンが十分{○いたまったら_自／×いためられたら_他受}、他の具材を入れてください。

(9)(10)は「植えた、いためた」という他動詞の能動形であれば可能です。
◆自動詞文と他動詞の受身文では、「～ている」の意味も異なる場合があります。

(11) 苗がきれいに{植わって_自／植えられて_他受}いる。

「自動詞＋ている」のほうは結果残存の意味しか持ちませんが、「他動詞の受身＋ている」のほうは結果残存と進行中の両方の解釈が可能です。
◆「教わる・教える」「見つかる・見つける」も「植わる・植える」などと同じグループに基本的には入れられますが、「教えられた、見つけられた」のように、特に人を主語にした他動詞の受身文は被害的な意味の解釈がされやすくなります。

(12) 父から多くのことを{教わった_自／教えられた_他受}。
(13) かくれんぼをしたが、すぐに{見つかった_自／見つけられた_他受}。

３－２．自動詞文と他動詞の可能文

> (1) 鉛筆で書いた字は消しゴムで簡単に{消える_自／消せる_他可}。
> (2) 車が故障してしまって{動かない_自／動かせない_他可}んです。

これだけは

◆自動詞文と他動詞の可能文とは、(1)(2)のような文で似た意味を持ちます。(1)と(2)に共通しているのは「鉛筆で書いた字」や「車」について、「そのような性質を持っている」ことを表したり「そのような状態である」ことを表現する文であるということです。
◆自然現象など動作主が存在しない出来事の場合には、他動詞の可能形を使うことはできません。

(3) 風でドアが{○開いた_自／×開けられた_他可}。
(4) 男の子は高校生のとき、背がよく{○伸びる_自／×伸ばせる_他可}。

次の動作主が存在する場合と比較してください。

(5) このドアは重いなあ。よいしょ、よいしょ。ふう。やっと { ○開いた_自／○開けられた_他可 }。
(6) 一生懸命ドアを開けようとしたが { ○開かなかった_自／○開けられなかった_他可 }。
(7) 家庭教師をつければすぐに成績が { ○伸びる_自／○伸ばせる_他可 } というものではない。

もう少し

◆このような可能文を用いることができる理由は次のように考えられます。
　まず、自動詞文はXを主語にした表現です。他動詞の可能文もXを（ヲ格のままにすることもありますが）ガ格で表現することができます。これは自動詞文と他動詞の可能文がXについて述べる文である（となりうる）ことを表しています。
　また、通常、他動詞は動作主の意志的な動作を表しますが、その可能形は動作主がそのような能力を持っているか否かという状態を表す表現であり、意志は問題となりません。この点で自動詞文がYの意志を考慮に入れない性質を持っていることと似ています。
　可能形と意志については§14を見てください。
◆自動詞と他動詞の可能形が同じ形の動詞もあります。-eru：-u（≠-ru）型（§11、3-1のD4）の動詞で、「解ける・解く、抜ける・抜く、焼ける・焼く」などです。

4. 複合動詞と動詞の自他

(1) 丘を駆け { ○上がった／×上げた }。
(2) ごはんができるとすぐ食べ { ○始めた／×始まった }。
(3) 急に子どもが飛び { ○出てきた／○出してきた } んです。

これだけは

◆動詞を二つ重ねて使う場合、「飛んでいる」のように前の動詞がテ形の場合と、「飛び出る」のようにマス形語幹の場合があります。後の「飛び出る」のような動詞を複合動詞と言い、「飛び」を前項、「出る」を後項と呼びます。
◆複合動詞の意味には四つのパターンがあります。

① 前項と後項が継起的に起き、前項が後項の手段や様式を表す
　　　殴り倒す、呼び集める、押し込める、飛び降りる…
② 前項が中心的な意味を持ち、後項が位置や時間的意味などを表す
　　　駆け上がる、走り回る、走り始める；降りだす、食べきる…
③ 後項が中心的な意味を持ち、前項は意味を強める働きをする
　　　つっ返す、差し出す、うち捨てる…
④ 前項と後項の意味とは関係なく新しい意味を生じる
　　　（話を）切り出す、（仲を）取り持つ、飛び出す…

　この中で、本来的な動詞の自他と複合動詞の中での自他との違いが問題になるのは、②の場合です。以下②の場合について述べます。
◆後項が空間的な位置変化を表す場合、前項が他動詞ならば後項も他動詞、前項が自動詞ならば後項も自動詞という組み合わせが多く見られます。

　自動詞＋自動詞：駆け上がる、はい上がる、駆け下りる、走り回る…
　他動詞＋他動詞：運び上げる、引っ張り上げる、引きずり下ろす、連れ回す…
◆後項が時間的な要素になっている場合、自動詞と他動詞は必ずしも揃えて用いられません。

　×〜始まる・○〜始める：走り｛×始まる／○始める｝
　　　　　　　　　　　　食べ｛×始まる／○始める｝
　○〜終わる・○〜終える：走り｛○終わる／○終える｝
　　　　　　　　　　　　食べ｛○終わる／○終える｝

　それぞれの意味についてはアスペクトの箇所（→§8）を見てください。
　また、「〜でる・〜だす」では、「〜でる」が空間的な位置の移動しか表さないのに対して、「〜だす」は空間的な位置の移動と時間的な開始の意味を持ちます。

時間的な意味を持つ後項については、単独の動詞の自他とは別に考える必要があります。

もう一歩進んでみると

◆自動詞と他動詞を受身形や使役形と関係づけてまとめておきます。

まず自動詞と他動詞の対応を持つ有対動詞と、そうでない無対動詞が分けられます。

無対動詞には、使役形を他動詞の代用として用いる自動詞や、受身形を対応する自動詞の代わりに使う他動詞があります。

有対動詞はX（自動詞の主語・他動詞の目的語）が有情名詞の場合と無情名詞の場合に分けられます。自動詞の使役形を他動詞と似た意味で使うことができるのはXが有情名詞の場合に限られます。「泣く」「座る」に対応する他動詞は、Ⅰ類型の活用の使役形（→初級編§30）と同じ形です。

		他動詞の受身形	自動詞	他動詞	自動詞の使役形
		Xが〜		YがXを〜	
有対動詞	X＝無情名詞	開けられる 建てられる 割られる	開く 建つ 割れる	開ける 建てる 割る	×開かせる ×建たせる ×割れさせる
		植えられる いためられる	植わる いたまる	植える いためる	×植わらせる ×いたまらせる
	X＝有情名詞	見つけられる 教えられる	見つかる 教わる	見つける 教える	?見つからせる ?教わらせる
		入れられる 起こされる	入る 起きる	入れる 起こす	入らせる 起きさせる
			再帰他動詞 着る 脱ぐ	着せる 脱がす	**再帰他動詞の使役形** 着させる 脱がせる
		泣かされる 座らされる	泣く 座る	(泣かす) (座らす)	泣かせる 座らせる
無対自動詞		✕	座る 腐る	←代用	座らせる 腐らせる・腐らす
無対他動詞		置かれる 代用→		置く	✕

◆1-2では他動詞が動作の過程を表し自動詞が結果を表す動詞の対として、「電話をかける・電話がかかる」「大学を受ける・大学に受かる」だけを挙げました。その他の動詞はどうなのでしょうか。

(1) 一生懸命ドアを開けた_他けれど、開かなかった_自。
(2) 木の枝を燃やした_他けれど、燃えなかった_自。

(1)(2)のような文は宮島達夫（1985）で次のような結果が得られています。

	○（自然）	△（やや不自然だが使われる）	×（全く不自然）
(1)	38％	33％	29％
(2)	30％	48％	22％

（宮島達夫（1985）「ドアをあけたが、あかなかった」より）

特に「一生懸命」など動作主の持続的な働きかけを表す副詞などが入った文は自然とする人も少なくないようです。

(1)(2)は次のようにするとより自然な表現になります。

(1)' 一生懸命ドアを開けようとした_他けれど、開かなかった_自。
(2)' 木の枝を燃やそうとした_他けれど、燃えなかった_自。

「～(よ)うとする」については§8を見てください。

○参考文献

須賀一好・早津恵美子編（1995）『動詞の自他』ひつじ書房
　★自動詞・他動詞に関する論文で主なものが納められている。

寺村秀夫（1984）『日本語のシンタクスと意味Ⅱ』（第5章確言の文）くろしお出版
　★複合動詞の分類などを行っている。

早津恵美子（1989）「有対他動詞と無対他動詞の違いについて－意味的な特徴を中心に－」『言語研究』95（須賀一好・早津恵美子編（1995）に再録）
　★他動詞の過程性・結果性を中心に意味的特徴の記述がある。

宮島達夫（1985）「ドアをあけたが、あかなかった」『計量国語学』14-8（宮島達夫1994『語彙論研究』（むぎ書房）に再録）
　★「ドアをあけたが、あかなかった」など他動詞の結果性に関する数量的調査結果。

森田良行（1984）『日本語の発想』(24〜30) 冬樹社
　★「乗せる」と「乗らせる」、「載る」と「載せられる」の違いなどについての分析がある。

§13. 授受の表現

「やる、あげる、さしあげる；くれる、くださる；もらう、いただく」は授受を表す動詞の中でも特に**授受動詞・やりもらい動詞**と呼ばれます。これらの動詞は補助動詞として「～てやる、～てあげる、～てさしあげる；～てくれる、～てくださる；～てもらう、～ていただく」の形でも用いられます。

初級編ではそれぞれの動詞や補助動詞についての基本的なことを述べました。中上級編では関連する動詞との違いや補助動詞としての用法を中心にもう少し詳しく述べておきます。

1. 授受動詞とその周辺の表現

> (1) 犬にえさを｛○やる／○与える｝。
> (2) 大学は白川博士に名誉博士号を｛？あげた／○与えた｝。
> (3) 友達に貸す約束をしていた本を学校で｛×あげた／○渡した｝。
> (4) 締切の日にレポートを教務課に｛×あげた／○出した｝。
> (5) 教務課で在学証明書を｛○もらった／○受け取った｝。
> (6) 彼は私から金を｛×もらうと／○受け取ると｝ポケットに入れた。

これだけは

◆ものの授与を表す動詞には、「やる・あげる」および「くれる」の他に「与える、渡す、出す、授ける、授与する、贈与する、進呈する」などがあります。一方、ものの収受を表す動詞には、「もらう」のほかに「受ける、

受け取る」などがあります。

ここでは「授与する、贈与する、進呈する」を除く、より基本的な動詞について「やる・あげる、くれる、もらう」との使い分けを見ます。

◆「やる・あげる、くれる、もらう」にはそれぞれ「さしあげる、くださる、いただく」という特別な待遇形式があります。

◆「与える」はものの授与を表す最も中立的な表現です。「与える」には「やる・あげる、くれる」のような恩恵的な意味はありません。

(7) 看守は規則に従って囚人たちに1枚ずつ毛布を{？あげた／○与えた}。
(8) 契約違反をして取引相手に重大な損害を{×やった／○与えた}。

(2)や(7)のように特に恩恵的な意味を含めない場合には「やる・あげる」はやや不自然です。また、(8)のように恩恵的でない場合には、「与える」のみが自然です。

◆「与える」に対する受け手からの表現は「受ける」です。「受ける」には「もらう」のような恩恵的な意味はありません。

(2)' 白川博士は大学から名誉博士号を{？もらった／○受けた}。
(8)' 契約違反をされて重大な損害を{×もらった／○受けた}。

◆授与されるものが受け手にとって有益なものである場合、「与える」と「やる・あげる、くれる」のどちらも使うことができます。

(9) 看守は寒さに震える囚人たちに上司に内緒で1枚ずつ毛布を{○やった／○与えた}。

◆「与える」は中立的な意味から「権限を持って、公の立場で」というニュアンスが生じることがあります。特に「個人的な理由で受け手にとって恩恵的なものを渡す」場合には「やる・あげる、くれる」のほうが、より自然に感じられます。

(10) 読まないからと彼はその本を彼女に{○あげた／？与えた}。

◆「与える」は無情名詞が主語になり、「影響、感動、ショック、衝撃、恐怖(感)、勇気」などの抽象的な影響を与えることを表す場合もあります。

(11) この映画は青少年に悪い影響を<u>与える</u>恐れがある。

「やる・あげる、くれる」は擬人化された場合を除き、基本的に人が主語になります。
受け手からの表現は「受ける」を用いて表されます。

(12) 青少年がこの映画から悪い影響を<u>受ける</u>恐れがある。

◆「渡す」は所有権の移動を伴わないものの移動を表す場合に用いられます。(3)は「貸す」だけですので「渡す」が使われます。(13)の場合も同様です。「やる、くれる」は所有権の移動を含意する表現です。

(13) 誰かが入り口でこの荷物を守衛に{×やった／○渡した}そうだ。

この場合、受け手側からの表現は「渡される」や「受け取る」が用いられます。「もらう」は所有権の移動を含意しますので使えません。

(14) 友達から貸りる約束をしていた本を学校で{×もらった／○渡された／○受け取った}。
(15) この荷物は守衛が入り口で{×もらった／○渡された／○受け取った}そうだ。

◆「出す」は(4)の「教務課」など、提出されたものを扱う権限がある部署や「先生」などの提出されたものを扱うべき人に渡す場合に使います。「提出する」も同じです。このような行為は恩恵的なものではありませんので、「やる、くれる」は使えません。

(16) 課題を先生に{×あげた／○出した／○提出した}。

この場合、受け手からの表現は「出された」や「提出された」を用います。「もらう」は使いません。

(17) 学生から{×もらった／○出された／○提出された}課題をチェックした。

◆「やる、くれる、もらう」は話し手を中心とした方向性の制約を持ちます

(→初級編§11)。ここで見たその他の動詞はそのような制限を持ちません。

(18) その政治家の秘書は私から金を｛×もらう／○受け取る｝とすぐに党本部に持ち帰った。

もう少し

◆「授ける」は目上から目下への授与を表します。「与える」とよく似ていますが、やや儀礼的なニュアンスが加わります。

(19) 学長は白川博士に名誉博士号を授けた。 cf.(2)

◆「渡す」と「出す」は移動するものを主語にして自動詞「渡る」「出る」を使うこともあります。

(20) あの絵は、もう人の手に渡った。
(21) 水野くんのレポート、まだ出てませんね。

2.「(～て)くれる」と「(～て)もらう」の使い分け

(1) この問題がわからなかったので、先生にお尋ねすると丁寧に教えて｛○くださいました／×いただきました｝。
(2) あの子は教えて｛×くれた／○もらった｝ことをすぐ忘れる。

これだけは

◆「(～て)くれる」は動作主が主語に来ます。これに対して「(～て)もらう」はものや動作の受け手が主語になります。

(3) (「田中さん─本→私」という場面で)
 a. 田中さん**が**私**に**本を（送って）くれた。
 b. 私**は**田中さん**に**本を（送って）もらった。

◆名詞句が頻繁に省略される日本語では、上に述べた動作を行う側と動作を受ける側のどちらが主語になるかという原則によって説明しきれないことがあります。そのような場合には次の規則によって使い分けています。

① 意志を持たない無情名詞や、意志を持つ有情名詞の無意志的な動きを恩恵的に表す場合：○〜てくれる、×〜てもらう

(4) a. ○やっと春が来てくれた。
　　b. ×やっと春に来てもらった。
(5) a. ○子どもが寝ていてくれたので、買い物に行けた。
　　b. ×子どもに寝ていてもらったので、買い物に行けた。

次の(6)は主語が特定されませんが基本的に(4)と同じです。

(6) やっと春らしくなって{○くれた／×もらった}。

② 受け手に着目した表現の場合：×〜てくれる、○〜てもらう

(7) 新しいおもちゃ買って{×くれた／○もらった}んだ。いいなあ。
(8) 子ども「隣のおじちゃんがお菓子を買ってくれたよ。」
　　母「買って{×くれた／○もらった}とき、すぐありがとう言った？」

(7)は「誰がおもちゃを買ったか」は問題ではなく、受け手の身に起こったことについてだけ述べようとしています。「〜てくれる」は動作主を主語にしますので、このような場合使えません。(2)も同じです。
(8)の「母」の発話では、子どもが「ありがとうを言った」ときを問題としています。やはり受け手に着目した表現として「〜てもらう」が選ばれます。
　聞き手が動作主になる場合には「〜てくれる」と「〜てもらう」のどちらでも言うことができます。

(9) 昨日貸して{○くれた／○もらった}お金、明日返すよ。

③ 感謝の表現が続く場合は、後続する表現によって異なります。
「ありがとう」：○〜てくれる、×〜てもらう（ただし、○〜ていただく）

(10) この本を買って{○くれて／×もらって}どうもありがとう。

⑾　息子に本を買っていただきどうもありがとうございます。

「すみません」：×〜てくれる、○〜てもらう

⑿　家までわざわざ送って｛×くれて／○もらって｝すみません。

④　複文の中で特に制限があるのは次の場合です。
　　前件が意志動詞の継起的テ節を含む複文：×〜てくれる、○〜てもらう

⒀　タクシーを呼んですぐに来て｛×くれた／○もらった｝。

　　前件、後件共に成立している事実的用法のト節・タラ節を含む複文：
　　　○〜てくれる、×〜てもらう

⒁　タクシーを呼んだらすぐに来て｛○てくれた／×もらった｝。

◆「〜てもらう」の可能の形「〜てもらえる」が使える文もあります。

⒂　タクシーを呼んだらすぐに来て｛×もらった／○もらえた｝。
⒃　新しいおもちゃ買って｛○もらった／○もらえた｝んだ。いいなあ。

もう少し

◆「〜てもらう」には「〜させると同時に主語がその恩恵を受ける」という使役的な性質があります。④の制限は、この使役的な性質によるものです。
　④の事実的用法のト節およびタラ節を含む複文では、後件がある状態の認識や発見という意味を持ちます。このため、その出来事を引き起こす表現である「〜てもらう」は使えません。
◆⒂で「〜てもらえる」が使えるのはなぜでしょうか。
　可能の形は状態的な性質を持ちます（→初級編§8）。そのため「〜てもらう」が本来持っている「〜させると同時に主語がその恩恵を受ける」という使役的な性質は感じられなくなります。
　⒃のような受け手に着目した表現でも「〜てもらえる」が使えます。この場合「〜てもらえる」のほうが「〜てもらう」よりも「頼んで頼んでやっと実現した」というニュアンスが感じられます。

「〜てもらえる」については§14も参照してください。

3. 授受の補助動詞を使うとき・使わないとき

> (1) 私が海でおぼれたとき、監視員が{a.×助けた／b.○助けてくれた}。
> (2) 実家の母が柿を（私に）{a.×送った／b.○送ってくれた}。
> (3) 店員：その荷物、{?包みましょうか／○お包みしましょうか／×包んであげましょうか／×包んでさしあげましょうか}。

これだけは

◆授受の補助動詞は、4で述べるやや特殊な用法を除いて、基本的に恩恵を表します。また、「〜てやる・〜てあげる」は話し手からの遠心的な動きに対して用いられ、「〜てくれる、〜てもらう」は話し手への求心的な動きに対して用いられるという方向性を持っています。

◆日本語では、(1)(2)のように授受の補助動詞を用いないと不自然な場合があります。

「私」もしくは話し手側の人物が動作や移動物の受け手になっていて、かつ、恩恵的な出来事は、授受の補助動詞を用いて表さなければなりません。

> (4) 私が試験に落ちてがっかりしていたとき、みんなが{a.×励ました／b.○励ましてくれた}。
> (5) お金を落として困っていると、見知らぬ人がお金を{a.×貸した／b.○貸してくれた}。

(4)aが言えるのは動作の受け手が第三者の場合です。

◆「私」もしくは話し手側の人物が動作や移動物の受け手になっていても、恩恵的な出来事でない場合には、受身文にします。

> (6) 悪ふざけしていたとき、{a.?先生が私を叱った／b.○先生に叱られた}。

◆「～てやる・～てあげる」は話し手側の人の意志的行為によって第三者または聞き手が恩恵を受けることを表します。このため、話し手側の人の意志によって恩恵的状況が作り出されているという解釈がされ、恩着せがましい印象を与えます。これは「～てさしあげる」を用いても同じです。

　　(7)＃先生、駅まで送ってさしあげましょうか。

　このような場合、謙譲語を用います。

　　(8)　先生、駅までお送りしましょうか。

もう少し

◆「作る、ケーキを焼く、絵を描く」など動作の結果、作られるものがある生産動詞の場合、「～てくれる」を使う場合と使わない場合とでは解釈が異なることがあります。

　　(9)　夫が今日もケーキを｛a. 焼いた／b. 焼いてくれた｝。

　(9)bは「ケーキを焼く」という動作によってできた「ケーキ」を私が受け取っていますが、(9)aは「夫」の動作を単に表しただけです。
　「歌を歌う、ダンスを踊る」など目に見えない抽象的な産物が生じる場合も同じです。

　　(10)　落ち込んでいたら彼女が歌を｛a. 歌った／b. 歌ってくれた｝。

◆授受の補助動詞が持つ方向性を利用して、談話で省略されている名詞句が誰（何）を指すかがわかる場合もあります。

　　(11)　先生Ａ：昨日、田中と進路のことを話したんでしょう？
　　　　　先生Ｂ：何も｛a. 話さなかった／b. 話してくれなかった｝よ。

　(11)aのように「～てくれる」を用いないと、前の文の省略された主題が主語になります。(11)aは「先生Ｂが田中に何も話さなかった」ことを表します。
　一方、(11)bのように「～てくれる」を用いると、常に話し手への動作を表します。(11)bは「田中が先生Ｂに何も話さなかった」ことを表します。

4. 授受の補助動詞表現の恩恵を表さない用法

　授受の補助動詞表現には恩恵を表さない用法がいくつかあります。これらの用法は話しことば的な性質から日本語教育で取り上げられることの少ないものもありますが、日常的によく使われる表現です。

4−1.「〜てやる・〜てあげる」文の恩恵を表さない用法

> (1) いつか偉くなっ<u>てやる</u>！
> (2) あの野郎、一発、殴っ<u>てやる</u>。
> (3) ビーカーに入った液体を温め<u>てやる</u>と反応が早く進みます。

これだけは

◆「〜てやる」は(1)や(2)のように動作を遂行する決意や強い意志を表す表現として用いられることがあります。
◆(1)の決意を表す場合、「〜てやる」は単独で強い語調（「！」）を伴って現れたり、願望を表す「〜たい」が続いたりします。

　(4) この野郎、ぶん殴っ<u>てやる</u>ぞ！
　(5) ばかにした奴らをいつか見返し<u>てやりたい</u>。

◆条件を表す「〜ば、〜たら、〜と」の前件で「〜てやる」を用いることもあります。この場合、恩恵を受ける人は存在しません。代わりに後件の出来事がよい方向へ向かうことを表します。

　(6) ここで二酸化炭素を加え<u>てやる</u>と反応が速く進みます。

もう少し

◆決意や強い意志を表す「〜てやる」は、意向形（→§19）のような意志の形式と異なり、過去形で用いることもできます。

(7) あの野郎を一発殴ってやった。

◆「〜てやる」は軽い決心を表す場合に、「〜てやれ」の形を用いることもあります。

(8) ちょっとからかってやれ。

◆(6)のような後件の出来事がよい方向へ向かうことを表す用法では「〜てあげる」を用いることもあります。

(9) 腰を温めてあげれば痛みが和らぎます。

◆次の(10)のように「〜てやる・〜てあげる」を文末で使う用法は比較的新しい用法です。

(10) 料理に塩を入れて味を調えてあげましょう。

出来事がよい方向へ向かう意味で(9)と同じ種類の用法です。

4−2.「〜てくれる」文の恩恵を表さない用法

(1) とんでもないことをしてくれたものだ。
(2) この野郎、痛めつけてくれる。

これだけは

◆「〜てくれる」は話し手への方向性を持つ表現です（→初級編§11）。「〜てくれる」の恩恵を表さない用法は、(1)のような話し手への方向性を持つものと、(2)のような話し手から第三者への方向を持つものとがあります。
◆(1)のような表現は、話し手への方向性を持つ点で恩恵的な用法と共通していますが、よくない影響が話し手に及んだことを表します。
　「泥を塗る」「とんだこと」など、文脈から明らかによくない出来事が生じているとわかる場合にこの用法に解釈されます。

(3)　おれの顔によくも泥を塗ってくれたな。
　　(4)　とんだことをしてくれたね。

◆このような「～てくれる」は、「ものだ」や「のだ」を伴って感慨を表現したり、終助詞「な」や「ね」を伴ってそのような行為を行った人（多くは聞き手）に対する非難を表現したりします。

　　(5)　なんてことをしてくれたんだ。

もう少し

◆(2)のような「～てくれる」はやや古風な表現です。
　この「～てくれる」は話し手から第三者への方向性を持つ点で、4-1で見た「～てやる」に似ています。「～てくれる」は必ず影響を受ける人が想定される点で、「～てやる」と異なっています。

　　(6)　いつか偉くなって｛○やる／×くれる｝！
　　(7)　痛めつけて｛○やる／○くれる｝！

4－3.「～てもらう」文の恩恵を表さない用法

　　(1)　そんなことしてもらっては困ります。

これだけは

◆「～てもらう」にも恩恵を表さない用法があります。

　　(2)　そんなところに突っ立ててもらっては困るんだよ。
　　(3)　やれるものならやってもらおうか。

　このような「～てもらう」は「～ては困る」や「～ものなら～おうか」という文型でよく用いられます。

もう少し

◆この用法の「〜てもらう」を含む文は過去にすることはできません。

 (4)×あんなところに突っ立っててもらって困った。cf.(2)
  cf. あんなところに突っ立っていられて困った。

もう一歩進んでみると

◆3のところで説明した「〜てくれる」を用いなければならない理由は二つの原理に基づいています。

 「送る、貸す」などの動詞は動作自体が方向を持った動きを表します。このような動詞は単独で用いられた場合には常に遠心的な方向性を表します。話し手への求心的な方向性を表すためには、恩恵的な場合には「〜てくれる」を用いますが、特に恩恵的に表現しない場合には「〜てくる」を用いることもできます。

 (1) これ以上お金を借りても利息すら払えないのに、銀行は必要以上にお金を私に貸してきた。

 一方、このような方向を持たない動詞は、恩恵的でない場合「〜てくれる」や「〜てくる」などの方向性を表す形式を用いなくても言うことができます。

 (2) 死のうと思っていたのに、なぜ助けるんだよ。

◆授受の補助動詞表現は常に話し手の視点から出来事を描いています。これに対し能動文－受身文の対応などに見られるヴォイスの表現は基本的に動作を行う側と受ける側のどちらの立場から出来事を捉えているかを表したものです。

 この違いは、次のような文の場合に現れます。

 (3) A：小林といっしょにパーティに行く⁉ どうして⁉
   B：φガφヲ(ニ) {a. 誘った／b. 誘われた／c. 誘ってくれた}んだ。

(3)aのような能動文では、主語は必ず話し手になります。これは(3)bの受

13. 授受の表現

身文でも同じです。しかし(3)aは動作主が主語になっているのに対し、(3)bは動作の受け手が主語になっています。このような動作主、動作の受け手という意味役割の異なるものを主語に据えるのがヴォイスを使ってやっていることなのです。

一方で(3)cのような「～てくれる」文では主語は話し手にはなりません。これは話し手の視点から見た動作の方向性が「～てくれる」によって求心的なものに制限されているからです。これによって話し手以外の人が動作主に置かれ、結果として(1)bと同じことを表すことになるのです。

○参考文献

大江三郎（1975）『日英語の比較研究－主観性をめぐって－』南雲堂
　★授受の表現全般に関する網羅的な研究。
久野暲（1978）『談話の文法』大修館書店
　★談話中での省略と授受の表現を結びつけるなど興味深い現象を指摘。
豊田豊子（1974）「補助動詞「やる・くれる・もらう」について」『日本語学校論集』1　東京外国語大学外国語学部付属日本語学校
　★意志を表す「～てやる」に関する基礎的な論文。
村田美穂子（1994）「「やる・してやる」と「あげる・してあげる」」『国文学　解釈と鑑賞―特集　現代語のゆれ』59-7
　★恩恵を表さない「～てあげる」の用法を記述。
山田敏弘（2000-2002）「連載　日本語におけるベネファクティブの記述的研究」『日本語学』2000年11月号～2002年1月号
　★授受の補助動詞表現について方向性とヴォイスの観点から扱っている。

コラム
対照研究（2）―授受の表現―

　日本語以外でも出来事の恩恵性を表す言語がいくつかあります。
　韓国語、タイ語、カザフ語、シンハリ語などは日本語と同じく授受の補助動詞を用いて出来事の恩恵性を表します。このような言語の話者にとって「～てくれる」を用いて恩恵を表すことは、恩恵表現を持たない言語の話者の場合と比較して、相対的に簡単なようです。
　しかし細部では違いも見られます。
　韓国語では「～てあげる」と「～てくれる」の区別がなく、どちらも同じ語形を使います。また、「もらう」に相当する動詞を用いて「～てもらう」のような表現をすることは標準的ではないようです。
　さらに、「待っていてくれた」に相当する表現がなく、「待ってくれた」のようにアスペクト形式の「～ている」を用いないで言ったり、相手にとって恩恵的であれば「～てあげる」が使われやすく、その結果「包んであげましょうか」と言ってしまうなどの誤用も見られます。
　韓国語のように「～てあげる・～てくれる」を一つの形式で表し、「～てもらう」に相当する表現を持たない言語は、ネパール語などが挙げられます。「～てもらう」に相当する表現を持つ言語はカザフ語など比較的少数です。
　日本語では動作主を主語にした表現を、さらに話し手から見た動作の方向性によって「～てやる・～てあげる」と「～てくれる」の二つに分けています。このような言語は今のところ他に見あたりません。
　日本語はこのような動作の方向性を表現する性質を利用して、名詞句の省略を頻繁に行いながら、談話をスムーズに行うという特徴を持っています。

○参考文献
林　八龍（1980）「日本語・韓国語の受給表現の対照研究」『日本語教育』40
江田すみれ（1983）「「てやる・てくれる・てもらう」とタイ語の表現」『日本語教育』49
奥津敬一郎・徐昌華（1982）「「～てもらう」とそれに対応する中国語表現　―"請"を中心に―」『日本語教育』46
　★林、奥津・徐、江田の3論文は外国語との対照研究。
Yamada, Toshihiro（1996）'Some Universal Features of Benefactive Constructions'『日本学報』15　大阪大学日本学
　★世界の30あまりの言語における授受表現を比較した研究。

§14. 可能と難易の表現

　可能を表す形式として初級編§8では動詞の可能形と「～ことができる」を取り上げました。このほかに可能および不可能を表す表現には次のようなものがあります。

　可能を表す表現：～得る（うる・える）
　不可能を表す表現：～かねる、～ようがない

　また初級編（§31）で扱った難易を表す「～やすい、～にくい」と関連して次のような困難さを表す表現もあります。

　困難を表す表現：～がたい、～づらい

　ここでは可能・不可能および困難を表す表現をまとめて見ていきます。また、可能形自体についてもいくつかの観点から補います。

　なお、「～わけにはいかない」も不可能の一種と考えられる意味を持ちますが、これは否定の観点から§24で扱います。また「～得る」に関連して「～ざるをえない」という形もありますが、これは§18で扱います。

1. 可能はどんなときに使うのか・使わないのか

> (1) 私はイタリア語が少し<u>話せ</u>ます。
> (2) 今日はプールの無料開放日です。誰でも自由に<u>泳げ</u>ます。
> (3) このカエルは<u>食べられ</u>ます。
> (4) 何とか<u>卒業でき</u>そうだ。
> (5) ちょっと手伝っ<u>てもらえ</u>ませんか。

これだけは

◆可能には、(1)のように動作主の能力を表す能力可能、(2)のように状況が許すから「～できる」という状況可能、(3)のように対象が受ける動作の可能性を表す用法があります。

　また、「この酒はうまい」の意味で用いる「この酒は飲める」という可能形を使った表現もありますが、動詞が限定されています。

◆可能の形を持たない動詞には次のようなものがあります。
① 無生物を主語にとる動詞
　　（雨が）降る、（木が）倒れる、（事故が）起こる、（機械が）直る、…
② 人が主語になるが意志的に動作を達成することができない動詞
　　わかる、（大学に）受かる、見える、（問題が）解ける、くれる、…

問題となりやすいのは②の動詞です。特に「理解できる」や「合格できた」から類推して「わかれる」「受かれた」としてしまう誤用がよく見られます。

　また、「あげる」は「あげられる」という可能形を持ちますが、「くれる」には「くれられる」という形はありません。

◆「(し)そうだ、ようだ、みたいだ、らしい、はずだ、にちがいない」などの判断を表す表現が後に続く場合、意志動詞は第三者の様子を判断した表現になります。話し手自身の兆候からの判断を表す場合には可能形を用います。

(6) 落語家：しっかり練習してきたから、今日は面白い話を｛×話し／話せ｝そうだ。
(7) 我が社も業績を持ち直したから、今年はボーナスが｛×もらう／○もらえる｝ようだ。

自問を表す形式「だろうか、かな」も同様です。

(8) あと三日しかないのに、レポートを｛×書く／○書ける｝だろうか。
(9) 選手：ゴールまであと１キロ。最後まで｛×走る／○走れる｝かな。

◆疑問文で可能を用いて依頼したり許可を求めたりすることはできません。可能形を疑問文で用いると、聞き手や第三者の能力を尋ねる文になります。

(10) ×パーティに参加される方は、こちらに名前を書けますか。
　　 cf. 書いてください。
(11) ×すみません。質問できますか。 cf. 質問してもいいですか。

もう少し

◆動詞の可能形は「書けよう、話せよう、できよう」のような意志を表す意向形になりません（ただし「～だろう」という判断の意味では使えます）。動詞の可能形は無意志的な性質を持っています。

◆(6)～(9)で辞書形が用いられないのは、自分自身の意志的動作に対して判断や自問を行うことができないためです。

◆(10)(11)と異なり、「～てもらえますか、～てもらえませんか」は可能形を用いて依頼をしています。この場合、主語である「私」の置かれている状況が許すかどうかを尋ねることによって依頼をしています。

　　(12) こちらに名前を書いてもらえますか。 cf. (10)

◆目的を表す「～よう」の前では可能形を使っても使わなくてもあまり意味が変わりません。

　　(13) いい論文を{書く／書ける}よう努力します。

2. 可能形の状態性

> (1) 事故に遭って歩けなかった田中さんが、練習して{×歩けました／○歩けるようになりました}。
> (2) 今日の高橋選手は順調に走れていますね。

これだけは

◆日本語では動詞の可能形は基本的に状態を表します。以前の状態との変化

を表す場合には(1)や(3)のように「～ようになる」を用いなければなりません。

 (3) もっと上手に漢字を書けるようになろう。

◆可能形はそれ自体状態的ですので普通はテイル形にはしません。

 (4) 私は100ｍを11秒で｛○走れます／×走れています｝。

ただしこれは潜在的に能力として持っている状態であることを表す表現です。(2)のような眼前で現実に存在する事態や、(5)のような過去の一時期の状態が長く続いていることを表す場合には「可能形＋ている」を用います。

 (5) あのころの松井選手は快調にバットが振れていた。

もう少し

◆可能な状態から不可能な状態への変化を表す場合、「食べられないようになる」と「食べられなくなる」の二つの形があります。この二つの形は同じ意味です。

 (6) 以前は酒が飲めたけど、手術をしてから｛飲めないようになった／飲めなくなった｝。

◆次のようにものを主語にして結果が主語の属性となっていることを表す表現もあります。

 (7) このレポートはよく書けていますね。
 (8) あの写真、きれいに写せてたね。

「作る」に対しては「できている」を用います。

 (9) このロボット猫は飼い主の顔がわかるんだよ。よくできてるね。

有対他動詞（→§12）の場合には自動詞を用いることが多いです。

 (10) あの写真、きれいに写ってたね。

有対自動詞には対応する他動詞の可能形と同じ形の動詞が多くあります。

 (11) あの写真、きれいに撮れてたね。

3. ～得る（うる・える）－可能性を表す表現－

(1) その仕事を彼に任せたらどうなるかなど容易に想像し得ることだ。
(2) 戦争直後の1950年代、日本がここまで経済力をつけるとは誰も予想し得なかった。
(3) 自動車事故は誰にでも起こり得るものである。
(4) そのニュースが本当であるなんて、あり得ない。

これだけは

＜接続＞　Vマス＋得る（うる・える）
＜活用＞　えない／えます／うる・える／うれば・（えれば）

◆「～得る」は(1)(2)のように人や(3)(4)のように無生物を主語とする出来事が「起こる可能性がある」ことを表す表現です。
◆(1)(2)のように人を主語にする場合、動詞の可能形あるいは「ことができる」と同じ意味を持ちます。

(1)' その仕事を彼に任せたらどうなるかなど容易に想像できることだ。
(2)' 戦争直後の1950年代、日本がここまで経済力をつけるとはだれも予想することができなかった。

◆「～得る」は「誰も、誰だって」のような不特定の人を主語にした可能を表すのに多く用いられます。
　特定の人を主語にした能力可能を表す(5)(6)のような例では、「～得る」は不自然です。

(5) 田中選手は100メートルを11秒で｛○走れる／×走り得る｝。
(6) 私はこんな難しい論文を1日では｛○読めない／×読み得ない｝。

　これは文体的に硬い「～得る」が日常的な能力可能を表現する手段としては適当でないためと考えられます。
　次のように文体的に硬い場合には言いやすくなります。

(7) このような難問はダ・ヴィンチですら解き得なかっただろう。

◆(3)のように無情名詞が主語の場合や(4)のように節が主語になる場合には可能形で置き換えることはできません。この場合、「～可能性がある」や「～はずがない」の意味になります（→§17）。

(3)' 自動車事故は誰にでも起こる可能性があるものである。
(4)' そのニュースが本当であるはずがない。

もう少し

◆目的語の潜在的な被動作の可能性を表す場合にも使えません。

(8) このかえるは｛○食べられます／×食べ得ます｝。
(9) うーん、この酒は｛○飲める／×飲み得る｝。

◆能力の所在である人はガ格とニ格のいずれでも表されます。

(10) 病床の彼女のために彼は自分｛が／に｝なし得ることをすべてするつもりだった。

◆「家」のような無生物が主語であっても、例外的に可能の意味を持つ場合もあります。

(11) この家は震度6の地震にも｛耐えられる／耐え得る｝構造になっている。

(11)は「家」を擬人化した用法です。

◆決まった表現として「～を禁じ得ない」があります。

(12) 彼女の境遇には同情の念を禁じ得ません。

これは「～をどうしても持ってしまう」という意味の決まり文句です。

4. 不可能を表す表現

> (1) その件に関して私からは何とも言いかねます。
> (2) 名前も住所もわからないのでは探しようがない。

これだけは

＜接続＞　　Vマスかねる
　　　　　　Vマスようがない

◆不可能を表す表現は不可能である理由・根拠によって「〜かねる」「〜ようがない」の二つの表現が使われます。いずれも可能形を用いて言うことができます。

　(1)' その件に関して私からは何とも言えません。
　(2)' 名前も住所もわからないのでは探せない。

◆「〜かねる」は「心情的にそうしたいところではあるが外的条件が十分にそろわず状況が許さないために不可能である」ことを表します。

　(3) ご説明の趣旨はどうも理解いたしかねます。
　(4) 担当者が不在で私ではわかりかねますので後ほどお電話致します。

「そうしたいところであるが」という意味を含むことから、「できない」というよりも丁寧であり、やわらかく断る場合によく用いられます。

　(5) 申し訳ございませんが、そのような大役は引き受けかねます。

◆「〜ようがない」は「方法がないためにできない」ことを表します。

　(6) 携帯電話の電波が届かないのでは連絡しようがない。
　(7) 患者はもう手のほどこしようがないほど症状が悪化していた。

もう少し

◆「〜かねる」は動詞に由来しますのでそのままでは状態を表しません。状

態を表すときにはテイル形にする必要があります。

(8) 困窮している彼を助けたいが彼のプライドを傷付けるのではないかと｛×言い出しかねる／○言い出しかねている｝。

◆語幹が2音節以上のサ変動詞の場合、「(語幹)のしようがない」の形にもなります。

(6)' 携帯電話の電波が届かないのでは連絡のしようがない。

5. 困難を表す表現

(1) この果物は種が多くて食べにくい。
(2) 彼は私のことを思って言いづらいことをはっきりと言ってくれたのだ。
(3) 近ごろの少年犯罪の動機はどうも理解しがたいものばかりだ。

これだけは

<接続>　Vマス にくい
　　　　Vマス づらい
　　　　Vマス がたい

◆困難を表す最も一般的な表現は「〜にくい」です。
「〜にくい」には、(1)のように意志動詞とともに用いられ「〜することが困難である」ことを表す用法と、次の(4)(5)のように無意志動詞とともに用いられ「なかなか〜しない」ことを表す用法とがあります。

(4) 消防士の服の素材は非常に燃えにくい。
(5) この寒さでは降り積もった雪も溶けにくいだろう。

◆「〜づらい」は意志動詞とともに用いられ「〜することが困難である」ことを表します。

(6) 先日、彼を怒らせてしまったから、会いに行きづらいなあ。

(7)　虫歯が痛くて<u>食べづらい</u>。

　「～づらい」は「～」することによって動作主が「つらい」という感情を持つ場合に用いられます。「つらい」という感情は、(6)のような精神的理由による場合と、(7)のような身体的理由による場合とがあります。
◆「～がたい」は「心情的には～したいけれど状況的には困難である」ことを表します。

　(8)　まじめな彼が嘘をついているとは<u>信じがたい</u>。
　(9)　女性の社会進出が進んだとは言え、まだまだ職場での差別がなくなったとは<u>言いがたい</u>。
　(10)　平和条約を結ぶ上で領土問題は<u>避けがたい</u>問題だ。
　(11)　留学生が困っていたので助けてやりたかったけれど、何とも<u>しがたい</u>状況だった。

　現在では(8)(9)のように、「受け入れる」もしくは「表現する」ことを表す動詞とともに用いられることが多いです。
◆次の(12)のように困難である理由が心情的である場合に「～がたい」は使えません。この場合には可能の否定形または「～にくい、～づらい」を用います。

　(12)　子育てを妻一人に押しつけて、海外研修には｛×行きがたい／○行けない／○行きにくい／○行きづらい｝。

　(13)のように「心情的に～したいけれど」の意味が感じられない場合にも「～がたい」は使えません。この場合「～にくい、～づらい」を使います。

　(13)　この魚は骨が多くて食べ｛×がたい／○にくい／○づらい｝。

◆「～がたい」も意志動詞とともに使われます。そのため「わかりがたい」とは言えません。

　(14)×彼の最近の行動はどうも<u>わかりがたい</u>。　cf. わからない。

◆「～にくい」と「～づらい」は「困難であるができないことはない」場合に用います。これに対し、「～がたい」はほとんど不可能の意味で用いられます

ので、⒂のように可能であることを表す文とともに用いるとやや不自然です。

　⒂　犯行に及んだ動機は確かに理解し｛○にくい／○づらい／？がたい｝が、家庭環境を考慮すればわからなくもない。

もう少し

◆「〜がたい」「〜づらい」「〜にくい」はいずれも困難さを感じる人が１人称に限られます。この場合、困難さを感じる人はニ格で表されます。

　⒃　｛○私／×彼｝には彼女にそんな話を<u>しづらい／しにくい</u>。
　⒄　｛○私／×彼｝には彼女の話を<u>理解しがたい</u>。

◆「〜づらい」「〜にくい」は「(し)そうだ」などをさらに後ろに続けることで文法的な表現になります（→初級編§39「感情形容詞」参考）が、「〜がたい」は「(し)そうだ」などを続けてもやはり言いにくく感じられます。

　⒃'　彼は彼女にその話を<u>しづら／しにくそうだ</u>。
　⒄'　？彼は彼女の話を<u>理解しがたそうだ</u>。

もう一歩進んでみると

◆可能と一口で言っても様々な意味を持っています。言語ごとにそれらの意味を一つの形式で表現する場合もありますし異なる形式を使う場合もあります。

　一例として英語のcanと比較してみましょう。英語のcanは⑴⑵のような無生物主語の出来事の起きる可能性を表す場合にも用いられます。

　⑴　Traffic accidents can happen to anyone.
　⑵　The news cannot be true.

　日本語ではこれらの意味で可能形や「〜ことができる」を使うことはできません。この場合には「〜得る」を用います。

(3)　交通事故は誰にだって{○起こり得る／×起これる／×起こることができる}。
　(4)　その知らせは本当では{○あり得ない／×あれない／×あることができない}。

◆可能は形の上で受身や尊敬と似ています。そのため「殴られることができる」の意味で「殴られられる」とは言えません。常に「(ら)れ」は一つです。
　可能形の発生および発展については小松英雄（1999）が興味深い考察を行っています。

○参考文献
奥田靖雄（1986）「現実・可能・必然（上）」言語学研究会編『ことばの科学1』むぎ書房
　★可能という捉え方の本質を考察した論文。
渋谷勝己（1993）『日本語可能表現の諸相と発展』大阪大学文学部紀要第33巻-1
　★現在のところ最もまとまった可能に関する論文。
小松英雄（1999）『日本語はなぜ変化するか－母語としての日本語の歴史－』笠間書院
　★可能とその周辺の形式の時代別分布を読み物として通覧できる。

コラム
格の交替

　ある出来事を言い表すとき、一般的には動作をする人はガ格で、動作の対象はヲ格やニ格で表されます。
　次のような場合には、他の格で表されることがあります。

　①　出来事を描く立場が変わる場合
　②　出来事の状態的な側面を描く場合

　①はヴォイスの表現と呼ばれるものです。これについては§9～§12、およびコラム「ヴォイス」を見てください。
　②の表現には次のようなものがあります（ここでは対象を表す格を中心に見ておきます）。

　　⑴　ケーキが食べたい。 cf. ケーキを食べる　（願望の表現→初級編§14）
　　⑵　この店ではおいしいケーキが食べられる。 cf. ケーキを食べる
　　　　　　　　　　　　　　　　　　　　　　　　（可能の表現→初級編§8）
　　⑶　あっ、富士山が見える。 cf. 富士山を見る　（自発の表現→初級編§8）
　　⑷a. ひらがなでは「い」と「り」が間違えやすい。 cf. 字を間違える
　　　b. 老眼で新聞が読みにくい。 cf. 新聞を読む
　　　　　　　　　　　　　　　　　　　　　　　（難易の表現→初級編§31）
　　⑸　名前が書いてある。 cf. 名前を書く　　　（「～てある」→初級編§6）
　　⑹　服が脱ぎっぱなしだ。 cf. 服を脱ぐ

　⑵の可能の表現と⑶の自発の表現は特にヴォイスの中に入れられることもありますが、出来事を描く立場が変わるためというよりも状態的な性質が強いために、対象がガ格で表されるものと考えられます。
　⑸はアスペクトの表現で⑹もそれに近い意味を持つ接辞です。
　動詞や形容詞の中にも「～がわかる」、「～がほしい」などのように対象をガ格で表すものがあります。これらは②の性質によるものです。
　これらの表現の中には対象がヲ格とガ格の両方で表されるものもあります。詳しい使い分けはそれぞれの課を参照してください。

コラム
ヴォイス

　受身文、使役文、使役受身文、相互文、および能動文はヴォイスと呼ばれる表現です。ヴォイスとは、簡単に言えば、ある出来事を様々な参加者の立場から表現する方法の集まりです。
　出来事を描く立場の参加者は、①出来事に直接参加する参加者、②出来事に間接的に参加する参加者の二つに分けることができます。
　①の出来事に直接参加する参加者の立場から描く表現としては、能動文、直接受身文、相互文があります。

　(1)　太郎が花子を批判した。（能動文）
　(2)　花子が太郎に批判された。（直接受身文）

　(1)の能動文は出来事を「批判する」という動作をする人の立場から捉え、(2)の直接受身文はその動作を受ける側の立場から捉える表現です。
　(3)のような相互文は「太郎」と「花子」が二人とも動作をする人であると同時に動作を受ける人であるときに使います。

　(3)　太郎が花子と批判し合った。（相互文）

　②の出来事に間接的に参加する立場というのは次のような場合です。

　(4)　先生が太郎に花子を批判させた。（使役文）
　(5)　花子の母親は参観日に太郎に花子を批判されて、腹を立てた。
　　　　　　　　　　　　　　　　　　　　　　（間接受身文）

　(4)と(5)は(1)の能動文の出来事「太郎が花子を批判する」を含んでいますが、主語にその出来事に含まれない人が置かれています。(4)の使役文ではその出来事を引き起こす人物（使役者）「先生」が、また(5)のような間接受身文では出来事から被害的な影響を受ける人物（受影者）が入ってきています。
　使役受身文も複雑になっていますが、(4)のような使役文の「太郎」を主語に置いた言い方です。

　(6)　太郎は先生に花子を批判させられた。（使役受身文）

　使役受身文が迷惑の意味を持ちやすいのは、(4)のような使役文が「太郎」と

いう動作主に無理矢理やらせているという感じを持つからです。
　自動詞・他動詞の対応もヴォイスの表現に近い性質を持ちます。

　(7) a.　　　　犯人が逃げる。（自動詞）
　　　b. 警察が犯人を逃がす。（他動詞）
　(8) a. 犯人が警察に捕まった。（自動詞）
　　　b. 警察が犯人を捕まえた。（他動詞）

　(7)は能動文と使役文の対応と、(8)は受身文と能動文の対応と（もちろん意味の違いはありますが）平行に捉えることができます。
　一方で自他の形態的対応は、初級編§10で見たように、能動対受身あるいは能動対使役のような規則的な対応をしていません。
　これらの特徴から、能動対受身または能動対使役のような統語的（文法的）ヴォイスに対して、自他の対応は語彙的性質を持ったヴォイスと捉えることができます。
　授受の補助動詞表現もヴォイス的な特徴を持っています。

　(9)　先生は（代わりに）太郎に花子を批判してもらった。
　(10)　太郎が言うことを聞かない花子を批判してくれた。

　(9)のような「てもらう」文は(4)のような使役文で表される事実とほぼ同じことを表しています。同時に「太郎が花子を批判する」という出来事から好ましい影響を受ける人物（受益者）「先生」が存在するという点で、間接受身文と対比的です。
　(10)のような「てくれる」文には、使役的な意味はありません。そのため迷惑を表す間接受身文(5)と意味的な対比が明確になります。
　このように、§9～§13で扱う様々な表現は、広い意味での立場を表す表現、すなわちヴォイスとして捉えることが可能です。

○**参考文献**
野田尚史（1991）「文法的なヴォイスと語彙的なヴォイスとの関係」仁田義雄編『日本語のヴォイスと他動性』くろしお出版
　★受身文、使役文、自動詞文・他動詞文をヴォイスの観点から位置づけている。
山田敏弘（2000）「日本語におけるベネファクティブの記述的研究　第1回」『日本語学』19-11
　★授受の補助動詞表現のヴォイス的特徴について詳しく論じている。

§15. 引用表現

発言や考えの内容を述べるときに使われる表現を**引用表現**と言います。引用表現というのは「～と」や「～ように」で表される節を目的語としてとるもののことです。ここでは次のような表現を扱います。

<動詞型>

基本形		可能形・自発形	受身形
と思う	と思っている	と思われる・と思える	と思われている
と考える	と考えている	と考えられる	と考えられている
と見る	と見ている	と見られる	と見られている
と信じる	と信じている		と信じられている
という		と言える	と言われる・言われている
			とされる・とされている
			と見なされている

<名詞型>
という(ような)、といった(ような)、との、とかいう

1. 動詞型引用表現
1－1. 基本形

> (1) この結論は正しい{と思う／と思っている}。
> (2) この結論は正しい{と考える／と考えている}。
> (3) この結論は正しい{と信じる／と信じている}。
> (4) 田中さんはこの結論は正しい{×と思う／○と思っている}。
> (5) 田中さんはこの結論は正しい{×と考える／○と考えている}。
> (6) 田中さんはこの結論は正しい{×と見る／○と見ている}。
> (7) 私は景気の回復は遅れそうだ{と見る／と見ている}。
> (8) 景気の回復は遅れそうだという。

これだけは

◆動詞型引用表現では基本的に引用内容（引用節）を受けるために格助詞「と」を使います。また、引用節の中では普通形を使います（→初級編§9）。

(9) この結論は{○正しい／×正しいです}と思います。

◆動詞型引用表現でよく使われるのは「思う、考える、見る、信じる、言う」です。「見る」は目的語を「と」で表す場合は知覚ではなく認識を表します。
◆「と思う」はモダリティ表現です（→§17）。そのため、「私は」を言わなくても主語は1人称に決まっています。
◆「と考える」は「と思う」と同じような1人称の認識を表せますが、「と思う」が主に話しことばで使われるのに対し、書きことばで使われます。

(10) あの人が犯人だ{と思います／？と考えます}。
(11) あいつが犯人だ{と思う／？と考える}よ。

◆「と信じる／と信じている」は「と思う／と思っている」「と考える／と考えている」とほぼ同じ意味ですが、使用頻度は高くありません。
◆「という」は「と思う」などとは異なり、1人称の認識を表さず、伝聞の

「そうだ」と同様の伝聞を表します。ただし、話しことばでは使われません。なお、この場合「いう」はひらがなで書くのが普通です。

もう少し

◆「と思っている」「と考えている」の主語は１人称でも３人称でもあり得ますが、主語が省略されている場合は普通主語は１人称と解釈されます。

　⑿　来年は東京芸大を受験しよう{と思っている／と考えている}。

　ただし、次のように、その前の主語を受ける場合には主語が省略されていても主語は３人称と解釈されます。

　⒀　彼は絵の勉強をしたがっている。来年は東京芸大を受けよう
　　　{と思っている／と考えている}。

◆「と思う」と「と思っている」の違いは、「と思う」はその場での判断を表す傾向が強いのに対し、「と思っている」は話し手がある程度継続して持っている判断を表す傾向が強い点にあります。

　⒁　A：明日晴れるかなぁ。
　　　B：この分なら晴れる{と思う／×と思っている}よ。
　⒂　A：夏休みどうするつもりですか。
　　　B：ヨーロッパを旅行しよう{と思います／と思っています}。

◆話しことばでは「と考える」は使いにくく、「と考えている」が使われます。「と考えている」は「と思っている」よりやや硬い言い方です。

　⒃　A：夏休みはどうするつもりですか。
　　　B：家族で旅行に行こう{？と考えます／○と考えています}。

◆「と見る」は意味的には「と思う」などと近いですが、「私は」を省略した言い方ではあまり使われません。
◆「と信ずる」という表現もありますが、古い言い方です。一般に「漢字１字＋ずる」は「漢字１字＋じる」の古い言い方です（e.x. 論じる、講じる）。
◆「と思う」の場合は「と」の代わりに「ように」を使うことも可能ですが、

「ように」は「と」よりも断定の度合いが弱い表現なので、「～たい、～（よ）う、～てほしい」のあとでは「ように」は使えません。

 (17) 来年は留学したい｛と／×ように｝思う。
 (18) 子どもには自由に生きてほしい｛と／×ように｝思う。

次のように、「と」も「ように」も使える場合、「ように」を使うと断定を避けているニュアンスが生じます。

 (19) 彼は来ない｛と／ように｝思う。

1-2. 可能形・自発形

> (1) 実験は成功した｛と思われる／ように思える｝。
> (2) 実験は成功した｛と考えられる／と見られる／と言える｝。

これだけは

◆引用表現の中には「−（ら）れ」を含む形が使われる場合もあります。「−（ら）れ」には受身、可能、自発、尊敬という意味がありますが、テイル形ではないときは可能または自発の意味になります。

◆「思われる」と「思える」はどちらもほぼ同じ意味で使われます。これらは「と思う」が使いにくい論文などで「と思う」の代わりに使われます。なお、「思える」の場合は「と」よりも「ように」のほうがよく使われます。

 (3) 蛇の古語はカカであり、「カガム」はこのカカから<u>と思われる</u>。
（吉野裕子『日本人の死生観』）

 (4) 明治憲法を文字どおりに読みとれば、天皇は統治権の総攬者であり、天皇に主権があることに疑問の余地はない<u>ように思える</u>。
（中川剛『憲法を読む』）

◆「と考えられる」「と見られる」「と言える」は可能を表すため、「と考え

ることができる」「と見ることができる」「と言うことができる」と置き換えられます。ただし、「と」の代わりに「ように」は使うことはできません。

もう少し

◆「思われる」は「思う」の自発（→初級編§8）の形です。そのため、主語を明示するときは「私は」ではなく「私には」を使います。

(5) ｛？私は／○私には｝この結論は正しいと思われる。

◆「思える」は可能形ですが、意味的には可能よりも自発に近く、通常の可能形とは違い「～ことができる」と置き換えられません。「思うことができる」は使われず、代わりに「考えることができる」が使われます。

(6) この結論は正しい｛○ように思える／×ように思うことができる／×と思うことができる／○と考えることができる｝。

なお、「思える」も主語を明示するときは「には」を使うのが普通です。

(7) 私にはこの結論が正しいように思える。

次のように、否定の場合に「思われない」が使われることがありますが、「思えない」よりも硬い表現になるため、話しことばでは使われません。

(8) 深夜ひそかに行われた犯行にせよ、一家3人をどこかへ連れ出したとすれば、1人や2人のしわざとは思われない。（朝日新聞朝刊1991.11.4）

1－3. 受身形

> (1) 日本の大学生はあまり勉強しない｛と言われている／と思われている／と考えられている／と見られている／？とされている｝。
> (2) 「富嶽百景」は太宰治の名作だ｛とされている／と言われている／と思われている／と考えられている／と見られている｝。

これだけは

◆動詞型引用表現は受身形でも使われます。

このうち、「とされている」以外は対応する能動文を持っています。例えば、(1)に対応する能動文は次のようなものです。

(1)' ☐は日本の大学生はあまり勉強しない
　　{と言っている／と思っている／と考えている／と見ている}。

(1)と(1)'の対比からわかるように、能動文を使うと「言う」などの主語を表現しなければなりません。このため、(1)(2)のような受動文は主語を表現したくない場合、主語が特定しにくい場合などに使われます。

もう少し

◆こうした受身文は論文、記事、評論などにおいて、引用節の内容が話し手個人の意見ではなく、一般的な考え方であるということを表すために使われます。ただし、これを多用しすぎると文章の内容が無責任なものになるので注意が必要です。

◆「思われる」の場合、「てい(る)」の有無で主体（主語）が変わってくるので注意が必要です。

(3) この結論は正しいと思われる。　（1人称の認識）
(4) この結論は正しいと思われている。（一般的な認識）

1人称の認識と一般的な認識の違いは、1人称の認識が話し手の中で確定したもので否定しがたいものであるのに対し、一般的な認識の場合は話し手は必ずしもその内容について賛成しているとは限らないという点にあります。このことから(3)'と(4)'に見られる文法性の差が生じます。

(3)' ×この結論は正しいと思われるが、私はそうは思わない。
(4)' ○この結論は正しいと思われているが、私はそうは思わない。

◆「と考えられる」「と見られる」は通常は可能形であり、「と考えることができる」「と見ることができる」と言い換えられますが、「てい(る)」が付く

と「と考えている」「と見ている」の受身形になるのでやはり注意が必要です。例えば、(6)は(7)のような能動文に対応する受身文です。

(5) この結論は正しい{と考えられる／と見られる}。（可能）
＝この結論は正しい{と考えることができる／と見ることができる}。
(6) この結論は正しい{と考えられている／と見られている}。（受身）
(7) （みんなは）この結論は正しい{と考えている／と見ている}。

◆「言う」の場合は「てい（る）」の有無にかかわらず受身文になります。

(8) 日本の大学生はあまり勉強しない{と言われる／と言われている}。

◆「とされる／とされている」は新聞などで多用される表現で、「（一般的に）〜ということになっている、〜ということが認められている」という意味で使われます。この場合は受身文ですが、対応する能動文（「〜とする／〜としている」）は使われません。

(9) この絵は有名な画家が描いたもの{とされる／とされている}。

2. 名詞型引用表現

> (1) あの会社はもうすぐ倒産する{という／？との}噂が流れている。
> (2) 彼は首相はすぐに退陣すべきだ{という／との}意見を述べた。
> (3) 移民を受け入れるには、彼らの人権をどのように守るのか{といった／というような／といったような}問題を解決しなければならない。
> (4) あの子、今度結婚するって話、聞いた？
> (5) 昨日、ゆりかもめという電車に乗った。
> (6) 警察は今度の事件を過激派の犯行だとする立場をとっている。

▶ これだけは

◆名詞修飾表現の中にも引用に関連するもの（名詞型引用表現）があります。

それは外の関係の名詞修飾（→§29）の場合です。

◆名詞型引用表現では名詞修飾節と被修飾名詞の間に「という」などのつなぎ表現が使われることが多いです。つなぎ表現としてよく使われるのは「という」「との」「といった」「というような」「といったような」です。なお、これらはすべてひらがなで書きます。

◆「という」と「といった／というような／といったような」との違いは、「～というN」はNに該当するものが「～」しかないということを表すのに対し、「～といったN」にはNに該当するものが「～」以外にもあるという含みがある点にあります。

> (3)' 移民を受け入れるには、彼らの人権をどのように守るのか<u>という</u>問題を解決しなければならない。

　例えば、(3)'と(3)を比べると、(3)'は「移民を受け入れるための問題」は「彼らの人権をどのように守るか」以外にはないと述べているのに対し、(3)は「移民を受け入れるための問題」として「彼らの人権をどのように守るか」以外のこともあるということを暗示しています。なお、この場合は「といった」「というような」「といったような」の間に違いはほとんどありません（ただし、「といったような」はあまり使われません）。

◆話しことばでは「という」の代わりに(4)のような「って」がよく使われます（→§37）。

もう少し

◆「との」は発言、思考に直接関係のある名詞としか使えません。例えば、(7)の「王子が花売りの少女に恋をする」というのは「話」の内容ですが、誰かの発話や思考を表しているわけではないので「との」は使えません。

> (7) これは王子が花売りの少女に恋をする{という／?との}話だ。

　一方、(8)の「首脳の警備をせよ」は誰かの発話（または命令書の文面）を表しており「との」が使えます。「という」はどちらの場合にも使えます。なお、「との」は話しことばでは使われません。

(8) 警官たちは首脳の警備をせよ{という/との}命令を受けていた。

◆「N₁というN₂」という形はN₁がN₂の一種であることを表します。例えば、(5)は「ゆりかもめ」が「電車」であることを表します。

この用法でN₁の名前がうろ覚えであるときには「という」の代わりに「とかいう」を使います。

(5)' 昨日、ゆりかもめとかいう電車に乗った。

◆「という」には(9)のような聞き手が知らない要素を談話に導入するときの用法(→§37)もあります。

(9) 昨日、田中さんという人に会いました。

◆「～とするN」は「～」が主張内容である場合によく使われます。従って、(7)や(8)のような場合には使えません。

(7)' ×これは王子が花売りの少女に恋をするとする話だ。
(8)' ×警官たちは首脳の警備をせよとする命令を受けていた。

もう一歩進んでみると

◆日本語の文(章)には話し手が顔を出すものと出さないものがあります。「だろう、かもしれない」などのモダリティ表現を伴う場合や「と思う、と考える」などの基本形の引用表現を伴う文は話し手が顔を出す「1人称の語り」の文(章)であり、「と思われている、と考えられている」のような受身形の引用表現を伴う文は話し手が顔を出さない「一般人称の語り」の文(章)になります。以上をまとめると、引用表現の種類と話し手の主観性の関係は次のようになります。

(1) と思う、と考える　　　　　　　　　　　　　↑大

　　と思われる、と考えられる、と見られる　　　　　主観性

　　と思われている、と考えられている、と見られている ↓小

例えば、「と思う」は話しことばでは断定を避けるという意味で主観性を低める表現ですが、書きことばでは認識の主体を1人称に限定するという意味で主観性の高い表現になります。

◆引用表現は自分の意見を述べたり、他人の考えを引用したりするために用いられるもので、特に書きことばでは重要です。また、動詞型引用表現は能動形と受身形で主観性が異なるため、適切に使い分けないと、文章全体が独善的なものになったり、無責任な内容になったりするので注意が必要です。

○**参考文献**

安達太郎（1995）「思エルと思ワレル」宮島達夫・仁田義雄編『日本語類義表現の文法（上）』くろしお出版
　★「思える」と「思われる」の使い分けが説明されている。

寺村秀夫（1975-1978）「連体修飾のシンタクスと意味（その1～その4）」寺村秀夫（1992）『寺村秀夫論文集Ⅰ　日本語文法編』（くろしお出版）に再録
　★名詞修飾表現を考えるための必読文献。

益岡隆志（1997）「第3章　連体節の接続形式」『新日本語文法選集2　複文』くろしお出版
　★寺村説を踏まえながらも重要な修正を行っている論文。

森山卓郎（1992）「文末思考動詞「思う」をめぐって」『日本語学』11-9
　★「と思う」に関する代表的な論文。

―――（1995）「ト思ウ、ハズダ、ニチガイナイ、ダロウ、副詞～φ」宮島達夫・仁田義雄編『日本語類義表現の文法（上）』くろしお出版
　★「と思う」と類似形式との使い分けが説明されている。

§16. 比較の表現

　初級編では、二つ以上の事物をそれらが共通して持っている性質や特徴によって**比較**する表現として、次の3種類の表現を扱いました。

(1) 田中さんは林さんより頭がいい。
(2) 鈴木さんは林さんと同じぐらい頭がいい。
(3) 田中さんは3人の中で一番頭がいい。

　以下の1と2では(1)と(3)の類義表現を中心に見ていきます。3では、関連する表現として、基準・標準と比較して述べる表現を扱います。

1．二つの事物を比較する表現
　　　より、に比べて、と比べて、にもまして、以上に
　　　もっと、さらに、ずっと、まだ、より（程度副詞）
2．三つ以上の事物を比較する表現
　　　一番、～ほど～はない、
　　　～このうえない、～きわまりない、の極み、の至り
3．基準・標準と比較する表現
　　　にしては、わりに(は)

1. より、に比べて etc. －二つの事物を比較する表現－

> (1) 良子はみどり<u>より</u>若い。
> (2) 兄は母<u>に比べて</u>背が高い。
> (3) 以前{<u>にもまして</u>／<u>以上に</u>}物価上昇のスピードが早くなった。

これだけは

◆「AはBよりPだ」は、Pという点に関して二つの事物（AとB）の間に差があることを表す代表的な文型です。Pには形容詞、副詞＋動詞や一部の名詞など程度性を持つ表現が来ます。（→初級編§18）

 (4) 父は母<u>より</u>ゆっくり歩く。
 (5) 弟は妹<u>より</u>楽天家だ。

◆「A」が主題化されていない（「は」で示されていない）場合は「AのほうがBよりPだ」または「BよりAのほうがPだ」の形が使われます。（→初級編§18）

 (6) 良子<u>のほうが</u>みどり<u>より</u>若い。
 (7) 母より父<u>のほうが</u>ゆっくり歩く。

◆格助詞の「より」に近い働きをする複合格助詞に「に／と比べて」や「にもまして」「以上に」があります。

 (8) 良子はみどり<u>に比べて</u>背が高い。
 (9) 弟は妹<u>にもまして</u>楽天家だ。

◆二つの事物を比べる比較表現には、細かく分けると次の3種類があります。

 ① AとBを単純に比べてAのほうがよりPである場合
 ② AもBもPであるがその2者を比べたらAのほうがよりPである場合
 ③ AもBも十分Pではないがその2者を比べたらAのほうがややPである場合

◆「より」は①②の二つの場合に使えますが、「に／と比べて」はもっぱら①の場合に、「にもまして」「以上に」はもっぱら②の場合に用いられます。

 (10) 姉は食の細い兄 { ○より／○と比べて／×にもまして／×以上に } よく食べる。(①の場合)

 (11) 姉は食いしん坊だ。だが、兄は姉 { ○より／×と比べて／○にもまして／○以上に } よく食べる。(②の場合)

◆AとBの差がどのぐらいあるかを述べたいときは、Pの前に数量詞や「少し、やや、もっと、さらに、ずっと」などの程度副詞を入れて表します。
（→初級編§18）

 (12) 兄は母より<u>10センチ</u>背が高い。

 (13) 神戸は大阪より<u>やや</u>涼しい。

もう少し

◆「もっと」と「さらに」は上の②の場合に用いる副詞です。一方、「ずっと」は①の場合にしか使えません。

 (14) 姉は食の細い兄より { ×もっと／×さらに／○ずっと } よく食べる。(①の場合)

 (15) 姉も食いしん坊だが、兄は { ○もっと／○さらに／×ずっと } 食いしん坊だ。(②の場合)

◆「まだ」は③の場合に使われます。

 (16) 今日は昨日より<u>まだ</u>暖かい。

 (17) 愛のない家庭より一人暮らしのほうが<u>まだ</u>いい。

この場合「今日」も「一人暮らし」も十分にPではないという意味になることに注意が必要です。

◆「より」には、格助詞ではなく副詞として用いられるものもあります。

 (18) 人々は<u>より</u>豊かな土地を求めて旅に出た。

(19)　女たちはより美しくなるために日々努力する。

　比較の意味は表されるものの、必ずしもはっきりした比較の相手がなくても使える点が「より」の特徴です。
　(18)(19)の「より」を「もっと」に置き換えても正しい文です。

(20)　人々はもっと豊かな土地を求めて旅に出た。
(21)　女たちはもっと美しくなるために日々努力する。

　しかし、「もっと」の場合は特定の比較の相手がなければ使えないので、(20)では「それまで住んでいた土地より」、(21)では「今より」といった表現が省略されているものと解釈される点で「より」とは異なります。

2.　一番、〜ほど〜はない　etc.
　　　－三つ以上の事物を比較する表現－

> (1)　兄は家族の中で{一番／最も}背が高い。
> (2)　田中さんほど親切な人はいない。

これだけは

◆三つ以上の事物を比較してその中で最も程度が著しいものを挙げる場合には、副詞「一番、最も」を用いて、「AはX(の中)で一番／最も〜だ」のように表すのが代表的です。(→初級編§18)
◆「X(の中)でAほど〜は(い)ない」という文型は「AはX(の中)で一番／最も〜だ」と同じ意味を表すことができます。

(3)　このクラスで田中さんほど親切な人はいない。
　　＝このクラスで田中さんが一番親切だ。

　ただし、「〜ほど〜は(い)ない」は比較する範囲の限定(「Xの中で」)がなくても使える点が「一番／最も〜だ」と異なります。この場合「非常に〜

だ」のように程度の甚だしさを強調する意味になります。

(4) 田中さんほど親切な人はいない。
 ＝田中さんは非常に親切だ。

🔲 もう少し

◆「一番」は「～が一番だ」のように単独で使って「一番いい」という意味を表す場合もあります。

(5) 暑い日はビールが一番。

同じく「一番いい」という意味を表す表現に「～に限る」があります。

(6) 暑い日はビールに限る。

◆「非常に～である」ことを表す表現に、他に「～このうえない、～きわまりない」があります。

＜接続＞　Na 語幹 (漢語)＋このうえない／きわまりない

ただし、漢語のナ形容詞の中でも結びつくものは限られており、特に「きわまりない」は「失礼、迷惑、怠慢」など悪い意味のものにしか使いません。

(7) 夜中に大声で騒ぐなんて、迷惑このうえない。
(8) 人の家に土足で上がり込むなんて失礼きわまりない。

◆「～の極み、～の至り」も「非常に～だ」という意味を表しますが、ほぼ次のような定型的な表現でのみ使われます。

(9) 大統領にお声をかけて頂き、感激の極みです。
(10) このような賞をいただけるなんて、光栄の至りです。

3. にしては、わりに(は) －基準・標準と比較する表現－

> (1) グレッグさんは欧米人にしては背が低い
> (2) 道子さんは痩せているわりによく食べる。

これだけは

<接続> N／V 普＋にしては
　　　　 普＋わりに(は) (ただし、Nの／Naな＋わりに(は))

◆「PにしてはQ」は、「Pという前提から一般的に予想される基準・標準と比べるとQだ」という意味を表します。Pには(1)のように名詞が来る場合と(3)のように動詞が来る場合があります。

　(3) (これから山へ行く人に) 富士山に登るにしては軽装ですね。

Pはあくまで前提なので、現実に正しいかどうか不確定なときにも使うことができます。

　(4) A：あの人、この大学の先生かしら？
　　　B：先生にしては若すぎるよ。学生じゃないかな。
　(5) お父さん、残業にしては遅すぎるよ。飲みに行っているのかもね。

◆「Pわりに(は) Q」は「Pの程度から一般的に予想される基準・標準と比べるとQだ」という意味を表します。Pには何らかの程度を表す表現が来ます。(6)のような形容詞の他、尺度や程度を表す名詞 ((7)「年齢」) や程度副詞を伴う動詞 ((8)「よく勉強する」) の場合もあります。

　(6) このワインは高いわりにはさほどおいしくない。
　(7) ゆうた君は年齢のわりに体が小さい。
　(8) 彼はよく勉強しているわりには成績が上がらない。

「わりには」と「わりに」はほぼ置き換え可能ですが、「Pの程度から予想される基準・標準と比べると」という限定を特に強調したいときには、対比

の「は」を伴う「わりには」のほうが適当です。

(9) 彼は高級マンションに住んでいる。広さのわりには安いといえるかもしれないが。

◆「わりに(は)」と「にしては」は多くの場合互いに置き換えることができません。

(1)'？グレッグさんは欧米人のわりに背が低い。
(2)'×道子さんは痩せているにしてはよく食べる。
(3)'？富士山に登るわりには軽装ですね。
(4)'×Ｂ：先生のわりには若すぎるよ。
(5)'×お父さん、残業のわりには遅すぎるよ。
(6)'×このワインは高いにしてはさほどおいしくない。
(7)'×ゆうた君は年齢にしては体が小さい。
(8)'？彼はよく勉強しているにしては成績が上がらない。

もう少し

◆次のように「ＰにしてはＱ」「Ｐわりに(は) Ｑ」が共に使える場合もあります。

(10)a. 田中さんはお金持ちにしてはお金に細かい。
　　b. 田中さんはお金持ちのわりにはお金に細かい。

(10)ではＰが「お金持ち」という程度性を持つ名詞であるため、両方可能になっています。ただし、aのみが田中さんがお金持ちかどうかわからない場合も使えるという点で、両者の意味は異なります。

なお、(7)'で見たように、「年齢」のような尺度を表す名詞（その他「高さ、広さ、身長、成績」など）の場合「にしては」は使えません。(7)'は次のように変えれば自然になります。

(7)" ゆうた君は３歳にしては体が小さい。

もう一歩進んでみると

◆比較の表現に関して中上級以上で問題になるのは、二つの事物を比べる場合の「に／と比べて」と「にもまして」「以上に」の意味の違いなどでしょう。副詞の「もっと」「ずっと」「より」「まだ」などの意味や、「にしては」と「のわりに(は)」の使い方も学習者には難しいものと思われます。

◆また、ここでは取り上げませんでしたが、つぎのような表現もあります。

　(1)　こんなところで立ち話するより、喫茶店にでも行きましょうよ。
　　　（＝こんなところで立ち話するのではなく、……）
　(2)　彼は俳優というよりお笑いタレントだ。
　　　（＝「俳優」より「お笑いタレント」という表現のほうが適切だ。）
　(3)　彼女と別れるくらいなら、死んだほうがましだ。（→§18）

　このようなものも典型的ではないものの、比較の表現の一種と考えられます。

○参考文献

安達太郎（2001）「比較構文の全体像」『広島女子大学国際文化学部紀要』9
　★比較構文について、典型的なものから「もう一歩進んでみると」に挙げたような周辺的なものまで詳細に考察している。
佐野由紀子（1998）「比較に関わる程度副詞について」『国語学』195
　★「もっと」「ずっと」など比較にかかわる程度副詞について詳しい。

§17. 話し手の気持ちを表す表現(1)
－判断－

　ここでは、あることがらの正しさや起こる可能性についての話し手の考えを述べたり、他から得た情報を表したりする表現を扱います。

　１．断定を避ける表現
　　　　※だろう、まい
　　　　※と思う、と思われる、ように思われる、と考えられる、と言えるetc.
　　　　のではないか、のではないだろうか etc.
　２．確信を表す表現
　　　　※はずだ、※にちがいない、に相違ない、にきまっている、
　　　　※はずがない、わけがない、っこない
　３．可能性を表す表現
　　　　※かもしれない、恐れがある、かねない、とは限らない、
　　　　とも限らない
　４．伝聞を表す表現
　　　　※そうだ、※らしい、という、ということだ、んだって、って、
　　　　とか、由

※印は初級編でも取り上げた表現です。

1. だろう、まい、と思う etc.、(の)ではないか etc.

> (1) a. 当分景気は回復しない<u>だろう</u>。
> 　　b. 当分景気は回復する<u>まい</u>。
> (2) a. 今度の実験は成功する<u>だろう</u>。
> 　　b. 今度の実験は成功する<u>と思う</u>。
> 　　c. 今度の実験は成功する<u>のではないか</u>。

<接続>　普+だろう（ただし、Na・N<s>だ</s>+だろう）
　　　　普+と思う
　　　　V 辞+まい
　　　　（ただし、Ⅱ類・Ⅲ類の場合、V 辞／Vナイ+まい）
　　　　普+のではないか etc.
　　　　（ただし、Na・N+（なの)ではないか）

これだけは

◆「だろう」は話し手の考えを断定しない（**非断定**）で述べるときに使います。ただし、「だろう」がこの用法で用いられるのは主に書きことばにおいてであり、話しことばではあまり使われません（→初級編§13）。
　話しことばでよく使われる「だろう」は、確認や聞き手の知識の活性化の用法（→§21）です。

◆「まい」は「ナイ形＋ないだろう」に相当する意味を表します。(1)のaとbはほぼ同じ意味になります。
　また、「まい」には、次のように「〜しない」という話し手の意志を表す用法もあります。

　(3)　もうたばこは吸う<u>まい</u>。
　(4)　太郎は、二度と親に心配をかける<u>まい</u>と思った。

いずれの用法も主に書きことばの中で使われます。

◆その他、「だろう」に似た働きをする表現に次のようなものがあります。

① 思考や発話を表す動詞を使った表現（→§15）
　　と思う、と思われる、と思える、
　　ように思う、ように思われる、ように思える、
　　と考える、と考えられる、と見る、と見られる、と言える etc.
② 「のではないか」（→§21）

◆「と思う」は「だろう」と異なり、話しことば・書きことばの両方で使われます。ただし、話し手の個人的な考えであることを明示するための表現なので、客観的な情報を示す必要がある場合や論文などには適しません（→初級編§13）。
◆「Pのではないか」は命題Pの真偽が不確かであることを述べるものですが、Pが正しいという見込みがある場合に使われるので、控えめに話し手の考えを述べる表現になります。

　　(5) 明日は雨が降るんじゃないか。↑

§21で詳しく述べられていますので、参照してください。
◆「のではないだろうか」は「のではないか」より一層控えめな表現で、話しことば・書きことばの両方で使われます。

　　(6) 犯人はまもなく逮捕されるのではないだろうか。
　　(7) A：パーティーのメニュー、何にしましょうか。
　　　　B：バーベキューなんかがいいんじゃないでしょうか。

また、「のではなかろうか」「のではあるまいか」は、「のではないだろうか」とほぼ同じ意味の書きことばで、硬い文章の中で使われます。

　　(8)a. 少子化問題はますます深刻になるのではなかろうか。
　　　 b. 少子化問題はますます深刻になるのではあるまいか。

もう少し

◆前述のように、断定を避ける「だろう」は話しことばの中で単独で使うと不自然になることが多いですが、後ろに「と思う」を付けて使うと自然にな

ります。

(9)　A：田中さん、時間通りに来るでしょうか？
　　　B：来る｛？でしょう／○だろうと思います｝。

その他、「と思う」は意志、希望などいろいろな表現に付けて使われます。

(10)a. 今日は早く帰ろう。
　　b. 今日は早く帰ろうと思います。
(11)a. ？それでは送別会を始めたいです。
　　b. 　それでは送別会を始めたいと思います。

(10)aは意志の意味では独り言でしか使えません。自分の意志を相手に伝える文にするためには(10)bのように「と思う」を付ける必要があります。また、(11)aのように公式の場で自分の希望を述べるのは不適当ですが、(11)bのように「と思う」を付けると自然になります。

　その他、「と思う」を含む引用表現については§15で詳しく述べられていますので、参照してください。

◆「だろう」「と思う」「のではないか」などは、単独でだけでなく、複数組み合わせても用いられるので、断定を避ける表現には様々なバリエーションができます。

(12)a. 彼は無罪になる｛だろう／と思う｝。
　　b. 彼は無罪になるだろうと思う。
　　c. 彼は無罪になるのではないか。
　　d. 彼は無罪になる｛のではないだろうか／のではないかと思う｝。

(12)では、a→b→c→dの順により控えめな表現になります。

2. はずだ、にちがいない、はずがない、わけがない etc.

> (1) a. 佐藤さんはもう帰宅した<u>はずだ</u>。
> 　　b. 佐藤さんはもう帰宅した<u>にちがいない</u>。
> (2) a. 太郎が次郎に勝てる<u>はずがない</u>。
> 　　b. 太郎が次郎に勝てる<u>わけがない</u>。

<接続>　普＋はずだ／はずのN
　　　　（ただし、Naな／Nの＋はずだ／はずのN）
　　　　普＋にちがいない（ただし、Na・N~~だ~~＋にちがいない）

これだけは

◆「はずだ」と「にちがいない」は話し手が**確信**していることがらを表す表現です。両者の意味はよく似ていますが、「はずだ」は論理や既存知識に基づいて考えた結果得られた確信を示すのが基本であるのに対し、「にちがいない」は直感的な確信も表すことができます。そのため、(3)のように思考の結果の確信と現実が食い違っている場合や、(4)のように以前から知っていた事実の理由や背景を知って納得したという場合には、「はずだ」しか使えません。

(3) 日曜だから先生は休み{のはずな／×にちがいない}のに、研究室の明かりがついている。
(4) A：真理さんは帰国子女なんだって。
　　B：道理で英語ができる{はずだ／×にちがいない}ね。

一方、(5)では「にちがいない」のみが自然になります。

(5) 彼を一目見て親切な人{にちがいない／×のはずだ}と思った。

(1)のaとbはどちらも自然ですが、bは(5)のように話し手の主観的な思い込みというニュアンスを帯びやすいです。
　また、「はずだ」は話しことばと書きことばの両方で使われるのに対し、

「にちがいない」は話しことばでは使いにくいという文体的な違いもあります。(→初級編§13)

◆「はずがない」は、論理や既存知識に基づいてそのことがらが実現する可能性を否定する場合に用いられます。(6)のaとbは結果的にほぼ同じ内容になりますが、aのほうが否定の意味がより強く出ます。(→初級編§13)

(6)a. 彼が私の居場所を知っているはずがない。
　　b. 彼は私の居場所を知らないはずだ。

もう少し

◆(6)bの主語が「彼は」になっているのに対し、aでは「彼が」である点に注意してください。「はずがない」に先行することがらが「はず」にかかる名詞修飾節に相当し、内部に主題を含み込めないため、「～が」のほうが自然になるのです。

(6)'a. [彼は私の居場所を知っている] はずがない。
　　　　　　が

このことは「はずがない」の「はず」が、「はずだ」の「はず」と異なり、名詞としての性質を強く残していることを示しています。

あえて「彼は…はずがない」とすると「彼」を他の誰かと対比しているようなニュアンスになります。

(6)" 彼は私の居場所を知っているはずがないが、彼の妻は知っているかもしれない。

◆「にちがいない」とほぼ同じ意味の表現に「に相違ない」「にきまっている」があります。

<接続> 普+に相違ない／きまっている
　　　　（ただし、Na・N~~だ~~+に相違ない／にきまっている）

「に相違ない」は、やや古めかしい書きことばで、硬い文章で使われます。

(7) 大会社の営利優先主義が今回の事故を引き起こしたに相違ない。

一方、「にきまっている」は話しことば的で、主に日常会話で使われます。

(8)　A：お父さん、遅いね。どこへ行ってるんだろう。
　　　B：またカラオケにきまっているわよ。

◆「はずがない」と似た表現に「わけがない」があります。(→§24)

(9)　普通のサラリーマンがこんな車を持っている｛はずがない／わけがない｝。

(9)のように両者は多くの場合言い換え可能です。しかし、「はずがない」は論理的根拠に基づいているというニュアンスが強いので、(10)のように特に根拠なくそのことがらの実現を否定するような場合は「わけがない」のほうが自然です。

(10)　A：明日までにこの本を読んできて。
　　　B：こんな厚い本、一晩で読める｛わけがない／？はずがない｝よ。

話しことばではくだけた「わけない」の形になることもあります。
「わけがない」も「はずがない」と同じ理由で、前に主題をとりにくい性質があります。

◆「わけがない」と大変似た意味を表す表現に「っこない」があります。くだけた話しことばでよく使われます。

<接続>　Vマス＋っこない

(10)'　B：こんな厚い本、一晩で読めっこないよ。
(11)　A：仕事をさぼって、大丈夫なの？
　　　B：大丈夫だよ。絶対見つかりっこないから。

3.　かもしれない、恐れがある　etc.

(1)　a. この分では約束の時間に遅れるかもしれない。
　　　b. この分では約束の時間に遅れる恐れがある。

<接続>　普＋かもしれない（ただし、Na・N<del>だ</del>＋かもしれない）
　　　　　V 普／Nの＋恐れがある

これだけは

◆「かもしれない」はあることがらが成り立つ**可能性**があるという考えを述べる表現です。（→初級編§13）
　次のように自分の意見を述べる際に断定を避けて表現を和らげるのに使われる場合もあります。

　　(2)　君、このところ顔色が悪いね。一度病院へ行ってみたほうがいい<u>かもしれない</u>よ。

　また、次のように相手の発言や一般的な見解にいったん賛同を示し、その後異なる意見を述べる場合にも使われます。その場合「確かに、なるほど」などの副詞がよく用いられます。

　　(3)　A：大阪って、観光するようなところがほとんどありませんね。
　　　　B：<u>確かに</u>観光地は少ない<u>かもしれません</u>。でも、食べ物はおいしいし、魅力的な町ですよ。

◆「恐れがある」は「かもしれない」に近い意味ですが、望ましくないことがらについてのみ用いられます。

　　(4)　台風10号は本州に上陸する<u>恐れがある</u>。
　　(5)　この建物は倒壊の<u>恐れがある</u>ので、近づかないでください。

「恐れがある」は書きことば的で、ニュースや論説文など硬い文章の中でよく用いられます。

もう少し

◆「恐れがある」の類義表現に「かねない」があります。
<接続>　Vマス＋かねない

　　(1)'　この分では約束の時間に遅れ<u>かねない</u>。

望ましくないことがらが起こる可能性があるという考えを述べるという点で「恐れがある」と共通しますが、使える場合は「恐れがある」より狭く、判断材料やそのことがらを引き起こす原因があるような場合にのみ用いられます。

(4)'　? 台風10号は本州に上陸しかねない。
　　 cf. この勢いでは、台風10号は本州に上陸しかねない。
　　　 （判断材料＝この勢い）
(6)　 彼は体を｛? こわしかねない／○こわす恐れがある｝。
　　 cf. こんなに残業が続いては、彼は体をこわしかねない。
　　　 （原因＝こんなに残業が続いている）

「かねない」も主に書きことばで用いられる表現です。
◆その他「かもしれない」と関連する表現に「とは限らない」があります。
　「とは限らない」は、おおむね成り立つと考えられることがらや一般的に成り立つと考えられていることがらについて、あえてそれが成り立たない可能性があることを述べる表現です。（→§24）

＜接続＞　普＋とは限らない

(7)　 好きな相手と結婚しても、幸せになるとは限らない。

　つまり、(7)では「幸せになる」が正しくない可能性があることを述べるので、「幸せにならない」可能性があることを述べる(7)'に結果的に近い意味になります。

(7)'　好きな相手と結婚しても、幸せにならないかもしれない。

　肯否が逆の場合も同様で、「ないとは限らない」の形は「かもしれない」に近い意味を表すことになります。

(8)a. 難しい病気だが、治療すれば治らないとは限らない。
　 b. 難しい病気だが、治療すれば治るかもしれない。

　ただし、厳密には「ないとは限らない」を用いた場合のほうが「かもしれない」を用いた場合より、そのことがら（「治る」）の実現の可能性がより低

いというニュアンスになります。

◆「とは限らない」の類義表現に、「は」の代わりに婉曲表現的な「も」（→§28）が使われた「とも限らない」があります。「とも限らない」は前に否定を伴って「ないとも限らない」の形で用いられるのが普通です。

　(9)　雨が降らないとも限らないから、傘を持っていこう。
　(10)　他人に暗証番号を知られると、悪用されないとも限りません。
　　　　手帳などにも書かないほうがいいですよ。

「Pないとも限らない」は、多くの場合意志や命令、忠告などの表現を後に伴って、「低いながらもPが実現する可能性があるので、～」といった形で使われます。(9)(10)を「ないとは限らない」に置き換えるとやや不自然になります。

　(9)'　?雨が降らないとは限らないから、傘を持っていこう。
　(10)'　?他人に暗証番号を知られると、悪用されないとは限りません。
　　　　　手帳などにも書かないほうがいいですよ。

4.　そうだ、という、ということだ　etc.

> (1) a.　今日の祭りは史上最高の人出だったそうだ。
> 　　b.　今日の祭りは史上最高の人出だったらしい。
> 　　c.　今日の祭りは史上最高の人出だったという。
> 　　d.　今日の祭りは史上最高の人出だったということだ。

<接続>　普＋そうだ／らしい／という／ということだ

これだけは

◆「そうだ」は、伝聞（他の人から聞いたり本で読んだりして知ったことがら）を表す表現です。話しことば・書きことばの両方で使われます（→初級編§13）。

◆「らしい」は伝聞（(2)）と状況からの判断（(3)）の両方にまたがる表現です（→初級編§13）。文脈によってはそのどちらかはっきりしない場合もあります。

　(2)　聞くところによると、田中さんは体調が悪いらしい。
　(3)　田中さんは顔色が悪い。体調が悪いらしい。

◆「という」「ということだ」は「そうだ」とほぼ同じ意味ですが、文体差があります。「という」は、書きことばでのみ用いられます。「ということだ」は、話しことばでも書きことばでも使われます。

◆「ということだ」は「ということだった」の形になり、過去に聞いたことがらであることを明示できるのが特徴です。

　(4)　昨日山本さんの家に電話したら、彼は旅行中ということだった。

◆他から伝え聞いた情報を聞き手に伝えるのではなく、聞き手もたぶん知っているものと予想して確かめる場合には「そうだ、らしい、ということだ」に、終助詞「ね」を付けて使います。

　(5)　A：木村君が結婚する｛そうだ／らしい／ということだ｝ね。
　　　 B：ええ、そうらしいですね。

「という」は書きことばなので、このような確認には用いられません。

もう少し

◆くだけた話しことばで伝聞に使われる表現に引用の「って」（→§15）の前に「んだ（のだ）」が付いた「んだって」があります。

<接続>　普＋んだって（ただし、N・Naな＋んだって）

　(6)　木村君が結婚するんだって。

上昇イントネーションを伴って使うと、話し手が他から伝え聞いた情報を聞き手に確かめる表現になります。

　(7)　A：ねえ、木村君が結婚するんだって。（↑）
　　　 B：ええ、そうらしいですね。

「そうだ」などと同様に終助詞「ね」を使って確かめることもできます。

　(8)　木村君が結婚するんだってね。

◆「んだ（のだ）」の付かない「って」の形も伝聞の表現のように使われることがあります。

　(9)　木村君が結婚するって。

ただし、「って」は、「んだって」とは異なり、例えば次のような表現が可能です。

　(10)　お父さんが早く来い{って／×んだって}。
　(11)　お母さんがこれおいしいね{って／×んだって}。

　命令形((10))や終助詞((11))に付くことができることから、「って」は伝聞より引用としての性格が強いことがわかります。つまり、「って」の後ろには「言う」「聞く」などの動詞が省略されていると考えられます。

　(12)　木村君が結婚するって（聞いたよ）。
　(13)　お父さんが早く来いって（言っていたよ）。

◆「とか」は主に手紙文などで使われる伝聞の表現です。

<接続>　普＋とか

　(14)　お嬢様が近々結婚されるとか。おめでたい話を聞いて嬉しくなりました。

　引用の「と」に不確実さを表す「か」（→§21）が付いたものと考えられ、噂で聞いたことなどに用いられることが多いです。そのため曖昧なニュアンスを持ちやすいので、次のように重要な情報を伝える場合には不適切です。

　(15)　（同僚への連絡メモ）会議は10時からだ{×とか／そうです}。

17. 話し手の気持ちを表す表現（1）—判断—

◆「由」はもっぱら手紙文などの書きことばで使われます。

<接続>　普＋（との）由（ただし、N・Naだ＋との由）

　⒃　お嬢様が近々結婚される由、まことにおめでとうございます。
　⒄　ご新居が来月完成との由、さぞお楽しみのことと存じます。

「由」で文が終わることはあまりありません。後に文を続けて、「～そうですが、～」といった意味を表します。

もう一歩進んでみると

◆ここで取り上げたのは、話し手の考えや情報の捉え方を表すモダリティ表現です。特に、「だろう」「(の)ではないか」「かもしれない」など、話し手の判断のしかたを表す表現は、すでに見たように大変バラエティが多く、学習者にとって使い分けが難しいものです。

　自然で円滑な会話をしたり、議論をしたり、長い文章を書いたりするためには、各表現の意味や文体的特徴を知っているだけでなく、それらを効果的に使う技術が必要になります。

　そのような技術の例としては、自分が確信していることでも言い方を和らげるために非断定的な表現を使う、相手の意見に反対の場合にいったんそれを受け入れた上で反論する（(1)）、文章を書く際、同じ表現ばかりが続かないよう類義表現を使い分ける（(2)）といったことが挙げられます。

　⑴　A：日本人は外国語が下手ですよね。
　　　B：確かにそうかもしれませんが、例外もあると思いますよ。
　⑵　最近の若者は政治に無関心だと思う。一人一人が自分の問題としてもっと真剣に考えるべきではないか。このままでは日本の政治はますます国民の生活から離れていってしまうだろう。

　このような技術は中上級の重要な学習事項の一つと言えます。

○参考文献
安達太郎（1997）「「だろう」の伝達的な側面」『日本語教育』95　日本語教育学会
　★話しことばでの「だろう」の使用制限と使えるようになる条件について詳しい。

寺村秀夫（1984）『日本語のシンタクスと意味Ⅱ』くろしお出版
　★今日のモダリティ研究の基礎となる記述がある。
仁田義雄（1991）『日本語のモダリティと人称』ひつじ書房
　★日本語のモダリティの全体像を捉える上で有益。
三宅知宏（1995a）「ラシイとヨウダ－概言の助動詞①－」宮島達夫・仁田義雄編
　『日本語類義表現の文法（上）』くろしお出版
────（1995b）「ニチガイナイとハズダとダロウ－概言の助動詞②－」同上
────（1995c）「カモシレナイとダロウ－概言の助動詞③－」同上
　★以上3論文は、諸表現の使い分けについて簡潔に述べられている。
森山卓郎・安達太郎（1996）『日本語文法セルフマスターシリーズ6　文の述べ方』
　くろしお出版
　★個々のモダリティ表現の性格について簡潔にまとめられている。

§18. 話し手の気持ちを表す表現(2)
　　　－義務・勧め・許可・禁止など－

ここでは以下のような表現を扱います。

・義務・必要・勧め・忠告を表す表現
　　べきだ、ものだ、ことだ
　　※なければいけないetc.（なければならない、なくてはいけない、なくてはならない、ないといけない）
　　ざるをえない、ないわけにはいかない、必要がある、
　　※ほうがいい、ほうがまし、といい、ばいい、たらいい
・許可・許容を表す表現
　　※てもいい
・不必要を表す表現
　　※なくてもいい、ことはない、必要はない、までもない
・禁止を表す表現
　　※てはいけない、ものではない、べきではない、べからず

　それぞれのグループに含まれる表現は、互いに似通った意味を表しながら、少しずつ性格が異なります。※印は初級編で取り上げた表現ですが、各グループの中で最も基本的・中心的なものといえます。
　以下では、まず1から3で、中級以上のレベルで重要な「べきだ」「ものだ」「ことだ」の用法を詳しく述べます。その後、4でその他の表現を取り上げ、※印の表現との違いを中心に見ていくことにします。

1. べきだ

> (1) これからの時代は女性も仕事を持つべきだ。
> (2) 彼は就職するべきか大学へ行くべきか迷っている。
> (3) 困っている人は見捨てるべきではない。

<接続> V 辞／Aくある／N・Naである＋べきだ／べきN／べく、V

これだけは

◆「べきだ」は、ある行為が妥当と判断されることを表す表現です。
　(1)のように一般論を述べるのに使われることが多いですが、(4)のように特定の聞き手に対する勧めに用いられる場合もあります。

> (4) 君は歌手を目指すべきだよ。才能があるんだから。

◆否定の形は「べきではない」です。

> (5) 他人のことは簡単に判断するべきではない。

　その行為が妥当でないことを述べるものであり、聞き手の行為に関して用いると禁止の表現になります。
　一方、「べきだ」の前に来る動詞が否定形になることはありません。

> (5)'×他人のことは簡単に判断しないべきだ。

◆タ形の「べきだった」の形で使われると、妥当だと判断されるその行為が実際には行われなかったという意味になり、そのことに対する後悔や不満の気持ちが表されます。

> (6) 先週中に仕事を片づけておくべきだった。
> (7) 国はもっと早くこの問題の対策を打つべきだった。

逆に、「べきではなかった」の形では、妥当でないと判断されるその行為が実際には行われたという意味になります。

18. 話し手の気持ちを表す表現（2）―義務・勧め・許可・禁止など―

(8) こんな高い車、買うべきじゃなかった。

> **もう少し**

◆「べきだ」との使い分けが問題になるのは次のような表現です。
　まず、「なければいけないetc.」は、次のように「べきだ」と同じ文脈で使える場合があり、両者の使い分けが問題になります。

(9) 医者は患者のために最善を{尽くすべきだ／尽くさなければいけない}。

両者の違いは、「なければいけないetc.」はその行為を行うことが義務的に要請されることを表すのに対し、「べきだ」はその行為を行うかどうかを動作主が選択できる場合に用いられるという点です。規則や予定などで決まっていて選択の余地なく行う必要がある行為の場合、「べきだ」を用いることはできません。

(10) 今日は掃除当番なので、8時までに{×登校するべきだ／○登校しなければいけない}。
(11) 車を運転するには免許を{×取るべきだ／○取らなければいけない}。

◆禁止の表現としての「べきではない」と「てはいけない」の使い分けも上と同様に考えられます。規則などで選択の余地なく禁止されている行為については「べきではない」は使えません。

(12) 免許を持たない人は車を{×運転するべきではない／○運転してはいけない}。

◆「ほうがいい」も「べきだ」とよく似た表現です。「ほうがいい」は、動作主の選択の余地がある場合にその行為が妥当なもの望ましいものとして示すという点で「べきだ」と共通しており、(13)のような例では両者とも用いることができます。

(13) 若いうちにいろいろな経験を{するべきだ／したほうがいい}。

しかし、両者はその行為の妥当性・望ましさの基準の置き方に関して違い

が見られます。「ほうがいい」はどちらかといえば現実面・実際面に、「べきだ」は倫理面や道徳面に基準を置く傾向があります。そのため、⒁のようにその行為をしないと現実に悪い結果を招くことを言いたい場合は、「ほうがいい」のほうが適切で「べきだ」はやや不自然です。

⒁　早く｛○出掛けたほうがいい／？出掛けるべきだ｝よ。雨が降り出しそうだから。

一方、⒂のように倫理的・道徳的な理由からその行為が望ましいと述べる場合、「べきだ」のほうが適切になります。

⒂　罪を犯したら、どんなことをしても｛？償ったほうがいい／○償うべきだ｝。

◆「PするべくQする」の形で使うと、PはQの目的を表します。

⒃　彼女は大学に進学するべく勉強中である。
⒄　政府は景気を回復させるべく対策を検討している。

「PするためにQする」に近い意味ですが、やや古めかしくて硬い表現です。

◆「べきだ」は文語の「べし」に由来する表現です。「べし」はかなり古めかしい表現なので、現代ではほとんど使われません。

⒅　学生は勉強するべし。
⒆　（張り紙）この門入るべからず。（「べし」の否定形）

2．ものだ

> (1)　学生は勉強するものだ。
> (2)　包丁はよく研いで使うものだ。

＜接続＞　Ｖ 辞 ・ 否 ＋ものだ

これだけは

◆「ものだ」は、典型的には「XはYものだ」の形で、Xの理想的な状態や本来行うべき行為をYとして述べる表現です。この用法では、Xは(1)の「学生」のように状態や行為の主体であることも、(2)の「包丁」のように行為の対象である場合もありますが、いずれにしても総称的な（そのもの一般を指す）名詞です。(3)(4)のように特定の人物やものについて「ものだ」を使うことはできません。

(3)×太郎くんは勉強する<u>ものだ</u>。
(4)×この包丁はよく研いで使う<u>ものだ</u>。

また、「Xは」の代わりに、「～では」などで表される場所や「～ときは、～たら」などで表される状況や場合が示されることもあります。

(5) 葬式では黒い服を着る<u>ものだ</u>。
(6) 人に助けて{もらったときは／もらったら}、礼を言う<u>ものだ</u>。

以上いずれの場合も、「ものだ」は、一般的な主体・対象・状況などについて社会通念上必要だ、本来そうあるべきだと考えられることをYとして述べています。

ただし、主体・対象・状況などは会話の文脈から自明であれば現れないこともあります。

(7) （Bにお餞別を渡されて）A：お餞別なんてけっこうですよ。
　　B：遠慮しないで受け取る<u>ものだ</u>よ。
　　（Xは＝「お餞別は」「お餞別をもらったときは」など）

◆否定の形は「ものだ」の否定形「ものではない」と、動詞を否定形にした「～ないものだ」の二通りが可能です。

「ものではない」の場合、それ自体に「～は」が含まれるので、「Xは」が現れなくても自然です。

(8)a. 人の悪口{を／は}言う<u>ものではない</u>。
　　b. 人の悪口は言わ<u>ないものだ</u>。

もう少し

◆(8)のaとbにそれほど大きな意味の違いはありません。しかし、基本的にaは「人の悪口を言う」ことが社会通念に反することを述べるのに対し、bは「人の悪口を言わない」ことが社会通念にかなうことを述べる表現です。そのため、「人の悪口を言った」（社会通念に反する行為をした）相手をとがめるような場合には、aのほうが用いられやすいと言えます。(9)でも同様の理由でbはやや不自然になります。

 (9)a.（花をむしっている子どもに）そんなことをする<u>もんじゃない</u>よ。
  b.？そんなことは<u>しないものだ</u>よ。

◆以上で見た理想的な状態や本来行うべき行為を述べる用法は、「ものだ」の基本である「XはYものだ」で次のようにXの本性・本質をYとして述べる用法に由来するものです。

 (10)　人の運命はわからない<u>ものだ</u>。
 (11)　子どもはよく風邪を引く<u>ものだ</u>。

二つの用法は連続的であり、両方に解釈できる場合もあります。例えば、(11)のY「よく風邪を引く」は普通望ましくないことなので、理想ではなく本性・本質と解釈されますが、(12)の「外で元気に遊ぶ」はどちらにも解釈可能です。

 (12)　子どもは外で元気に遊ぶ<u>ものだ</u>。

◆その他、「ものだ」には次のような用法もあります。
 ① 　過去のことを回想する

  (13)　小学生のころ毎日この広場で遊んだ<u>ものだ</u>。

 ② 　感嘆・詠嘆を表す（→§20）

  (14)　家でコンピュータを使って買い物できるなんて、便利な世の中になった<u>ものだ</u>。
  (15)　人に迷惑をかけておいて、よく平気な顔をしていられる<u>ものだ</u>。

③　すでに実現した事態についてその原因や背景を解説する

⒃　今年から車でのチャイルドシートの使用が義務づけられた。子どもの自動車事故による死亡率が上昇していることから法制化が決まった<u>ものだ</u>。

③のような「ものだ」は、新聞などの報道文でよく使われますが、次のように「もの」で終わる使い方もよく見られます。

⒃'　子どもの自動車事故による死亡率が上昇していることから法制化が決まった<u>もの</u>。

3.　ことだ

(1)　A：文章がうまくなりたいんですが。
　　　B：いい文章をたくさん読む<u>ことです</u>よ。
(2)　(過労で倒れた人に) とにかくゆっくり休養する<u>ことです</u>。
(3)　美しくなるには、まず心を磨く<u>ことだ</u>。
(4)　遠慮する<u>ことはない</u>。どんどん食べなさい。

<接続>　Ｖ辞・否 ＋ことだ

これだけは

◆「ことだ」は、何らかの目的や問題解決のために最も重要な行為を表す表現です。(1)では「文章がうまくなるため」、(2)では「風邪を治すため」、(3)では「美しくなるため」の最も重要な行為としてそれぞれ「いい文章をたくさん読む」「ゆっくり休養する」「心を磨く」が提示されています。この目的を表す部分は、(3)のように明示される場合も(1)(2)のように明示されない場合もあります。
　また、「ことだ」は(3)のような文で不特定の人に対する一般的な勧めとして用いることも可能ですが、(1)や(2)のように個別の場面で特定の聞き手に対して忠告したり勧めたりする場合に用いられることのほうが多いです。

◆動詞を否定形にした「～ないことだ」は、目的のためにはその行為をしないことが最も重要であることを述べる表現になります。

 (5) A：肌が荒れて困っているんです。
    B：夜更かしを<u>しないことです</u>よ。

◆一方、「ことだ」自体の否定形は「ことではない」ではなく、「ことはない」になります。

 (6) 背が低いからといって、悩む<u>ことはない</u>。
 (7) （仕事で失敗した人に）気にする<u>ことない</u>よ。後で取り返せばいいんだから。

　意味は肯定形の「ことだ」と完全には対応しておらず、その行為が不必要であることを表す表現になります。

もう少し

◆その他、「ことだ」には次のように感嘆・詠嘆を表す用法もあります。（→§20）

 (8) こんなけがをして、よく命が助かった<u>ことだ</u>。
 (9) 自分で会社を興すとは、彼も立派になった<u>ことだ</u>。

4.　その他の表現
4－1.　ざるをえない、ないわけにはいかない、必要がある
　　　　　－「なければならない」との違いが問題になる表現－

> (1) a.　仕事がたまっているので、今日は残業<u>せざるをえない</u>。
> 　　b.　仕事がたまっているので、今日は残業<u>しないわけにはいかない</u>。
> (2)　外国に行くには、パスポートをとる<u>必要がある</u>。

<接続>　　V ﾅｲ ＋ざるをえない
　　　　　V ﾅｲ ＋ないわけにはいかない
　　　　　V 辞／N・Na である＋必要がある

これだけは

◆「ざるをえない」「ないわけにはいかない」（→§24）は、その行為が事情や成り行き、常識上の理由などから不可避なものであることを表します。ある行為が義務であること、必要であることを表す「なければいけないetc.」と似ていますが、「ざるをえない」「ないわけにはいかない」は、単に必要なだけでなく、避けられない必然的な行為を表す点が違います。両者の意味の違いは、タ形で用いられるときにはっきりします。

　　(3)a. 今日は残業{せざるをえなかった／しないわけにはいかなかった}。
　　　 b. 今日は残業しなければいけなかった。

　aは実際に「残業した」ことを意味しますが、bは「残業した」場合と「残業しなかった」場合の両方に使えます。
　「ざるをえない」も「ないわけにはいかない」も、行為者にとって望ましくない行為、不本意な行為に用いられやすい傾向があります。

◆「必要がある」は、文字通りその行為が必要であることを表します。「なければいけないetc.」に置き換えられる場合もありますが、制度や段取りといった状況の上での必要性を中立的に述べるもので、その行為の妥当さや望ましさに関する評価は含んでいません。「なければいけないetc.」と違って、道徳的に必要だという場合には不自然になります。

　　(4)a. ？親は大切にする必要がある。
　　　 b. ○親は大切にしなければいけない。

◆「ざるをえない、ないわけにはいかない」に関連する表現に「ないではいられない、ずにはいられない」などがあります。

　　(5)a. 今夜はお酒を{飲まないではいられない／飲まずにはいられない}。
　　　 b. 今夜はお酒を{飲まざるをえない／飲まないわけにはいかない}。

その行為が不可避なものであることを示す点で両者は似ていますが、「ざるをえない、ないわけにはいかない」が事情や成り行きなど外的な要因による不可避を表すのに対し、「ないではいられない、ずにはいられない」は感情や身体的な欲求など内的な要因による不可避を表します。

(5)'a. 今夜は寂しさがつのって、お酒を｛飲まないではいられない／飲まずにはいられない｝。
　　b. 今夜は得意先の接待なので、お酒を｛飲まざるをえない／飲まないわけにはいかない｝。

４－２．〜といい、〜ばいい、〜たらいい、〜ほうがまし
－「ほうがいい」との違いが問題になる表現－

> (1)a. 歌が上手になりたければ、田中先生に習うといい。
> 　b. 歌が上手になりたければ、田中先生に習えばいい。
> 　c. 歌が上手になりたければ、田中先生に習ったらいい。
> (2)　彼と結婚するなら、死んだほうがましだ。

<接続>　　V 辞 ＋といい
　　　　　　V バ ＋いい
　　　　　　V タラ ＋いい
　　　　　　V タ・辞・否 ＋ほうがまし

これだけは

◆「といい」「ばいい」「たらいい」は、その行為が望ましいものであることを表します。「いい」という肯定評価を含む点で「ほうがいい」と共通していますが、「ほうがいい」がその行為をしないと悪い結果が生じるという含みを持ちやすいのに対し、これらの表現はそのような含みは持ちません（→初級編§16）。

◆「ほうがまし」は、「ほうがいい」と形は似ていますが、性格はかなり違

います。基本的には(2)のように「PするならQしたほうがましだ」の形で用いられ、Qには普通望ましくない行為がきます。Q（「死ぬ」）のほうがましだということによって、P（「彼と結婚する」）が絶対的に望ましくない行為であることを表す表現です。

もう少し

◆「といい」「ばいい」「たらいい」は、(1)のように三つの表現がすべて使える場合もありますが、厳密には意味の違いがあります。「といい」は単純にその行為を望ましいものとして述べるのに対し、「ばいい・たらいい」は目的を達成するためにその行為が必要十分であることを意味します。つまり、(1)のaは「田中先生に習う」ことが「歌が上手になる」ために役立つと言っているだけですが、bとcは「田中先生に習う」だけで（他に何もしなくても）「歌が上手になる」ということを表しています。

4－3. 必要はない、までもない
　　　　－「なくてもいい」との違いが問題になる表現－

(1) 回数券を持っているので、毎回切符を買う<u>必要はない</u>。
(2) せきが少し出るくらいの風邪なら、病院へ行く<u>までもない</u>。

＜接続＞　　V 辞／N・Naである＋必要はない
　　　　　　V 辞＋までもない

これだけは

◆「必要はない」は「必要がある」の否定形であり、制度や段取りなどの状況の上でその行為が不必要であることを客観的に述べる表現です。
◆「までもない」は「なくてもいい」と似ていますが、単にその行為（「病院へ行く」）が不必要であることを述べるだけでなく、それよりも簡単な別の行為（例えば「薬を飲む」）で用が足りるという意味を含みます。

もう一歩進んでみると

◆「ものだ」と「ことだ」は、それぞれ「もの」と「こと」という抽象性の高い名詞によって構成され、広範な用法を持つ表現です。§20では感嘆・詠嘆を表す用法について述べていますので、参照してください。

◆ここで取り上げた義務・許可・禁止など広い意味で行為や事態に対する話し手の評価を表す表現は、モダリティの中ではこれまで比較的研究されることの少なかった領域です。および個々の表現の意味・用法の記述もまだ十分になされていませんが、全体的な体系づけをする研究が待たれるところです。

○参考文献

寺村秀夫（1981）「「モノ」と「コト」」『馬淵和夫博士退官記念国語学論集』大修館書店（『寺村秀夫論文集Ⅰ－日本語文法編－』（1992）くろしお出版に再録）
　★「もの」「こと」の名詞としての本質的な意味を考察している。
―――（1984）『日本語のシンタクスと意味Ⅱ』くろしお出版
　★「ものだ」「ことだ」「わけだ」「はずだ」などの意味・用法を記述している。
野田春美（1995）「モノダとコトダとノダ－名詞性の助動詞の当為的な用法－」宮島達夫・仁田義雄編『日本語類義表現の文法（上）』くろしお出版
　★「ものだ」「ことだ」の当為の用法（行為の望ましさを表す）についてわかりやすく述べている。
森山卓郎（1997）「日本語における事態選択形式－「義務」「必要」「許可」などのムード形式の意味構造－」『国語学』188　国語学会
　★「なければならない」「べきだ」などここで取り上げた諸表現の体系づけを試みている。

§19. 話し手の気持ちを表す表現(3)
－意志－

ここでは次のような表現を扱います。

意志を表す表現
1．※意向形（「しよう」）、※ル形（「する・しない」）
2．※(よ)うとする（意向形＋とする）、(よ)うにも～ない
3．※つもりだ、気だ、※予定だ、※ことにする

※印は初級編でも触れた表現ですが、ここではより発展的な内容も扱います。

1. 意向形（「しよう」）、ル形（「する・しない」）

> (1) 今夜は飲もう。
> (2) 今夜は飲もうと思う。
> (3) 今夜は{飲む／飲まない}。

これだけは

◆(1)のような動詞の意向形は、**意志**を表す場合、単独では聞き手を意識しない独り言でしか使えません。自分がある行為をする意志があることを聞き手に伝える場合には、(2)のように「と思う」を付けて使う必要があります。

(4)のように単独で聞き手に向かって述べると、**勧誘**の意味になります。
（→初級編§14）

232

(4)　（会社で同僚に）さあ、ご飯を食べに行こう。

◆意向形に「か」を付けると、意志が完全に固まっておらず、流動的な状態であることが表現されます（→初級編§14）。

　(5)　（独り言で）土曜日には映画でも見に行こうか。
　(6)　来年は留学しようかと思っています。

◆(3)のような動詞のル形は、自分の意志を聞き手に伝える場合に使われます。意向形とは逆に、基本的に独り言では使えません。

　(4)'（一人で家にいるとき）×さあ、ご飯を食べに行く。

もう少し

◆次のように、聞き手に利益を与える行為を自分がすることを申し出る場合は、意向形単独でもル形と同様に聞き手に話し手の意志を伝えるのに使えます。

　(7)　（客を導きながら）どうぞ、{ご案内しましょう／ご案内します}。
　(8)　（電話が鳴って）あ、僕が{出よう／出る}。

◆動詞に補助動詞「てやる」が付いて、恩恵ではなく話し手の強い意志を表す場合があります（→§13）。

　(9)　（喧嘩で）こいつ、ぶん殴ってやる。
　(10)　（独り言）今年こそ合格してやる。

この場合、(10)のように独り言でもル形が使えるようになります。

2. （よ）うとする（意向形＋とする）

(1)　彼は子どもたちを医者にしようとしている。
(2)　お金を払おうとしたら、財布がなかった。
(3)　真っ赤な夕日が水平線に沈もうとしている。

これだけは

◆「(よ)うとする」は(1)や(2)のように意志的な行為を表す動詞に付いて、その行為が試みられたがまだ達成されていないことや、ある行為が行われる直前であることを表します。(→初級編§14)

◆「(よ)うとする」は(3)や(4)(5)のように自然現象など無意志的な出来事を表す動詞に付くこともありますが、その場合はその出来事が起こる直前であることを表します。

 (4) 長かった冬が終わりを<u>告げようとしています</u>。
 (5) ドアが<u>閉まろうとした</u>とき、一人の乗客がホームに飛び出した。

◆否定の形は「(よ)うとしない」で、その行為を行う意志や気配がないことを表します。

 (6) 父は私がいくら勧めてもたばこを<u>やめようとしません</u>。
 (7) 夫が何時になっても<u>起きようとしない</u>ので、ふとんをはいでやった。

この場合、聞き手や第三者の行為について言うのが普通で、自分の行為について言うことはあまりありません。

 (8) ×私はたばこを<u>やめようとしません</u>。

もう少し

◆「(よ)うとしない」が例外的に自分の行為に使える場合もあり、例えば、次のような従属節の中では可能です。これは自分のことであっても他の人の視点((9)では「妻」)から見るためと考えられます。

 (9) 私が一向にたばこを<u>やめようとしない</u>ので、妻は怒って実家に帰ってしまった。

◆「(よ)うとしない」の「(よ)うと」の後に「は」が入ることもありますが、大きな意味の違いはありません。

 (6)' 父は私がいくら勧めてもたばこを<u>やめようとはしません</u>。

次のように「も」が入ると、「最もやるべき、もしくは、やりやすい～という行為であっても、する意志がない」といった意味になります。

(10) 母はかんかんに怒っていて私の話に耳を貸そうともしなかった。
(11) 彼女は流れる涙を拭おうともせず映画に見入っていた。

◆「(よ)うにも～ない」は次のように可能の否定の表現を伴って使います。

(12) 約束の電話がかかってこないので、出掛けようにも出掛けられない。
(13) A：お帰り。遅かったわね。連絡してくれればよかったのに。
　　　B：ごめん。携帯電話を忘れて、連絡しようにもできなかったんだ。

その行為をする強い意志があるのにもかかわらず何らかの事情でできないということを表します。

3. つもりだ

(1) 明日は家でゆっくり休むつもりです。
(2) 明日は{出掛けないつもりだ／出掛けるつもりはない}。
(3) 明日はどこへ行くつもりですか？

これだけは

<接続>　V 辞・否 ＋つもりだ

◆「つもりだ」は事前に決意し固まっている意志を表します。(4)のようにその場でやろうと決めたことには使えません。

(4) A：雨が降りそうですよ。
　×B：そうですか。じゃあ、傘を持っていくつもりです。

このような場合、ル形か、後述の「ことにする」を使います。(→初級編§14)

(4)' B：じゃあ、傘を{持っていきます／持っていくことにします}。

◆否定の形は、(2)のように動詞を否定形にした「〜ないつもりだ」と「つもりはない」の二つがありますが、「〜つもりはない」のほうが相手の勧めを断るときなどより強い否定に使われる傾向があります。(→初級編§14)

　　(5)　A：部長に謝ったらどうですか。
　　　　　B：いいえ、謝るつもりはありません。

◆「つもりだ」との使い分けが問題になる表現に「予定だ」があります。

　　(6)　私は来年就職する{つもりです／予定です}。

「つもりだ」が話し手の個人的な心づもりを表すのに対し、「予定だ」は他の人と相談の上決めたことや公的な決定事項を表します。(→初級編§14)

　　(7)　今度の週末にクラス全員でお花見に行く{×つもりだ／○予定だ}。

◆「つもりだ」は (3)のように聞き手の意志を尋ねるときにも使えます。
　ただし、この表現で目上の人の意志（気持ち）を尋ねるのは直接的すぎて失礼になることがあります。

　　(8)#先生は明日の日曜日どこへ行かれるおつもりですか？

この場合「予定だ」などを使って相手の気持ちに触れない表現にすると、失礼さを避けることができます。

　　(8)'先生は明日の日曜日どこへ行かれるご予定ですか？

なお、「おつもり」「ご予定」はその行為をする人を高める尊敬語です。
◆「つもりだ」は第三者の意志は表しにくいです。他人の意志は直接にはわからないものなので、状況（その人の態度振る舞いなど）から判断したことを表す「ようだ」「らしい」などを付けたほうが座りのいい文になります。

　　(9)?彼は弁護士になるつもりだ。
　　(9)'彼は弁護士になる{つもりのようだ／つもりらしい}。

> **もう少し**

◆「つもりで〜」の形で「〜する意志をもって〜」という意味を表すこともあります。

 ⑽　電車の中で食べる<u>つもりで</u>弁当を買ったが、食べないうちに目的地に着いてしまった。

◆「気だ」も「つもりだ」と似た表現です。ただし、「気だ」は「つもりだ」と異なり、第三者の意志について述べるのが普通です（「ようだ」「らしい」などが付いてももちろん可能です）。

 ⑾　彼は弁護士になる<u>気</u>だ。
 ⑾'　彼は弁護士になる{<u>気</u>のようだ／<u>気</u>らしい}。

逆に自分の意志を述べるときには使えません。

 ⑿　×私は弁護士になる<u>気</u>です。

また、聞き手の意志を尋ねることもできますが、次のように非難の調子を帯びて使われることが多いです。

 ⒀　もう9時よ。いつまで寝ている<u>気</u>？
 ⒁　（喧嘩で）ちょっと、失礼じゃないですか。侮辱する<u>気</u>ですか？

◆「つもりだ」には意志を表さない用法もあります。一つは、次のように自分の状態やすでに行った行為に関して信じていることを表す場合です。

 ⒂　私も還暦を迎えましたが、まだまだ若い<u>つもりです</u>。
 ⒃　あれ、私の眼鏡知らない？　ここに置いた<u>つもり</u>なんだけど。

この用法で主語が聞き手や第三者の場合は、その人の信じていることと事実が食い違っているような状況で使われることが多いです。

 ⒄　あなた、それでも家族を大事にしている<u>つもり</u>？
 ⒅　田中さんは自分がリーダーの<u>つもり</u>のようだが、実際にはみんなの足を引っ張っている。

◆もう一つは、「PつもりでQする」の形で、事実に反すること（P）を想定してQを行うという意味を表す場合です。
　⑴9)　スーツを一着買ったつもりで、基金に５万円寄付した。
　⑵0)　こうなったら、死んだつもりで頑張ります。

4.　ことにする

> (1)　夏休みに国へ帰ることにした。
> (2)　A：夕飯はすき焼きにするわ。
> 　　　B：じゃあ、早く帰ることにするよ。
> (3)　毎朝ジョギングをすることにしています。

これだけは

＜接続＞　Ｖ辞・否＋ことにする

◆「ことにする」はある行為をするという決心を表します。(1)のようにタ形で用いられて、すでに決心したことという意味で意志を表すことが多いですが、(2)のようにル形でその場での決心を表すこともできます。(3)のように「ことにしている」の形で用いると、ある時点で決心して現在も行っている習慣を表します。(→初級編§14)

◆話し手自身の決心について述べるのが普通ですが、(4)のように聞き手に尋ねることはできますし、(5)のように「ようだ」などを伴えば、第三者のことについて述べることも可能です。

　(4)　いつ国に帰ることにしたんですか？
　(5)　王さんは毎朝ジョギングをすることにしているようです。

◆「ことにする」との使い分けが問題になる表現は、「ことになる」と「ようにする」です（→初級編§7）。

　「ことにする」と「ことになる」は、前者が「行為をする人が主体的に決める」、後者が「外的要因によって決まる」ことを表すという点で異なって

います。

(6) a. 中国へ旅行に行くことにしました。
　　b. 中国へ出張に行くことになりました。

　ただし、(7)のように実際は主体的に決めたことであっても、自分の意志を前面に出すことを避けて婉曲的な表現にするため、「ことになる」が使われることもあります。

(7) （結婚の挨拶状）このたび私たちは結婚することになりました。

◆「Ｐようにする」は「Ｐが実現することを目的として努力する」という意味です。次の例では「ことにする」と「ようにする」が両方可能ですが、前者は努力するという意味を持たない点が異なっています。

(8) 明日は早めに出社する{ことにします／ようにします}。
(9) 私は毎朝朝食を食べる{ことにしています／ようにしています}。

もう少し

◆その他「Ｐことにする」には次のような用法もあります。
<接続>　普（という）＋ことにする
　　　　　（ただし、Ｎ（だ）という／Ｎａだという＋ことにする）

(10) 母が病気だということにして、会社を休んだ。
(11) （内密の話をしたあとで）あなたも知らないことにしておいてね。

事実に反するＰを事実であるように扱うという意味であり、虚偽やごまかしを表します。

もう一歩進んでみると

◆意志の表現は、中上級の学習項目として特別に問題にされることは少ないですが、個々の表現の用法には案外難しい点があります。「(よ)うとする」のアスペクト的な側面や、意志を表さない「つもりだ」「ことにする」の用法なども学習者には習得しにくいものと思われますので、注意が必要です。

○**参考文献**

仁田義雄（1991）『日本語のモダリティと人称』ひつじ書房
　★モダリティの体系の中での意志表現の位置づけや「する」「しよう」「つもりだ」などの意味用法の違いについて詳しく述べられている。

森山卓郎（1990）「意志のモダリティについて」『阪大日本語研究』2 大阪大学
　★発話状況における使い方の違いなど新しい観点から意志の表現を分析している。

森山卓郎・安達太郎（1996）『日本語文法セルフマスターシリーズ6　文の述べ方』くろしお出版
　★「しよう」「しようと思う」「つもりだ」などの表現についてポイントを押さえた記述がある。

コラム
対照研究（3）－「いっしょに行きたいですか」－

　日本語では(1)のような聞き手の願望を尋ねる願望疑問文をソトの相手に用いることは失礼だとされています。

　　(1)×これもコピーしてほしいですか。　→　○これもコピーしましょうか。

　日本語では願望疑問文は聞き手の感情的領域を侵すものだと考えられているためです。確かに(1)は運用論的にこのような使用制約を受けますが、文法的には適格です。更に、願望疑問文はウチの相手になら以下の場合に使用できるので、日本語教育ではこれを完全に避けて通るわけにはいきません。

　①純粋に聞き手の気持ちを聞きたい場合（ウチの相手に対して）

　　(2)○また行きたい？

　②答えがYesとわかっている場合の申し出、勧誘（ウチの相手に対して）

　　(3)a.○取ってきてほしい？（申し出）
　　　b.○いっしょに来たい？（勧誘）

　実際、初級段階では既習項目がまだ少なく、限られた文法形式でできるだけ多くのコミュニケーションができるようにしなければならないため、「～たいですか。」「～ほしいですか。」という丁寧体の願望疑問文の練習も行っているというのが現状です。最近は願望疑問文の上記のような制約にも触れるようになったので誤用も減少傾向にあるものの、英語、中国語、ドイツ語、フランス語などを母語とする学習者は上級段階になっても願望疑問文の使用をコントロールすることが困難です。これらの学習者の母語では願望疑問文は失礼ではなく、「聞き手の意向を聞いてあげるのだからむしろ親切なことだ」と考えられているためです。

　日本語の願望疑問文の誤用がなくならないのは上記のような二つの原因が複合的に関与しているためです。運用論的に許容される場合とされない場合があって学習者の混乱を招くこと、そして、一部の学習者には母語の運用論的制約の欠如による干渉があることです。単に言語形式を対照するだけでなく、運用論的制約も対照しながら指導することが必要だと言えます。

§20. 話し手の気持ちを表す表現(4)
－感嘆・詠嘆、感情の強調など－

　ここで扱う感嘆・詠嘆の表現とは例えば次のようなものです。

(1)　<u>なんと</u>きれいな花！
(2)　試験に合格したとき、<u>どれほど</u>嬉しかった<u>ことか</u>。

(1)は「花」の様子に対する話し手の**感嘆**（驚き）を表明しており、(2)は「試験に合格したこと」に対する話し手の気持ちを**詠嘆**的に（感慨を込めて）述べています。
　また、通常「感嘆・詠嘆」と呼ばれる表現とは異なりますが、それらに関連するものとして、話し手の感情や感覚を強調して述べる、(3)のような表現もここで併せて扱います。

(3)　あいつの顔を見ると、腹が立っ<u>てたまらない</u>。

1．感嘆・詠嘆を表す表現
　　　なんと／なんて～、
　　　どんなに／どれほど／何＋助数詞～、
　　　とは、なんて
2．ものだ、ことだ
3．感情、感覚を強調する表現
　　　てしかたがない、てたまらない、てならない、
　　　かぎりだ、といったらない

　「ものだ」と「ことだ」は用法がやや複雑なので2でまとめて扱います。

1. なんと〜、どんなに／何＋助数詞〜、〜とは／なんて

> (1)　田中さんはなんと親切な人だろう。
> (2)　１点差で負けた小川選手はどんなに悔しいことだろう。
> (3)　あの内気な石川君がタレントになったとは。

＜接続＞　普＋とは／なんて

これだけは

◆代表的な感嘆（驚き）の表現は、副詞「なんと」を用いた文です。「なんと」は、(1)の「親切な」のように人やものの性質を表す表現に付くことにより、それらの性質に対する話し手の感嘆（驚き）を表明します。話しことばではしばしば「なんて」になります。

　(4)　田中さんはなんて親切な人だ。

文末には「だ」や「だろう」が来ますが、(5)(6)のように述語が名詞以外の場合は、「の」を介して「のだ、のだろう」にする必要があります。

　(5)　このステーキはなんてやわらかいのだろう。
　(6)　渡辺さんはなんと流暢に英語を話すのだ。

◆「のだ、のだろう」の代わりに「ことだ、ことだろう、ことか」が使われることもあります。意味に大きな違いはありませんが、やや書きことば的な表現になります。

　(6)'　渡辺さんはなんと流暢に英語を話す{ことだ／ことだろう／ことか}。

◆感嘆は話し手の感情をそのまま表出するものなので、特に話しことばでは(1)や(5)のように「主題－題述（〜はなんと〜だ）」という完全な文型をとらずに、次のように「なんと（なんて）」以下の部分だけで表現されることもしばしばあります。

20. 話し手の気持ちを表す表現（4）――感嘆・詠嘆、感情の強調など――

(7) なんて親切な人！
(8) なんてやわらかいんだ。

◆「どんなに、どれほど」などの程度を表す疑問詞や「何＋助数詞」の形で量を表す疑問詞を用いた文が詠嘆の表現になることがあります。

(9) 誘拐された子どもの親はどんなに心配だろう。
(10) この本が完成するまで原稿を何度書き直したことだろう。

(9)は「心配している」程度の強さ、(10)は「原稿を書き直した」回数（量）の多さを詠嘆的に述べています。このような文の文末は「だろう、ことだろう、ことか」などになり、「だ、ことだ」などの形は使えません。

(9)' ×誘拐された子どもの親はどんなに心配だ。
(10)' ×この本が完成するまで何度原稿を書き直したことだ。

もう少し

◆「どんなに／何＋助数詞」などを用いた詠嘆の文の文末が「だろう、ことだろう、ことか」などに限られるのは、これらがもともと疑いを表す文（→§21）だからです。疑いなのか詠嘆なのかは区別しにくい場合もあり、例えば、次の例では両方の解釈が可能です。

(11) 結婚して以来、夫と何回喧嘩しただろう。

つまり、「夫と喧嘩した」のが何回かを自問しているのか、その回数が多いことを詠嘆的に述べているのかは、文脈から判断するしかありません。文末が「ことだろう、ことか」の場合は、詠嘆と解釈されるのが普通です。

(11)' 結婚して以来、夫と何回喧嘩したことだろう。

◆「どんなに／何＋助数詞」などを用いた詠嘆の文は、「なんと（なんて）」を用いた感嘆の文と一見似ています。しかし、前者は感慨を込めた述べ方をしているだけであり、話し手の驚きが含まれていない点が異なります。

(12) a. 母のシチューはどれほどおいしかったことか。（詠嘆）
　　 b. 母のシチューはなんておいしいんだろう。　　（感嘆）

◆その他の感嘆の表現に、次のように文末に「とは」や「なんて」が付いた文があります。

(13)　あなたとこんなところでお会いするとは。
(14)　あの少年がこんなに立派になったなんて。

　いずれも予想外の出来事が起こったことに対する話し手の驚きが表現されます。後ろに「意外だ」「驚いた」を意味する表現が続くこともあります。

(13)'　あなたとこんなところでお会いするとは、思わなかった。
(14)'　あの少年がこんなに立派になったなんて、信じられない。

2.　ものだ、ことだ

> (1)　娘は人形を抱いたまま眠ってしまった。かわいいものだ。
> (2)　山本夫妻はハワイで正月を過ごすとか。うらやましいことだ。

<接続>　Ｖ普／Ａ辞／Ｎａな＋ものだ／ことだ

これだけは

◆「ものだ」の感嘆・詠嘆を表す用法は次のように分けられます。
　① ものや人の様子や変化を感慨を込めて述べる。

　　(3)　今は自宅にいながらパソコンで買い物ができる。世の中便利になったものだ。

　② 副詞「よく」を伴って、通常起こりにくい出来事が起こったことに対する驚きやあきれを表す。

(4)　5歳の子どもが<u>よく</u>ここまで歩いてきた<u>ものだ</u>。
　　(5)　そんなに冷たいことが<u>よく</u>言えた<u>ものだ</u>。

　③　「〜たい」「ほしい」「〜てほしい」などに接続して、希望を感慨を込めて表す。

　　(6)　来年こそいい年にしたい<u>ものだ</u>。
　　(7)　政治家には国民の幸福を第一に考え<u>てほしいものだ</u>。

◆「ことだ」の感嘆・詠嘆を表す用法のうち典型的なものは、(2)や(8)(9)のように、感情形容詞（他に、「残念、楽しみ、嬉しい、嘆かわしい、恐ろしい」など）に付き、出来事に対する話し手の気持ちを感慨を込めて表す場合です。

　　(8)　家族みんなが元気で、ありがたい<u>ことだ</u>。
　　(9)　毎月電話代に5万円も使っているなんて、もったいない<u>ことだ</u>。

もう少し

◆「ものだ」の①②の用法は「ことだ」に置き換えることも可能です。

　　(1)'　娘は人形を抱いたまま眠ってしまった。かわいい<u>ことだ</u>。
　　(4)'　5歳の子どもがよくここまで歩いてきた<u>ことだ</u>。

ただし、やや古めかしい言い方であり、あまり使われません。
　(2)(8)(9)のような「ことだ」を「ものだ」に置き換えることはできません。

　　(2)'　×山本夫妻はハワイで正月を過ごすとか。うらやましい<u>ものだ</u>。
　　(8)'　×家族みんなが元気で、ありがたい<u>ものだ</u>。
　　(9)'　×毎月電話代に5万円も使っているなんて、もったいない<u>ものだ</u>。

◆「ものだ」が「〜もので、〜」という形をとることもあります。ものや人の様子に対する感慨を先に述べる用法です。

　　(10)　早い<u>もので</u>、この会社に入って10年になる。
　　　　cf. この会社に入って10年になる。早い<u>ものだ</u>。

同様に「ことだ」にも「～ことに、～」の形で感慨を先に述べる用法があります。

(11) 嬉しいことに、あの映画が再上映される。
　　cf. あの映画が再上映される。嬉しいことだ。

◆「ものだ、ことだ」には、感嘆・詠嘆を表す以外にも様々な用法があります（→§18）。

3. てしかたがない、てたまらない、かぎりだ　etc.

> (1) 姪（めい）が生まれると聞いて、嬉しくてしかたがない。
> (2) 私の母校が廃校になるらしい。残念なかぎりだ。
> (3) もぎたてのトマトのうまさといったらない。

<接続>　V・A・Na テ＋しかたがない／たまらない／ならない
　　　　A 辞／Naな＋かぎりだ
　　　　N・A 辞＋といったらない

これだけは

◆「てしかたがない」は感情や感覚が自然に起こってきて自分で抑えられないといった意味を表します。「嬉しい、情けない、腹が立つ」などの感情や「痛い」などの身体感覚、または「思える、悔やまれる」など思考にかかわる自発表現につき、その程度の甚だしさを強調する表現になります。

(4) 最近の政治の腐敗ぶりをみると、情けなくてしかたがない。
(5) 秋になると、なぜかおなかがすいてしかたがない。
(6) 彼が犯人だと思えてしかたがない。

話しことばではくだけた「てしょうがない」の形になることもあります。

(7) 歯が痛くてしょうがないから、歯医者に行ってくるよ。

◆「てしかたがない」によく似た表現に「てたまらない、てならない」があります。次の例はいずれも(1)とほとんど意味が変わりません。

 (1)' 姪(めい)が生まれると聞いて、嬉しく{てたまらない／てならない}。

◆「てしかたがないetc.」が使われるような感情、感覚、思考の表現の主語は基本的に話し手に限られます（→初級編§14）。話し手以外を主語にするためには「ようだ、らしい、そうだ」などを用いる必要があります。

 (8) 父は、姪(めい)が生まれると聞いて、嬉しくてたまらないようだ。

もう少し

◆「てたまらない、てならない」は「てしかたがない」と常に置き換えられるわけではありません。
 「てたまらない」は「我慢できない」という意味を含むので「痛い、腹がすく」などの身体感覚と最もよくなじむ表現です。「思える、悔やまれる」など思考の表現にはあまり用いられません。逆に、「てならない」は思考の表現には使え、身体感覚の表現に使うとやや不自然です。

 (9) 頭が痛く{○てしかたがない／○てたまらない／？てならない}。
 (10) 学生時代のことが思い出されて{○てしかたがない／？てたまらない／○てならない}

◆「かぎりだ」は、2で見た詠嘆を表す「ことだ」に似た表現です。「ことだ」同様、出来事に対する話し手の感情を表す形容詞に付きます。

 (11) 山本夫妻はハワイで正月を過ごすとか。うらやましいかぎりだ。
 (12) 家族みんなが元気で、ありがたいかぎりだ。
 (13) 毎月電話代に5万円も使っているなんて、もったいないかぎりだ。

「これ以上ないほど〜だ」といった意味で、「ことだ」よりも感情を強調する表現になります。
◆「といったらない」は感情やものの様子を表す表現について、「ことばに表せないほど〜だ」といった意味を表します。主に名詞や「〜さ」の形で名

詞化された形容詞に接続しますが、形容詞にそのまま付けることも可能です。

⑭　彼からの手紙を受け取ったときの感激といったらない。
⑮　駅のホームで派手に転んでしまった。恥ずかしいといったらない。

⑭'のように「ない」が省略されることもあります。また、話しことばでは、⑯のようにくだけた「ったらない、ったらありゃしない」という形も使われます。

⑭'　彼からの手紙を受け取ったときの感激といったら！
⑯　５万円も入った財布をすられちゃったの。くやしい{ったらない／ったらありゃしない}わ。

◆「てしかたがないetc.」に関連する表現に「ないではいられない、ずにはいられない」（→§18）があります。「思い出す、悔やむ」などの思考や感情を表す動詞に「ないではいられないetc.」が用いられた場合、これらの動詞の自発形に「てしかたがないetc.」が付いたものと似た意味になります。

⑰a. この季節になると、震災を思い出さないではいられない。
　b. この季節になると、震災が思い出されてしかたがない。

上のaとbは「震災を思い出す」という行為が自然に起こってしまってコントロールできないことを表す点で共通しています。ただし、「ないではいられないetc.」には「てしかたがないetc.」のように程度を強調する意味はありません。

◆その他、くだけた話しことばで使われる感情・感覚を強調する表現として、次のような形容詞のテ形の反復があります。

⑱　姪(めい)が生まれるって聞いて、もう嬉しくて嬉しくて。
⑲　さっきから頭が痛くて痛くて。頭痛薬、ある？

もう一歩進んでみると

◆感嘆・詠嘆の表現は、これまで研究対象になることの少なかった領域ですが、古くからの文法研究の中で注目すべきこととして、山田孝雄(よしお)の「述体・喚

体」という考え方が挙げられます。山田は、「うるはしき花かな（美しい花だなあ）」のような一つの名詞を中心に構成された文を「喚体」の文と呼び、主語と述語の区別を持つ文（「述体」）と区別しました。

　このような単語一つの文（「蛍！」「きれい！」「わあ！」など）も、話し手の驚きをそのまま表出する、典型的な感嘆の表現だといえます。

○参考文献

安達太郎（近刊）「日本語の感嘆文をめぐって」『広島女子大学国際文化学部紀要』10　広島女子大学
　★現代日本語の感嘆文についての包括的で明快な記述がある。

コラム
気づかれにくい方言の文法(2)

テンス・アスペクトに関しては気づかれにくい方言が多くあります。

(1) 今、小学校で運動会があっ<u>ている</u>。
(2) ごはんを食べ<u>かけた</u>とき電話が鳴った。
(3) すぐ戻るから、ちょっと待っ<u>といて</u>。
(4) 値段は裏表紙に書い<u>ています</u>。

(1)は九州北部で用いられる「ありよる」からの類推です。西日本では共通語の状態動詞「いる」「ある」にアスペクトの形式が付くことがあります。

京阪方言話者は(2)の「〜かける」を用いると、「電話が鳴った」ときすでにごはんを食べ始めていたと考える人が多いようですが、その他の地域ではかなりの揺れがあります（→§8 2-1）。

京阪方言では共通語の「〜ている」の代わりに「〜ておく」を使うこともあります。(3)には「ある目的のためにあらかじめ行為を行う」という意味はありません。

「書く」など動作の過程を持ちやすい他動詞が「〜ている」とともに用いられると共通語では進行中であることを表すのが普通です。結果残存の意味を表すためには「〜てある」が用いられます。(4)は関西以西で見られる表現で、結果残存を表すのに「〜ている」が用いられています。

条件表現にも方言差が大きいものもあります（→初級編コラム「ことばのゆれ」）。
日本語教師は学習者が生活する地域の方言の特徴をある程度知って、場面に応じて適切に使い分けられるよう情報を与えることが求められます。

○**参考文献**
愛宕八郎康隆（1992）「九州方言－『カラ』から見て－」『日本語学臨時増刊号　方言地図と文法－方言研究の地理的視界－』（1992）明治書院
江端義夫（1995）「名古屋方言の補助動詞『〜てみえる』がなぜ全国に波及する兆しを見せるのか」『愛媛国語学研究』1
沖　裕子（1996）「アスペクト形式「しかける・しておく」の意味の東西差－気づかれにくい方言について－」平山輝男博士米寿記念会編『日本語研究諸領域の視点(上)』明治書院
陣内正敬（1996）『北部九州における方言新語研究』九州大学出版会
高田祥司（1999）「大阪方言におけるテオク形の用法」『現代日本語研究』6
福島秩子（1992）「新潟方言の格助詞『カラ』の用法をめぐって」『日本語学臨時増刊号　方言地図と文法－方言研究の地理的視界－』（1992）明治書院
★このコラムの情報については秋田大学教育文化学部の日高水穂さんの協力を得ました。

§21. 話し手の気持ちを表す表現(5)
　　　－疑い、確認－

　モダリティの中には主に話しことば（対話）で使われ、聞き手との情報のやりとりや聞き手との関係の調整のために使われるものがあります。ここではそうした表現について取り上げます。
　ここで取り上げるのは次のような表現です。

　　1．質問を表す表現……か、かい
　　2．確認・聞き手の知識の活性化を表す表現……だろう、ではないか、ね
　　3．疑い、不確実さを表す表現……か、かな、かしら、だろうか、
　　　　　　　　　　　　　　　　　　のではないか

1．質問を表す表現

> (1)　田中さんは学生です<u>か</u>。
> (2)　田中さんは渋谷でパソコンを買ったんです<u>か</u>。

これだけは

<接続>　丁（普）+か、普+かい（ただし、Na・N老+かい）

◆ここでは**質問**を表す表現について考えます。質問というのは、その文で表される出来事の内容（(1)で言えば「田中さんが学生であること」）の真偽について話し手が情報を持っておらず聞き手のほうが情報を多く持っているときに、聞き手に尋ねて真偽を明らかにすることです。

◆質問で最も典型的に使われるのは**か**です。「のだ」を伴わずに（=「の（です）か」という形ではなく）使われる「か」で終わる疑問文は、命題の真偽だけを尋ねる文です。例えば、(1)は「田中さんが学生であるかどうか」だけを尋ねる文です。

◆一方、「～の（です）か」で終わる疑問文は、その文にわかっていること（前提）があることを表したり、関連づけを表したりします（→初級編§29）。例えば、(3)は通常「田中さんがこの本を買ったこと」はわかっていてその場所がわからないときに、それが新宿なのかどうかを尋ねるのに使われます。

(3) 田中さんはこの本を新宿で買ったのですか。

一方、(4)は(5)のような文脈で使われ、先行発話との関連づけを表します。

(4) 田中さんは学生なんですか。
(5) 吉田：田中君、この前学割を使って旅行に行ったそうだよ。
　　大野：えっ？田中さんは吉田さんと同い年でしょ。田中さんは学生なんですか。
　　吉田：そうなんだ。1回就職したんだけど、辞めて大学院に入り直したんだよ。

形容詞や「名詞＋だ」を述語とする疑問文で「のだ」を使うと意図せずに失礼な表現になることがあるので注意が必要です。

もう少し

◆「か」とほぼ同じ意味で使われる助詞に「かい」がありますが、現在ではあまり使われず、使われるのは年長者が年少者に対する場合に限られます。また、通常女性も使いません。なお、「～ですかい」という形は現在では使われないため、ナ形容詞や名詞とともに使うときは語幹や名詞に直接接続します。また、「～だろうかい」という表現はありません。

2. 確認・聞き手の知識の活性化を表す表現

ここでは、確認・聞き手の知識の活性化を表す表現を見ます。

2-1. だろう

> (1) 田中さんもハイキングに行くでしょ。↑
> (2) 高校の同級生に田中さんっていたでしょ。↑彼女結婚するんだって。
> (3) 向こうに赤い屋根の家が見えるだろ。↑あれが僕の家だよ。

これだけは

<接続> 普+だろう／でしょう（ただしNa・N㭶+だろう／でしょう）

◆だろうには**確認**を表す用法があります。確認というのは、出来事の内容について話し手がある程度の確信を持っているものの完全な自信はないため、聞き手に尋ねてその真偽をはっきりさせたい場合に使われる表現です。例えば、(1)では話し手は「田中さんがハイキングに行く」ということが正しいという見込みを持っていますが、それを断定する自信はないので聞き手に尋ねてそれが正しいことを確認しています。

◆この用法の場合、「う」が落ちて「だろ／でしょ」になることもあります。また文末のイントネーションは通常上昇調になります。

◆一方、対話では話の内容について聞き手が話し手と同等の情報を持っていないと話が円滑に進みません。そのため、話し手は聞き手と自分の知識と同等にするために調整をしながら話をします。このとき、(2)のようにその情報について聞き手が知っているはずだが今はそのことに関心がない、あるいは、(3)のように聞き手が気がついていないと思った場合、話し手は聞き手がその情報に関心を向けるように誘導します。これを**聞き手の知識の活性化**と呼びます。「だろう」には聞き手の知識の活性化を表す用法があります。

もう少し

◆「だろう」には非断定の意味もありますが、非断定のときはイントネーションが自然下降調になります。なお、話しことばでは単独で使われた「だろう」が非断定の意味を表すことはあまりなく（→初級編§13）、単独では普通確認や聞き手の知識の活性化の意味で使われます。

(4)　A：部屋の鍵どこに置いたかな？
　　　B１：机の上｛？だろう。→／だろうと思うよ／だと思うよ｝。
　　　B２：机の上だろう。↑

◆「だろう」には相手を非難する用法もあります。この場合、文頭に「だから」が来ることが多く、イントネーションは自然下降調か下降調になります。

(5)　A：試験、あんまりできなかった。
　　　B：だから言っただろ｛→／↓｝。もっと勉強しておけって。

２−２．ではないか

> (1)　A：急がないと電車が出てしまいますよ。
> 　　　（連れのBが小銭を捜しているあいだに電車は出てしまう）
> 　　　A：ほら。乗り遅れてしまったではないですか。→／↓
> (2)　A：試験だめだったよ。
> 　　　B：１回落ちたぐらいで何よ。また来年頑張ればいいじゃない。→
> (3)　A：高校のときに林君っていたじゃない。↑彼、今度結婚するんだって。
> 　　　B：へえー。誰と？

これだけは

<接続>　普＋ではない(です)か　(ただしNa・N だ＋ではない(です)か)

◆ではないかには次のようなバリエーションがあります。

　ではないか、ではないですか、ではありませんか、じゃないか、
　じゃないですか、じゃありませんか；じゃない

　このうち、聞き手の知識の活性化の意味で上昇調のイントネーションをとれるのは「じゃない」だけで、それ以外は上昇調をとると否定疑問文（→§24）

になります。

 (4) 高校の同級生に田中君っていた<u>じゃない</u>。↑（知識の活性化）
 (5) これは正解{<u>ではないですか／ではありませんか</u>}。↑（否定疑問）

以下では区別が必要な場合以外はこれらをすべて「ではないか」と呼びます。
◆「ではないか」には「だろう」と同じく相手を非難する用法があります。例えば、(1)では電車に乗り遅れる原因を作ったBを非難しています。
◆「ではないか」には(2)のように聞き手を励ます用法もあります。
◆「ではないか」には「だろう」と同じく聞き手の知識を活性化する用法がありますが、この用法で使えるのは「じゃない」と「じゃないですか」という形に限られます。この場合、「じゃない」ではイントネーションが上昇調になることがありますが、「じゃないですか」は上昇調になりません。

 (4)' 高校の同級生に田中君っていた<u>じゃない</u>。↑／→彼、結婚したよ。
 (6) ｉモードってある<u>じゃないですか</u>。×↑／○→あれ、面白いですね。

もう少し

◆「ではないか」は話しことばで使うことが多いですが、書きことばでも使われます（書きことばで使われるのは「ではないか」という形だけです）。

 (7) 鉄腕アトムは正義の味方、というだけではない。人種差別ならぬ「ロボット差別」に悩み、苦しむ。あのまつ毛をぬらす姿を思い出してみたらいい。「ジャングル大帝」のレオは白いライオンゆえに疎外され、人類文明と野生とのはざまで悩んでいた<u>ではないか</u>。
           （朝日新聞朝刊1989.2.10）

◆「ではないか」は聞き手が当然知っているはずの知識を活性化するという機能を持っています。従って、不用意に使うと聞き手が必ずしもよく知らない、または、共感していないことについて話し手の判断を押しつけることになり、聞き手に不快感を与えることになるので注意が必要です。

 (8) 納豆っておいしい<u>じゃないですか</u>。→

例えば、(8)は「納豆はおいしい」ということに聞き手が同意することを前提に話しているので、その意見に賛同しない聞き手には不快感を与えるおそれがあります。こうしたことを避けるためには(9)のような否定疑問文や、(10)のような前置きを表す表現を使う必要があります。

(9) 納豆って{おいしくありませんか／おいしいと思いませんか}。
(10) 納豆っておいしいと思うんですけど、……

◆「だろう」「ではないか」は聞き手の知識を活性化するものですから、情報は聞き手が知りうるものでなければなりません。例えば、(11)が使えるのは聞き手が窓から外を見ている場合か、窓から見れば赤い屋根の家が見える（ことを聞き手が知っている）場合に限られます。

(11) 窓から赤い屋根の家が見える{でしょ↑／じゃない↑}。

もし、聞き手が窓から赤い屋根の家が見えることを知らず、窓から外も見ていない場合には(12)のような前置きの表現を使います。

(12) 窓から赤い屋根の家が見える（はずな）んだけど、……。

2−3. ね

> (1) （デパートの宝石売場で）
>   客：（ショーケースの中の指輪を指さして）これを見せてください。
>   店員：はい。こちらでございますね。↑
> (2)   客：新大阪まで大人1枚。
>   駅員：新大阪までですね。↑

これだけは

<接続> 普／丁＋ね

◆ねには確認を表す用法があります。「ね」による確認は**念押し**であり、相

手の発話や行動を通して理解した相手の意図を相手に確認するというのが基本的な用法です。例えば、(2)では客の発話を聞いた駅員がその中で最も重要である「新大阪」という地名を客に確認しているのです。

もう少し

◆念押しは聞き手も自分と同意見であるという見込みのもとに使われるのが普通です。言い換えると、話し手の中に疑念はなく、聞き手が本当に同意見であるかを確かめるのが念押しであると言えます。従って、(1)のように、客が指しているものが見えていて（店員にとって）自明である場合に（「ね」ではなく）「だろう」を使って「確認」するのは不自然になります。

(1)' 店員：？はい。こちらでございますでしょ。↑

＜だろう vs. ではないか＞

◆「だろう」「ではないか」は聞き手が知っていることに言及することもできます。この場合は聞き手に対する非難を表すのが普通です。

(3) （注意したのにけがをしてしまった相手に）
   だから気をつけろって言った{だろう→／じゃないか→}。

◆「ではないか」は聞き手がいない独り言でも使うことができ、話し手の「発見」を表します。例えば、(4)はそれまでまずいと思って納豆を食べたことがなかった人が初めて食べてそれがおいしかったときの発話ですが、この場合には聞き手はいないか、いてもその存在が問題とならないので「だろう」は使えません。

(4) （独り言で）納豆ってうまい{じゃないか／×だろう}。

なお、こうした発見は「のだ」でも表せます（→§23）。

(5) （独り言で）納豆ってうまいんだ。

◆「だろう」は聞き手が話し手と同じ意見であると見込める場合に使われます。例えば、(6)Aは話し手の発見を表すため「だろう」は使えませんが、BではAの発話からAが「納豆はうまい」という認識を持ったということが見

込めるため「だろう」が使えます。逆に、すでにＡの知識は活性化されているため、「ではないか」は使えません。

(6)　（Ａは納豆を初めて食べた）
　　　Ａ：納豆ってうまい{じゃないか／×だろう}。
　　　Ｂ：うまい{×じゃないか／だろう↑}。

　この用法の「だろう」は相手の反応が自分の予想通りだったということを表す相づちとしてもよく使われます。

(7)　吉田：田中さんが勧めてくれたあの映画面白かったですよ。
　　　田中：(そう)でしょう。↑

＜だろう vs. ね＞

◆「ね」は念押しですから、話し手と聞き手の間に認識の差がないと見込めることが必要です。例えば、(8)の最初の場面では車掌は客の行き先を確認していますが、この場合自分と客の認識には差がないと見込めるので「ね」は使えますが、認識のギャップがないので「だろう」は使えません。逆に、その次の場面では客が「新宿」までの時間を尋ねたため、車掌の中での「この客は東京まで行く」という認識との間にギャップが生じ、それを修復する必要が生じます。そのため、ここでは念押しを表す「ね」は使えず、「だろう」が使われるようになります。

(8)　（電車の中での会話。＜発話場所＞→新宿→東京、の位置関係）
　　　客：すみません、東京まで１枚ください。
　　　車掌：はい、東京{×でしょう／ですね↑}。
　　　客：すみません、新宿まで何分ぐらいですか。
　　　車掌：えっ、お客さん、東京まで{でしょう↑／×ですね}。

◆「だろう」と「ではないか」はいっしょに使われませんが、「だろう」と「ね」はいっしょに使われることがあります。「だろうね」の中には(9)Ａのように「だろう」が非断定を表し、「ね」が聞き手への同意を表すものがあります。

(9)　A：今ごろ二人はヨーロッパを旅行している(ん)だろうね。
　　　B：そうだね。

　次のような「～だろうね」は「～」をすることは当然である見込みのもとに聞き手に念押しをするときに使われます。

(10)　宿題はちゃんとやってきたでしょうね。

3. 疑い・不確実さを表す表現

　ここでは、話し手の疑いを表す表現や命題の真偽が不確実な場合に使われる表現を見ますが、それぞれに特徴があります。

3-1. か

> (1)　A：田中さんの息子さんが大学に合格されたそうですよ。
> 　　　B：{ あの子も大学生ですか／そう(なん)ですか }。
> (2)　最近、年を取ったせいか記憶力が落ちてきた。
> (3)　この絵、偽物か。↓

これだけは

◆かは(1)Bのような応答文でも使われます。この場合、最も簡単な応答は「そうですか／そうなんですか」です。なお、応答文で「か」が使えるのは、応答文を発する人が自分に向けられた文の内容（(1)では「田中さんの息子が大学に合格したこと」）をそのとき初めて知った場合に限られます。もし、その内容をすでに知っていた場合には(1)'のように答えることになります。

　(1)'　B：そうなんですよ。

◆「か」には出来事の内容を話し手が不確実視していることを表す用法もあ

ります。例えば、(2)は「記憶力が落ちてきた」ことの理由を「年を取ったせい」と言い切ることにためらいがあるという話し手の気持ちを表しています。もし、そうしたためらいがなければ(2)'のように言うことになります。

　　(2)' 最近、年を取ったせいで記憶力が落ちてきた。

◆このように、従属節で使われ、話し手の認識が不確実であることを表すものには次のようなものがあります。

　　からか、ためか、おかげか、せいか、〜てか、のか

「せいか」以外のそれぞれの例は次のようなものです。（　）内は確信がある場合の表現です。

　　(4) 雨が降ったからか観光客の数が少なかった。（から／ので／ため）
　　(5) 残業が続いたためか彼は倒れてしまった。（ため(に)）
　　(6) 訓練をしていたおかげ(で)か地震のときにスムーズに避難できた。
　　　　　　　　　　　　　　　　　　　　　　　　　　　　（おかげで）
　　(7) 不景気を反映してか公務員の人気が高まっている。（反映して）
　　(8) ゆうべ雨が降ったのか道がぬれている。（から／ので／ため）

◆「か」にはある状況を発見し納得したことを表す用法もあります。例えば、(3)はそれまで本物か偽物かわからなかった（あるいは偽物だとは思っていなかった）絵を鑑定してもらったところ偽物であることがわかったといった場合に使われます。この場合、イントネーションは下降調になります。また、「のか」「のだ」を使ってもほぼ同じ意味を表せます。

　　(3)' この絵、偽物な{のか／んだ}。↓

もう少し

◆発見や応答で使われる「か」は、その情報が話し手の認識の中に完全に取り入れられていないということを表します。一方、「はい／いいえ」という応答をする場合、話し手はその情報について確かな認識を持っている（相手は話し手がそうした認識を持っていると想定して質問をしている）ので、そ

のあとに「そうですか」を続けることはできません。

(9) 吉田：田中さんは学生{ですか／でしょ／ですね}？
    田中：はい、{そうです／×そうですか}。

◆「からか」などと同じ用法の「か」は「と」の引用節の前でも使われます。

(10) 彼ももうすぐ来るかと思います。
(10)' 彼ももうすぐ来ると思います。

例えば、(10)は「か」を伴う分、(10)'よりも話し手の確信度が低い表現となり、婉曲的で丁寧な表現になります。

◆「からか」などの「か」は理由を表す表現でよく使われますが、判断の根拠を表す節（→§31）には「か」は付きません。これは判断の根拠を表す節の内容は確定した事実であるため、それを不確実なものとして表現すると内容的に矛盾するためです。

(11) ×部屋の明かりが消えているからか彼は留守だろう。
    cf. 部屋の明かりが消えているから彼は留守だろう。

また、目的を表す節にも「か」は付きにくいです。

(12) ×彼女は旅行をするため(に)か、貯金をしている。
    cf. 彼女は旅行をするために、貯金をしている。
(13) ×私は、洋書が読めるよう(に)か電子辞書を持ち歩いている。
    cf. 私は、洋書が読めるように電子辞書を持ち歩いている。

◆発見を表す場合に「か」が使えるのは発見時以前にそれに関連する認識が存在している場合に限られます。例えば、突然雨が降りだした場合には(14)のようには言えず、(14)'のように言わなければなりません。

(14) ？あっ、雨が降ってきた(の)か。
(14)' あっ、雨が降ってきた。

この場合、関連づけを表さないので「のだ」も使えません。

⑭"×あっ、雨が降ってきたんだ。

3−2. かな、かしら

> (1)　明日も雨が降る(の)かな。
> (2)　あの人私のこと覚えている(の)かしら。

これだけは

<接続>　普+かな／かしら（ただしNa・N<s>だ</s>+かな／かしら）

◆かなとかしらは命題の真偽について話し手が疑いを持っていることを表す表現です。例えば、(1)は「明日も雨が降る」ということが正しいかどうかに話し手が確信を持てないときに使われます。

◆「かな／かしら」の前に「の」が入ることがありますが、意味の違いはありません。なお、この場合の「の」は話しことばでも「ん」にはなりません（「んかな／んかしら」は方言の形です）。

　　(3)×明日は晴れる{んかな／んかしら}。（方言では可）

なお、「どうして」などの疑問語とともに使う場合には「の」が入ります。

　　(4)a.　田中さんはどうしてパーティーに来ないの{かな／かしら}。
　　　b.　×田中さんはどうしてパーティーに来ない{かな／かしら}。

◆「かな」と「かしら」は共に独り言でも使えます。「かな」は男性でも女性でも使えますが、「かしら」は主に女性が使います。

◆「かな」と「かしら」は聞き手がいる場面で使われると聞き手に尋ねる意味になりますが、「か」「だろう」「ね」などとは異なり上昇調のイントネーションをとることはできません。

　　(5)　A：明日は雨がやむ{かな→／×かな↑}。

　　　　B：やむと思うよ。
(6)　A：明日は雨がやむ{かしら→／×かしら↑}。
　　　　B：やむと思うよ。

　これは、「かな／かしら」は基本的に独り言で使われるものであり、聞き手の存在を前提としないためです。

もう少し

◆「丁寧形＋かな」は主に年輩者が使う表現です。

(7)　明日は晴れますかな。cf. 明日は晴れるかな。
(8)　その芝居は面白いですかな。cf. その芝居は面白いかな。

◆「か」「ね」は「だろう」といっしょに使えますが、「かな／かしら」は「だろう」といっしょには使えません。

(9)　田中さんはパーティーに来るだろう{か／ね}。
(10)×田中さんはパーティーに来るだろう{かな／かしら}。

3-3. だろうか

> (1)　明日は晴れるだろうか。
> (2)　彼はどうして来ないのだろうか。
> (3)　明日は晴れるでしょうか。

これだけは

◆だろうか／でしょうかも「かな／かしら」と同様話し手の**疑い**を表す表現であるため、独り言でも使え、上昇調のイントネーションをとりません。

(1)'×明日は晴れる{だろうか／でしょうか}。↑

◆「かな／かしら」と同じく「どうして」などの疑問語と使われることもあります。この場合は「か」があってもなくても同じ意味になります。なお、この場合は「かな／かしら」と同様、「だろうか」の前に「の」が入ります。

(2)' 彼はどうして来ないのだろう。

◆「(の)だろうか」の丁寧な形は「(の)でしょうか」です。この形は独り言では使われません。ただし、疑いを表す表現なので上昇調のイントネーションはとれません。

(3) 明日は晴れるでしょうか。○→／×↑

もう少し

◆「だろうか」は疑いを述べるのが基本ですから、聞き手がいる場合でも聞き手がその内容について返答できると見なすことができる必要はありません。例えば、知人とレストランに入る場合、自分はその店で食事をしたことはないが知人はある場合には(4)a, bのように聞き手に尋ねることができます。

(4)a. この店はおいしい？↑
b. この店はおいしいですか？↑

一方、話し手も聞き手もその店で食事をしたことがない場合は(4)a, bは使えません。そうした場合に使われるのが話し手の疑いを表す(5)a, bです。聞き手に尋ねていないので上昇調はとれません。(5)aと(5)bの違いは話し手と聞き手の関係の違いで、デス・マス体で話す関係であれば(5)bが、そうでなければ(5)aが使われます。両者の違いは(4)a, bの違いに対応します。

(5)a. この店はおいしいだろうか。
b. この店はおいしいでしょうか。

21. 話し手の気持ちを表す表現（5）—疑い、確認—

3-4. のではないか

> (1) 明日は雨が降るんじゃないか。↑
> (2) これは間違い(なん)じゃないか。↑

これだけは

<接続>　V・A[普]＋のではないか↑
　　　　Na・N＋なのではないか↑／Na・N＋ではないか↑

◆Pのではないかは命題Pの真偽が**不確実**であることを述べるものですが、否定疑問文と同様、Pが正しいという見込みがある場合に使われます。例えば、(1)は「明日雨が降る」ということが正しいという見込みがある場合に使われます。

◆「のではないか」には次のようなバリエーションがありますが、イントネーションはいずれも上昇調です。

のではないか、のではないですか、のではありませんか、のでは、
んじゃないか、んじゃないですか、んじゃありませんか、んじゃ

なお、ナ形容詞、名詞では語幹または名詞に直接「ではないか」が付くのが普通で、形式上「ではないか」と「のではないか」の差がなくなります。しかし、「のではないか」では(2)のようにイントネーションが上昇調になるので、話しことばでは両者は区別できます。ここで、品詞別に「ではないか」「のではないか」「否定疑問文」の（普通形の）形をまとめておきます。

	動詞	イ形容詞	ナ形容詞、名詞＋だ
のではないか	普＋のではないか↑		Na／N＋ではないか↑ Na／N＋なのではないか↑
ではないか	普＋ではないか→ 普＋ではないか↑ （「じゃない」のみ）		Na／N＋ではないか→ Na／N＋ではないか↑ （「じゃない」のみ）
否定疑問文	V_ナイ＋ないか↑	A_中止＋ないか↑	Na／N＋ではないか↑

もう少し

◆「のではないか」にも否定疑問文と同様の話し手の見込みがありますが、聞き手に尋ねる形をとっているため、話し手の主張を押しつけることなく、丁寧な表現となりうるのです。否定形を含むほうが丁寧になるのは依頼の場合とも共通する性質です（→§36）。

◆「のではないか」は断定的に述べない表現であるため、否定疑問文と同様、聞き手の誤りを指摘する場合にも使われます。

　(3)　この答えは違うのではありませんか。

　なお、こうした場合「のではないだろうか、のではないかと思う」などのほうがより丁寧な表現になります（→§17）。

　(3)'　この答えは違うのではないでしょうか。
　(3)"　この答えは違うのではないかと{思います／思うのですが}。

◆「のではないか」は「かもしれない」と同様の断定を避ける表現として、書きことばでよく使われます。

　(4)　裁判のドラマは少なくない。が、裁判官を主人公にしたテレビドラマとなると、わが国ではあまり例がないのではないか。

　　　　　　　　　　　　　　　　　　　（朝日新聞朝刊1993.1.5）

＜のではないか vs. かもしれない＞

◆「のではないか」と「かもしれない」はよく似た意味を表しますが、違いもあります。最大の違いは、「かもしれない」は従属節でも使えるのに対し、「のではないか」は文末でしか使えないことです。

　(5)　もしかすると、田中さんは来ない{かもしれない／のではないか}。
　(6)　田中さんは来ない{かもしれない／×のではないか}が、私は行く。

◆「のではないか」と「かもしれない」を比べると、「のではないか」のほうが話し手の主張がよりはっきり出ます。例えば、次の例の「のでは」を「かもしれない」に変えると話し手の主張というニュアンスが失われます。

(7) 柏木さんは「少年法は、うまく運用されてきたと思う。凶悪な事件にあわてて保護処分を制限するべきではない<u>のでは</u>。(中略)」と、厳罰化にとまどいを感じている。　　　（朝日新聞朝刊2000.10.9）

＜のではないかvs. 否定疑問文＞

◆「のではないか」と否定疑問文は文の内容が正しいという見込みがある場合に使われる点で共通しています。例えば次のような場合には「のではないか」も否定疑問文も使えます。

(8) 　A：僕の腕時計知らない？
　　　B：知らないけど、机の上に｛あるんじゃない／ない｝？

◆「のではないか」には「のだろう」「のかもしれない」などと同じく、直接経験していないことを何らかの状況から想像して述べるというニュアンスがあります。従って、(9)のように自分が読んだことのある（＝直接経験がある）本についての感想を聞くような場合には否定疑問文のほうが適当です。

(9) 　（聞き手が手にしている本について）
　　　その本、｛？面白いんじゃない／面白くない｝？

◆否定疑問文は質問を表すため聞き手は質問に答えられると話し手が判断する人であることが必要です。例えば、(10)ではAは「バスが来る」ことに答えられる状況にないため否定疑問文ではなく、「のではないか」が適当です。

(10) 　A：バスまだ来ないかな。
　　　 B：そろそろ｛来るんじゃない／？来ない｝？

　一方、Aが時刻表でバスの到着時間を調べているという場面なら、(10)Bは否定疑問文も使えます。

(11) 　（バスの到着時刻を調べている相手に）
　　　 バス、そろそろ｛来るんじゃない／来ない｝？

もう一歩進んでみると

◆ここでは聞き手との関係で使われるモダリティを中心に考えました。これらは会話で頻繁に使われるものですが、まとまった説明はまだ少ないです。
◆これらの形式の中で最も複雑なのは「ではないか」と「のではないか」の問題です。この二つは形式が似ているため、区別がつきにくいのですが、機能的にはかなり異なるので注意が必要です。
◆「ではないか」の中の「じゃないですか」は聞き手の知識を活性化するための表現として最近よく使われていますが、この言い方については不快感を感じる人が（年長者を中心に）多いので注意が必要です。

(1) 映画って、１回ヒットすると必ず続編を作る<u>じゃないですか</u>。僕はあれが嫌いなんですよ。

「じゃないですか」に不快を感じる人がいる原因を鶴田庸子（1997）は次のように説明しています。つまり、「じゃないですか」には次のように相手を非難する用法があり、「じゃないですか」という表現からこの用法が連想されるため不快感を持つのではないかということです。

(2) A：コップ割れちゃった。
　　B：だから言った<u>じゃないですか</u>。そんな置き方したら落ちるって。

一方、「じゃないですか」が聞き手の知識の活性化の用法を持つようになった理由は次のように説明しています。つまり、以前から「じゃない」は上昇調をとって聞き手の知識の活性化を表す用法を持っていたのに、「じゃないですか」にはそれに対応する表現がなかったので、その「体系の隙間」を埋める形で「じゃないですか」が使われるようになったということです。

(3) a. だからやめといたらって言った<u>じゃない</u>。→（非難）
　　b. 高校の同級生に林さんっていた<u>じゃない</u>。↑（知識の活性化）
　　c. だからよしたほうがいいって言った<u>じゃないですか</u>。→（非難）
　　d. 最近ＩＴってよく聞く<u>じゃないですか</u>。→（知識の活性化）

このうち、(3)dが新しい用法ですが、これは(3)bが(3)aに対応しているの

と同じように、(3)cに対応するものとして現れたものと考えられます。
◆このセクションで取り上げた形式の意味を考える際にはイントネーション（特に上昇調かどうか）が重要です。イントネーションについては§43や森山卓郎（1989）などを見てください。

○参考文献

安達太郎（1995）「ノカとカラカ、タメカ、セイカ、テカ－不確定的な従属節－」宮島達夫・仁田義雄編『日本語類義表現の文法（下）』くろしお出版
　★従属節につく「か」が詳しく記述されている。
――――（1999）『フロンティアシリーズ11　日本語疑問文における判断の諸相』くろしお出版
　★「だろう」「ではないか」「のではないか」と否定疑問文を中心とする詳しい記述。

田野村忠温（1990）『現代日本語の文法Ⅰ　「のだ」の意味と機能』和泉書院
　★否定疑問文の研究の出発点となった研究が補説にまとめられている。

鶴田庸子（1997）「ジャナイデスカの発生と不快さについて」『言語文化』34, 一橋大学
　★「じゃないですか」が使われるようになった経緯とその受容に世代差がある理由の説明が興味深い。

宮崎和人（2000）「確認要求表現の体系性」『日本語教育』106
　★様々な語形を持つ確認要求表現を体系的に整理した論文。

森山卓郎（1989）「文の意味とイントネーション」宮地裕編『講座日本語と日本語教育1　日本語学要説』明治書院
　★モダリティ表現とイントネーションの関係に関する研究の出発点となる論文。
――――（1992）「疑問型情報受容文をめぐって」『語文』59, 大阪大学
　★「か」を含む文が平叙文としても使われる理由が説明されている。

コラム
規範文法と記述文法

(1) 田中さんは洋子さんを結婚するらしいよ。
(2) こんなにたくさん食べれないよ。

(1)と(2)は共に「正しくない」とされる表現ですが、「正しくない」ということの内容は同じではありません。

(1)のような文を学習者はよく作りますが、母語話者は、明白な言い損ないを除いて、こうした文を作りません。一方、(2)の「ら抜きことば（→初級編§8）」の文を母語話者が使うことは現在ではかなり一般的です（cf. 江川清（1980））。

言い換えると、(1)の場合の「正しくない」というのは「こうした言い方は存在しない」という意味であるのに対し、(2)の場合の「正しくない」は「こうした言い方はすべきではない」という意味なのです。

このように、ある文が「正しくない」ということには二つの意味があるわけですが、これには文法に対する考え方が反映しています。(2)のように、規範に合っているかどうか、つまり、そうした言い方をすべきかどうか、を基準に考えるタイプの文法を**規範文法**と言い、(1)のように、ある文がその言語の中に存在するかどうか、つまり、そうした言い方をするかどうか、を基準に考えるタイプの文法を**記述文法**と言います。

学校文法は規範文法の代表であり、そうした規範的な立場からはら抜きことばに代表される言語の変化は「ことばの乱れ」として非難されます。これは現代に限ったことではありません。一方、現在の日本語の文法研究の大多数は記述文法であり、そこで問題にされるのはある文がその言語の文として適格であると認められるかどうか、言い換えれば、その文が文法的であるかどうかであり、そうした言い方をすべきかどうかではありません。

なお、「記述文法」という用語はより狭義には生成文法や認知言語学のような理論的な研究に対立するものとして使われています。

○参考文献
江川　清（1980）「現代人の話し言葉」『ことばシリーズ12 話し言葉』文化庁

§22. 話し手の気持ちを表す表現(6)
－終助詞－

　日本語の文末には終助詞という助詞が付いて話し手の気持ちなどを表します。主な終助詞には次のものがあります。このうち、「か」は§21で扱ったので、ここではそれ以外のものについて扱います。

　　か、よ、ね、よね、なぁ、わ、ぞ、っけ、の

1. よ

> (1) もしもし、ハンカチが落ちました{よ↑／？φ}。
> (2) A：今度の出張、君が行ってくれないかな。
> 　　B：僕が行きますよ。→　行けばいいんでしょ。
> (3) A：明日の天気はどうかな。
> 　　B：今、こんなに降ってるんだから明日は雨だよ。→
> (4) A：明日はハイキングに行くんだ。
> 　　B：でも、天気予報だと明日は雨だよ。↑

これだけは

◆よにはその文が聞き手に向けられたものであることを明示的に示す働きがあります。例えば、(1)はハンカチを落としたことに気づいていない聞き手にそのことを気づかせるための発話であり、(2)は話し手自身が出張に行くということを聞き手に理解させるための発話です。

◆「よ」は応答文にも使えますが、単なる答えの場合はやや使いにくいです。

(5)　A：田中さんは会社員ですか。
　　　B：はい、そうです{φ／?よ}。

(5)Bで「よ」が使えるのはそのあとに言いたいことが続く場合です。

(5)'　B：はい、そうですよ。そう見えませんか？

もう少し

◆「よ」に関してはイントネーションが特に重要です。
◆(2)のように自然下降調をとる場合は、聞き手に文の内容を理解させるための発話という意味になり、話し手の不満などを表す意味になることが多いです。例えば、(2)から「よ」を除くと話し手自身が出張に行くということを中立的に述べる文になります。

(2)'　僕が行きます。

◆「よ」が自然下降調をとる場合は独り言でも可能です。

(6)　今週中に読まなきゃならない資料がまだこんなにあるよ。

◆一方、(1)のように「よ」が上昇調をとるのは話し手が聞き手の反応を伺いながら話している場合です。この場合、話し手は聞き手に情報を伝えるだけで、それに関する判断は聞き手に任せるという立場をとっています。例えば、(4)Bは「天気予報によると明日は雨だからハイキングに行くのをやめろ」と言っているのではなく（「よ」が自然下降調をとる(3)Bにはそうした含みがあります）、「天気予報によると明日は雨だそうだがその場合はどうするのか」ということを聞き手に尋ねているのです。このように、上昇調をとる「よ」は聞き手の立場を尊重したものなので丁寧なニュアンスが出ます。

◆「よ」は聞き手に関係する文のうち、勧誘、依頼、命令で使えます。

(7)　いっしょにコンサートに行こうよ。（勧誘）
(8)　今晩の夕食作ってくださいよ。（依頼）

(9) 早く帰ってきて<u>よ</u>。(命令)

なお、勧誘の場合「～(よ)うか」には「よ」は付きません。また、勧誘の場合「よ」は上昇調をとりません。依頼や命令の場合、「よ」を上昇調で言うと聞き手を配慮したやわらかな言い方になりますが、自然下降調で言うと聞き手に対する非難の気持ちが表されます。

◆「よ」は相手の注意を引きたいときに使われますが、目上の人に対するときには避けたほうが無難です。(10)のような先触れ（→§23）の場合は何も付けないか「けど／が」を付けるのが自然です。

(10) 先生、ちょっとお話があるんです{×よ／〇けど／〇φ}。
cf. (友達に) ちょっと話があるんだ<u>よ</u>。

2. ね

(1) A：いつまでも暑いです{ね／×φ}。
B：本当にそうです{ね／×φ}。
(2) 吉田：噂で聞いたんだけど、田中君は絵がうまいそうだ{ね／×φ}。
田中：そうでもないですよ。

これだけは

◆**ね**には同意を表す用法と確認（念押し）を表す用法があります。確認を表す用法は§21で扱ったのでここでは**同意**を表す用法を扱います。
◆「ね」が必要となるのは、(1)のように話し手も聞き手も知っている内容を述べるときと、(2)のように聞き手の属性など聞き手に関する内容を述べるときです。(1)の場合は聞き手も「ね」を付けなければなりません。
◆話し手は知っているが聞き手は知らないことを聞き手に伝える場合は「ね」は使えません。この場合終助詞を付けるとすれば「よ」が自然です。

(3) 頭が痛いんです{×ね／〇よ／〇φ}。

> もう少し

◆「ね」は単なる応答文では普通使われません。

(4) 吉田：田中さんは学生ですか。
　　田中：はい、そうです｛φ／×ね｝。

◆「ね」は答えるのに考える必要がある場合に使われます。(5)のような場合「ね」はなくてもいいですが、「ね」を付けると表現がやわらかくなります。

(5)　　客：ここから新宿まで何分ぐらいかかりますか。
　　車掌：30分ぐらいです｛φ／ね｝。（考える必要あり）
(6)　吉田：田中さんはおいくつですか。
　　田中：25歳です｛φ／×ね｝。　　（考える必要なし）

3. よね

(1) 田中さんもパーティーに行くんですよね。↑
(2) A：今、中国語を勉強してるんです。
　　B：私もやろうとしたことがあるんです。でも、中国語には四声というのがありますよね。↑　あれが難しくて挫折したんです。
(3) 吉田：（田中の字を見て）田中君は字が上手だよね。→
　　田中：そうでもないよ。

> これだけは

◆**よね**は「よ」（聞き手の注意を引く）と「ね」（聞き手に念押しをする）の性質を共に持った終助詞です。
◆「よね」が確認を表す場合、「ね」とほぼ同じ意味で置き換えられます。ただし、「ね」は話し手が確信していることを聞き手に念押しするものなので、自分の中ではっきりしないことについては「よね」のほうが自然です。

(4) 財布がないんだ。僕、さっきここに置いた{よね／？ね}。↑

◆「よね」は応答文では使えません。

(5) A：ここから新宿まで何分ぐらいかかりますか。
B：30分ぐらいです{ね／×よね}。

もう少し

◆「よね」には(2)Bのような聞き手の知識の活性化を表す用法があります。これは§21で扱った「～だろう」「～ではないか」にも見られるものですが、「よね」は「～ではないか」よりも聞き手に対する配慮がある表現です。
◆「よね」も「ね」と同じく聞き手に関する内容に言及する際に使われます（イントネーションは自然下降調）が、「ね」よりもその内容を以前から知っているというニュアンスがあります。例えば(3)で「上手だね」と言うと、話し手が田中さんの字を初めて見て褒めているというニュアンスが強いのに対し、「上手だよね」と言うと、田中さんの字がうまいことを以前から知っているというニュアンスになります。
◆話し手の意見などを述べる場合にも「よね」が使われることがあります。この場合もイントネーションは自然下降調になりますが、こうした場合(6)のように聞き手に対する非難を表す場合があります。

(6) A：ごめん。待った？
B：1時間立ってるのは結構疲れるんだ{よね／？ね}。→

4. なあ、わ、ぞ、っけ、の

(1) この本、面白いなあ。
(2) この部屋、広いわね。
(3) 絶対にあの大学に合格するぞ。
(4) 鍵閉めたっけ。

これだけは

<接続>　普+なあ、ぞ
　　　　　V・A 普／丁+わ、Na・Nだ／です+わ
　　　　　タ+っけ

◆ここでは「か」「よ」「ね」「よね」以外の主な終助詞について考えます。
◆**なあ**は基本的に独り言で使われ、(1)のような発見を表す場合や(5)のように過ぎ去った事態について詠嘆的に述べる場合に使われます。独り言で使うのが普通なので、丁寧形のあとに続くことはあまりありません。

(5)　今週は忙しかったなあ。

丁寧形のあとに使うのは主に年輩の男性が使う用法ですが、聞き手がいる場合にしか使えません。

(6)　今週も忙しかったですなあ。

◆**わ**は女性であることを示す終助詞で、普通形にも丁寧形にも後接しますが、最近の若い女性はあまり使わなくなってきています。
◆**ぞ**は主に男性が使う形で(3)のように話し手の強い意志を表します。この場合聞き手の存在は問題にならないため、丁寧形のあとには続きません。
◆**っけ**はタ形に後接し自分の記憶が確かではないということを表します。
◆**の**は「のだ」に由来するものですが、女性が使うことが多いです。

(7)　昨日パーティーに行ったの？（「行った↑」は男女とも使える）
(8)　A：映画見に行かない？
　　　B：ごめんなさい。今日は先約があるの。（男性は「あるんだ」）

もう少し

◆「なあ」は独り言であることを表すため、次のように目上の人と話しているときに時間を稼ぎたいときも使うことができます。

(9)　上司：明日までに書類をそろえておいてください。
　　　　A：弱ったなぁ。……わかりました。

◆「ぞ」を聞き手に向けて言うと聞き手の行為を促すことになります。なお、この形が使えるのは友達や目下の相手に対してだけです。

 (10) そろそろ行く<u>ぞ</u>。

 デス・マス体で話す相手に向けて言うときには「～｛です／ます｝よ」、「～ましょうか」を使います。

 (10)' a. そろそろ行き<u>ますよ</u>。
   b. そろそろ行き<u>ましょうか</u>。

◆「の」がナイ形のあとに使われることがあります。これは禁止を表しますが、主に母親が小さい子どもに対して使う形です。

 (11) 指をしゃぶらない<u>の</u>。

もう一歩進んでみると

◆終助詞には社会言語学的特徴（男女差、職業など）を表す機能を持ったものがあります。男女差については伝統的には次のような違いがあります。

(1)

		男性	女性
～よ／ね	動詞・イ形	辞＋よ／ね	辞＋わよ／わね
	～です	～です＋よ／ね	～です＋わよ／わね
	～だ	～だ＋よ／ね	～よ／～ね
～わ	動詞・イ形		辞＋わ
	～です		～ですわ
	～だ		～だわ

◆しかし、現在こうしたことばの男女差は若年層を中心に急速に失われつつあります。そして、女性が使うことば（いわゆる「女ことば」）がなくなり、男性が使うことば（いわゆる「男ことば」）への一本化が進んでいます。

 ただし、小説やドラマ、テレビの報道番組の中での外国人の発言部分の翻訳などでは依然としてこうした男女差が残されていることが多く、そうした

ものの理解のためにはこれらの形の存在を知っておく必要もあります。

◆終助詞は話しことばで極めて頻繁に使われるものであるにもかかわらず、本格的な研究はあまり行われていません。その中で、神尾昭雄が提案している**情報のなわばり理論**は話し手と聞き手の知識という観点から「ね」やモダリティ形式の問題を考えたものとして重要です（神尾昭雄（1990, 1998）etc.）。

◆神尾は情報が話し手のものか聞き手のものかということを、その情報が話し手、聞き手の「なわばり」に属すということと考え、情報が話し手、聞き手のいずれのなわばりに属すかという観点から次の四つの場合に分け、それぞれに使われる言語形式を考察しています。

(2)
		話し手のなわばり	
		内	外
聞き手のなわばり	外	A（直接形）	D（間接形）
	内	B（直接ね形）	C（間接ね形）

Aは話し手が直接経験しているが聞き手にとってはそうではない情報です。話し手の心理・生理状態などに関する表現がこれに当たります。

(3) （私は）頭が痛い。

この場合、「ようだ」などのモダリティ形式や「ね」は付けられません。

(4) a. ×（私は）頭が痛いようだ。
 b. ?（私は）頭が痛いね。

Bは話し手も聞き手も直接経験している情報です。例えば、その日の天気などがこれに当たります。

(5) 今日はいい天気ですね。

この場合、「ようだ」などのモダリティ形式は付けられません。一方、「ね」は省略できません（(6)aは話し手が今日の天気を知らない場合、(6)bは聞き手が今日の天気を知らない場合に使えますが、Bの状況では使えません）。

(6) a. #今日はいい天気のようですね。
　　b. #今日はいい天気です。

Cは話し手は直接経験していないが聞き手は直接経験している情報です。次のような聞き手の生理状態や感情に言及する場合がこれに当たります。

(7)　（君は）寒いようだね。

この場合、「ようだ」などのモダリティ形式も「ね」も省略できません。

(8) a. ×（君は）寒い（ね）。
　　b. ×（君は）寒いようだ。

Dは話し手も聞き手も直接経験していない情報です。

(9)　中国地方で地震があったようだ。

この場合、「ようだ」を省略することはできません。なお「ね」を付けることはできます（⑽aは話し手が情報を直接知っている場合は使えます）。

(10) a. #中国地方で地震があった。
　　 b. 　中国地方で地震があったようね。

神尾の理論には不備も指摘されていますが、モダリティ形式や終助詞（特に「ね」）について考える上で重要な視点を提供しています。

○参考文献

井上　優（1997）「もしもし、切符を落とされましたよ―終助詞「よ」を使うことの意味―」『月刊言語』26-2
　★「よ」が必要な場合と不要な場合、「よ」が上昇調をとる場合と自然下降調をとる場合の違いを簡潔に述べている。
神尾昭雄（1990）『情報のなわばり理論―言語の機能的分析―』大修館書店
―――（1998）「情報のなわばり理論」神尾昭雄・高見健一『日英語比較選書2　談話と情報構造』研究社出版
　★情報のなわばり理論の原型と最新版。
蓮沼昭子（1995）「対話における確認行為―「だろう」「じゃないか」「よね」の確

認用法―」仁田義雄編『複文の研究（下）』くろしお出版
★「よね」の特徴を「だろう」「じゃないか」との比較から捉えている。

22. 話し手の気持ちを表す表現（6）―終助詞―

§23. 関連づけ

　文は談話や文章の中で他の文と何らかの関連を持っているのが普通です。日本語には文が他の文や状況と関連性を持っている（関連づけられている）ことを表す形式があります。ここではそうした**関連づけ**を表す形式として「のだ」と「わけだ」について考えます。なお、「のだ」には関連づけを表さない用法もありますが、ここで併せて扱います。

1.「のだ」の様々な用法
1－1.「のだ」による関連づけ(1) －理由、解釈－

> (1)　昨日は学校を休みました。頭が痛かった<u>ん</u>です。
> (2)　（デパートで泣いている子どもを見て）きっと迷子になった<u>ん</u>だ。
> (3)　A：これから飲みに行かない？
> 　　　B：ごめん。明日早い<u>ん</u>だ。

これだけは

<接続>　普（ただし、Na・Nな）＋のです（んです）＜デス・マス体＞／
　　　　のだ（んだ）＜ダ体＞／のである＜デアル体＞

◆「のだ」による関連づけの第一の用法は(1)のように先行する文の**理由**を述べるものです。(1)は「頭が痛かった」という文を「昨日は学校を休みました」という文の理由として述べています（「のだ」の前の述語は普通形になります。また、「の」は話しことばでは「ん」になるのが普通です）。

◆「のだ」は(2)のように文を状況と関連づけることもできます。この場合、「のだ」を含む文は状況に対する話し手の**解釈**を表します。(2)は「(あの子は)きっと迷子になった」という文を「デパートで子どもが泣いている」という状況に対する解釈として提示し、文と状況を関連づけています。

◆(1)のような理由を表す用法は「からだ」と置き換えられますが、(2)のような状況に対する解釈を表す用法（＝関連づける対象が文ではなく、状況である場合）では「からだ」は使えません。

　　(2)'×きっと迷子になったからだ。

◆「のだ」のあとに「だろう、かもしれない、にちがいない」というモダリティ形式が続く場合、その意味は「のだ＋だろう、かもしれない、にちがいない」と解釈されます。例えば、(4)aと(4)bの違いは、(4)aは「(田中君が)出掛けた」という文を断定的に述べて先行文（「田中君の部屋の明かりが消えている」）と関連づけているのに対し、(4)bでは「(田中君が)出掛けた」という文を非断定的に述べて先行文と関連づけている点にあります。

　　(4)a. 田中君の部屋の明かりが消えている。出掛けたんだ。
　　　b. 田中君の部屋の明かりが消えている。出掛けたんだろう。
　　　　（＝出掛けたんだ＋だろう＜非断定＞）

なお、「のだ」に後接するモダリティ形式はこの三つに限られ、「はずだ、ようだ、らしい」などその他の形式は後接しません。

　　(5)×田中君は出掛けたの｛はずだ／ようだ／らしい｝。

もう少し

◆ここで扱っている「P。Qのだ。」の意味は「P。それはどうしてかと言うとQ。」と表せます。

◆(3)Bは「ごめん。（行けない。どうしてかと言うと）明日早いんだ」の（　）の部分を端折った言い方です。このようにPとQの関係を理解するのに一定の推論が必要な場合、「のだ」を「から」に言い換えることはできますが「からだ」に言い換えることはできません。

(3)' B：ごめん。明日早い{○から／×からだ}。

◆「だろう、かもしれない」などと「のだろう、のかもしれない」などを比べると、「のだろう」などは五感による情報に基づく判断を表します。例えば、(6)bは屋根に雨粒が当たるのが聞こえるなどの情報に基づく判断なのに対し、(6)aはそうした情報に基づかない判断を表します。この点で「のだろう」は(6)cのような「ようだ」に意味的に近いです。

(6)a. 外は雨が降っているだろう。
　b. 外は雨が降っているのだろう。
　c. 外は雨が降っているようだ。

１－２．「のだ」による関連づけ(2) －言い換え－

(1) 明日は入社式だ。明日からは社会人なのだ。
(2) 彼は16歳から18歳までカナダにいた。カナダの高校で勉強したのだ。

これだけは

◆「のだ」による関連づけの第二の用法は先行する文の内容を言い換えるもの（**言い換え**）です。例えば、(1)は「明日は入社式だ」という文を「明日からは社会人だ」と言い換えています。また(2)は「16歳から18歳までカナダにいた」という文を「カナダの高校で勉強した」と言い換えています。この場合、先行する文と「のだ」を含む文は(3)に示すように意味的に等価です。

(3) 明日は入社式だ＝明日からは社会人だ

もう少し

◆この用法は書きことばでよく使われます。この場合、「のだ」の文の前の内容を「のだ」の文が要約する形になることが多く、前の部分でわからなか

ったことが「のだ」の文を見ることで明確になることがあります。

(4) 私の住む神奈川県には、『神奈川新聞』という最有力の地元新聞があります。この新聞が、一九九一年春の入試シーズンに公立高校の合格者名の報道をしませんでした。それまでは毎年のせていた名簿が、その年はのらなかった<u>の</u>です。　（岸本重陳『新聞の読み方』）

例えば、(4)は「この新聞が一九九一年春の入試シーズンに公立高校の合格者名の報道をしなかった」ということが「それまでは毎年のせていた名簿がその年はのらなかった」ということを意味するということを述べています。

1−3.「のだ」による関連づけ(3) −発見−

> (1) （それまでわからなかった機械の使い方がわかったとき）
> 　　そうか。このボタンを押せばいい<u>ん</u>だ。
> (2) （掲示板を見て）明日会議がある<u>ん</u>だ。

これだけは

◆「のだ」による関連づけには**発見**を表すものがあります。これは、(1)のようにそれまで関連性がわからなかったものがわかった場合や、(2)のように（具体的な「もの」ではなく）情報などを発見した場合です。

◆具体的な「もの」を発見したときには「のだ」を使わないのが普通です。例えば、新聞の広告で面白そうな書名を見つけた場合は(3)のように言うのに対し、机の上に本が置かれているのを発見した場合は(4)のように言います。これは(4)の場合の「本」が具体的な「もの」としての本を表すのに対し、(3)の場合の「本」は「本の内容」を表しているためです。

(3) へえ、こんな本がある{×φ／〇んだ}。
(4) あっ、机の上に本がある{〇φ／×んだ}。

> **もう少し**

◆知覚にかかわる場合には「のだ」の有無で違いがあることがあります。

　　(5) a. あっ、富士山が見える。
　　　　 b. あっ、富士山が見える<u>んだ</u>。

　例えば、(5)aは「富士山」を発見した（視界に入ってきた）ことを表すのに対し、(5)bは「富士山が見えること」を発見したことを表します。(5)bはマンションを探しているときに、マンションのモデルルームに入りそこのカーテンを開けたときに富士山が見えたといった場合に適当です。その場合、発見したのは「富士山」という「もの」ではなく、「(窓越しに) 富士山が見える」というマンションの属性なので、「のだ」が使われています。

◆「のだ」の前の述語がタ形になることもあります。

　　(6)　このボタンを押せばよかった<u>んだ</u>。
　　(7)　明日会議があった<u>んだ</u>。

　この場合、発見したのは発話時ですが、それ以前に気づいているべきだったと話し手が感じているというニュアンスが表されます。

1−4.「のだ」による関連づけ(4) −再認識−

> (1) （会社を出ようとしたら雨だった）今日は夕方雨が降る<u>んだった</u>。
> (2) この道はよく渋滞する<u>んだった</u>。

> **これだけは**

◆「のだ」自体がタ形になる場合があります。この「のだった」という形には三つの用法があります。

◆「のだった」の第一の用法は**再認識**を表すものです。例えば、(1)は、出かける前に「夕方雨が降る」という天気予報を聞いていたが、それを忘れてい

て、会社を出るときに雨が降っているのを見てそれを思い出したという場合に使われます。この場合、「夕方雨が降る」という情報は発話時に初めて認識したものではないので「のだ」は使われず「のだった」が使われます。(2)はこの道に以前来たことがあり、渋滞するということを知っていたのに、それを忘れてこの道に入ってしまい、渋滞に巻き込まれたときにその事実を思い出したという場合に使われます。

もう少し

◆タ形でも再認識を表せる場合があります（→§7）が、タ形で再認識が表せるのは一部の状態性の述語に限られるのに対し、「のだった」はどのような述語に付いても再認識を表せます。

(3) 明日会議が{あった／あるんだった}。
(4) 来週パーティーを{×開いた／○開くんだった}。

◆「のだった」には反事実を表す用法もあります。

(5) 雨が降り出す前に会社を出るんだった。
(6) こんなことになるなら、もう少し貯金しておくんだった。

◆「のだった」の前の述語がタ形になることがあります。この場合のタ形は通常の過去です。

(7) 彼女は去年大学を卒業したんだった。

◆「のだった」には1-1, 1-2で扱った「のだ」のタ形というものもあります。

(8)a. 私は帰ったら寝るつもりだ。疲れているのだ。
 b. 私は帰ってからずっと寝ていた。疲れていたのだった。

例えば、(8)bは(8)aの「のだ」をタ形にしたものです。この用法の「のだった」は話しことばではほとんど使われず、小説の地の文などで使われます。この場合、「のだった」の前がタ形なら「のだ」も使えます。

(8)'b. 私は帰ってからずっと寝ていた。疲れていたのだ。

1－5.「のだ」による関連づけ(5) －先触れ－

(1) 先生、お話があるんです。お部屋に伺ってもよろしいでしょうか。
(2) A：実は私田中さんと結婚するんです。
   B：それはおめでとう。
   A：それで、先生に仲人をしていただきたいんですが。

これだけは

◆これまでの「のだ」は先行する文や状況との関連づけを表しましたが、「のだ」には(1)や(2)Aのように関連づける文が後から出てくる場合があります。この用法を**先触れ**と言います。「のだ」は基本的に先行する文との関連づけを表すため、「のだ」を含む文が最初に現れると聞き手／読み手はその文が関連づけられる対象を知ろうとし後続文への関心が高まります。これが先触れの効果です。先触れは依頼など話し手が聞き手に何らかの厄介をかける申し出をするときに、聞き手の心理的負担を軽減することを目的に使われます。

◆先触れとよく似た機能を持つものに次に見る前置きがあります。

1－6.「のだ」による関連づけ(6) －前置き－

(1) それでは質問 {○しますが／?するんですが}、日本の初代首相は誰でしょう。
(2) 駅前で個展を {?やってますが／○やってるんですが}、よかったら見にきてください。
(3) 田中さんの奥さんは外国の方 {○ですが／?なんですが}、どちらで知り合われたんですか。

これだけは

◆上で見た先触れとよく似た働きのものに**前置き**があります。前置きも聞き手/読み手に話し手/書き手の意図をスムーズに伝えるために使われます。先触れと前置きの最大の違いは言い切り（先触れ）か「〜（のだ）けど」節かという点です。例えば、(2)を(2)'のように変えることもできます。

　　(2)'　駅前で個展をやってるんです。よかったら見に来てください。

◆前置きを表す形式には「〜が」節と「〜のだが」節があります。両者の違いは次のようにまとめられます。

　まず、(1)のように、後件で質問、依頼などを行うという意志を前件が表す場合には「〜が」節が自然です。

　一方、こうした条件が満たされない場合は、(2)のように聞き手が知らない（と思われる）ことを述べる場合は「〜のだが」を、(3)のように聞き手が知っている（と思われる）ことを述べる場合は「〜が」を使います。

もう少し

◆「〜わけだが」にも前置き的な使い方があります。

　　(4)　私たちはこれから博物館に入る｛〇わけですが／?んですが｝、館内では写真撮影は禁止されています。

「〜のだが」と「〜わけだが」の違いは、「〜わけだが」は話し手も聞き手も知っていることについて述べるのに対し、「〜のだが」は聞き手は知らないことを述べるという点にあります。従って、次のように、聞き手が知らないことを述べる場合には「〜のだが」のほうが自然です。

　　(5)　私、これからデパートに行く｛〇んですが／×わけですが｝、何か買ってきてほしいものはありませんか。

1−7. 関連づけを表さない「のだ」
－命令、認識強要－

> (1)　さっさと帰る<u>ん</u>だ。
> (2)　こんなに一生懸命勉強した<u>ん</u>だ。試験に落ちるはずがないよ。
> (3)　君は大学生な<u>ん</u>だ。もっと勉強しなさい。

▶これだけは

◆「のだ」の中には関連づけを表さないものがあります。
◆関連づけを表さない「のだ」の第一の用法は(1)のように命令を表すものです。これは命令形と同じぐらい直接的な言い方なので、目下の相手にしか使えません。
◆この用法の第二の用法は(2)や(3)のように聞き手が知っていることを改めて認識させ、相手に対する激励や非難などを表すものです。

▶もう少し

◆第一の用法の場合、辞書形だけでも命令の意味を表すことがあります。

　　(4)　さっさと<u>帰る</u>。

◆第二の用法は独り言で自分自身を納得させるために使うこともあります。

　　(2)' 俺はこんなに一生懸命勉強した<u>ん</u>だ。試験に落ちるはずがない。

2.「わけだ」の様々な用法
2-1. 関連づけを表す「わけだ」

> (1) 出掛けるとき２万円持っていった。帰ってから財布を見たら３千円しか残っていなかった。１万７千円も使ったわけだ。
> (2) A：洋子さん、結婚して会社辞めるそうよ。
>   B：寿退社するわけね。

これだけは

<接続> 普（ただし、Na・Nな）＋わけです＜デス・マス体＞／
わけだ＜ダ体＞／わけである＜デアル体＞

◆「わけだ」も関連づけを表す形式です。「わけ」は元来は「理由」という意味の名詞ですが、それが形式名詞となったのが「わけだ」です。次のような例では「わけ」が元来の意味で使われています。この場合は「わけ」を「訳」と漢字で書くこともありますが、それ以外の場合はひらがなで書きます。

(3) 私がここに来たわけは君に出発を延期してほしいということだ。

◆「Ｐ。Ｑわけだ。」はＰを基に推論した結果がＱであるということを示す言い方です。例えば、(1)は「２万円持って出掛けた」「帰ったとき３千円残っていた」という情報に基づいて推論（¥20000－¥3000＝¥17000）をした結果、「１万７千円使った」という結論になったということを示しています。一方、(2)は「洋子さんが会社を辞める」「（洋子さんは）結婚する」という情報に基づいて「（洋子さんは）寿退社（＝結婚を機に退職すること）をする」という結論を出したということを示しています。

もう少し

◆相手から聞いた情報から推論したという場合には文頭に「ということは」が付くことが多いです。

(4) A：天気予報では明日は雨ですね。
　　B：<u>ということは</u>明日の試合は中止の可能性が高い<u>わけですね</u>。

◆「わけだ」の前に「という」が使われる場合もあります。

(5) 各自治体も、都市交通の渋滞の解消に、あの手この手と頭をひねっている。きめの細かい対策を積み重ねていくのが早道<u>というわけだ</u>。
(朝日新聞朝刊1985.4.26)

◆「P。Qわけだ。」にはPとQの関係の存在を知り、それが納得できるものだということを表す用法があります。この場合「道理で」が挿入できます。

(6) A：田中さん、洋子さんと結婚するらしいよ。
　　B：<u>道理で</u>よく二人でいっしょにいた<u>わけだ</u>。

この用法の「わけだ」は「はずだ」と置き換えられます。

(6)' B：<u>道理で</u>よく二人でいっしょにいた<u>はずだ</u>。

◆「わけだ」と同じく推論の結果を表すものに「ことになる」があります。例えば、(7)は「(日本の) リーダーはウチの成員の意向を尊重しなければならない」→「すべての成員の意向をくんで事を運ぶという慣習が生まれる」という推論が客観的に妥当であるということを示します。

(7) ウチなる近い人というのは、ソトに対しては心強い協力を求めることはできるが、ウチなる人間関係においてはわがままなものである。したがって、リーダーは常に彼らと同じ仲間意識をもつことを要請され、彼らの意向を尊重しない限り、集団の運営はむずかしくなる。すべての成員の意向をくんで（常に共にいるし、数が少ないのでこれが可能となっている）、事を運ぶという慣習が必然的に生まれる<u>ことになる</u>。　　　　（中根千枝『タテ社会の力学』）

「ことになる」は「わけだ」より客観的な表現であり、主に書きことばで使われます。

◆「ことになる」の「こと」部分が「結果、結論」などの名詞になること

もありますが、意味は変わりません。

(8) 本当の小集団、仲間ウチであったら、反論したり、ちゃかすことも、タイミングによってはできるが、そうでない集まりにおいては、その人々と友好関係を保ちたい場合には、そのような行為はさけなければならない。
　　そのためにいっそう話者の自己中心的な行為が許されるという<u>結果になる</u>。　　　　　　　　　　（中根千枝『タテ社会の力学』）

２－２．「わけだ」を含む否定表現

> (1) 私は特に映画が好きという<u>わけではない</u>が、月に２、３本は見る。
> (2) 生活が苦しいからといって泥棒をしてもいいという<u>わけではない</u>。
> (3) こんな難しい問題を１時間で解ける<u>わけがない</u>。
> (4) 来週試験があるので、週末に友達と遊ぶ<u>わけに（は／も）</u>いかない。

これだけは

◆「わけだ」にはいくつかの否定の形があります。
◆「Ｐ。Ｑわけ**｛では／でも｝ない**。」（話しことばでは「では」が「じゃ」になることが多い）には二つの用法があります。
　第一の用法はＱを完全に否定するのではないということを表すものです。例えば、「映画が好きだ」を完全に否定すると「映画が好きではない」となりますが、(1)は下の(5)のようなそうではない否定（**部分否定**）を表します。この場合、Ｑは基本的に形容詞を中心とする程度性を持つものに限られます。

(5) ├──────────────×──────────┤
　　好きだ　　　　　　　好きなわけではない　好きではない

　この用法では「特に、必ずしも」などの副詞がよく使われます。
　第二の用法は「Ｐ→Ｑ」という推論が正しくないということを表すもので

す。例えば、(2)は「生活が苦しい→泥棒をしてもよい」という推論（考え方）は正しくないということを述べています。この用法では「Pからといって」がよく使われます。

◆「Qわけがない」はQを強く否定するものです。例えば、(3)は「こんな問題を1時間で解く」ということを強く否定します。この場合の「わけ」は「理由」という具体的な意味であり、「はずがない」と置き換えられます。

 (3)' こんな難しい問題を1時間で解けるはずがない。

◆「Qわけ{に／には／にも}いかない」はQをすることは適当ではないということを表します。Qは意志的な動作を表す述語に限られます。例えば、(4)は「週末に友達と遊ぶ」ことは適当ではないということを表します。

もう少し

◆「Qわけではない」でQが否定形の場合は(6)のように二重否定になります。二重否定については§24を参照してください。

 (6) 私はみかんが好きじゃないわけじゃない。

◆「Qわけがない」の場合はQが否定形のときもQを強く否定することになります。例えば、(7)は「こんな簡単な問題を1時間で解けない」ということを強く否定しています。

 (7) こんな簡単な問題を1時間で解けないわけがない。

◆「Qわけ{に／には／にも}いかない」でQが否定形の場合は「Qなければならない」と言い換えられます。

 (8) 来週試験があるから勉強しないわけにはいかない。
  ＝来週試験があるから勉強しなければならない。

3. 「のだ」と「わけだ」
3－1. 肯定文の場合

> (1) 昨日は学校を休んだ。頭が痛かった{○のだ／？わけだ}。
> (2) A：田中さん、洋子さんと結婚するらしいよ。
>   B：道理でよく二人でいっしょにいた{？のだ／○わけだ}。
> (3) 今日大学を卒業した。明日からは学生ではない{のだ／わけだ}。

これだけは

◆ここでは「のだ」と「わけだ」の使い分けについて考えます。まず、最初に肯定文の場合について見ます。

◆「P。Qのだ。」が使えて「P。Qわけだ。」が使いにくいのは(1)のようにQがPの理由・解釈を表す場合です。

◆「P。Qわけだ。」が使えて「P。Qのだ。」が使いにくいのは(2)のようにPとQの関連の存在がわかってそれに納得した場合です。

◆「P。Qのだ。」と「P。Qわけだ。」がどちらも使えるのはQがPの言い換えになっている場合です。

◆1で見た「P。Qのだ。」の用法の中で「わけだ」と置き換えられるのは「言い換え」の用法だけです。

もう少し

◆推論を表す「わけだ」を「のだ」に置き換えるとニュアンスが変わります。

> (4) 出掛けるとき2万円持っていった。帰ってから財布を見たら3千円しか残っていなかった。1万7千円も使ってしまった<u>わけだ</u>。

例えば、(4)で「わけだ」を使うと「1万7千円使ってしまった」ということが推論の上の結論であることが表されますが、「のだ」を使うと「1万7千円使ってしまった」という事実を把握したということを表します。

◆「わけだ」と「のだ」がいっしょに使われることがあります。この場合、

「わけだ」は推論の結果であることを表し、「のだ」は聞き手／読み手に伝えるという意味を表しますが、「わけだ」と置き換えてもほぼ同義になります。

(5) 貴女は、美しい衣裳や身を飾る宝石を、命よりも大事だと感じたことはありませんか？（略）つまり、人間は、自分の皮膚が社会の発展にとても追いつけなくなったので、代用の衣裳でもってその補いをつけようとしている<u>わけなのです</u>。　　（安部公房「飢えた皮膚」）

3-2. 疑問文の場合

(1) 田中さんは大阪で生まれた{○んですか／？わけですか}。
(2) A：僕は5歳から東京で育ったんです。
　　B：ということは生まれは東京じゃない{んですか／わけですか}。

これだけは

◆疑問文で「P。Qわけですか／わけ？」が使えるのはPから推論した結果としてQという結論を出してもいいかということを聞き手に尋ねる場合に限られます。例えば、(2)Bは「5歳から東京で育った」というAの発言に基づいて「生まれたのは東京ではない」という推論をしたが、それが正しいかどうかをAに尋ねているため「Qわけですか」が使えますが、(1)ではそうした推論の過程が読みとりにくいため「Qわけですか」は使いにくいです。なお、「Qのですか／Qの？」は基本的にどちらの場合でも使えます。

3-3. 否定文の場合

(1) 彼は新宿でパソコンを買った{○んじゃない／？わけじゃない}。
(2) 日本語は難しい{#んじゃない／○わけじゃない}。

これだけは

◆否定文の場合は「～のだ」と「～わけだ」の違いが比較的はっきりします。
◆「～のではない」も「～わけではない」も文の一部だけを否定する部分否定で使えますが、「～のではない」が主に補語を否定するのに使われるのに対し、「～わけではない」は主に述語を否定するのに使われます（→§24）。

もう一歩進んでみると

◆関連づけを表す代表的な形式の「～のだ」と「～わけだ」は共に非常によく使われます。「～のだ」と「～わけだ」の違いは、「～のだ」が主観的な把握を表すのに対し、「～わけだ」は客観的な推論を表す点にあります。

　例えば、使い方がわからなかった機械の操作がボタンを押せばいいということを発見したときには(1)のように言いますが、これは発話時以前に存在した「操作法を知りたい（P）」という課題に対する解答「このボタンを押せばいい（Q）」を見つけたという話し手の主観的把握を表します。

(1)　このボタンを押せばいい<u>んだ</u>。
(2)　（操作法を知りたい→）　このボタンを押せばいい
　　　　　　P　　　　　　　　　　　Q

　これに対し、アメリカ人であるジョンが日本語弁論大会で優勝したというのを聞いたときの反応としては(3)のようなものが考えられますが、この場合は(4)のような関係が想定されます。この場合のPからQへの関連づけは推論の結果であり、聞き手にとっても妥当性があるものです。

(3)　ジョンさんは日本語がうまい<u>わけだ</u>。
(4)　（日本語弁論大会で優勝した→）　日本語がうまい
　　　　　　P　　　　　　　　　　　　　　Q

　(3)では「のだ」も使えますが、「のだ」を使うと話し手の主観的な把握というニュアンスが強くなります。
◆なお、疑問文や否定文で使われる「のだ」については§24や初級編§29などを参照してください。

○参考文献

白川博之（1994）「カラとカラダ」『広島大学日本語教育学科紀要』4, 広島大学
　★「〜からだ」の中に「〜から」とは言えないものがあることを指摘している。

田野村忠温（1990）『「のだ」の意味と用法』和泉書院
　★「〜のだ」の用法を詳細に取り上げて分析している。

寺村秀夫（1984）『日本語のシンタクスと意味Ⅱ』くろしお出版
　★「〜のだ」「〜わけだ」に関する基本的な考察がある。

野田春美（1995）「ガとノダガ－前置きの表現－」宮島達夫・仁田義雄編『日本語類義表現の文法（下）』くろしお出版
　★前置きにおける「〜が」と「〜のだが」の違いについて詳しく述べられている。

─────（1997）『フロンティアシリーズ9　「「の（だ）」の機能』』くろしお出版
　★「〜のだ」を統語的性質の強い「スコープの「のだ」」と、談話的性質の強い「ムードの「のだ」」に分けて詳細に検討している。

三上　章（1953）『現代語法序説』くろしお出版から復刊（1972）
　★「〜のだ」の研究の出発点である研究。1-3, 1-4の内容につながる記述もある。

益岡隆志（1991）『モダリティの文法』くろしお出版
　★「〜のだ」と「〜わけだ」の違いを巧みに論じている。

松岡　弘（1987）「「のだ」の文・「わけだ」の文に関する一考察」『言語文化』24, 一橋大学
　★日本語教育の立場から「〜のだ」と「〜わけだ」の違いを論じている。

コラム
従属節の文らしさ

(1)×先週母は日本へ来た<u>とき</u>、私はいっしょに観光しました。
(2)a. 母が鼻歌を歌い<u>ながら</u>、明かりをつけた。
　 b. 母が部屋に入ってきた<u>ので</u>、明かりをつけた。

　(1)は学習者が起こす誤用です。「母は」を「母が」に直せば正しい文になりますが、これは「〜とき」節の中には普通、主題が表れないからです。また、(2)aでは「明かりをつけた」のは「母」だと解釈されますが、(2)bでは普通そうは解釈されません。これはbの「〜ので」節には主語が含まれるのに対し、aのような付帯状況を表す「〜ながら」節には主語が含まれない（主節の主語と同一である）ためです。

　上のような問題を扱うときには、従属節（厳密には並列節も。以下省略）の文らしさ（文的度合い→初級編コラム「複文」）という考え方が必要になりますが、これに関して重要なのが、南不二男（1974, 1993）の研究です。南は、従属節の内部に表れる言語要素に注目し、従属節を文らしさの度合いという点からおおむね次のように分類しました。A類、B類、C類の順で文らしさの度合いが高くなります。

		含まれる言語要素
A類	〜ながら、〜つつ、〜て（付帯状況）etc.	主語以外の格成分、ヴォイス（受身／使役）
B類	〜と、〜ば、〜たら 〜て（継起、理由）〜ので、〜のに etc.	A類に含まれる要素 ＋主語、否定、丁寧さ、テンス
C類	〜から、〜けれども 〜が etc.	B類に含まれる要素 ＋主題、モダリティ

南の分類は、文の成り立ちを考える際にも重要な視点となるものです。

○参考文献
南不二男（1974）『現代日本語の構造』大修館書店
―――（1993）『現代日本語文法の輪郭』大修館書店

§24. 否定と疑問の表現

　ここでは否定の表現と疑問の表現を扱います。日本語には様々な否定の表現があり、微妙なニュアンスを言い分けるために使われています。また、否定の形をとった疑問文（否定疑問文）もよく使われますが、これは話し手の見込みを表すために使われることが多いです。
　ここで取り上げる表現は次の通りです。

1．否定の表現
　　　基本的な否定：～ない
　　　部分否定　　：～のではない、～わけではない、
　　　　　　　　　　～は(し)ない、～{も／さえ}しない、
　　　　　　　　　　必ずしも～(では)ない（～とは限らない）、
　　　二重否定　　：～なく{は／も}ない、～ないこと{は／も}ない、
　　　　　　　　　　～ないわけに{は／も}いかない、
　　　　　　　　　　～ないわけで{は／も}ない
　　　その他の否定：～までもない、～には及ばない、
　　　　　　　　　　～わけではない、～わけがない、～はずがない、
　　　　　　　　　　～わけに{は／も}いかない
2．疑問の表現
　　　通常の疑問文　　　：～ですか・～ますか
　　　前提を含む疑問文：～のですか
　　　否定疑問文　　　　：～ないですか、～ではありませんか(ではないか)

1. 否定の表現
1−1. 基本的な否定

> (1) 今、雨は降ってい<u>ません</u>。
> (2) この問題は難しく<u>ない</u>。
> (3) 田中さんは病気<u>じゃない</u>。

これだけは

＜接続＞　Vナイ＋ない、Aナイ＋ない（です）
　　　　　Na／N＋ではない（です）（じゃない（です））
　　　　　Vマス＋ません、Aナイ＋ありません
　　　　　Na／N＋ではありません（じゃありません）

◆最も基本的な否定は「〜ない、〜ません」です。このタイプの否定は出来事の内容を否定するために使われます。例えば、(1)は「今、雨が降っている」ということがらの内容が正しくないということを述べています。

◆否定文では主語は「が」ではなく、主題化した「は」の形をとるのが普通です（→初級編§27）。例えば、(1)に対応する肯定文(1)'では「が」が使われますが、(1)は否定文なので「は」が使われます。

　(1)'　今、雨｛が／×は｝降っている。

もう少し

◆動詞とイ形容詞の否定形には「は」が入らないのが基本で、「は」が入ると1-2で見るように対比的になります。例えば、(2)は「この問題は難しい」という文の内容を否定しており、「難しくない」は「易しい」と同じく「難しい」の正反対の概念を表します。一方、(2)'の「難しくはない」は「難しい」と「難しくない／易しい」の間の「難しくない」に近い段階を表します。

(2)' この問題は難しくはない。

(4) ├─────────○─────────────────────┤
　　難しくない　難しくはない　　　　　　　　　　難しい
　　易しい

◆ナ形容詞と名詞の場合は「ではない」となり、「は」のない「でない」という形は使われません。この場合は対比的にも非対比的にもなり得ます。

(5) 彼は優秀ではないが、まじめな学生だ。（対比的）
(6) あの駅員はまったく親切ではない。　　（非対比的）

1－2．部分否定

> (1) 私はこのカメラを新宿で｛○買ったのではない／×買わなかった｝。秋葉原で買ったのだ。
> (2) このケーキはまずい｛○わけではない／#のではない｝。
> (3) その本は買いはしなかったが、友達から借りて家で読んだ。
> (4) 日本語の文法は他の言語に比べて必ずしも複雑ではありません。
> (5) お金があるからといって幸せだとは限らない。

～のではない、～わけではない

これだけは

<接続>　普（ただし、Na・Nな）＋のではない／わけではない
　　　　普＋とは限らない

◆1-1では文の内容が正しくないということを表す表現を見ましたが、否定の中には文の内容の一部は肯定しそれ以外の部分を否定するもの（**部分否定**）もあります。ここではそうした否定を中心に扱います。

◆～のではない（話しことばでは「～んじゃない」）は、文全体が正しくな

いというのではなく、文の一部が正しくないということを示すときに使われます。例えば、(1)は「私がこのカメラを買った」ということは正しいが、その場所は「新宿」ではないということを表すために使われます。なお、「のではない」のあとには否定した要素に対応する「正解」((1)では「秋葉原で買ったのだ。」の部分）が続くのが普通です。

◆**〜わけではない**（話しことばでは「では」が「じゃ」になる）も「〜のではない」と同じく部分否定を表しますが、「〜のではない」が補語を否定し他のものと対比させるのに主に使われるのに対し、「〜わけではない」は述語を否定し他のものと対比させるのに主に使われます。例えば、(2)は「まずい」という述語だけを否定しているため「〜わけではない」のほうが使われます。一方、(1)では「新宿で」が問題であるため「〜のではない」のほうが自然です。

　　(1)'　私はこのカメラを新宿で買った{○のではない／?わけではない}。

もう少し

◆「〜のではない」の文で否定の対象となる部分（**焦点**）は普通は補語ですが、文が必須補語だけから構成されている場合には述語になることもあります。例えば、(6)aで否定されるのは通常は「新宿」ですが、(6)bでは「買った」も否定の焦点になれます。なお、(6)a, bで「このカメラ」を焦点とすることも可能ですが、その場合は「このカメラ」が音声的に強調されます。

　　(6)a. 私はこのカメラを新宿で買った<u>のではない</u>。
　　　b. 私はこのカメラを買った<u>のではない</u>。

　こうした用法の「のだ」は疑問文で使われる「のだ」（→初級編§29）と同じ性質のものです。

◆(6)bのような否定の場合、否定したい部分（焦点）を音声的に強調すると「〜わけではない」が使いやすくなります（網かけは音声的強調を表す）。

　　(7)　私はこのカメラを買った{んじゃない／わけではない}。

　この場合、後の談話・文章の展開が異なります。つまり、「Qのではない」

の場合は対比する要素を後続する文で挙げるのが普通ですが、「Qわけではない」の場合はQではないことの帰結を後続する文で述べるのが普通です。

(8) a. 私はこのパソコンを 買った んじゃない。友達から借りたんだ。
b. 私はこのパソコンを 買った わけじゃない。だから、壊れても別にかまわない。

〜はしない、〜{も／さえ}しない

これだけは

<接続>　V マス＋はしない
　　　　V マス＋{も／さえ}しない

◆V マス＋はしない は形式的には「Vない」を「は」で取り立てたものです（→初級編§27）。例えば次のようになります。

買わない→買いはしない、買いません→買いはしません
買わなかった→買いはしなかった
買いませんでした→買いはしませんでした

　意味的には、VはしないがVに近いことはする、VではないがVに近いことは起こるという意味を表します。そして、通常そのあとに、(3)のように「が」や「しかし」のような逆接を表す語が続きます。

◆V マス＋{も／さえ}しない は「まったく〜しない」という全面的な否定を表します。例えば、(9)の「読み{も／さえ}しない」は「読まない」を強調したもので「まったく読まない」という意味を表します。

(9) 彼女は彼からの手紙を読み{も／さえ}しないでゴミ箱に捨てた。

もう少し

◆「V マス＋はしない」の「は」は「A ナイ＋はない」の「は」と同じく対比を表します（→§25）。ただし、イ形容詞の場合は段階性があるため「A ナイ＋はない」は「A」と「Aない」の間の段階を指すのに対し、動詞にはそうした

段階性はないので、「Vマス+はしない」はVとV以外の動詞との対比（例えば、「買う」に対して「借りる」）を表します。

必ずしも〜（では）ない／〜とは限らない

これだけは

◆「必ずしも〜（では）ない」は「〜」ということが常に正しいとは言えないということを表します。これとほぼ同じ意味を表す表現に「〜とは限らない」があります。この場合、「〜からといって」が使われることが多いです。

1－3．二重否定

(1)　この問題は難しくなくはないが、頑張って解いてみよう。
(2)　A：是非この仕事を引き受けてください。
　　　B：あまり気乗りしないんだけど、条件次第で考えないこともないよ。
(3)　A：是非この仕事を引き受けてください。
　　　B：あまり気乗りしないんだけど、君に頼まれた以上、やらないわけにはいかないね。
(4)　今日は暑くないわけじゃないけど、昨日よりはずっと涼しい。

これだけは

<接続>　V否の中止形／A否の中止形+{は／も}ない
　　　　V否+こと{は／も}ない
　　　　V否+わけに{は／も}いかない
　　　　V否+わけで{は／も}ない

◆**二重否定**というのは同じ文で否定が2回出てくることです。否定を否定するので肯定に近い意味を表しますが、肯定と同じではありません。なお、以下の表現では「は」と「も」はどちらを使ってもほぼ同じ意味になります。

～なく{は／も}ない、～ないこと{は／も}ない

これだけは

◆～なく{は／も}ないは「～ない」とは言えないということを表します。イ形容詞では「～はない」が「～ない」に近い段階を表すのに対し、「～なくはない」は「～」に近い段階を表します。例えば、「難しくなくはない」は「難しい」と「難しくない」の間の「難しい」に近い段階を表します。

(5) 　｜―――○―――――○―――｜
　　難しくない　難しくはない　　難しくなくはない　　難しい
　　易しい

一方、動詞の場合「Vなく{は／も}ない」はVが不可能ではないということを表します。例えば、(6)は彼の気持ちを理解することが不可能ではないということを表します。

(6) 彼の気持ちはわから<u>なくはない</u>。

なお、この場合のVは基本的に無意志動詞に限られます。また、ナ形容詞と名詞の場合は「～ないこと{は／も}ない」を使うのが普通です。

◆～ないこと{は／も}ないは「～なく{は／も}ない」とほぼ同じ意味を表しますが、品詞による制約なく使うことができます。

(7) ここは静かで<u>ないこともない</u>が、車の音が気になる。（ナ形容詞）
(8) 条件次第では考え<u>ないこともない</u>。　　　　　　　（意志動詞）

～ないわけに{は／も}いかない、～ないわけで{は／も}ない

これだけは

◆～ないわけに{は／も}いかないは、「～ない」ということは不可能／不適当である、「～しなければならない」という意味を表します。この場合、「～」は意志動詞に限られます（「～わけに{は／も}いかない」については

§23 も参照)。

◆~ないわけで{は/も}ない は「~わけで{は/も}ない」の前に否定形が来た場合です。この場合は「~ない」を否定することになります。

(9)a. 今日は暑いわけじゃない。　　（今日は暑くない。）
　　b. 今日は暑くないわけじゃない。（今日は暑い。）

(9)a, bの「~わけで{は/も}ない」と（　）内の表現の違いは「~わけで{は/も}ない」は「~」とは言えないがそれに近い状態にあるということを表すのに対し、（　）内の表現は「~」を否定するという点にあります。(9)bのように「~」の部分が否定形の場合は「~ないわけで{は/も}ない」は「~」とは言えないがそれに近い状態にあるということを表します。例えば、(9)bは「暑い」とは言えないがそれに近い状態にあることを表します。

1-4. その他の否定

> (1) 日本中で大地震が起こる可能性があるのは言うまでもない。
> (2) A：この本、お持ちですか。
> 　　B：今はありませんが、研究室にはあります。お送りしましょうか。
> 　　A：わざわざお送りいただくには及びません。明日取りに伺います。
> (3) 金に困っていたからといって、泥棒をしてもいいわけではない。
> (4) 彼が嘘をつく{わけがない/はずがない}。
> (5) 大学を卒業した以上、いつまでも遊んでいるわけにはいかない。

~までもない、~には及ばない

これだけは

＜接続＞　V 辞 ＋までもない、には及ばない

◆ここでは「ない」を含むその他の否定表現を考えます。なお、「~までもない」「~には及ばない」以外について詳しくは§23を参照してください。

◆〜までもないは「当然〜だ」という意味を表します。例えば、(1)は「日本中で大地震が起こる可能性がある」ということは当然であるということを表します。
◆〜には及ばないは「〜する必要はない」ということを表します。例えば、(2)は本を送る必要はないということを述べています。

もう少し

◆「〜までもない」の「〜」の部分の動詞は「言う」が圧倒的に多いですが、それ以外の発言にかかわる動詞も使われます。

　　(6) 南北朝鮮首脳会談が実現したことの重要性は繰り返すまでもない。

◆「〜には及ばない」に対する肯定表現「〜には及ぶ」はありません。なお、「〜に及ぶ」という表現はありますが、これは時間が長くかかるということを表し、「〜には及ばない」とは無関係です。

　　(7) 会議は深夜に及んだ。

〜わけではない、〜わけがない、〜はずがない、〜わけに{は／も}いかない

これだけは

◆「P。Qわけではない。」は「P→Q」という推論（考え方）が妥当ではないということを表します（→§23）。
◆「〜わけがない／〜はずがない」は「〜」を強く否定します（→§23）。
◆「〜わけに{は／も}いかない」は「〜」をすることが妥当ではないということを表します。この場合「〜」の部分には意志動詞が来ます（→§23）。

2. 疑問の表現
2−1. 通常の疑問文 (→初級編§29、中上級編§21)

> (1) 田中さんはこの本を｛買いましたか↑／買いました↑／買った↑｝。
> (2) 吉田さんは学生｛○ですか↑／×です↑／×だ↑／○φ↑｝。

これだけは

◆疑問文の中には文の内容が正しいかどうかだけを聞き手に尋ねるものがあります。この場合、「のだ」や「わけだ」は使われません。
◆この場合、動詞文では「か」のない形、つまり「丁寧形↑（〜ます↑／〜ました↑）」「普通形↑（辞書形↑／タ形↑）」という形は文法的でよく使われますが、形容詞文・名詞文では「〜です↑／〜でした↑／〜だ↑」の形は使われず、「〜だった↑」のみが使われます（→初級編§29）。

2−2. 前提を持つ疑問文 (→初級編§29、中上級編§21)

> (1) 田中さんはこの本を神田で｛○買ったんですか／？買いましたか｝。
> (2) 吉田さんはどうして学校を｛○休んだんですか／？休みましたか｝。

これだけは

◆疑問文の中には文が正しいかどうかではなく、文の一部の要素だけを疑問の対象とするものがあります。例えば、(1)は「田中さんがこの本を買った」ということが正しいと認め、その上でその場所が神田であるかどうかを尋ねています。この場合の話し手が正しいことを知っている部分を**前提**と言いますが、前提を持つ疑問文では「のだ」を使うのが普通です。
◆文に疑問語が含まれる疑問語疑問文には前提があります。例えば、(2)は「吉田さんが学校を休んだ」ということを前提とし、その理由を尋ねていま

す。このように疑問語疑問文には前提があるので常に「のだ」が使われます。

2-3. 否定疑問文

```
(1) A：はさみ、持ってない？
    B：うん、持ってない。／いや、持ってるよ。
(2) A：雨降ってない？
    B：うん、降ってないよ。／いや、降ってるよ。
(3) A：この答え、間違ってない？
    B：うん、間違ってるね。／いや、間違ってないよ。
```

これだけは

◆述語が否定形である疑問文を**否定疑問文**と言います。否定疑問文は通常の疑問文とはかなり異なる性格を持っています。

＜否定疑問文の意味＞
◆否定疑問文を「Ｓない(です)か」と表すと、これは意味的に大きく二つのタイプに分けられます。
◆第一のタイプは(1)Aや(2)Aのように通常の疑問文と同じくＳが正しいかどうかを尋ねるものです。例えば、(1)は聞き手がはさみを持っていないかどうかを尋ねています。
◆第二のタイプは(3)Aのように話し手がＳが正しいという見込みを持っているものです。例えば、(3)Aの話し手は「この答えが間違っている」という見込みを持っています。

＜否定疑問文に対する答え方＞
◆通常の疑問文に対しては「はい、＜肯定形＞」「いいえ、＜否定形＞」で答えますが、否定疑問文に対する答えはやや複雑です。
◆話し手の見込みがない第一のタイプに対する答えは、(1)Bや(2)Bのように

「はい、＜否定形＞」「いいえ、＜肯定形＞」になります。
◆話し手の見込みがある第二のタイプに対する答えは、通常の疑問文に対するのと同じ「はい、＜肯定形＞」「いいえ、＜否定形＞」になります。

もう少し

◆(1)〜(5)からわかるように、無意志動詞や形容詞、「名詞＋だ」の述語の否定形の場合ル形でも否定疑問文になります。

  (4) この映画、面白く<u>ない</u>？
  (5) あの人、田中さん<u>じゃない</u>？

しかし、意志動詞の否定形の場合は(6)(7)からわかるように、ル形は否定疑問文としては使いにくいです。

  (6) (聞き手＝吉田さん)　#吉田さんもパーティーに行か<u>ない</u>？
            (否定疑問文としては非文法的)
  (7) (聞き手≠吉田さん)　?吉田さんもパーティーに行か<u>ない</u>？

このうち、主語が聞き手（または聞き手を含む１人称複数）である場合はこの形は勧誘を表します。

◆意志動詞のル形を否定疑問文にするためには「のだ」が必要です。

  (8) 吉田さんはパーティーに行かない<u>の</u>？
  (9) ヤンさんはすしを食べない<u>の</u>？

◆動詞とイ形容詞では否定疑問文と§21で扱っている「ではないか」は形が異なりますが、ナ形容詞と「名詞＋だ」では両者の形が同じになります。

  (10)a. この本、面白く<u>ない</u>？↑ (否定疑問文)
    b. この本、面白い<u>じゃない</u>。→　(「ではないか」)
  (11)a. この公園、静か<u>じゃない</u>？↑ (否定疑問文)
    b. この公園、静か<u>じゃない</u>。→　(「ではないか」)

ナ形容詞と「名詞＋だ」の場合両者の違いはイントネーションの違いで表されます。「ではないか」については§21を見てください。なお、ナ形容詞

と「名詞＋だ」の場合、否定疑問文と「のではないか」（→§21）がほとんど同じ意味になる場合もあります。
◆イ形容詞には「A＋ィ＋なくないか」という形もあります。これは話し手が「Aない」という見込みを持っている場合に使われます。例えば、⑿は話し手がケーキがおいしくないという見込みを持っている場合に使われます。

　⑿　このケーキ、おいし<u>くない</u>？

もう一歩進んでみると

◆疑問文はことがらの真偽（肯定か否定か）を尋ねるものですから、原理的には肯定形で聞くことも否定形で聞くことも可能です。例えば、(1)aと(1)bは共に聞き手がはさみを持っているかどうかを尋ねる文として使えます。

　(1)a．はさみ、<u>ある</u>？
　　b．はさみ、<u>ない</u>？

しかし、単にことがらの真偽を尋ねるだけならわざわざ否定形を使う必要もないので、多くの場合は肯定形の疑問文が使われ、否定形の疑問文（否定疑問文）はそれと反対の話し手の見込みを表すために使われます。例えば、(2)は相手が昨日洋子さんと映画に行った、という見込みを話し手が持っている場合に使われるのが普通です。この見込みは**傾き**と呼ばれます。

　(2)　昨日、洋子さんと映画に行か<u>なかった</u>？

なお、次のような文脈では肯定形の疑問文も見込み（傾き）を持ちますが、肯定形の疑問文は否定疑問文とは逆に見込みなしに使われるのが普通です。

　(3)　A：「タイタニック」見たんでしょう。私も見たんだけど、どこが
　　　　よかった？
　　　B：どこと言われても……。
　　　A：本当に見た<u>の</u>？

否定疑問文は§21の「ではないか」「のではないか」とも密接な関係がありますが、これについては§21や安達太郎（1999）を見てください。

○**参考文献**

安達太郎（1999）『フロンティアシリーズ11　日本語疑問文における判断の諸相』くろしお出版
　★否定疑問文や傾きなどに関して詳しく述べられている。

田野村忠温（1990）『現代日本語の文法Ⅰ－「のだ」の意味と用法－』（特に「補説Ｂ、補説Ｃ」）和泉書院
　★否定疑問文の研究の出発点となった研究。

野田春美（1995）「「～ハ～ナイ」、「～シハシナイ」、「～ノデハナイ」、「～ワケデハナイ」－ハとナイを含む否定の形－」宮島達夫・仁田義雄編『日本語類義表現の文法（上）』くろしお出版
　★否定の諸形式について詳しく述べられている。

§25.「は」と「が」

「は」と「が」の使い分けは日本語学習者にとって難しいものです。ここでは、「は」及び「が」の諸用法について１文の場合だけでなく連文の場合も含めて考えます。さらに、初級編ではあまり扱わなかった複文における「は」と「が」の係り方の違いの問題についても少し詳しく考えます。

1.「は」と「が」の基本的な違い

> (1) 田中さんはその本を吉田さんに贈った。
> (2) 田中さんがその本を吉田さんに贈ったことは事実だ。

これだけは

◆「は」の基本的な性質は**主題**を表すことです。主題というのは文の最初にあって、その文で述べる内容の範囲を限定するものです。例えば、(1)は「田中さん」を主題とし、「田中さん」について「その本を吉田さんに贈った」ということを叙述しています。この「その本を～」の部分を**解説**と言います。

(1)' 田中さんは │ その本を吉田さんに贈った
　　　主題　　　│　　　解説

◆(1)は「田中さんがその本を吉田さんに贈った」という客観的事実を「田中さんが」を主題として述べたものです。これは次のように図示できます。

(3) a. 田中さんはその本を吉田さんに贈った。
　　　　↑
　 b. 田中さんがはその本を吉田さんに贈った。
　　　　↑主題
　 c. 田中さんがその本を吉田さんに贈った（こと）

　まず、(3)cの客観的事実を表す部分の「田中さんが」を主題として選び、それに主題であることを示すために「は」を付けます（(3)b）。ここで「がは」という連続は許されないので「が」が消えて(3)aとなります。同様に、(4)は(3)cの「その本を」を、(5)は「吉田さんに」を主題としたものです。

　(4)　その本は田中さんが吉田さんに贈った。（←その本をは）
　(5)　吉田さんには田中さんがその本を贈った。（←吉田さんには）

　(4)(5)と(3)aの違いは主題は文の最初（文頭）になければならないため文頭にない要素を主題にする際には文頭に移動させてから「は」を付ける必要があるという点です。また、(3)a(4)と(5)の違いは「は」は「が」「を」以外の格助詞とはいっしょに使えるため、「には」の場合（「が」「を」以外の格助詞の場合も同様）「に」が消えないという点です。

◆このように、「が」は客観的事実にかかわる格助詞であるのに対し、「は」は客観的事実の一部を主題として取り立てるとりたて助詞なのです。

もう少し

◆ここで注意しなければならないのは、(3)では「は」と「が」が対応しているものの、(4)(5)では「は」は「が」と対応していないということです。主題を持つ文と主題を持たない文の関係は(6)のようになります。したがって、「は」と「が」の使い分けが問題となるのは(3)のようにガ格の名詞句が主題として取り立てられた場合に限られます。

(6)

主題を持つ文	〜は	〜は	〜には
主題を持たない文	〜が	〜を	〜に

2.「は」の用法(1) －主題－

> (1) これは珍しい石ですね。
> (2) 雪は相変わらず降っています。
> (3) a. 昨日パーティーの会場で知らない男性が声をかけてきた。 b. 話を聞いてみると、その男性は友人の教え子だった。
> (4) 昨夜〇〇旅館で火事があった。原因は客の寝煙草だった。

これだけは

◆「は」の基本的な用法は**主題**を表すことですが、主題になれるものは次のような制約を満たす必要があります。

> (5) 主題になれるのは聞き手（または読み手）に指示対象（指すもの）がわかるものに限られる。

これは、主題はその文で述べる内容を限定する伝達にかかわるものなので聞き手（または読み手）にとってわかりやすいものである必要があるためです。
◆主題になりやすいのは現場指示（→§1）の指示詞です（e.x.(1)）。こうした要素は現場にあるため聞き手の意識に上っている可能性が高いのです。
◆その他に主題になりやすいのは話題に上っている要素です。例えば、(2)では「相変わらず」という語が使われていることから、雪が降っていることが発話時以前から（話し手及び）聞き手の意識に上っていることがわかります。そして、そのため「雪」が主題になっているのです。

もう少し

◆(2)で見たような談話上の流れが予測できない話し始めの文では「雪」のような普通名詞は主題になれないのが普通です。したがって、話し始めの文では通常次のようになります。

> (6) あっ、雪が降っている。

これと同様の区別が次のような存在にかかわる表現にも見られます。

(7)a. 机の上に本<u>が</u>ある。
b. 本<u>は</u>机の上にある。

　まず、話し始めの文では「本」のような普通名詞は主題になれないのが普通なので、(7)aのように「が」が付きます。語順が場所を表す名詞句のあとになるのは、文頭は主題を表す位置なのでそれを避けるためです。これに対し、(7)bのような語順になる場合の「本」は主題ですが、これは「本」が話題に上っている場合に限られます。つまり、この場合の「本」は「その本」「例の本」のように聞き手にもその指示対象がわかるものなのです。
◆以上は1文の場合ですが、(5)の原則は2文以上の場合にも基本的に当てはまります。つまり、(3)a文の「知らない男性」のような普通名詞の指示対象は通常聞き手（または読み手）にはわからないため「が」が付きますが、談話内で繰り返して使われると、聞き手（または読み手）にも指示対象がわかるようになるため、b文では主題となることができ「は」が付くのです。
◆(3)のように要素が繰り返されていなくても主題となる名詞があります。それは「原因、結果、内容」といった相対性を持つ名詞（→§40）です。これらの名詞の特徴は意味的に「～の」が必要であることです。例えば、「原因」は「○○の原因」です。そのため、(4)で言えば、「原因」という語は談話に初めて出てきたものであっても、「原因」が「火事の原因」であることから、「火事」という語が出てきた段階で「原因」という語も聞き手（または読み手）の意識に上っていると見なせるため「は」が使われるのです。

3.「は」の用法(2) －対比－

(1) 田中さん<u>は</u>映画を見に行ったが、林さん<u>は</u>家でテレビを見ていた。
(2) 私はりんご<u>は</u>好きです。
(3) この本は面白く<u>は</u>ない。

これだけは

◆「は」のもう一つの用法は**対比**です。対比というのは「は」が付いているものとそれ以外のものを比較するものです。

◆最も明示的な対比は(1)のような「が」や「けど」の節を使ったものです。これに対し、(2)の「りんごは」の場合には対比される要素は文中にはなく、「りんご以外の果物」といった形で暗示されることになります。なお、(2)には必ず対比があるのに対し、(2)'は対比がなくても使えます。

(2)' 私はりんごが好きです。

これは次のような理由によります。(2)の文中には二つ「は」があります。このうち、文頭の「は」は主題と解釈されますが、主題は1文に一つに限られるため、二つ目の「は」は主題と解釈されず、対比と解釈されるのです。

◆(3)のように述語を取り立てる場合には通常対比的になります。述語を「は」で取り立てる場合には次のようになります。

(4) ＜動詞＞
普通形→マス形語幹＋は＋する／した／しない／しなかった
丁寧形→マス形語幹＋は＋します／しました／しません（でした）
〜ている etc.→〜て＋は＋いる etc.
＜イ形容詞＞
普通形→中止形＋は＋ある／ない／あった／なかった
丁寧形→中止形＋は＋あります／ありません（でした）／ありました

◆イ形容詞の場合、「Aくはない」は「A」と関係のある他の述語と対比的になる場合と、「A」と「非A」の間の段階を表す場合とがあります。例えば、(3)の「面白くはない」は「面白くはないが、役には立つ」というように、「役に立つ」といった別の述語と対比的になるのが普通であるのに対し、(5)の「難しくはない」は(5)'で表されるような「難しい」と「難しくない」の間の段階を表すのが普通です。

(5) この本は難しくはない。

(5)' 難しい　　　　　　　難しくはない　難しくない
　　├──────────────┼──────────┤

もう少し

◆ナ形容詞と「名詞＋だ」の否定形は常に「Na・Nではない」という形になるため、対比的になるかどうかは文脈によります。

(6)a. ここは静かではない。　　　　　　　　（非対比的）
　　b. ここは場所はいいけど、静かではない。（対比的）
(7)a. 彼は医者ではない。　　　　　　　　　（非対比的）
　　b. 彼はインターンだから、まだ医者ではない。（対比的）

なお、「ではない」の前の部分を音声的に強調すると対比的になります。

(6)' A：この家の暮らしはどうですか。
　　 B：静かではないですが、気に入ってますよ。

4.「が」の用法(1) －中立叙述－

(1) 見て。窓から富士山が見えるよ。
(2) （登山で山頂に着いたとき）あー、空気がうまい。
(3) 昨夜中央自動車道でトラック3台の玉突き事故があった。
(4) （交番で巡査に）道にこんなものが落ちていました。
(5) このボタンを押すと、お湯が出ます。
(6) 昨夜から雪が降り始めた。雪は今朝も降り続き、30cmも積もった。

これだけは

◆「が」にも二つの用法があります。一つは**中立叙述**です（「が」が中立叙

述になる文を**現象文**と言います）。これは主語も述部も新情報の場合であり、主語だけが新情報になる後述の総記と区別して整理する必要があります。
◆「が」が中立叙述になるのは次のような場合です。
◆第一は(1)や(2)のように何かを発見してそのまま述べる場合です。これは基本的に話しことばに限られます。この場合のテンスは基本的に現在ですが、次のようにタ形が来ることもあります。

  (7) あっ、バスが来た。

◆第二は(3)(4)のように出来事を報告する場合です。これは報道文などの書きことばに多い用法ですが、話しことばにもあります。テンスは基本的に過去ですが、次のようにル形が来ることもあります。

  (8) 明日、パーティーがあります。

◆第三は(5)のように一般的法則的な帰結を述べる場合です。
◆この他、文章・談話では話し始めの文で「が」が使われることが多いです。特に、主語が普通名詞の場合は通常「が」が使われます。

もう少し

◆初級編§27で見たように、述語が形容詞の場合には「は」が使われるのが普通ですが、(2)や(9)のような五官で感じたことをそのまま述べる場合には中立叙述の「が」が使われます。

  (9) （真冬に外に出た瞬間）風が冷たい。

◆述語が否定形のときは通常「は」が使われます（→初級編§27）が、次のように「～である／～がある」と思っていたのに実は「～ではない／～がない」ということを発見した場合にはやはり中立叙述の「が」が使われます。

  (10) （家の鍵を開けようとして）あれっ、鍵がかかってない。
  (11) （代金を払おうとして）あれっ、財布がない。

◆文章・談話で「が」が中立叙述になるのは話し始めの文以外に次のように新しい話題に転換する場合があります。この場合、話題が新しくなり、実質

的に話し始めと同じことになるため中立叙述の「が」が使われるのです。

> ⑿ 森喜朗首相は今、旅の空。東南アジア諸国連合（ASEAN）の会議出席のため、シンガポールに滞在中だ。（略）もともと「森の中（森野中）政権」と呼ばれた、いびつな内閣なのだ。（略）ゆさぶりで首相を操る。そんな政治状況のもとに、国民は置かれている。
> 　中国古代に、太公望呂尚という人がいた。（略）あるとき王が「どのようにすれば天下の人びとが従ってくれるだろう」と聞いた。
> 　呂尚は答えた。「この天下は、王の天下ではなく、国民全体のもの。（略）天下の利益を勝手気ままにするものは天下を失います」
> 　　　　　　　　　　　　　　　　　　　　　（天声人語2000.11.25）

5.「が」の用法⑵ －総記－

> ⑴　Ａ：誰がこのコップを割ったんですか。
> 　　Ｂ：田中さんが割ったんです。
> ⑵　こちらが田中さんです。
> ⑶　a. 彼は病気知らずが自慢だった。　b. その彼 {○が／×は} 急病で亡くなってしまった。

これだけは

◆「が」のもう一つの用法は**総記**です。総記というのは「～だけが」「他でもない～が」という意味のことです。「が」が総記になる場合、述部は旧情報になります。これが中立叙述との違いです。

> ⑷　あっ、雨が 降っている。（「雨が」は中立叙述）
> 　　　　　新情報　　新情報
> ⑸　Ａ：誰がこのコップを割ったんですか。
> 　　Ｂ：田中さんが 割ったんです。（「田中さんが」は総記）
> 　　　　　新情報　　旧情報

◆「が」が総記になる最も典型的な場合は(1)のような疑問語疑問文に対する答えの場合です。
◆(2)はA（田中の知人）とB（田中と面識なし）が田中さんについて話していたときにたまたま田中さんが現れたので、AがBに田中さんを紹介するという場面で使われます。この場合、「田中さん」という名前はすでに話題に上っているので旧情報です。したがって、(2)と(2)'は同じ意味を表します。

　　(2)'田中さんはこちらです。

「YはXだ。」に置き換えられる名詞文「XがYだ。」を**指定文**と言います。

もう少し

◆2で見たように、談話・文章で繰り返して使われた名詞には「は」が付くのが普通です。この原則の例外になるのが(3)のような場合で、名詞が繰り返して使われているにもかかわらず「が」が付きます。この場合の意味的特徴は先行する（連）文（e.x. (3)a）と「が」を含む文（e.x. (3)b）との間に逆接的な意味関係があることです。例えば、(3)では先行する文で「病気知らずが自慢だった」という特徴を持っていた「彼」と「急病で亡くなった」ということの間に逆接的な意味関係があります。一方、形態的な特徴としては繰り返して使われる名詞に「その」が付くということがあります（→§1）。
◆1人称を主語とする動詞文は「は」を使うと対比、「が」を使うと総記の意味になることが多いです。

　　(6)a. 私はパーティーに行きます。
　　　b. 私がパーティーに行きます。

両者の違いは、「は」では「他の人は知らないが少なくとも私は」という意味になるのに対し、「が」では「他の人ではなく私が」という意味になるという点にあります。したがって、(7)のように一部だけ条件が満たされる（この場合は「パーティーに行く」）場合は「は」が使われるのに対し、(8)のように条件を満たす人を特定する必要がある場合は「が」が使われます。

　　(7)　A：今度のパーティーに夫婦いっしょに来てほしいんだけど。
　　　　B：私{○は／×が}行きますが、妻はちょっと用事があって。

(8)　A：今度のパーティーにうちの課から誰か行ってくれないかな。
　　　B：私｛○が／×は｝行きます。

　このように、「は」を使うと対比性が強く出、「が」を使うと総記の解釈が強く出るという場合には6や§37で見るように「ゼロ」が使われます。
◆「総記」は久野暲（1973）で有名になった用語で"exhaustive listing"の和訳です。次のような疑問語疑問文の答えでは条件を満たすものをすべて（exhaustive）挙げる（listing）必要がありますが、「総記」という語はここから来ているのです。

(9)　A：パーティーには誰が来たの？
　　　B：田中さんと山田さんと加藤さんが来たよ。

　「中立叙述」も久野暲（1973）で有名になったものですが、こちらは"neutral description"の和訳です。

6.　「は」と「が」と「ゼロ」

(1)　この時計｛#は／×が／○φ｝止まってる。
(2)　A：田中さん知らない？
　　　B：図書館じゃない？
　　　A：（ふと窓の外を見て田中を見つける）
　　　　あっ、田中さん｛×は／×が／○φ｝あんなところにいる。
(3)　A：今日5時ごろにお客さんが来ることになってるの。
　　　B：了解。
　　　B：（帰宅したAに）お帰り。お客さん｛×は／#が／○φ｝来てるよ。

これだけは

◆以上見たように、「は」と「が」には使い分けがありますが、話しことばではこれ以外に**「は」も「が」も使えない文**というのがあります。この場合、

どちらの助詞も使えないため無助詞（→§37）になります。

◆(1)や(2)は「発見」にかかわる点で現象文に近く「が」が使える条件を満たしていますが、4で見た典型的な現象文とは異なり、主語が「この時計」や「田中さん」など聞き手の意識に上っていると見なせるものであるため、「が」が使いにくいのです。また、現象文に近いため「は」も使いにくく、結果として「「は」も「が」も使えない文」になります。

◆(3)の場合、話し始めの文なので「は」は使えません。一方、「が」を使うと「お客さん」がAにとって予測していない人物であることになってしまうため、この文脈では「が」も使えません。

もう少し

◆(1)では「この」という現場指示の要素が存在するために「が」が使えなくなっています。したがって、「この」がなければ（典型的な「発見」となるため）「が」が使えるようになります。

 (1)' 時計 { が ／ φ } 止まってる。

7.　述語と格関係を持たない「は」

> (1)　（食堂で注文するとき）　A：僕はトンカツにするよ。
>   B：じゃあ、僕はウナギだ。
> (2)　このにおいは教室で誰かがたばこを吸ったな。

これだけは

◆1、2で見たように「は」は主題を表します。1、2で見たものは主題になるものと述語の間に格関係が認められるものでした。例えば、(3)の「この本」は「書く」の目的語になります。

 (3) この本は田中さんが書いた。

◆このように「は」で取り立てられるものは述語と格関係を持っているのが普通ですが、中には次のように格関係が見られないものもあります。
　例えば、(1)は食堂で注文するときの表現ですが、この場合話し手が言いたいのはもちろん話し手がウナギという生き物であるということではなく、「ウナギを注文する」ということです。

もう少し

◆(1)が「僕はウナギ（を注文する。）」といった意味を表すことから(1)のような表現（(1)の例にちなんで**ウナギ文**と呼ばれることがあります）は一種の短縮表現とも見られますが、必ずしもそう考える必要はありません。

◆1、2で述べたように、主題というのは文で述べたい内容の範囲を聞き手に知らせるものです。聞き手は主題を頼りに後続する文の内容を予想します。そして、解説の部分とを併せて文の意味を理解します。この場合、解釈はその文が使われる文脈に基づいて行われます。例えば、(1)は料理を注文するという文脈ですから「ウナギ」はこの文脈では生き物ではなく料理名と解釈するのが妥当であり、(1)が「僕はウナギを注文する。」といった文から派生的に作られると考える必要はありません。

8.　複文における「は」と「が」の係り方

(1)　明日雨｛×は／○が｝降ったら、ハイキングは中止になります。
(2)　田中さん｛×は／○が｝書いた本は面白い。
(3)　彼の本｛○は／×が｝面白いから、きっと売れるよ。
(4)　田中さん｛○は／×が｝映画を見たが、林さんは家でテレビを見た。
(5)　A：これからデパートへ行こうと思うんですが。
　　　B：明日｛は／が｝定休日だからきっと込んでいるでしょう。

これだけは

◆「は」と「が」は複文でも問題になることがあります。

◆基本的な規則は、(1)(2)のように、従属節（および名詞修飾節）の中では「が」を使うというものです（→初級編§27）。
◆この規則の例外になるのは次のような場合です。
◆第一は(3)のように主節と従属節の主語が同じ場合です。この場合は通常「は」が使われます。これは「は」は文末の述語まで係れるのに対し、「が」は（格助詞であるため）従属節内の述語にしか係れないためです。

　　(3)'a. 彼の本は［面白いから］きっと売れるよ。

　　　b.［彼の本が 面白いから］きっと売れるよ。

　つまり、(3)'bのように、(3)で「が」を使った場合を考えると、この場合「が」は従属節内の述語にしか係れないため、主節の述語「売れる」の主語がなくなってしまい、何が売れるのかがわからなくなってしまうのです。
◆例外の第二の場合は(5)Bのような判断の根拠（→§31）を表す「から」や「ので」の節や並列を表す「し」の節などの場合です。これらの節は独立度が高い（＝独立文に近い）ため、「は」と「が」の区別の原則も単文の場合と同じになります（初級編§27で見た(4)のような「が」や「けど」の節の中の場合も同様に考えることができます）。言い換えると、こうした場合「は」でも「が」でも従属節内の述語にしか係らないということです。

　　(5)'a.［明日は 定休日だから］きっとデパートは込んでいるでしょう。

　　　b.［明日が 定休日だから］きっとデパートは込んでいるでしょう。

もう少し

◆同じ「から」や「ので」の節でもことがらの原因・理由の場合には「は」は使われません。

　　(6) 明日｛？は／○が｝定休日だからデパートが込んでいるのでしょう。

(6)はデパートの中かあるいはデパートの映像などを見ながら、デパートが込んでいる理由を「明日が定休日であること」だと推量している場合です。一方、(7)は「明日が定休日であること」を根拠に「デパートが込む」ということを推量している場合で話し手がデパートにいるとかデパートの映像を見ているといったことはありません。

(7) 明日{は／が}定休日だからデパートは込んでいるでしょう。

◆次のように名詞修飾節の中で「は」が使われることがありますが、その場合の「は」は対比となります。

(8) これは田中さん<u>は</u>見なかった映画だ。

もう一歩進んでみると

◆初級編§27で(1)のような使い分けのためのフローチャートを掲げました。これは1文だけの場合を対象としたものですが、この原理は基本的に連文の場合にも適用できます。例えば、「述語が形容詞、「名詞＋だ」の場合は「は」を使う」というのは単文の場合も連文の場合も同様です。

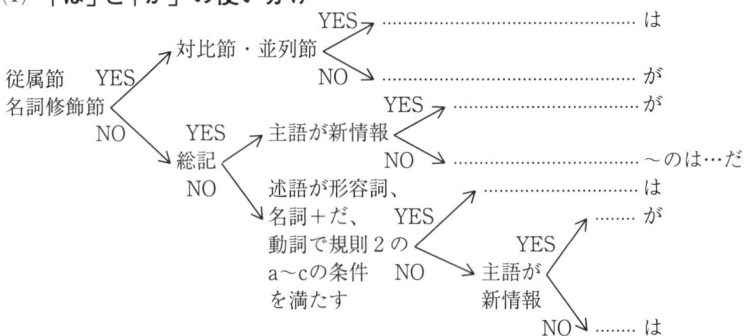

(1) 「は」と「が」の使い分け

```
                    YES ──────────────── は
        対比節・並列節
従属節  YES         NO ───────────────── が
名詞修飾節                          YES ───── が
        NO   YES  主語が新情報
            総記              NO ──── 〜のは…だ
             NO  述語が形容詞、       ────── は
                 名詞＋だ、    YES    YES
                 動詞で規則2の       ──── が
                 a〜cの条件   NO  主語が
                 を満たす         新情報
                                   NO ── は
```

規則2　a 主語が「私」「あなた」（1，2人称）である場合
　　　 b 恒常的な出来事を表す場合
　　　 c 否定文である場合

単文と連文で差が出るのは5で取り上げた、談話内で繰り返された要素を「が」で指す場合です。それ以外にも、談話の冒頭で「は」を使うか「が」

を使うかにも難しい点があります（cf. 野田尚史（1984））。

なお、従属節内の「は」と「が」については、（初級レベルの）学習者にとってのわかりやすさを重視して(1)ではやや単純化してあります。

◆ここでは「は」と「が」の使い分けについて見てきましたが、使い分けの原則はその名詞句が聞き手の意識に上っている（と見なせる）かどうかということで、意識に上っている（と見なせる）場合は「は」、そうでない場合は「が」が使われます。

(2) ○○党の山本議員が来月の知事選への立候補を表明しました。
(3) 来月の知事選への立候補を表明した○○党の山本議員は記者会見を開き、公約を発表しました。

例えば、ニュースなどで初めてその話題を伝えるときには(2)のように「が」を使うのが普通です。一方、その出来事が起こってから少し時間が経って、聞き手（読者・視聴者）の意識の中にその出来事が上っていると見なせるときには(3)のように「は」を使うことが多くなります。この場合、波線部のような名詞修飾節が付くのが普通です（→§29）。

◆ここで扱った「は」と「が」の問題は§37で扱っている無助詞の問題と密接な関係がありますので参照してください。

○参考文献

庵　功雄（1997）「「は」と「が」の使い分けに関わる一要因」『国語学』188
　★談話における「は」と「が」の使い分けに関する問題点について考えている。
─── （2001）「§7 主題と主語」「§19「は」と「が」」『新しい日本語学入門－ことばのしくみを考える－』スリーエーネットワーク
　★「は」と「が」の違いについて、理論的、記述的に考えている。
大谷博美（1995）「ハとガとφ」宮島達夫・仁田義雄編『日本語類義表現の文法（上）』くろしお出版
　★「「は」も「が」も使えない文」について考える上で重要な指摘がある。
久野　暲（1973）『日本文法研究』大修館書店
　★「は」と「が」の用法の整理、「は」と「が」と情報の新旧の関係を論じたもので、日本語教育における「は」と「が」の使い分けの記述の基本となっている。
野田尚史（1984）「有題文と無題文－新聞の冒頭記事を例として－」『国語学』136

★新聞の冒頭記事をもとに読者の意識に上っていると見なされやすい名詞とそうでない名詞について考察している。

─────（1996）『新日本語文法選書1「は」と「が」』くろしお出版
　★「は」と「が」に関する研究の集大成の一つ。複文における「は」と「が」の係り方の違いや談話・文章における使い分けにも言及がある。

三上　章（1960）『象は鼻が長い』くろしお出版
　★「は」（主題）と「が」（主格）の違いを明快に解いたもので、「は」と「が」の問題を考える上で必読の文献。

§26. とりたて(1) －主題、対比－

　初級編では基本的なとりたて助詞として「は」「も」「だけ」「ばかり」「しか～ない」のみを扱いましたが（→初級編§26、§27）、中上級編§26～§28ではすべてのとりたて助詞「なら、こそ、も、のみ、さえ、すら、まで、でも、だって、など、なんか、なんて、くらい（ぐらい）」を扱います。
　§26では、すべてのとりたて助詞に共通する特徴を概観したあと、具体的に主題にかかわるとりたて助詞「は」「なら」などについて述べます。中上級編では扱う範囲をとりたて助詞に限定せず、とりたての機能を持つ「といえば」「だけでなく」などのとりたて表現も扱います。

1. とりたて助詞概観

> (1) 森さんなら年末はハワイに行っていますよ。　　　　　（主題）
> (2) 森さんは年末にこそハワイに行くべきだと言っていた。（際立ち）
> (3) 森さんは忙しい年末にまでハワイに行く。　　　　　　（評価）
> (4) 森さんは忙しい年末にさえハワイに行くような人だ。　（評価）
> (5) 森さんはハワイにぐらい一年に何度も行くことができる。（評価）
> (6) 森さんは年末にはハワイにでも行くかもしれない。　　（婉曲）

これだけは

◆とりたて助詞は字句通りの意味に加えてプラスアルファの**言外の意味（含意）**を暗示するために用いるものです。例えば、パリにいる人が電話で「こ

っちは今日も雨だよ。」と言ったとき、あえて言われなくても聞き手は「パリがその前日も雨だった」ということを想像することができます。このように、言語形式の表す意味＝「今日雨だということ（＝**前提**）」以外に「昨日も雨だった」という言外の意味（含意）を読み取ることができるのは、とりたて助詞「も」の働きによるものです。とりたて助詞「も」は文中の「今日」という部分を**取り立て**て、その背後に「昨日、おととい…」をまるで影のように付けて**暗示**しているのです。

◆とりたて助詞を用いると、文中のある部分（例文の波線部分）が取り立てられ、必ずその背後にそれと同類のものの存在が含意として暗示されます。(1)〜(6)はすべて「森さんがハワイに行く」という同じ事実が前提となっていますが、「主題」「評価」「婉曲」など異なる表現効果を持っており、含意も異なります。とりたて助詞は同じ事実（前提）でもその**影の意味**としてどんな含意を加えたいかによって使い分けられます。

◆すべてのとりたて助詞はガ格、ヲ格、ニ格など様々な格の名詞(句)を取り立てることができます。（→初級編§26）

(7) 森さんもハワイに行った。（ガ格）
(8) ハワイに行くことも楽しみにしている。（ヲ格）
(9) 今までにハワイにだけ行ったことがある。（ニ格）

　動詞を取り立てる場合、とりたて助詞はテ形、あるいはマス形語幹の後ろに置くのが普通です。

(10) 少女は泣いてばかりいる。（動詞のテ形）
(11) 手紙を読みさえしなかった。（動詞のマス形語幹）

　形容詞、副詞、節などを取り立てることもありますがとりたて助詞によって取り立てられる要素に若干違いがあります。これについては各とりたて助詞の項で触れます。

(12) このカメラは安いだけではなく、品質もいい。（イ形容詞）
(13) この国は安全なだけでなく、物価も安い。（ナ形容詞）
(14) ゆっくりとでもいいから、歩く練習をしましょう。（副詞）

26. とりたて（1）—主題、対比—

(15) 毎日雨が降るばかりだ。(節)
(16) 健康であればこそ、こうして仕事ができるのだ。(条件節)
(17) 子どもの病気を治すためなら転職してもいいとさえ思った。(引用節)

2. 主題を表す表現
2－1. は、なら etc. －主題を表すとりたて助詞－

(1) 山椒魚は深山の谷川にすむ天然記念物で両生類だ。
(2) この山椒魚は3年前にこの水族館にやってきた。
(3) 山椒魚というのは天然記念物の両生類だ。
(4) A：林さんには紅茶をあげることにしない？最近紅茶に凝ってるって言ってたから。
    B：そうね。紅茶なら銀座にいいお店があるわよ。種類がすごく多いの。
(5) 滞在期間を延長するということですが、これには賛成できません。

これだけは

◆**主題**というのは、文で述べたいことの範囲（対象）を限定したもので、典型的には「は」によって表されます（→初級編§27）。主題のあとには話し手が叙述したいことについて**解説**が続きます。主題が用いられるのは(1)(2)のように知っているものについて説明を加える場合もあれば、(3)のように聞き手が知らないものについて説明を加える場合もあります。

この他にも「相手が述べたり質問したりしたことの中から主題を受け取って、それについて話を展開させる場合（(4)）」「言いにくいことや逆に特に注目させたいことを前置きとしたい場合（(5)）」にも主題が用いられます。

もう少し

◆話しことばでは、主題を取り立てる「は」が省略できることもあります。

詳細については§25を参照してください。

  (6) 新しい仕事は大変なのだ。 → 新しい仕事、大変なの。

◆「は」「が」の使い分けについては、§25を参照してください。

2－2. とは、というのは －聞き手が知らないものを説明するための表現－

> (1) パラリンピック{とは／というのは}障害者のオリンピックのことです。
> (2) 甘やかされて育った若者{×とは／○というのは}挫折しやすい。

これだけは

◆とりたて助詞「は」は話し手も聞き手も知っている事物を主題として取り立て、その定義や属性を説明したり、同定したりするために用います。これに対して聞き手が知らないと思われる事物を主題として取り立てる場合には「とは」「というのは」を用います。

  (3) ５５１と(いうの)は大阪で一番有名な中華まんじゅうの店だ。
  (4) 落し蓋と(いうの)は煮物などを作るときに水分の蒸発を防ぐために鍋の中にすっぽり入れる中蓋のようなものだ。
  (5) カンニングと(いうの)は試験で人の答案を見る不正行為のことだ。

◆聞き手が知っているものでも発話時にその意識の中にないと思われる場合、その事物を再び頭の中に意識させる意味で「というのは」によって主題を設定することがあります。(2)(6)はその例です。

  (6) 野球{？とは／○というのは}最後までわからないものだ。決してあきらめるな。

◆「とは」「というのは」は聞き手の知らない事物について説明を加える場合に用いるのが普通です。しかし、聞き手の知らない事物でも「～の特徴」

「〜の性質」など一般的性質や傾向を説明する語を伴う場合には、「とは」「というのは」が使えません。

 (7) 日本型経営の特徴{○は／×とは／×というのは}終身雇用制だ。
 (8) この動物の性質{○は／×とは／×というのは}ライオンに似ている。

もう少し

◆(1)のように聞き手が知らないものを取り立てて解説する場合、解説部分には「ものだ」「ことだ」を用いるのが普通です。「ものだ」「ことだ」がある場合は「とは」「というのは」のどちらを使ってもかまいません。しかし、「ものだ」「ことだ」を用いない場合には、特に形容詞文の許容度が低くなります。

 (9) パラリンピック{？とは／○というのは}障害者のオリンピックである。
 (10) 山椒魚{×とは／×というのは}珍しい。（形容詞文）

ただし、話し手が周知の事物を当然のこととして聞き手に伝える場合には許容度が高くなります。

 (10)' 山椒魚{？とは／○というのは}とてもかわいいのだ。

◆「とは」「というのは」は、つくづく思われることを詠嘆的に表現する場合にも用いられます。

 (11) 子ども{とは／というのは}案外残酷なものだ。
 (12) 突然の解雇{とは／というのは}ひどいことだ。

◆「とは」「というのは」は話しことばでは「って」「っていうのは」になります。

 (13) パラリンピックっていうのは障害者のためのオリンピックのことだ。

2−3. といえば、というと、といったら、はというと、なら−関連づけて示すための表現−

(1) A：来週までに世界的な音楽家についてレポートを書かなければならないんだ。
    B：音楽家{といえば／というと／といったら}私はまずバッハを思い出すけど。
(2) 長女、次女は父親の影響で日本舞踊を習っています。三女はというと日本的なことにまったく興味がなくジャズダンスに夢中です。
(3) A：新しいコンピュータを買おうと思うんだ。
    B：コンピュータなら秋葉原が安いよ。

これだけは

◆「といえば／というと／といったら」を用いるのは、前の文脈から主題を取って、それと関連するものについて話を展開させたい場合です。(1)のように同じ話題を展開させる場合もありますが、別の話題を提供して話を切り換える場合にも使います。

(4) A：昨日は仕事で銀座に行きました。
    B：そうですか。
       銀座といえば、今度銀座に新しい映画館ができたのを知っていますか。

◆「はというと」はある要素を他のものと対比して取り上げる場合に用いられます。

(5) 日本ではクリスマスに雪が降ることもあります。南半球のオーストラリアはというと12月は真夏なので雪が降ることは絶対にありません。

◆「なら」は相手が述べたり質問したりしたことの中から主題を受け取って、

それについて話を展開させる場合に用いることができます。このような「なら」は**主題の受取り**の「なら」と呼ばれることがあります。

(6) A：冷蔵庫にコーラを冷やしておいたんだけど知らない？
　　B：ああ、それならさっき太郎が飲んでたよ。

　相手の動作や言動など場面の様子から察して主題を取り立て、それについて何かを述べる場合にも「なら」を用いることができます。

(7) （教授の研究室の前でドアをノックしようとしている学生に）
　　先生なら今食事に出られていますよ。

◆「だったら」は「なら」と同じ意味ですが話しことばでしか用いられません。

(8) コンピュータだったら秋葉原が安いよ。

もう少し

◆「といえば／というと／といったら」は、互いに同類で連関している要素を取り立てるものなので、逆接的な事物を取り立てるのには不適です。

(9) ×日本ではクリスマスに雪が降ることもあります。南半球のオーストラリア｛といえば／というと／といったら｝12月は真夏なので雪が降ることは絶対にありません。

◆「はというと」は逆接的な事物だけでなく、同類の事物も取り立てることができます。

(10) 日本ではクリスマスに雪が降ることもあります。中国はというとこれも北半球にある国なのでクリスマスに雪が降ることもあります。

◆「とくれば」は同類のグループに属する一連の要素を順に取り上げて列挙する場合に用いることがあります。

(11) バッハ、ベートーベンとくれば、次はモーツァルトでしょう。

　「とくれば」は一連の連鎖的な要素が想定できない場合は使いにくく、「と

いえば」より使用頻度が低く、使用範囲も限られています。

(12) クリスマス{○と言えば／?とくれば}やっぱりチキンだよね。今夜は鳥を焼こう。

２−４．だが、のことだが、ということだが
−主題的な前置き表現−

(1) 集合時間{ですが／のことですが／のことですけれど}、これはいつもより30分早いので遅れないように注意してください。
(2) 先月入った新入社員{だが／のことだが／のことだけれど}、仕事ぶりはどうかな。

これだけは

◆特に注目させたいことを「だが／のことだが」を用いて取り立てて前置きとすることがあります。このような**前置き**の表現は言いたいことの内容を提示する主題の機能に似ています。
◆「のことだけれど」は「のことだが」の話しことば的な表現です。

もう少し

◆「ということだが」は、他の人から聞いたことを受けて、それを引用して前置きとする場合に用います。

(3) 滞在期間を延長するということですが、これには賛成できません。

「ということだが」は節を取り立てるのが普通ですが、動詞的な名詞なら取り立てることができます

(3)' 滞在期間の延長ということですが、これには賛成できません。

◆前置きの表現は、口頭発表などで用いられる手法です。例えば、レジュメ

などの書きことばでは、「は」による主題を用いていても、口頭発表など話しことばでは前置きの表現を用いて聞き手の注意を引くことがあります。

(4) 今回の米国国務長官の北朝鮮訪問は北朝鮮側がどれだけ歩み寄りを示すかが注目されている。(書きことば)

(4)' 今回の米国国務長官の北朝鮮訪問のことですが、これは北朝鮮側がどれだけ歩み寄りを示すかが注目されています。(話しことば)

◆丁寧に話すための運用的方略として前置き的な表現を用いることもあります。これについては§36を参照してください。

○参考文献

金水敏、工藤真由美、沼田善子（2000）『時・否定と取り立て』岩波書店
　★とりたて助詞について独自の用語を使って説明がなされている。
田野村忠温.（1991）「「も」の一用法についての覚書─「君もしつこいな」という言い方の位置付け─」『日本語学』9-10明治書院
　★「意外さ」を表す「も」の詠嘆的用法について詳しく論じられている。
寺村秀夫（1991）『日本語のシンタクスと意味Ⅲ』くろしお出版
─── （1993）『寺村秀夫論文集Ⅱ』くろしお出版
　★前提と含意という基本概念についての説明があるとりたて助詞の基本書。
野田尚史（1995）「文の階層構造から見た主題ととりたて」益岡隆志・野田尚史・沼田善子編『日本語の主題と取り立て』くろしお出版
　★とりたて助詞の基本事項がコンパクトにまとめられている。
─── （1996）『「は」と「が」』くろしお出版
　★主題について、「は」と「が」の違いについて詳しく論じられている。
堀口和吉（1995）『〜は〜のはなし』ひつじ書房
　★「は」についての誤用分析が数多く紹介されている。

コラム
対照研究(4)―「は」と「が」―

　§25でも見たように、「は」と「が」の使い分けは学習者にとって難しいものの一つです。その理由は、「は」と「が」で表されている主題があるかないかという区別を形の上で表す言語が少ないということによります。

　その中で韓国語には日本語の「は」と「が」に当たる助詞が存在するため、韓国語母語話者には「は」と「が」の区別はそれほど難しくないようです。ただし、厳密には両言語の「は」（に当たる助詞）と「が」（に当たる助詞）は完全に対応しないため、韓国語母語話者はよく次のような誤用をします。

　(1)×国会議事堂がどこですか。

　(1)のような述語が疑問語の質問文の主語は聞き手がわかるものです。こうした主語は日本語では聞き手の意識に上っているものとして旧情報扱いされるため「は」がつきます。一方、韓国語の「は」に当たる助詞は文中ですでに現れたものだけを受けるため、話し始めの文では使えず、「が」に当たる助詞が使われます。(1)はそうした韓国語の転移による誤用と言えます。

　さて、「は」と「が」の区別は多くの外国語にはないと言いましたが、助詞とは違う形でこの区別が表されることがあります。例えば、スペイン語の自動詞文では(2)bのような主題を持たない文に当たる場合はＶＳの語順になるのに対し、(3)bのような主題を持つ文に当たる場合はＳＶの語順になります（野田尚史（1996））。このように考えると、主題の有無は日本語や韓国語だけでなく、多くの言語に共通する文法現象であると言えます。

　(2) a. Por esa época murió Pedro.
　　　　その時期に 死んだ ペドロ
　　 b. その時期にペドロが死んだ。
　(3) a. Pedro murió por esa época.
　　 b. ペドロはその時期に死んだ。

○参考文献
田窪行則（1987）「誤用分析(2)」『日本語学』6-5
野田尚史（1996）『新日本語文法選書1「は」と「が」』くろしお出版

§27. とりたて(2)
－限定、付け加え、数量の見積もり－

ここでは、範囲にかかわる「とりたて」として「範囲を区切る**限定**」「範囲を広げる**付け加え**」「**数量の見積もり**」を扱います。

限定とはある範囲を区切って取り立てて、その命題が成り立つ範囲を限定するもので、「だけ」「しか～ない」がその典型的なとりたて助詞です。これとは対照的に、「も」は何かを付け加えて範囲を広げることを示します。いずれもすでに初級編で扱った基本的なとりたて助詞です。

ここで新たに扱う限定のとりたて助詞は「のみ」だけですが、この他にも「だけ」の代替形式、「だけ」を含む定型表現などとりたて助詞以外の様々な限定表現を「だけ」と比較しながらまとめます。さらに、他のものよりも際立っている事物を限定的に取り立てるとりたて助詞「こそ」も扱います。

付け加えを表すとりたて助詞は「も」ですが、ここでは付け加えられる側のものを取り立てるとりたて表現をまとめます。

数量の見積もりでは「数量詞＋は」「数量詞＋も」を扱います。

1. 限定を表すとりたて表現
1－1. のみ、に限り、にすぎない－「だけ」とほぼ同じ意味で交換できる限定表現－

(1) ６才以下の子ども<u>のみ</u>入場料が無料です。（＝だけ）
(2) ６才以下の子ども<u>に限り</u>入場料が無料です。（＝だけ）
(3) 彼はただ同じことを言い直している｛にすぎない／だけだ｝。

これだけは

◆限定を表す最も典型的な形式はとりたて助詞「だけ」です（→初級編§26）。例えば(4)では「6才以下の子ども」を取り立てて無料であることを示すことによって、「6才より大きい子ども」については「無料にならないこと」を暗示し、無料になる範囲を限定しています。

(4) 6才以下の子どもだけ入場料が無料です。

◆「のみ」は「だけ」とまったく同じ意味で交換できるとりたて助詞ですが、「だけ」より硬い文体でしか用いられません。

(5)a. お子様｛○だけ／○のみ｝お入りいただけます。
  b. 来てごらん。子ども｛○だけ／×のみ｝入れるみたいだよ。

◆「に限り」も「だけ」とほぼ同じ意味で交換できる形式ですが、述語を修飾する場合にしか用いられません。（→1-3）

(6)a. 大使は今回の催しにはA国とB国｛○だけ／○に限り｝招待した。
  b. 今回の催しに招待したのはA国とB国｛○だけ／×に限り｝だ。
(7) お一人様1本に限りお買い求めになれます。

「に限り」は「に限って」と同じ意味で言い換えることができます。
◆「にすぎない」はほとんどの場合「だけだ」と交換できます。「にすぎない」を用いると限定の意味に加えて、「質的・量的に低いレベルだ」という話し手の評価的な気持ちを表します。

もう少し

◆限定する表現「だけ」「のみ」「に限り」を否定すると、付け加えの表現になります（「にすぎない」を除く）。（→3）

(8) A国｛だけでなく／のみならず／に限らず｝B国も参加した。

◆範囲を決定する権利のある人の意志をもって限定するという場合にのみ「だけ」は「に限り」で言い換えられます。

27. とりたて（2） ―限定、付け加え、数量の見積もり―

(9) a. 大使は今回の催しにはＡ国とＢ国｛だけ／に限り｝招待した。
　　b. 今回の催しにはＡ国とＢ国｛○だけ／×に限り｝参加した。

◆「にすぎない」は名詞を取り立てる場合には「だけだ」とは交換できません。

(10) これはまだ下書き｛○にすぎない／×だけだ｝。これから絵の具で色をつけるつもりだ。

(11) 今回明らかになった不祥事は氷山の一角｛○にすぎない／×だけだ｝。

述語となっている節を取り立てる場合には「だけだ」と置き換えることができます。

(10)' これはまだ下書きをしている｛○にすぎない／○だけだ｝。これから絵の具で色をつけるつもりだ。

１－２．だけだ －「だけ」を含むヴァリエーション－

(1) 本屋で買ったのは雑誌｛だけ／のみ｝だ。
(2) 全力を尽くした。あとは開票結果を待つ｛だけ／ばかり｝だ。
(3) ちょっと値段を聞いてみた｛だけ／まで｝だ。買うつもりはなかった。

これだけは

◆唯一の要素を強調するための強調構文では述語部分に「だけだ」が用いられます。この場合の「だけ」は「のみ」で言い換えられます。(1)は(1)'の「雑誌」の部分を強調したものです。（→初級編§31）

(1)' 本屋で雑誌だけを買った。

◆(2)のように動詞の辞書形を含む節を取り立てる「だけだ」は、唯一限定される事態が継続していたり、繰り返されていることを表します。このような

「だけ」は「ばかり」で言い換えられます。

(4) 少女はただ泣く{だけ／ばかり}で、名前さえ言わない。
(5) この患者は何分かに一度眼球を動かす{だけ／ばかり}で、何の反応も示さない。

　状態を表す動詞、動詞のテイル（テイタ）形、あるいは、形容詞を含む節を取り立てている場合もあります。その場合には、ある状態が唯一存在することを表します。

(6) ただ暗闇がある{だけ／ばかり}で何も見えなかった。
(7) 少女はただ泣いている{だけ／ばかり}だ。
(8) あの人は元気がいい{だけ／ばかり}で、仕事はあまり正確ではない。

◆動詞を含む節を取り立てる「だけだ」は(3)のようにそれ以上の段階には及ばないことを表すこともあります。その場合、唯一のことを取り立てていて「までだ」と同じ意味で言い換えられます。

(9) この試合で負けても世界ランキングが下がる{だけ／まで}だ。オリンピックの出場権がなくなるわけではない。

　このような「だけだ」は誰かに忠告をする場合にしばしば用いられます。取り立てた事態は話し手にとってはたいした事ではなく大勢に影響はないが、聞き手にとっては重大な結果を招くことになると脅迫しているようにも解釈できる表現ですので、目上の人には用いません。

(10) お父さんの言うことがきけないのなら、テレビゲームを取り上げる{だけ／まで}だ。
(11) ここであきらめると言うなら、出馬を取りやめる{だけ／まで}だ。しかし、応援してくれている後援会の人には何と説明すればいいんだ。

◆理由を表す「だけに」「だけあって」（→§31）

27. とりたて(2) ―限定、付け加え、数量の見積もり―

1−3. ～さえ…ば、に限って、を限りに、ならでは(の)、にかけては、はともかく
－「だけ」と同じ意味で交換できない限定表現－

> (1) お金さえあれば、今すぐにでも車を買うのだが。
> (2) 急いでいるときに限って、タクシーがつかまらない。
> (3) 今日を限りにこの会社を辞めさせていただきます。
> (4) 京都ならではの珍しい日本料理を楽しんだ。
> (5) あの人は、リズム感にかけては天下一品だ。
> (6) 雨の日はともかく、普段は駅まで自転車で通っています。

これだけは

◆「～さえ…ば」「に限って」「を限りに」「ならでは(の)」「にかけては」「はともかく」も何かを限定して取り立て、範囲を区切る形式ですが、「だけ」とは言い換えられません。

◆「～さえ…ば」＝後件を導くには、～が唯一満たされればいいという唯一の条件を取り立てる場合に使います。

　　(7) 毎日水さえやっていれば、秋にはきれいな花を咲かせるだろう。

この表現は反実仮想によく用いられます。

　　(8) 雨さえ降っていなければ、自転車で駅まで行けるのに。

繰り返して起こっていることを取り立てて、「～ときはいつも」という意味になることもあります。

　　(9) 兄は暇さえあれば熱帯魚の世話をしている。

◆「に限って」＝「他のときはそうではないのに、そのときにだけ」という意を表します。

　　(10) 忙しい日に限って、雑用を頼まれる。

この表現は「起こって欲しくないと思っているときに不都合なことが起こること」を表します。

　(11)？暇な日に限って、雑用を頼まれる。

(2)(10)はいずれも時を表す語句を取り立てていますが、その他に、否定文で使われて時を表す語句以外のものを取り立てることもあります。「他はそうかもしれないが、その場合は別だ」という意になります。

　(12)○うちの子に限ってそんなことをするはずがない。
　(12)×よその子に限ってそんなことをする。

◆「を限りに」＝「ある時点を境として前後で事態が変化する」という意を表します。これは硬い文体で用いられる形式で、範囲を表す格助詞「で」「をもって」と同じ意味で交換することができます。

　(3)'今日{で／をもって}この会社を辞めさせていただきます。

◆「～ならでは(の)…」＝「…は～が一番良い。…は～でなければ味わえない」という意で、ある事物の特質を良い意味で取り立てて表現する場合に用いられます。
◆「～は…に限る」（→§16）
◆「にかけては」＝ある分野を限定して範囲を区切り、それについては特別秀でていることを示す場合に用います。
◆「～{は／なら}ともかく」＝「～場合は問題外だ」とし、範囲からとりあえずは除外しておく表現です。

　(6)'雨が降っているならともかく普段は駅まで自転車で通っています。

1-4. ～だけしか…ない、～をおいてほかにない
－「だけ」とは交換できないが「しか」とほぼ同じ意味で交換できる限定表現－

(1) この部屋には男子学生だけしかいない。
(2) リレーの最後を走るのは、田中君をおいてほかにはいないだろう。

これだけは

◆～だけしか…ない＝「～しか…ない」の強調表現です。
◆～をおいてほかにない＝～が唯一の存在であり、それを除いては他に好都合なもの、ふさわしいものがないことを言う場合に用います。

(3) 大阪ではコアラが見られるのはこの動物園をおいてほかにない。

2. こそ －際立たせるために使うとりたて助詞－

(1) ピカソこそ20世紀を代表する画家ではないかと思う。
(2) 困ったときにこそ家族は助け合うべきだと思う。

これだけは

◆「こそ」は、他のものはともかくある事物だけを際立たせたい場合に用いられるとりたて助詞です。
◆「こそ」は名詞の他、動詞のテ形、節などを取り立てます。

(3) 今回はだめだったが、次こそ満点を取るぞ。
(4) 優勝してこそファンの皆様へのお礼ができるというものだ。
(5) 家族が健康でいるからこそ、こうしてみんなで旅行もできるのだ。

◆ガ格を取り立てる「こそ」は「こそが」となることがありますが、この場合「こそ」の「他でもない」という意がさらに**際立ち**ます。

　(6)　ピカソこそが今世紀を代表する画家だと思う。
　(7)　この車こそが私がこの世で一番大切にしているものです。
　(8)　下町こそが東京の顔とでも言うべき場所だと思うよ。

◆「こそ」は他のものはともかく取り立てたものが一番であると際立たせるために用いるとりたて助詞です。他のものがどうであるかは問題にしないので他のものを否定する場合も肯定する場合もあります。

　(9)　A：代表者には野村君がいいんじゃないか。
　　　　B：いや、彼はだめだよ。高田君こそ代表者にふさわしい人だと思うよ。
　(10)　A：代表者には野村君がいいんじゃないか。
　　　　B：そうだなあ。野村君もいいけど、やっぱり高田君こそ代表者にふさわしい人なんじゃないかなあ。

◆初対面の挨拶や謝罪表現など話しことばでは「こそ」がしばしば用いられます。

　(11)　A：よろしくお願いします。
　　　　B：こちらこそよろしくお願いします。
　(12)　A：申し訳ございませんでした。
　　　　B：いえいえ、私のほうこそ気がつきませんで、すみませんでした。

もう少し

◆次の三つの例は、どれも「ピカソが20世紀を代表する画家だ」ということを表しているという点では同じです。

　(1)　ピカソこそ20世紀を代表する画家ではないかと思う。
　(13)　ピカソだけが20世紀を代表する画家ではないかと思う。
　(14)　ピカソも20世紀を代表する画家ではないかと思う。

「だけ」はその含みとして「ピカソ以外の画家」を20世紀を代表する画家

ではないとはっきり否定しているのに対して、「も」は「ピカソ以外の画家」にも20世紀を代表する画家がいることを含意しています。これらに対して、「こそ」は他の画家についてはともかくピカソがそれより際立っていて一番であることを言うのが目的なので、「ピカソ以外の画家」について肯定していても否定していてもかまいません。

◆「こそ」は他のものより際立たせるために用いるものなので、まったく同等のものを並立する場合には不適です。

(15) 今回はいい成績だった。次｛×こそ／○も｝いい成績を取るぞ。

◆「こそ」は取り立てたもの以外のものを否定する場合にも肯定する場合にも用いることができますが、「こそ」がガ格名詞句を取り立て、他のものを否定する場合、総記の「が」と置き換えることができます。(→初級編§27)

(16) ピカソ以外に20世紀を代表する画家はいない。
＝ピカソ｛こそ／が｝20世紀を代表する画家だと思う。

◆「こそ」は既定の事実を表す文では用いられません。

(17) 父の病状は家族にだけ話した。
(18)a. ×父の病状は家族にこそ話した。
　　b. ○父の病状は家族にこそ話すべきだった。

◆「だけ」で取り立てた名詞句を強調構文「…のは～だ」の述語にすることはできますが、「こそ」の場合は不可能です。

(19)○今教室にいるのはパクさんだけです。
(20)×今教室にいるのはパクさんこそです。

　条件節を取り立てる場合は例外です。

(21) 健康であればこそこうして仕事ができるのだと思う。
　→こうして仕事ができるのは健康であればこそだと思う。

◆「こそ」は古くは強調を表す係り結びとして使われていた助詞です。今でもことわざや逆接的な表現にその名残があります。

(22)　好きこそものの上手なれ。
　(23)　感謝こそすれ、恨むなんてあり得ない。

◆「こそ～が／けれどetc.」は「確かに～であることを認めるものの、それが問題にならないと思えるほど対照的なことが成り立つ」ことを示す場合に用いられます。

　(24)　この店の印刷は時間こそかかるが、仕事はとても丁寧だ。
　(25)　このきゅうりは形こそ悪いけれど、味は良い。
　(26)　あの子は愛想こそいいけれど、性格は悪い。

3. だけでなく、ばかりでなく、のみならず、ばかりか、はもちろんのこと、に限らず、にとどまらずetc.
　　　－付け加えを表すとりたて表現－

> (1)　このゲームは子どもだけでなく大人も楽しめる。
> (2)　金融機関の抱える不良債権問題{ばかりでなく／のみならず}政局不安も株価低迷の原因であろう。
> (3)　娘ばかりか飼い犬まで私をばかにするようになってしまった。
> (4)　子どもたちはもちろんのこと大人も招待することにしよう。
> (5)　白色人種に限らず有色人種にも皮膚ガンが増えているらしい。
> (6)　日曜大工に凝っている山本さんは本棚や犬小屋にとどまらず、とうとう自分の家まで建ててしまった。

これだけは

◆単なる**付け加え**を表したい場合には「だけでなく」を用いるのが普通です。付け加えられる側には「だけでなく」を、付け加える側のものには「も」「まで」などを使います。

◆「ばかりでなく」「のみならず」は、「だけでなく」と同じ意味で用いられ

27. とりたて(2) ―限定、付け加え、数量の見積もり―

ますが、「だけでなく」よりも書きことば的な硬い表現です。
◆「ばかりか」は(3)のように意外な事物を取り立てそれよりさらに意外なものを付け加えることによって程度が甚だしいことを表します。「ばかりか」は「だけでなく」に置き換えることができます。

(3)' 娘だけでなく飼い犬まで私をばかにするようになってしまった。

しかし、「だけでなく」は特に意外なものを取り立てていない場合には「ばかりか」には置き換えられません。

(7) 水曜日｛○だけでなく／？ばかりか｝木曜日にも出勤している。
(8) その子は単に花を眺める｛○だけでなく／？ばかりか｝、積極的にその名前を知りたがった。

◆(4)のように当然だと思われるものを取り立てて、それよりはいくぶん可能性の低そうなものを付け加える場合には「はもちろんのこと」を用います。

(9) 会員｛だけでなく／はもちろんのこと｝一般のお客さんも割引価格で買うことができる。

「はもちろんのこと」は、意外なことを取り立てる場合には不適です。

(10) 思いがけず宝くじに当たった｛○だけでなく／×のはもちろんのこと｝、会社でも臨時ボーナスが出た。

◆「に限らず」は何かを付け加えて範囲を広げ、範囲を限定しないことを表します。(5)のように付け加えるものを後ろに明示するのが普通ですが、(11)のように付け加えるものを暗示する場合もあります。

(11) この国の航空会社も国内線に限らず急いで禁煙を実施すべきだと思う。

◆「にとどまらず」は単なる付け加えではなく範囲を超過してしまったという意外な気持ちを表したい場合に用いる表現です。

(12)　月曜日{○だけでなく／×にとどまらず}木曜日も仕事をしている。
(12)'　平日にとどまらず週末にも仕事をすることになってしまった。

「にとどまらず」では、取り立てるものは二つ以上の事物でなければなりませんが、「だけ」を併用する場合はその限りではありません。

(13)a.　×スイスにとどまらず中国も不参加を表明した。
　　b.　○スイスやカナダにとどまらず中国も不参加を表明した。
　　c.　○スイスだけにとどまらず中国も不参加を表明した。

◆「だけでなく、ばかりでなく、ばかりか、にとどまらず」（→§33、§35）

もう少し

◆「ばかりか」は命令、依頼、意志など聞き手に働きかける発話では用いることができません。

(14)a.　×ビールばかりかウォッカやテキーラなどの強いお酒まで飲みなさい。
　　b.　○娘はビールばかりかウォッカやテキーラなどの強いお酒まで飲むようになった。

◆「はもとより」は「はもちろんのこと」と同じ意味で置き換えられる形式です。

(15)　会員{はもとより／はもちろんのこと}一般のお客さんも割引価格で買うことができる。

◆「どころか／はおろか」は、想定しにくいものを挙げたあと、それよりさらに想定しにくいものを強調して取り立てる付け加えに用います。（→§35）

(16)　A：昼ごはんはもう食べましたか。
　　　B：昼ごはん{どころか／はおろか}まだ朝ごはんも食べていません。

(17) A：私は飲むと顔が赤くなるんです。ビールなら1杯くらいでもう真っ赤ですね。
　　 B：私なんかビール｛どころか／はおろか｝奈良漬けやウイスキーボンボンでも真っ赤になりますよ。

「どころか」「はおろか」は「はもちろんのこと」に置き換えることができます。

(16)' 昼ごはんはもちろんのこと、まだ朝ごはんも食べていません。
(17)' ビールはもちろんのこと、奈良漬けやウイスキーボンボンでも顔が赤くなります。（→○どころか／○はおろか）

◆「～もさることながら」「～は言うまでもなく」は「～が重要視されるのはもちろんだが、それだけでなく」ということを表します。

(18) 味の良さもさることながら、ご主人の明るさもこの店の人気の秘密だ。
(19) 成績が悪いこともさることながら、出席率が悪いことも不合格にした原因の一つだ。

「もさることながら」「は言うまでもなく」は、「はもちろんのこと」と同じ意味で言い換えられます。

4. 数量の見積もり－「数量詞＋は」「数量詞＋も」－

(1) 今日見たサメは4メートルはないかもしれないが3メートルはあっただろう。
(2) 25日にも予算案が提出される見込みです。内閣不信任案は30日には可決されるでしょう。
(3) オーストラリアは物価が安いですから、食費だけだと1日1000円もかかりませんでしたよ。
(4) 2メートルもあろうかという大男が入って来た。
(5) 駅から5分もタクシーに乗れば会場に着くはずです。

これだけは

◆とりたて助詞は数量詞を取り立てることがあります。ある数量を取り立てて評価を加える場合とだいたいの**数量の見積もり**を表す場合とがありますがここでは後者のみを扱います。数値を取り立てて評価を加える場合については§28を参照してください。

◆(1)のように、肯定文の「は」は最小値（3メートル）を取り立てて、その数値は確実に超えていることを示し、それより大きい数値を対比的に暗示します。これに対して、否定文の「は」は最大限でもそこまでは達しないだろうという値を取り立てて、それより小さい数値を暗示します。つまりサメの大きさは2メートル代の数値でも4メートル代の数値でもないということになり、結果として「およそ3メートルと4メートルの中間ぐらいの数」が概数的に暗示されるのです。

◆はっきりした日付や時刻が不明で、それを見積もりたいと思う場合、最短、あるいは、最長の日付・時刻は「も」と「は」で表されます。例えば、(2)の「も」は予算案提出の最も早い日として「早ければ」という意味で「25日」を取り立てています。これに対し、「は」は内閣不信任案可決の最も遅い日として「遅くとも」という意味で「30日」を取り立てています。このような表現は肯定文に限って用いられ、主に新聞やニュースなどの改まった場面で多く見られます。日付や時刻以外にも「明日」「午後」など時を表す語を取り立てて「明日にも」「午後にも」となることもあります。

(6) 明日に<u>も</u>／明日に<u>は</u>出発する。cf. ×明日に出発する。

◆「も」は実際の数値が不明である場合、あるいは不明のまま述べたい場合には、(3)のような否定文でも(4)のような肯定文でも最大値を見積もっていることを表します。

◆否定文の「数量詞＋も」は実際の数値がわからない場合に、おおまかな数を見積もって表すために用いることができます。(3)で「1000円もかからなかった」というのは、「だいたい800円ぐらいだった」という意味になります。「も」には並立の機能があるため、「1000円より大きい数値を想像するかもしれないが」という並立的な暗示がなされています。

27. とりたて(2) ―限定、付け加え、数量の見積もり―

否定文の「数量詞＋も」にはこの他にも複数の解釈の可能性があります。これについては§28の7-2を参照してください。

◆肯定文の「数量詞＋も」はほとんどの場合、既定の数値を取り立てて「思ったより多い」という評価を加えるために用いられます。(→§28)

(4)(7)のように不確定さを表す文や節の中で用いる場合にのみ、不確定な数値を取り立てて、最大値を見積もっていることを表すことができます。

(7) あのとき駅には通勤の人が何人かいたように思います。そうですね、ホームにはスーツ姿の人が5人<u>も</u>いた<u>でしょうか</u>。とにかく目撃者がいないということはないはずです。

◆肯定文の「数量詞＋も」は、(5)のように条件節の中で用いられる場合、「一般的な評価はさておき、その場合にはだいたいその数値で十分だ。」という話し手の評価を含んでいることを表します。

(8) この店では1000円<u>も</u>あればおなかいっぱい食べられる。
(9) このラーメン屋は狭いのでお客が3人<u>も</u>入れば満員になる。

もう少し

◆(1)のように最小値と最大限の値が明示される場合はその中間ぐらいの値を概数的に示すことができることはすでに述べました。では、(10)のような最小値しか明示されていない場合にも概数を暗示することができるのはなぜでしょうか。

(10) 彼女は外見からして、30歳<u>は</u>超えているでしょう。

それは「は」が対比的な暗示をするとりたて助詞だからです。つまり、(10)では「は」の対比の機能によって「40歳は超えていないかもしれないが…。」という対比的な暗示が言外になされているのです。「30歳は超えている」と明示することによって「確実にもう20歳代ではないこと」を示し、「40歳は超えていない」と暗示することによって「40代には達していないこと」を示しているので、結果的に30歳と40歳の中間ぐらいの年齢が概数的に暗示されるのです。

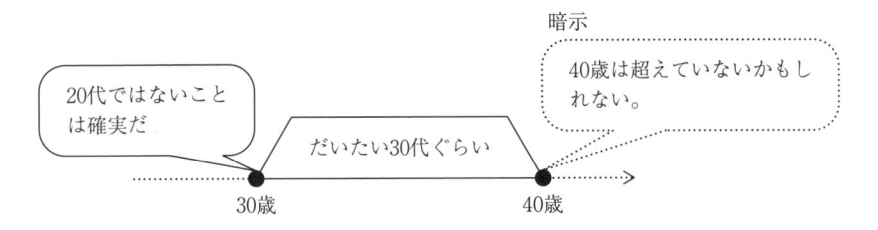

```
            暗示
            ┌─────────────────┐
            │40歳は超えていないかも│
┌─────────┐ │しれない。        │
│20代ではないこと│└─────────────────┘
│は確実だ   │ ┌─だいたい30代ぐらい─┐
└─────────┘
┄┄┄┄┄┄┄┄●──────────────●──────→
         30歳                40歳
```

◆否定文における「数量詞＋は」も同様に説明することができます。

　(11)　あの先生はどう考えてもまだ60歳は超えていないでしょう。

(11)では「50歳ぐらいは超えているかもしれないが…。」ということが言外に対比的に暗示されています。よって、結果的に50歳と60歳の中間ぐらいの年齢が概数的に暗示されるのです。

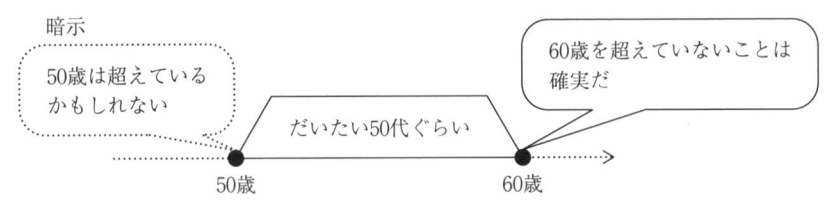

```
   暗示                        ┌─────────────────┐
┌─────────┐                   │60歳を超えていないことは│
│50歳は超えている│                │確実だ          │
│かもしれない  │                └─────────────────┘
└─────────┘ ┌─だいたい50代ぐらい─┐
┄┄┄┄┄┄┄┄●──────────────●──────→
         50歳                60歳
```

◆既定の事実を表す確定的な文では「数量詞＋も」は、不確定な数を見積もっているという解釈が難しくなります。既定の事実を表す文では、確定している数値について話し手が評価を加えたり、数値を並立させるという意味になるからです。

　(12)　駅から５分もタクシーに乗った。（評価）
　(13)　その人は２メートルもあった。　（評価）
　(14)　25日にも予算案が提出される。　（並立）

◆最も早い実現の日付や時刻を見積もっていることを表す「数量詞＋も」は、過去の時点を取り立てたり、否定文で用いられることはありません。その場合は並立の意味に傾きます。

　(15)　先月にも予算案が提出された。（過去）
　(16)　午後にも来なかった。　　　　（否定）

27. とりたて（２）―限定、付け加え、数量の見積もり―

もう一歩進んでみると

◆とりたて助詞は取り立てたもの以外の他のものを暗示するために用いる助詞です。「今日も雨だ。」という場合、「今日」の他に雨が降った「昨日」が暗示されています。この場合、「今日」と「昨日」は並立的な関係にあり、このような関係を**範列的な（paradigmatic）関係**と呼びます。とりたて助詞の特徴はこの範列的な関係にあるものの暗示があることです。

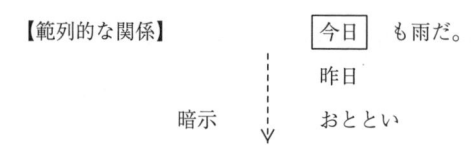

【範列的な関係】　　　　今日　も雨だ。
　　　　　　　　　　　　　↓
　　　　　　　暗示　　　昨日
　　　　　　　　　　　　おととい

　これとは対照的に、格助詞は文中に明示されている要素どうしの関係を表します。例えば「太郎が来た。」という場合、「が」は「来た」という述語の主格を表し、「太郎が」と「来た」は互いに**統合的な（syntagmatic）関係**にあります。

【統合的な関係】　　　　↓　　↓
　　　　　　　　　　　太郎　が来た。

○**参考文献**（→§26　とりたて(1)にまとめて記載）

コラム
条件と主題

(1) a. リモコンなら、椅子の上にあるよ。（主題）
　　b. リモコンを探しているのなら、椅子の上にあるよ。（条件）

　§26で、普通、条件の表現といわれる「なら」に主題を表す用法があることを見ました。実際、(1)のaとbの意味は非常に接近しています。条件文「PならQ」は「Pと仮定すると帰結はQである」といった関係を表しますが、bの場合、「相手の関心がリモコンであるという仮定（P）－リモコンに関する情報（Q）」という内容であるため、「主題（P）－題述（Q）」の関係に近くなるのです。
　「～といえば、～というと」なども「～ば、～と」などの条件の表現から構成された主題の表現です。
　逆に、主題の表現が条件に近づくこともあります。例えば、(2)のaはbに近い意味を表していると言えるでしょう。

(2) a. 質問がある人は、手を挙げてください。
　　b. 質問があれば、手を挙げてください。

「～とき、～場合」などが「は」によって主題化された場合も同様です。(3)のaは意味が条件的である（bに近い意味である）ことがわかります。

(3) a. 　肌に異常が出たときは、薬の使用をやめてください。
　　b. 　肌に異常が出たら、薬の使用をやめてください。
　　c. ？肌に異常が出たとき、薬の使用をやめてください。

　(2)a、(3)aはいずれも行為を要求する文（その行為はまだ実現していない）であり、それぞれ「手を挙げる」という行為をする「人」、「薬の使用をやめる」という行為をする「とき」が「は」によって限定されるところから、条件的な意味が生じているのです。
　このように条件と主題には深いかかわりがあります。

§28. とりたて(3) －評価－

　初級編で触れたように、とりたて助詞「も」は話し手が意外に感じているということを表すこともあります。しかしながら、「も」は本来的には「並立」を表すものなので、意外さは文脈が整った場合にしか読み取ることができません。そこで、中上級編ではもっぱら**意外さ**を表すために用いるとりたて助詞として「さえ」を扱います。
　意外さというのは社会通念などの客観的な観念ではなく、あくまでも話し手の**主観的な評価**、つまり、話し手独自の尺度に基づくものです。話し手はその気持ちを表したいと思うときには「さえ」などのとりたて助詞を用います。ここでは、「さえ」の他にも話し手の主観的な評価を表すとりたて助詞「でも」「まで」「など・なんか、なんて」「くらい」を扱います。
　この他、数量詞を取り立てて評価を表すとりたて表現、意外さを表す「も」の派生的な用法についても述べます。

1. さえ －極端なものを取り立てて意外な気持ちを表したい場合－

> (1) 親友にさえ裏切られた。
> (2) あのときはあまりの心労で水さえ喉を通らなかった。

これだけは

◆「さえ」は極端なものを取り立てて話し手の意外な気持ちを表すために用

いる最も典型的なとりたて助詞です。社会通念や予想と異なる事物がある場合、文の一部を「さえ」で取り立てれば意外さを表すことができます。
◆(1)'は普通では考えられないような社会通念に反するコトを表しています。

　　(1)'　親友に裏切られた。

　しかし、(1)'は単に事実（**前提**）を表しているだけで話し手の気持ちを表すことはできません。この文の「親友に」という句を「さえ」で取り立てれば、「親友は一般的には裏切らないと思われる人で、その親友に裏切られたのは意外だ」という話し手の気持ちを表すことができます。
◆「さえ」が取り立てるのは、肯定文では社会通念や予想から判断すると最も可能性が低いものです。例えば(1)では「裏切ること」に関して最も可能性の低い「親友」を取り立てて「それよりは裏切る可能性の高い人」が含意として暗示されます。

＜裏切ることに関して＞

　　可能性が低い　　　　　　　　　　　可能性が高い
　　●────────────────────▶
　　親友　　　　　　　　　　　普通の友達、知り合い…

　肯定文の「さえ」は可能性の低いものを取り立ててそれについて成立することを示し、それよりも可能性の高いものはもちろん成立することを暗示します。
◆(2)では「喉を通ること」に関して最も可能性の高い「水」を取り立て、それより可能性の低いものが暗示されています。

＜喉を通ることに関して＞

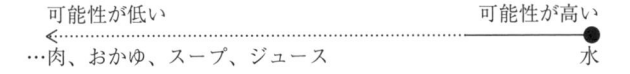

　　可能性が低い　　　　　　　　　　　可能性が高い
　◀────────────────────●
　…肉、おかゆ、スープ、ジュース　　　　　　水

　否定文の「さえ」は可能性の高いものを取り立ててそれについては成立しないことを示すことによって、それよりも可能性の低いものについてはもちろん成り立たないことを暗示しています。
◆「さえ」は、意外さを表すと同時に、何か他にあるような感じも与えます。その点では「も」と似ていますが、「さえ」のほうが「も」よりも意外さを

28.　とりたて（3）―評価―

明確に示すことができます。

(3) 小学校で習うような簡単な漢字に{も／さえ}ルビが振ってあった。
(4) 味にはうるさい夫{も／さえ}今日のクリームコロッケはおいしいと言ってくれた。

それは「も」が基本的には他のものを並立するとりたて助詞だからです。次に示すように意外さを表す修飾語が不十分な場合には並立の解釈に傾きます。

(4)' 夫も今日のクリームコロッケはおいしいと言ってくれた。

◆「すら」は「さえ」よりも古い形式で、ほとんどの場合「さえ」と同じ意味で交換できます。

(2)' あのときはあまりの心労で水{さえ／すら}喉を通らなかった。

ただし、以下のような場合には「さえ」のほうが適しています。

(5) 手伝って{○さえ／？すら}くれない。（動詞のテ形）
(6) 本を読み{○さえ／×すら}しない。（動詞のマス形語幹）
(7) 父は暇{○さえ／×すら}あれば、庭いじりをしている。（定型表現）

◆「さえ」は名詞、格助詞を伴う名詞句の他、動詞のテ形・マス形語幹、イ形容詞、ナ形容詞、副詞、引用節を取り立てます（→§26）。しかし、動詞の辞書形を取り立てることはありません。

(8)○あの人は手伝ってさえくれない。
(9)○手伝おうとさえしません。
(10)×手伝うさえしません。（動詞の辞書形）

もう少し

◆「すら」と交換できる「さえ」は「さえも」と置き換えることができ、置き換えることによってその意味が強調されます。

(11) 合格の知らせをまだ両親にさえも伝えていない。

◆「だに」も「さえ」と同じ意味を表す形式ですが、古い形式なので「予想だにしない／想像だにしない／微動だにしない／一顧だにしない／夢想だにしない」などといった決まりきった表現で用いられるのがほとんどです。

(12) 試合展開は誰も予想だにしなかった結果になった。
(13) 夢にだに見ない。

◆「さえ」の表す話し手の主観的評価は既定の事実に対して下すのが普通ですから、聞き手に対して働きかける発話では「さえ」を用いることができません。

(14)×宝くじが当たったことは家族にさえ言わないでください。（依頼）
　　cf. ○宝くじが当たったことは家族にさえ言いませんでした。
(15)×雨の日にさえピクニックに行きませんか。（勧誘）
　　cf. ○雨の日にさえピクニックに行きました。

◆「さえ」によって暗示されるものは必ずしも具体的なものとは限りません。例えば(16)では「犯人が他に浮かべていたもの」が具体的に存在するというわけではありません。

(16) 犯人はけがをした被害者を見て時折うすら笑いさえ浮かべていたという。

2. でも－極端なものを取り立ててその他の普通のものを暗示したい場合－

(1) この数学の問題は簡単なので小学生でも解けるだろう。
(2) この数学の問題は難しいので大学生でも解けないだろう。

これだけは

◆「でも」は社会通念上、成り立つとは考えにくい極端な例を取り立て、そ

れが成り立つのだから他のものは当然成り立つということを暗示するために用いるとりたて助詞です。

◆(1)では極端なこととして「小学生がその数学の問題が解けること」を取り立て、「解けないはずの小学生が解けるのだから、当然高校生や大学生は解けるだろう」ということを暗示しています。この暗示は「大学生が解けるというならまだわかるが、小学生は普通は数学の問題は解けないものだ」という社会通念に基づいています。

◆(2)も同様で「大学生が数学の問題が解けないこと」を取り立て、「解けるはずの大学生も解けないのだから、小学生や中学生は当然解けないだろう」ということを暗示しています。

◆「でも」は極端なものを取り立てて他の普通のものを暗示するために用いるとりたて助詞なので、意外だということを強調するだけで特に具体的に他のものが暗示されないような場合には使えません。

(3) 犯人はけがをした被害者を見て時折うすら笑い{○さえ／×でも}浮かべていたという。

(4) 監督は温厚な性格の人だったが、練習中選手が失敗すると大声で怒鳴り{○さえ／×でも}した。

◆とりたて助詞「でも」は、名詞、格助詞を伴う名詞句、動詞のテ形・マス形語幹、副詞、節を取り立てることができます（→§26）。動詞の辞書形、イ形容詞は取り立てられません。

(5)a.○弟は朝起きるのが苦手で、水をかけでもしなければ起きない。
　 b.×弟は朝起きるのが苦手で、水をかけるでもしなければ起きない。
(6)×この部屋はもう少し狭くでもなるだろうか。

◆「だって」は「でも」と同じ意味で置き換えられる形式ですが、主に話しことばで用いられる形式です。

(7) まずい野菜ジュースだって我慢すれば飲めるさ。

> **もう少し**

◆「でも」は既定の事実でないことについても意外さを表すことができるとりたて助詞です。そのため、「でも」は「さえ」が使えない依頼や勧誘でも用いることができます。

 (8) 飲んだことのない種類のお酒{×さえ／○でも}飲んでください。
                 （依頼）
 (9) 飲んだことのない種類のお酒{×さえ／○でも}飲んでみましょうよ。
                 （勧誘）

◆「でも」は並立を表す「も」を含むため、様々な可能性を並立して列挙することができます。

 (10) 会社員でも自営業の人でもこのセミナーに参加することができる。

3.　まで －意外な要素を付け加えたい場合－

> (1)　入賞しなかった人まで豪華な賞品をもらった。
> (2)　東さんの家では風呂場にまでテレビがある。
> (3)　母のカツサンドはいつも手作りだ。具だけでなくパンまで焼くのだ。
> (4)　徹夜してまでコンサートの切符を手に入れようとする若者が多かった。

> **これだけは**

◆社会通念や予想では考えられないような事物を当然だと思われる事物に付け加える場合には、「まで」を用いるのが適当です。例えば(1)では「入賞しなかった人が豪華な賞品をもらうこと」が意外なことで、それを「普通は豪華な賞品をもらう人」に付け加えています。
◆(1)では入賞という語から「1位、2位…」という序列が簡単に想定できます。「まで」は(2)のように特に序列を伴わない名詞でも取り立てることがで

きます。「まで」に取り立てられると、付け加えられるもの（居間、台所、寝室…）が以下のように暗示されます。

＜テレビがある場所に関して＞

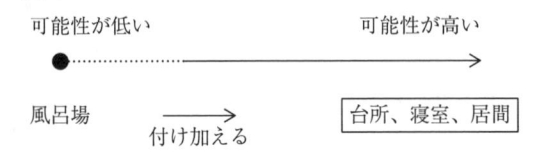

可能性が低い　　　　　　　　可能性が高い

風呂場　　→　付け加える　　台所、寝室、居間

◆「まで」は名詞、格助詞を伴う名詞句の他、動詞のテ形・マス形語幹、節を取り立てることもできます（→§26）。(3)は「パンを焼く」という節全体を取り立て、それが意外だということを表しています。(4)(5)はそれぞれ動詞のテ形、マス形語幹を取り立てている例です。

(5) 初めて会ったその子にお金を貸してあげたのはいいが、家に泊めまでしてあげなくてもいいのではないか。

「まで」は動詞の辞書形、イ形容詞、ナ形容詞を取り立てることはありません。

(6) ?おいしくまでしてくれた。（イ形容詞）
(7) ?元気にまでなれとは言わないが、早く退院してほしい。（ナ形容詞）

もう少し

◆「まで」はとりたて助詞「も」といっしょに用いられることもありますが、その場合は、意外な気持ちが強調されます。

(8) 空港は厳戒態勢ということで靴の中までも念入りに調べられた。

◆「まで」は既定の事実に対して話し手が意外だという評価を加える場合に用いられるのが普通です。従って「まで」を推量や仮定、勧誘、依頼を表す文で用いると不自然になります。

(9) ×疲れているので水まで喉を通らないだろう。（推量）

(10) ?もし家族にまで裏切られたらもう味方はいないことになる。(仮定)
(11) ×飲んだことのない種類のお酒まで飲んでみましょうよ。(勧誘)
(12) ×飲んだことのない種類のお酒まで飲んでください。(依頼)

◆「まで」は「付け加える」という意味から肯定文で用いるのが普通です。

(13) 初めて会ったのにその人は私の名前や住所、血液型まで知っていた。
(14) ×初めて会ったのにその人は私の名前まで知らない。

可能性の低いものを取り立ててそれよりさらに低いレベルのものを想定することが不可能なためです。

◆否定文で「まで」が用いられるのは、否定するものを付け加えるというやや特殊な文脈に限られます。

(15) 昨夜停電したとき、天井の電灯だけでなく懐中電灯までつかなかったので、困ってしまった。

ただし、「までは」となる場合は例外で否定文でのみ用いられます。

(16) いくら忙しいと言っても週末までは働きたくない。

◆完全な段階には至らないがほぼ満足できる結果であることを表す場合、「までも」を用いることがあります。これは「が/けれども」など逆接の接続助詞と置き換えられます。

(17) 真っ白とは言えない{までも/が}大体の汚れは落ちた。
(18) 金メダルとはいかない{までも/が}5位に入賞したのだから上出来だ。

4. など、なんて －検討の範囲を外れていることを表したい場合（問題外、当然）－

> (1)　卵焼き{など（なんか）／なんて}簡単に作れる。
> (2)　牛タンシチュー{など（なんか）／なんて}家では簡単に作れない。

これだけは

◆「など」「なんて」は、検討の範囲を外れている事物を取り立てて、それ以外のものを暗示するとりたて助詞です。「検討の範囲を外れている」というのは、(1)のように検討するまでもなく当然である場合と、(2)のように考えも及ばないほど問題外の場合とがあります。
◆(1)(2)では「など」「なんて」を用いることによって以下のような評価的な想定がなされています。「など」「なんて」は検討するまでもないような両極端の要素を取り立てます。

＜簡単に作れる料理＞

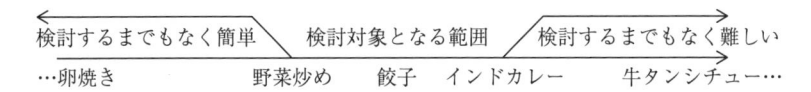

```
←―――――――――――――――――――→
検討するまでもなく簡単  検討対象となる範囲  検討するまでもなく難しい
…卵焼き        野菜炒め  餃子  インドカレー    牛タンシチュー…
```

◆(1)では「卵焼き」を取り立てて、餃子やインドカレーならともかく、卵焼きなら誰でも検討するまでもなく簡単だと言えるということを暗示しています。
◆(2)でも同様で、「牛タンシチュー」を取り立てて、野菜炒めや餃子ならまだしも「牛タンシチュー」は検討するまでもなく難しい料理だということを暗示しています。
◆「なんて」は話しことばで用いられる形式です。

> (3)　おばけ{？など／○なんて}いないよ。

◆「なんか」は「など」と同じ意味で交換できる形式ですが、くだけた場面

の話しことばでは「なんか」のほうが好まれます。

 (4) お姉ちゃん{？など／○なんか}大嫌いだ。

もう少し

◆「など、なんて」は、社会通念から考えてもそれ自体が低評価だと思われるものを取り立てることが多いです。

 (5) 中古車なんかほしくない。
 (6) 団体ツアーで旅行に行くなんてくだらないことだと思う。

しかし、一般的には低評価とは言えないようなものを取り立てることもあります。「など」「なんて」は広く「話し手が述語で述べる事柄について考えた場合、検討の範囲を外れているもの」を取り立てることができるからです。

 (7) 私はダイヤの指輪なんかほしくないわ。
 (8) 10年前は、家業を継ぐことなんかくだらないことだと思っていた。

◆「など、なんて」が取り立てる要素には特に制限はありません。

 (9) 大切な手紙を捨てるなどしていません。(動詞の辞書形)
 (10) やさしくなどしないでください。(イ形容詞)
 (11) 乱暴になど扱った覚えはない。(ナ形容詞)

◆「なんて」には「など（なんか）」とまったく等価で置き換えられるものと、「などと」の代わりに話しことばで用いられるものがあります。(13)の「なんて」は後者の例なので「など（なんか）」と置き換えることができません。

 (12) 嘘なんてついていない。(＝嘘なんか)
 (13) 田中さんは友達と二人でお弁当屋をやってるんだけど、店では社長なんて呼ばれていたわよ。(→×社長なんか)

◆「なんて」は格助詞の前では用いることができないという点で「など」と異なります。

(14) a. ×もう大学生になったのだから母親 なんて といっしょに買い物に行けない。
   b. ○もう大学生なったのだから母親と なんて いっしょに買い物に行けない。
(15) a. ×父親 なんて に悩みは相談しない。
   b. ○父親に なんて 悩みは相談しない。

◆「など、なんて」は相手の発言の一部をそのまま受け取って取り立て、相手の発言の内容を修正する場合によく用いられます。

(16) 　A：少しゆっくり休んだほうがいいんじゃないですか。
　　 B：決算期ですからゆっくりなどしていられないですよ。

5. くらい －「低レベルだから当然最も可能性が高い」と言いたい場合－

> (1) 家族にくらい病状を話すべきだ。
> (2) お茶くらい私が入れますよ。
> (3) 息子にはせめて高校くらいは卒業してほしいと思っている。

これだけは

◆「ぐらい」は「くらい」とまったく同じ意味で交換できる交替形です。
◆ある事物が話し手の尺度で評価すると低レベルだから当然最も可能性が高いと思われる場合、その気持ちを表現するためにとりたて助詞「くらい」を用いることができます。例えば(1)では、他の人はともかく、家族は「一番に病状を話すべき人で、当然話すべき人だ」という気持ちを表しています。家族以外の人については話すべきかどうかは特に問題にはしていませんが、以下のような想定がなされています。

＜病状を話すということに関して＞

```
                   低レベル
    当然話すべきだ              話さなくてもいい
         ●・・・・・・・・・・・・・・・・・・・・・・→
         家族         親戚、友達、近所の人、知らない人…
```

◆「くらい」は、名詞、格助詞を伴う名詞句、動詞の辞書形・マス形語幹、節を取り立てますが、基本的にはイ形容詞、ナ形容詞は取り立てられません。

　　(4)×部屋を明るくくらい簡単にできる。（イ形容詞）
　　　　cf.○部屋を明るくするくらい簡単にできる。

◆「せめて～くらいは」の形で用いると、最低限の願望を表すことができます。

もう少し

◆「くらい」は低レベルだから当然だと言うために用いますが、同時に現実が話し手の予想・期待を裏切っているという意外さも表しています。例えば、(1)では「家族に話すことは当然であるはずなのに、実際には話していない」という点で意外さを表しています。従って、当然であるものを取り立てていても、何らかのズレが読み取れる文脈でなければ「くらい」を用いることは不自然になります。

　　(1)'？家族にくらい病状を話しました。

　次の例では相手の認識が現実とずれているので「くらい」が許容されます。

　　(5)　A：検査の結果、奥さんにまだ話してないんだろう？
　　　　B：家族にくらい話したよ。

◆取り立てる要素に低評価を表す修飾語を付けるとそれが低レベルのものだとわかりやすくなり、解釈が容易になります。

　　(6)　自転車くらいいつでも買ってあげられるよ。
　　　　→こんな安い子供の自転車くらいいつでも買ってあげられるよ。

28. とりたて（3）—評価—

◆「くらい」は否定文で用いられません。(1)' が言えないのは、「低レベルのものよりさらに下のレベルのもの（家族よりもっと病状を話すべき人）」が考えにくいためです。

 (1)' ×家族にくらい病状を話さない。

＜病状を話すことに関して＞

> 低レベルだ。
> 当然話すべきだ。

もっと話すべき人？　　　　　　　　　　　　　話さなくてもいい
←――――――――●――――………………………………………
  ？？？… 　家族　　　親戚、友達、近所の人、知らない人…

　もちろん「病状を話すこと」に関してもっともあり得そうな「家族」を取り立てておきながら「病状を話さない」と否定することが矛盾するからでもあります。

◆低レベルであることを強調する場合は「くらいは」となります。

 (7)　家族が心配しているだろうから家に電話をかける<u>くらいは</u>しておこう。

◆二つの事物を比べて、より低レベルのものは選択しないことを表したい場合には「くらいなら」となります。

 (8)　授業に50分も遅れて行く<u>くらいなら</u>いっそ休んだほうがましだ。

6.　評価を表すとりたて助詞の使い分け
6－1.「さえ」vs.「も」

> (1)　熱が高くて、水{さえ／も}喉を通らない状態だ。
> (2)　小学生{さえ／も}携帯電話を持っていた。

> **これだけは**

◆「も」は「並立」「意外さ」という意味の判定で曖昧さがありますが、「さえ」は「意外さ」をより明確に表すことができます。
◆すべての「さえ」は基本的には「も」と交換することができます。しかし、意外さを読み取るための文脈が不足している場合には、「も」だけで意外さを読み取ることが難しいです。

　(3)　小学生も中学生も携帯電話を持っていた。

意外なものを取り立てているという文脈があれば解釈しやすくなります。

　(4)　塾でアルバイトをしていたとき、小学生も携帯電話を持っていることに驚いた。携帯電話を持っているのはごく一部の大人だけだと思っていたのだが。

◆「も」は評価的な意味を抜きにして、並立だけを表すことができますが、「さえ」は並立だけを表すことができません。

　(5)　月曜日に{×さえ／○も}火曜日に{×さえ／○も}雨が降った。

6－2.「さえ」vs.「でも」

(1)　犯人はけがをした被害者を見て時折うすら笑い{○さえ／×でも}浮かべていたという。
(2)　弟はまだ小さいのでひらがな{○さえ／×でも}書けない。

> **これだけは**

◆「さえ」は極端な要素を取り立てて意外さを表すことが目的であるのに対し、「でも」は極端な要素を取り立ててそれ以外の普通の要素を暗示するために用います。従って、意外さを強調し、特に他のものを具体的に暗示しな

い場合には「さえ」は使えますが、「でも」は使えません。

 (3) 監督は温厚な性格の人だったが、練習中選手が失敗すると大声で怒鳴り{○さえ／×でも}した。

 他のものを暗示するより、意外な要素を取り立てることを強調したい場合にも「さえ」のほうが適しています。

 (4) 親友に{○さえ／×でも}裏切られた。

 逆に、他のものを暗示することのほうをもくろんでいる場合には「でも」のほうが適しています。

 (5) 『サルでもわかるコンピュータの本』

◆否定文で用いられる「さえ」は基本的に「でも」と交換することができません。

 (6) 財布を忘れたので缶ジュース{○さえ／×でも}買えない。
 (7) あのときはあまりの心労で水{○さえ／×でも}喉を通らなかった。

もう少し

◆否定文の「さえ」は他のものを想定させるような修飾語を伴う場合に限って「でも」と置き換えることも可能になります。

 (8) 財布を忘れたので一番安いジュース{さえ／でも}買えない。

◆意外だという気持ちもその他のものの暗示もしたいという場合に「さえ」も「でも」も両方共用いることができます。

 (9) あの人は料理が上手だから、本格的なインドカレー{さえ／でも}自分で作ってしまう。

6−3.「さえ」vs.「まで」

> (1) あの人は近くのスーパーに買い物に行くのに{さえ／まで}タクシーを使う。
> (2) 弟はまだ小さいのでひらがな{○さえ／×まで}書けない。

これだけは

◆(1)のように、肯定文では「さえ」と「まで」は互いに置き換え可能です。ただし「まで」は「付け加える」という意味が必要ない場合には使えません。

> (3) 私の部屋には安い家具しかない。しかし、日光が部屋に入って明るくなると安い家具{○さえ／？まで}立派に見えるから不思議だ。

逆に、付け加えるという意味が重視される場合には「さえ」が使えません。

> (4) 安い家具を高い家具といっしょに置くと、安い家具{？さえ／○まで}立派に見えるから不思議だ。

◆「さえ」が否定文で最低レベルのものを取り立てる場合「まで」とは交換できません。例えば、(2)では「ひらがな」が最低レベルのものなので「まで」を用いると何に「付け加える」のかが不明になってしまうからです。

6−4.「など」vs.「くらい」

> (1) 病気のときにチャーハン{○など／×くらい}食べたくない。
> (2) チャーハン{○など／○くらい}すぐ作れる。
> (3) 面接中なのにガム{○なんか／×くらい}かんでる。ダメだよ。

これだけは

◆「くらい」は基本的には否定文では使えないので、否定文の「など」は「くらい」とは置き換えられません。

　　(4)　中古車{○など／×くらい}ほしくない。

◆「など」「なんて」は、検討の範囲を外れている事物を取り立てて、それ以外のものを暗示するとりたて助詞です。「検討の範囲を外れている」というのは、(2)のように検討するまでもなく当然である場合と、(3)のように考えも及ばないような問題外のものである場合とがあります。前者の場合は「くらい」と置き換えることができます。

　　(5)　逆上がり{○など／○くらい}簡単さ。

これに対して、後者の場合は「くらい」と置き換えられません。

　　(6)　友達の結婚式に白いスーツ{○なんか／×くらい}着ていってしまった。

7. 数量詞を取り立てて評価を表すとりたて表現
7-1. 多い（大きい）という評価を表す

> (1)　今日のパーティにはお客さんが40人も来た。
> (2)　えっ、40人もパーティに来なかったの。じゃあこのクラブの半分以上が欠席したっていうことね。
> (3)　今日のパーティには40人もの人が来なかった。

これだけは

◆とりたて助詞は数量詞を取り立てることがあります。ある数量を取り立てて評価を加える場合とだいたいの数量を見積もる場合とがありますがここでは前者のみを扱います。だいたいの数量を見積もる場合については§27を参

照してください。

◆(1)(2)ではすでに決まっている実際の数について、話し手が「予想より大きい」という評価を示しています（→初級編§26）。(3)のように、「数量詞＋の＋名詞」という名詞句を取り立てて予想より多いという評価を表すこともできます。

もう少し

◆「数量詞＋も」が既定の数値を取り立てて、予想より大きいという評価を表すことができるのは、とりたて助詞「も」が予想値と実際の値を並立的に暗示することができるからです。つまり、少なく予想していた値が成り立っただけでなく、それより可能性が低く思われた大きい値も成り立ったという意味です。

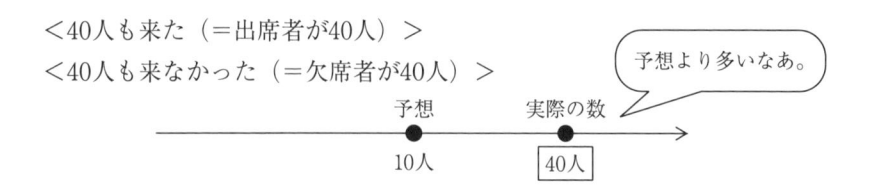

＜40人も来た（＝出席者が40人）＞
＜40人も来なかった（＝欠席者が40人）＞

```
            予想      実際の数
─────────●───────●──────→
           10人      40人
```

予想より多いなあ。

◆「というもの」はある事態について話し手の評価としては「長い期間であるということ」を表すために用いられます。この形式は継続的な事態や状態を表す表現と共起するのが普通です。

(4) この３日間というもの何も食べていません。

◆「から」は話し手の評価として「予想もできないような大きい数」を取り立てて意外さを表します。「から」を用いる場合実際の正確な数は問題ではありません。

(5) ２メートルからある大男が入口から突然入って来た。
(6) １万人からの観客が優勝の瞬間を見守った。

7-2. 少ない（小さい）という評価を表す

> (1) 今日のパーティにはお客さんが10人<u>しか</u>来なかった。
> (2) 10分<u>くらい</u>遅れ<u>ても</u>みんな待ってくれるだろう。
> (3) 最近小学校で授業の45分<u>さえ</u>じっと座っていられない生徒が増えている。
> (4) 彼は待つのが嫌いだから待ち合わせの時間から5分<u>も</u>待ってくれない。

これだけは

◆「しか～ない」は既定の数について話し手が「予想より小さい」と評価していることを表すとりたて助詞です。例えば(1)では、「10人来た」という事実に対して「少ない」という気持ちが表されています。(→初級編§26)

◆話し手が低レベルだと評価している数値を取り立てる場合、とりたて助詞「くらい」を用います。例えば(2)では、「10分」という時間は他の人にとってはともかく、話し手にとっては少ないと評価されている時間だということを表しています。

「くらい」は既定の数を取り立てる場合、おおよその数を表す意味に傾いてしまいます。

> (5) 10分<u>くらい</u>待ってくれた。（＝大体10分）

◆「さえ」は、ある特定の時間について話し手が少ないと評価している場合に用いられます。(6)では、「45分」が何の時間で、何を基準に少ないと言っているのかが不明なので「さえ」が用いられません。

> (6)？45分<u>さえ</u>じっと座っていられない生徒が増えている。

◆(3)のように少ないという評価を表す「さえ」は「も」と置き換えることができます。(4)も「30分とか1時間ならともかく、5分待てないのは少なすぎるだろう」という話し手の評価を表しています。

もう少し

◆「も」「として」「たりとも」は、極端な数を取り立てて否定することによって、否定を強調する表現です。「たりとも」はやや古い言い回しです。

(7) 1分{も／として／たりとも}じっとしていない。落ち着きのない子だ。

(8) もう一刻たりとも待てない。早くしないと出血多量で命が危ないのだ。

◆「数量詞＋も＋否定」には複数の解釈の可能性がありますが、いずれも「も」の並立の機能を利用しています。

① 予想より小さい数量詞を取り立てて否定する

(9) 彼は待つのが嫌いなので待ち合わせの時間から5分も待ってくれない。
（＝5分さえ）

他の数値ならまだしも、その数値は小さいのにそれさえ成立しないとは意外だという気持ちを表します。この場合、取り立てた数値より可能性が高い他の数値が並立的に暗示されています。(9)では「1時間や30分待たないだけでなく5分も待たない。」という並立がなされています。

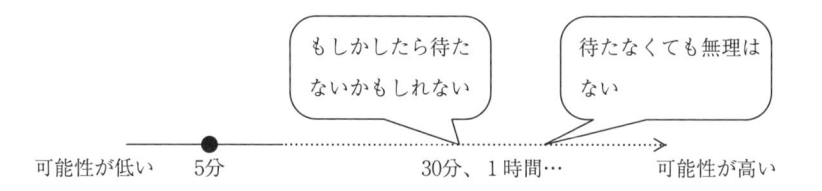

| もしかしたら待たないかもしれない | 待たなくても無理はない |

可能性が低い　　5分　　　　　　　　30分、1時間…　　　　可能性が高い

② 予想より大きい数量詞を取り立てて否定する

取り立てる数を予想していた数と比較して、予想より大きいという意外な気持ちを表します。(10)では「10人来なかったばかりか40人も来なかった。」という並立がなされ、結果として予想よりも多いという評価になります。

(10) 今日のパーティには40人も来なかった。
（欠席者が40人だった）

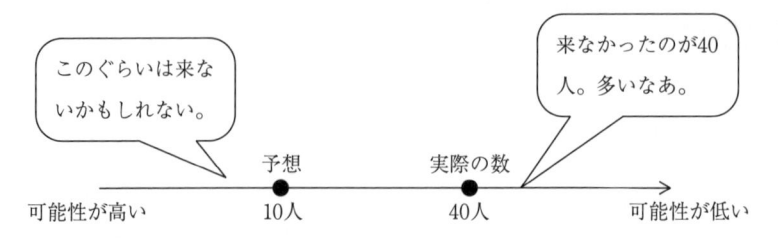

```
  このぐらいは来な                来なかったのが40
  いかもしれない。                人。多いなあ。

                    予想         実際の数
  ━━━━━━━━━●━━━━━━━━●━━━━━━━━▶
  可能性が高い      10人         40人        可能性が低い
```

　この解釈はすべての動詞に可能なわけではなく、⑾⑿のように「不合格者だったのが10人」、「不足だったのが100グラム」と言い換えられる場合に限られます。

　⑾　隣のクラスでは10人<u>も</u>受からなかったそうだ。（不合格が10人）
　⑿　砂糖が100グラム<u>も</u>足りなかった。（不足が100グラム）

これに対して下の例では、「走らなかったのが10メートル」「かからなかったのが1000円」と言い換えても文意が通らないため、「予想より大きい」という解釈はできません（①の解釈になります）。

　⒀　今日のマラソンでは高橋は10メートル<u>も</u>走らなかった。
　⒁　交通費は1000円<u>も</u>かからなかった。

③　大きくも小さくもない数量詞を取り立てて否定する

　実際の数がわからない場合、あるいは実際の数がわかっていても不明のまま述べたい場合には、大きくも小さくもない数量詞を取り立てて否定することによって概数の見積もりを表すことができます。⒂ではさほど大きくない数値「1000円」を取り立ててそれを否定することによって、それよりさらに小さい数（800円ぐらい）をおおまかに示しています。この場合も「1000円より大きい数値を想像するかもしれないが」という並立的な暗示がなされています。

　⒂　オーストラリアは物価が安いですから、食費だけだと１日1000円<u>も</u>かかりませんでしたよ。
　⒃　Ａ：駅から遠いですか。
　　　Ｂ：いえ。駅からタクシーを使うなら10分<u>も</u>かからないと思いますよ。

8. とりたて助詞「も」の派生的用法
8-1. 意外さを表す「も」の詠嘆的用法

> (1) 太郎も小学校に上がる年になったか。
> (2) 駅前もちょっと来ないうちにずいぶんにぎやかになったなあ。

これだけは

◆並立を表す「も」は文脈によって「意外さ」を表すことがあります。特に「も」が何らかの変化があった事物を取り立てる場合には、特別に話し手がその変化について意外だという気持ちを詠嘆的に表していることを表します。(1)(2)ではそれぞれ「太郎は前は赤ちゃんだったのに…」「駅前は以前はビルなどなかったのに…」という意外さが詠嘆的に表現されています。

◆変化に対する意外さというのは(3)(4)のように「も」を使わなくても表すことができます。

> (3) 太郎は小学校に上がる年になったか。
> (4) 駅前はちょっと来ないうちにずいぶんにぎやかになったなあ。

しかし、「も」がなければ、単に変化の結果についての意外さしか表すことができません。これに対して、「も」を用いた(1)(2)ではそれぞれ「変化の前の姿」が暗示されるため変化したことがより強調され、同時に詠嘆の効果も増します。これは「も」が並立のものを暗示する機能を持つためです。

> (1)' あの赤ちゃんだった太郎も今のように小学校に上がる年になった。
> 「赤ちゃんだった太郎」⇔「大きくなった太郎」
> (2)' 閑散としていた駅前もちょっと来ないうちにずいぶんにぎやかになった。
> 「何もなかった駅前」⇔「にぎやかになった駅前」

◆「も」の詠嘆的用法では「なる」「増える」「てくる」「ていく」など変化を表す動詞、補助動詞を伴うのが普通です。

> **もう少し**

◆このような詠嘆的な用法に並立を表すとりたて助詞「も」が用いられるのは、何か他にあるような感じを出して、変化以前の姿を暗示するためです。
◆並立を表すとりたて助詞「も」は、他に並立的な何かがあることを暗示する機能を持っています。暗示されるものが並立的ではなく、序列的である場合には「意外さ」を表し、意外さを表す「も」はさらに詠嘆的に用いられることもあります。この意味で、並立を表す「も」、意外さを表す「も」、詠嘆的用法の「も」は連続的だと言えます。
◆詠嘆的な用法はほとんどの場合、変化した事物を取り立てていますが、程度が甚だしいこと、十分な程度ではないことを取り立てて意外さを詠嘆的に表すこともあります。この場合、予想や期待との食い違いを暗示します。

(5) 君もなかなか上手だね。
(6) おまえもまだ子どもだなあ。

8-2.「も」の婉曲的用法

> (1) 夜も更けてまいりましたので、そろそろ失礼します。
> (2) 時間もあることですし、ちょっとお茶でも飲んで行きましょうか。

> **これだけは**

◆「も」は並立的な要素を暗示するとりたて助詞です。しかし、具体的には何か他のものが存在するわけでもないのに、とりたて助詞「も」を用いる場合があります。例えば(1)(2)では「夜が更けてきたこと」「時間があること」以外に何か他のものがあるとは考えられません。このような場合「も」は、その並立機能を利用して何かが他にあるような婉曲的な効果を出しています。
◆「も」の**婉曲的用法**は聞き手を配慮した表現に用いられることが多く、直接的に言いにくいことを伝えるときやわらかい表現が好ましいような席で

好まれます。(→§36)

(3) 携帯電話のご使用は周りのお客様のご迷惑と<u>も</u>なりますので、ご遠慮ください。
(4) 本日はお日柄<u>も</u>よく…。

もう少し

◆「も」の婉曲的用法も「も」の並立機能から派生的に生じています。並立を表す場合には具体的に何か他のものが想定されますが、他に何かがあるように見せかけるだけで実際には他には何も存在しない場合には婉曲的になります。このように「も」は様々な派生的用法を持っていますが、すべて並立機能と関連しています。

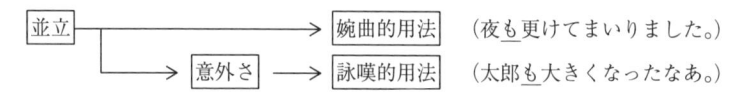

```
並立 ─────────────→ 婉曲的用法    (夜も更けてまいりました。)
   └→ 意外さ ─→ 詠嘆的用法    (太郎も大きくなったなあ。)
```

◆とりたて助詞「も」以外でも並立的な要素を暗示する機能がある形式は婉曲的な表現に用いられることがあります。(→§36)

(5) お茶<u>でも</u>飲みませんか。
(6) これ<u>など</u>いかがですか。お似合いだと思いますよ。
(7) ペン<u>か</u>何<u>か</u>ありますか。
(8) ごろごろしていないで、手伝う<u>とか</u>したらどう？
(9) かぎをなくし<u>たり</u>するといけないから、すぐ返してください。

8-3. 文副詞における「も」

(1) 不幸に<u>も</u>その歌手の乗った飛行機が墜落した。
(2) 奇しく<u>も</u>父が亡くなったその日に息子が誕生した。

これだけは

◆「意外だ」「不幸だ」など主観的な評価を表すナ形容詞、イ形容詞の連用形を取り立てて「〜にも」「〜くも」という形をとる以下のような**文副詞**があります。

　　意外にも、不幸にも、幸運にも、不運にも、皮肉にも、残忍にも etc.
　　奇(く)しくも、悲しくも、畏(おそ)れ多くも etc.

◆これらの文副詞はある事実（前提）に対して話し手が評価を付す場合に用いられます。(1)(2)は以下のように言い換えられます。

　　(1)'［その歌手の乗った飛行機が墜落したこと］は不幸なことだった。
　　(2)'［父が亡くなったその日に息子が誕生したこと］は不思議なことだった。

　上記の文副詞は「意外なことに」「不幸なことに」「悲しいことに」「畏(おそ)れ多いことに」などと言い換えられます。「奇(く)しくも」は「不思議なことに」となります。

もう少し

◆これらの文副詞が話し手の意外な気持ちを表すことができるのは、「にも」「くも」が意外さを表すとりたて助詞「も」から作られていることに起因します。しかし、上記の形式に関しては「不幸に」「奇しく」と言えないことからも「〜にも」「〜くも」の形で慣用化されていると考えます。
◆「幸いにも」は「幸い」だけでも文副詞として用いることができます。
◆上記の形式以外にも話し手の主観的評価を表す文副詞と同じ機能を持つ表現が作られることもありますが、その場合には「ことに」という形を取ります。

　　驚いたことに、嬉しいことに、不思議なことに、いじわるなことに、
　　奇妙なことに etc.

　これらの形式は「×驚いたも」「？嬉しくも」「？不思議にも」「？いじわ

るにも」とすることはできません。

もう一歩進んでみると

◆とりたて助詞は**字句通りの意味**に加えて何らかの**言外の意味**を暗示するために用いるものです。意外さを表すとりたて助詞は特に話し手の**主観的な評価**を含んでいるので、依頼や勧誘のモダリティを表す文で用いることができないという統語的な制約が伴います。

◆とりたて助詞は話し手の気持ちや独自の捉え方、評価を言外の意味として暗示するためのものなので、モダリティに近いものです。とりたて助詞が用いられる文の述語に制限がある場合が少なくないのは、とりたて助詞がこのように話し手の主観を反映するものだからです。例えば、婉曲表現に用いられる「も」が聞き手の存在しない叙述文では用いられない（例：×暮れも押しせまった。）というのはその一例です。とりたて助詞がどんな述語の文で用いられ、述語にどんな制約があるかについては、野田尚史（1995）に詳しく論じられていますので参照してください。

○**参考文献**（→§26　とりたて(1)　にまとめて記載）

§29. 名詞修飾表現

「ろうかを走っている人」や「日本語を教える仕事」のような表現では、下線を引いた部分が枠で囲った名詞を修飾しています。このような下線部を**名詞修飾節**と呼び、枠で囲った名詞を**被修飾名詞**と呼びます。

初級編では次の構造的な分類を中心に解説しました。

内の関係の名詞修飾：「ろうかを走っている人」のように、被修飾名詞「人」が名詞修飾節の述語「走る」とガ格などの格関係によって結ばれている名詞修飾

外の関係の名詞修飾：「日本語を教える仕事」のように、被修飾名詞が名詞修飾節の述語と特定の格関係を持たず、被修飾名詞の内容や原因・理由などを表す。

中上級編では「という」の働きを中心に補足しておきます。

また、中上級編では名詞修飾節を働きによって**制限的名詞修飾**と**非制限的名詞修飾**の二つに分け、談話における使い方を中心に説明します。

1. 「という」を含んだ名詞修飾表現

(1) 大学の図書館を日曜も使えるようにしてほしいという 意見 がある。
(2) 特急列車が車に衝突する {○φ／○という} 事故 があった。
(3) 彼は３人組が銀行を襲った {○φ／×という} 事件 に巻き込まれて重傷を負った。

これだけは

◆外の関係の名詞修飾では被修飾名詞との間に「という」が入ることがあります。
◆「意見、噂、考え、訴え、命令」など、名詞修飾節が発話や思考を表す名詞の内容を表す場合には、「という」を用いたほうが自然です。

(4) マリオさんが国に帰る{？φ／○という}噂を聞いた。

◆被修飾名詞「仕事、経験、事件、事故、特徴、性格、…」の内容を表す名詞修飾節の場合、基本的には「という」を用いても用いなくてもかまいません。

(5) 海外で日本語を教える{○φ／○という}経験は有益だった。

このような内容を表す名詞修飾節では、「という」は用いないほうが自然な場合と用いても自然な場合とがあります。

(6) 日本語を教える{○φ／？という}仕事を探しています。
(7) 日本語を教える{○φ／○という}仕事は手間がかかるものだ。

(6)のように被修飾名詞「仕事」の内容を限定して示す場合には「という」を用いると不自然です。一方、(7)のように「仕事」の内容が情報の中心となる場合には「という」を用いても用いなくてもかまいません。
◆「という」が入らないのは、「音、味、におい、痛み、写真、絵」など感覚や知覚の内容を名詞修飾節が表す場合です。

(8) 遠くで鐘を突く{○φ／×という}音がする。

もう少し

◆「という」は「N₁というN₂」の形でも用いられます。

(9) 椿という花は日本原産で、欧州では「日本のバラ」とも呼ばれる。

◆「という」を用いることができるのは、被修飾名詞よりも名詞修飾節の表す内容が主として言いたい部分（＝情報の中心）になっている場合です。逆

に言えば、この場合は被修飾名詞は主として言いたい部分ではありませんから、形式名詞の「の」や「こと」を用いて言うこともできます。

(6)のように「という」を用いることのできない名詞修飾表現は「の」や「こと」を被修飾名詞にとることはありません。

 (6)' 日本語を教える{×の／×こと}を探しています。
 (7)'a. 日本語を教える{○の／○こと}は手間がかかるものだ。
   b. 日本語を教えるという{○の／○こと}は手間がかかるものだ。

「N₁というN₂」の場合、単に「N₁」としても実質的な意味は同じです。

 (9)' 椿は日本原産で、欧州では「日本のバラ」とも呼ばれる。

◆名詞修飾節が表す出来事によって生じたものが被修飾名詞になる場合には「という」が間に入りません。

 (10) 海外で日本語を教えた{○φ／×という}経験を本にまとめた。

(8)の「音」や「味」など感覚や知覚の内容は名詞修飾節の出来事の結果生じたものと考えられます。

◆内の関係の名詞修飾でも被修飾名詞との間に「という」が入ることがあります。

 (11) 通勤途中で一駅歩くという人は案外多い。
 (12) オークションにナポレオンが使っていたというパイプが出ていた。

(11)は話し手が「そのような種類・タイプのN」という修飾節の内容を評価的に浮き立たせた表現です。
(12)は伝聞の「という」(→§15)です。

2.　制限的名詞修飾と非制限的名詞修飾

 (1) 絶滅の危機に瀕している動物を守ろう。
 (2) 図書館へよく行く田中さんは非常に物知りだ。

これだけは

◆内の関係の名詞修飾には、(1)のような**制限的名詞修飾**と(2)のような**非制限的名詞修飾**があります。

◆制限的名詞修飾節はいくつかある名詞句の中から条件に合ったものを選びだすときに使われます。例えば(1)は様々な「動物」がいる中から「絶滅の危機に瀕している」という条件にかなうものを選びだしています。

$$\left\{\begin{array}{l}\text{ペットとして飼われている}\\ \textbf{絶滅の危機に瀕している}\\ \text{飼い主に捨てられた}\\ \text{日本に古くからいる}\\ \vdots\end{array}\right\}\text{動物を守ろう。}$$

◆制限的名詞修飾節では、一般的に「動物、図書館、本、人」などの普通名詞が被修飾名詞になります。固有名詞が被修飾名詞になるのは一般的に3で扱う非制限的名詞修飾です。

(3) 昨日買った 本 はとても高かった。　　　　　（制限的名詞修飾）
(4) 隣に住んでいる 田中さん は神戸出身らしい。（非制限的名詞修飾）

もう少し

◆「田中さん、富士山、月」のような固有名詞やそれに準ずる名詞であっても、同じ名前を持つ人やものが複数存在する場合や過去の姿との対比を表す場合には、制限的名詞修飾の被修飾名詞になることもあります。

(5) 営業課には田中さんが3人いる。A地区を担当している 田中さん は先日結婚したばかりだ。
(6) 1万年前の人類が見ていた 月 はもっと大きかったと言われている。

3. 非制限的名詞修飾
3－1. 意味・用法

> (1) 昼食を食べた 大下 は急ぎの仕事をしに会社に戻った。　（継起）
> (2) 向こうから大きな荷物を持った チンさん がやってきた。(付帯状況)
> (3) たばこをやめた 高木 はストレスのためかよく食べる。　（理由）
> (4) いつもは優しい 田中 がそのときばかりは声を荒げて訴えた。(逆接)

これだけは

◆非制限的名詞修飾は名詞修飾節と主節とが次のような意味的関係を持つ場合に用いられます。ここでは主要な四つの意味を挙げておきます。

① 継起

名詞修飾節の出来事が終わってから主節の出来事が起きたことを表します。(1)は「大下」が「昼食を食べた」あとで「会社に戻った」ことを表しており、次の(1)'のようにも表現できます。

(1)' 大下は昼食を食べて急ぎの仕事をしに会社に戻った。

名詞修飾節の述語は動作的な動詞に限られタ形を取ります。

② 付帯状況

名詞修飾節の状態が主節の出来事と同時に存在することを表します。(2)は「チンさん」が「大きな荷物を持った」という状態で「やってくる」という動作を行ったことを表し、(2)'のようにも表現できます。

(2)' チンさんが大きな荷物を持って向こうからやってきた。

この用法では、名詞修飾節の述語は結果状態を表す動詞のテイル形かタ形、または形容詞です。

③ 理由

名詞修飾節の出来事や状態が理由となって主節の出来事や動作が引き起こされることを表します。(3)では「高木」が「たばこをやめた」という

理由で「よく食べる」という動作をしていることを表し、次の(3)'のように「〜ので」を使って表現することができます。

(3)' 高木はたばこをやめたのでストレスのためかよく食べる。

理由を表すテ節に言い換えられる場合もあります。

(5) 風邪を引いた渡辺は学校を休んだ。
(5)' 渡辺は風邪を引いて学校を休んだ。

この用法では特に名詞修飾節の述語に制限は見られません。

④ 逆接

名詞修飾節の出来事と反対の出来事が主節で述べられることを表します。(4)では「田中」が「いつもは優しい」のに「その時ばかりは声を荒げて訴えた」ことを表しています。

(4)' 田中はいつも優しいがその時ばかりは声を荒げて訴えた。

この用法でも名詞修飾節の述語に特に制限はありません。
また逆接の意味ではなく対比的な意味で用いられることもあります。

(6) 数学が好きな兄と対照的に弟は音楽が好きだ。

もう少し

◆①〜④の用法はいずれも主節の出来事や動作が起こる背景的な状況を表しているという点で共通しています。逆に言えば(1)〜(4)および(5)の各例は被修飾名詞が置かれている状況を「昼食を食べた」などの名詞修飾節が表しているだけであって、複文の「〜たあと」「〜ながら」「〜ので/から」「〜が/のに」などのように積極的に継起、付帯状況、理由、逆接などの意味を表しているわけではないということです。

◆次の(7)(8)のように①〜④のいずれでもない用法もあります。
(7)は単に被修飾名詞である「田中係長」に情報を付け加えているだけです。また、(8)は継起とも理由とも解釈が可能です。

29. 名詞修飾表現

(7) 倉庫を管理している 田中係長 が倉庫の鍵を持っています。
(8) 荷物が届いたとき、すでに倉庫に到着していた 田中係長 は手際よく荷物を運び入れた。

3−2. 談話における働き

(1) 荷物が届いたとき、すでに倉庫に到着していた 田中係長 は手際よく荷物を運び入れた。
(2) 林が入る寮は大学のすぐ近くにあった。寮を管理している 石田幸子 は林の指導教授の娘だった。

これだけは

◆(1)(2)の文はなぜ非制限的名詞修飾を用いて表現されているのでしょう。それは話の脇筋を名詞修飾節で表現することによって、本筋を明確にするためと考えられます。

◆(1)は名詞修飾を用いなければ次のように表現されます。

(1)' 荷物が届いたとき、田中係長はすでに倉庫に到着していて手際よく荷物を運び入れた。

(1)で中心的に述べたい出来事（本筋）は「荷物が届いたとき、田中係長が荷物を運び入れた」ことです。(1)'のようなテ節では、本筋の「荷物が届いた」ことと「田中係長が荷物を運び入れた」ことが、時間的に以前に起こった脇筋の「すでに倉庫に到着していた」ことを述べることによって分断されてしまっています。

(1)のように名詞修飾節を用いると、「すでに倉庫に到着していた」ことを背景として、本筋の「荷物が届いたとき、田中係長が荷物を運び入れた」ことを浮き上がらせて述べることができるのです。

これを図に表すと次のようになります。

(1)

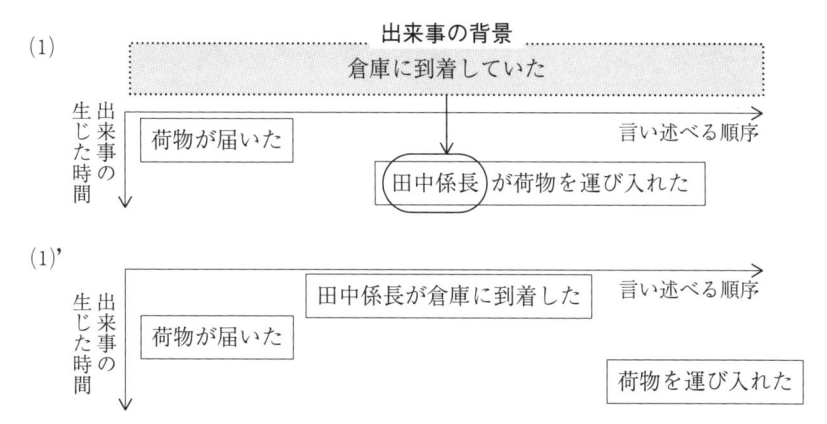

```
          出来事の背景
          倉庫に到着していた
出来事の生じた時間
          荷物が届いた              言い述べる順序
                    (田中係長)が荷物を運び入れた
```

(1)'

```
出来事の生じた時間
                    田中係長が倉庫に到着した    言い述べる順序
          荷物が届いた
                              荷物を運び入れた
```

◆(2)は名詞修飾節を用いなければ次のように表現されます。

 (2)' 林が入る寮は大学のすぐ近くにあった。石田幸子という女性がその寮を管理しているのだが、彼女は林の指導教授の娘だった。

 (2)と(2)'はどちらも、第1文で「寮」のことについて述べ、その「寮」との関連において「石田幸子」という女性を登場させています。ここでこの「石田幸子」が新情報（→初級編§4）であることに注意が必要です。新情報を談話に登場させるときには、何らかの形で談話内の情報と結びつけるか「～というN」の形で導入するなどしなければなりません。そのような結びつけや導入形式のない(2)''は「石田幸子」の登場が唐突な感じを与えます。

 (2)'' ×林が入る寮は大学のすぐ近くにあった。石田幸子は林の指導教授の娘だった。

 名詞修飾節を用いない(2)'では「石田幸子」という女性を談話の中に導入するために「～という女性がその寮を管理しているのだが」という表現を用いています。しかし(2)で主として言いたいのは「寮の場所」と「（その）寮の管理人が林の指導教授の娘であること」です。この二つのつながりが、(2)'では石田幸子を登場させるために用いられる「石田幸子という女性がその寮を管理しているのだが」という節によって分断されています。一方、(2)は、(1)と同じく背景にある「寮」と結びつけながら「石田幸子」を導入しますので、話の本筋を見えにくくすることなく表現できるのです。

> もう少し

◆非制限的名詞修飾は客観的な描写をする場合に用いられます。次の(3)aと(3)bを比べてください。

 (3)a. ?昨日ね、お昼に中華を食べた私は胸焼けしちゃったのよ。
  b. ○お昼に中華を食べた私は胸焼けがして休んでいた。そこへ安藤君がまんじゅうを持ってやってきた。

同じ名詞修飾表現を用いた場合でも、(3)aのような自分の感覚を聞き手に伝えるような場合にはやや不自然に感じられます。一方、(3)bのように客観的な出来事として表現する場合には自然です。

◆継起、付帯状況、理由、逆接の意味を持てば、すべて非制限的名詞修飾節で言えるというわけではありません。

 (4)#毎朝7時に起きる田中さんは朝食を簡単にすませ学校に行く。
 (5)×雨が降っていた私はタクシーで帰った。

「7時に起きる、朝食を簡単にすませる、学校に行く」という一連の動作の一段階として「7時に起きる」という出来事を述べたい場合、(4)のように「7時に起きる」だけを名詞修飾にして言うことはできません。

(5)では「雨が降っていた」に「私」という名詞が含まれていない外の関係の名詞修飾の構造になっています。このような外の関係の名詞修飾は非制限的名詞修飾にはなりません。

(4)(5)は複文を用いて次のように言います。

 (4)' 毎朝田中さんは7時に起きて朝食を簡単にすませ学校に行く。
 (5)' 雨が降っていたのでタクシーで帰った。

◆次の(6)のような非制限的名詞修飾はなぜ用いられるのでしょうか。

 (6) 社長、先日お電話いただいた宮本さんがお見えです。

(6)は「社長」に対して「宮本さんが来た」ことを伝えればよく、場合によっては「宮本さんがお見えです」だけでも十分です。しかし(6)のように名詞修

飾節を用いると、これから述べる人の情報を相手に先触れしておくことができます。このような会話で用いられる先触れ的な非制限的名詞修飾は聞き手に対してスムーズに情報伝達を行う上での配慮と言えます。

4. 様々な名詞修飾表現
4－1. 場面を表す名詞修飾節＋「ところ」

> (1) 夕方その子が道を歩いている ところ を近所の人が目撃している。
> (2) 下の子の食事が終わった ところ に上の子が帰ってきた。
> (3) 家を出た ところ で財布を忘れたことに気がついた。

これだけは

◆初級編では「ところだ」という表現について述べました（→初級編§6）。

(4) これから夕食を食べる ところ です。
(5) 今、食事をしている ところ です。
(6) 今、食べ終わった ところ です。

(4)～(6)はいずれも「食べる」という一連の動作から直前、途中、直後の場面を切り取ったもので、その場面の写真を見せる場合やその場面にどのような動作を行っているかを尋ねられた場合に使います。

「ところだ」については§8も参考にしてください。

◆「名詞修飾節＋ところ」に格助詞の「を、に、で」が続き、(1)～(3)のように用いられることがあります。この場合、「名詞修飾節＋ところ」が表す場面において主文の表す動作や変化が生じていることを表します。

どの格助詞を用いるかは「名詞修飾節＋ところ」と主文との関係によって決まっています。

◆名詞修飾節の主語が主文の述語の主語や目的語となる場合、格助詞の「を」を伴って表されます。(1)は(1)'のように言い換えられます。

(1)' 夕方道を歩いている その子 を近所の人が目撃している。

内の関係の名詞修飾表現である(1)'では、被修飾名詞の「その子」が主文の動詞「目撃する」のヲ格目的語です。次の例も同様です。

 (7) 犯人は被害者がテレビを見ている ところ を後ろから襲ったらしい。
   =テレビを見ている被害者を襲った

◆「名詞修飾節＋ところ」が表す場面に主文の主語が出現する場合、格助詞の「に」を伴って表されます。これは到着点を表す「に」です。

 (8) ふとんを干した ところ に突然雨が降りだした。
 (9) 音楽を聴いていた ところ に電話がかかってきた。

 (9)では「電話が鳴ること」が「音楽を聴いていた」という場面に出現しています。
 また、この場合、主文の動詞は「〜てくる」を伴うことが多いです。

◆「名詞修飾節＋ところ」が表す場面で、ある動作が行われたり変化が生じた場合には格助詞の「で」を使います。これは動作や出来事の場所を表す「で」です。

 (10) やっと眠りについた ところ で子どもが泣きだした。

◆「名詞修飾節＋ところを」では主文の出来事と同時の場合にはテイル形が、直後の場合にはタ形が使われます。
 直前の場合には「〜ようとしたところ」が用いられます。ル形は不自然に感じられます。

 (11) 家を{○出ようとした／×出る} ところ に電話がかかってきた。

もう少し

◆「名詞修飾節＋ところを」は次のような表現でも用いられます。

 (12) お忙しい ところ をわざわざ来ていただきありがとうございました。
 (13) おくつろぎの ところ を邪魔してすみません。

 (12)(13)のような表現は「名詞修飾節＋ところを中断させる」という意味から

ヲ格が用いられています。

◆「〜ところを」には逆接に近い言い方もあります。

(14) 1カ月で100万円すぐに手に入る。そんなうまい話はないことぐらい少し考えればわかる ところ を、よほど困っていたのか彼は悪徳商法に手を出してしまった。

◆主文の動詞が受身の場合にはヲ格をとります。

(15) その子犬は子どもたちにいじめられている ところ を助けられた。
(16) 私は昨日、教室で居眠りしている ところ を注意された。

　これは「私は肩をたたかれた」のような持ち主の受身文に近い構造と考えられます。

◆名詞修飾節の出来事と主文の出来事が同時で主文のテンスが過去の場合には、「〜ている／〜ていた」のどちらでも言い表せます。

(17) 音楽を聴いてい{る／た} ところ に電話がかかってきた。

◆「名詞修飾節＋ところ」は主文の動詞が必要とする格を伴う点で名詞修飾表現の特徴を強く持っています。「とき(に)」は主文の動詞に関係なく「とき(に)」のまま用いられます。

4−2. 被修飾名詞が名詞修飾節の中にある名詞修飾表現

(1) 空腹だったので、母がケーキを作った の を一つ隠れて食べた。
(2) 私がそこから大学に通った 家 は大阪にある。

これだけは

◆(1)では「母が作ったケーキ」と同じ意味を表しますが被修飾名詞となるべき「ケーキ」が名詞修飾節の中に入り代わりに被修飾名詞に「の」を用いています。このような型の名詞修飾表現は話しことばでよく見られます。

(3) 朝から雨が降っていた[の]が雪に変わった。
(4) 今日学校で中田くんが絵を描いた[の]を1枚もらったのよ。
(5) 急いでいたのでパンが置いてあった[の]を1枚食べて家を出た。

この用法は特に話しことばで用いられます。

もう少し

◆初級編では、内の関係の名詞修飾でカラ格・マデ格の名詞句が被修飾名詞になれないと述べました。

(6) ×私が大学に通った[家]は大阪にある。cf. その家から大学に通った
(7) ×私がタクシーに乗った[梅田駅]はラッシュ時でごった返していた。
　　cf. 私が梅田駅までタクシーに乗った

この場合、「そこ」を名詞修飾節の中に入れ格助詞を付けることで(2)や(7)'のように表現されることがあります。

(7)' 私がそこまでタクシーに乗った[梅田駅]はラッシュ時でごった返していた。

もう一歩進んでみると

◆名詞修飾表現は特に生成文法など理論的な面での議論が多い分野です。特に4-1や4-2で挙げたやや特殊な名詞修飾表現は議論の的となってきました（4-2の名詞修飾は主(要)部内在型関係節などと呼ばれます）。

　一方で、このような名詞修飾表現は判断にゆれが大きい表現であることも事実です。4-2で挙げた名詞修飾表現は特に話しことばで用いられる傾向が強く、改めて考えると自然さを欠くと判断されることもあります。

◆4-2で述べた被修飾名詞が名詞修飾節の中にあるような名詞修飾節は古文ではよく見られる用法です。古文では被修飾名詞の位置にある「の」が省略されるのが特徴です。

(1) 友の遠方よりこれるをもてなす。
(2) 同じ帝、立田川の紅葉いとおもしろきを御覧じける日（大和物語）

このような名詞修飾の手法はヘブライ語などの言語にも見られます。
◆日本語では次のような名詞修飾表現も広く用いられます。

(3) 金沢に泊まった朝、一番早い電車で大阪へ向かった。
(4) 本を売ったお金でやっと引っ越すことができた。

このような名詞修飾表現は「金沢に泊まった日の翌朝」や「本を売ったことによって得たお金」などと解釈されるものです。

○**参考文献**
石垣謙二（1955）『助詞の歴史的研究』岩波書店
　★格助詞の「が」から名詞修飾表現を経て接続詞の「が」への歴史的つながりを解説。
井上和子（1976）『変形文法と日本語・上・統語構造を中心に』（第3章）大修館書店
　★名詞修飾表現の諸現象を詳細に論じている。
加藤重広（1999）「日本語関係節の成立条件(1)-先行研究の整理とその問題点」『富山大学人文学部紀要』第30号
　★現時点までの名詞修飾に関する問題点を網羅的に概観している。
黒田成幸（1999）「主部内在関係節」および「トコロ節」黒田成幸・中村捷編『ことばの核と周縁』くろしお出版
　★4-1の「ところ」を含む名詞修飾表現に関する最新の詳しい論考。
益岡隆志（1994）「名詞修飾節の接続形式－内容節を中心に」田窪行則編『日本語の名詞修飾表現』くろしお出版
　★「として」を含む名詞修飾表現に関する論文。
益岡隆志（1995）「連体節の表現と主名詞の主題性」益岡隆志・野田尚史・沼田善子編『日本語の主題ととりたて』くろしお出版
　★非制限的名詞修飾表現に関する詳しい考察。

§30. 複文(1) －条件－

　複文の中には前件と後件の間に因果関係があるものがあります。**因果関係**というのは前件が起こるかどうかに依存して後件が起こるという関係です。
　因果関係のうち、**条件**は、前件が未実現で前件と後件の意味関係が順接（＝社会通念の通り）の場合です。ここでは条件を表す様々な形式を扱います。
　ここで扱うのは次のような形式です（※は初級編で扱ったもの）。

1. 仮定条件を表すもの
　　※～ば、※～たら、※～なら、※～のだったら、～ものなら、～てみろ、
　　～ないことには、～としたら・～とすると・～とすれば、～ては、
　　～でもしたら、～とき(に)は、～際(に)は、～場合(に)は
2. 反事実的条件を表すもの
　　※～ば、※～たら、※～なら、～ものなら
3. 確定条件を表すもの
　　※～たら、～としたら・～とすると・～とすれば、～として
4. 事実的条件を表すもの
　　※～と、※～たら、～てみると

1. 仮定条件を表すもの

> (1) 明日もし天気が{よければ／よかったら}出掛けます。
> (2) 北海道へ行く{(の)なら／のだったら}彼に連絡したほうがいいよ。
> (3) これは面白い本だから、出版できるものなら出版したいと思う。
> (4) このパソコンが壊れてみろ、論文が期限までに出せなくなってしまう。
> (5) 君のための会なんだから、君が来ないことには始められないんだよ。
> (6) 今100万円ある{とすれば／としたら／?とすると}何に使いますか。
> (7) ショーウィンドーは店の顔だから、汚れては困る。
> (8) そんな重いものを持って、腰を痛めでもしたら仕事ができなくなるよ。
> (9) 非常の{とき(に)は／際(に)は／場合(に)は}こちらから避難してください。

これだけは

<接続>　普+なら
　　　　（ただし、Na~~だ~~・N~~だ~~+なら、Na・Nである+なら）
　　　　V可能・普・意向+ものなら
　　　　テ+みろ
　　　　ナイ+ないことには
　　　　普+とすれば／とすると／としたら
　　　　テ+は
　　　　Vマス+でもしたら
　　　　普（ただし、Naな・である／Nの・である）+とき(に)は／
　　　　際(に)は／場合(に)は

◆まず**仮定条件**を表すものを見ます。仮定条件は前件の真偽（正しいか正しくないか）が未定であるものです。仮定条件では「もし」が使えます。
◆仮定条件を表す典型的な形は「〜ば」と「〜たら」です。(1)のような仮定条件では普通「〜ば」も「〜たら」も使えます。
◆**〜なら**は「〜ば、〜たら、〜と」と異なる性質を持っています。「〜ば、

〜たら、〜と」では前件と後件の時間関係は必ず前件→後件ですが、「〜なら」では必ずしもそうでなくてもかまわないのです。例えば、(2)で「〜なら」を使った場合と(2)'を比べると（(2)(2)'の聞き手は東京にいるとします）、(2)'では必ず「北海道へ行く→彼に連絡する」の順序であるため、彼に連絡する場所は北海道（に着いたあと）になるのに対し、(2)にはこうした順序関係の制約がないため、彼に連絡する場所は（北海道へ行く前の）東京でもかまいません。

 (2) 北海道へ行く(の)なら彼に連絡したほうがいいよ。
 (2)' 北海道へ行ったら彼に連絡したほうがいいよ。

なお、「〜なら」の代わりに「〜のだったら（んだったら）」も使えます。また、「〜のなら」と「〜なら」はほとんど同じ意味になります。

◆「〜なら」には対話的な性格が強く、相手が言ったことを正しいと認めた場合にどうなるかを述べるという用法が中心的です。例えば、⑽BはAが言った「今度東京へ行く」ということを正しいと認めて「この本を買ってきて」という依頼をしています。

 ⑽ A：今度東京へ行くんだ。
   B：東京へ行く<u>のなら</u>、この本を買ってきて。

こうした用法が接続詞として定着したのが「それなら（そんなら、なら）」です（「(それ)では、(それ)じゃ」もほぼ同じ意味です→§35）。

 ⑾ A：明日から早朝練習なんだ。
   B：<u>それなら</u>今日は早く寝なくちゃね。

◆**〜ものなら**（話しことばでは**〜もんなら**）は可能形の（及びそれに類する）動詞（辞書形）のあとに使われ、「もし〜することができれば」という仮定条件を表します。「〜ば」「〜たら」「〜なら」とほぼ同じ意味ですが、これらに比べると後述の反事実的条件の解釈を持ちやすい傾向があります。

◆**〜てみろ**という形が仮定条件を表す場合があります。例えば、(4)は「もしこのパソコンが壊れ<u>たら</u>、論文が期限までに出せなくなる。」という文と同様の意味を表しています。

◆「PないことにはQない」はQを行うためにはPが必要だという意味を表します（後件の述語は否定形になります）。例えば、(5)は会を始めるには君（＝聞き手）が来ることが必要だということを述べています。
◆〜てはは理由を表す「〜て」を取り立てたもので、後件には「困る、嫌だ、〜できない」などの話し手にとってマイナスの評価を表す述語が来ます。なお、「〜ては」は話しことばでは「〜ちゃ」になることが多いです。

 (12) いっしょに来てくれなくっ<u>ちゃ</u>嫌だ。
 (13) 彼が手伝ってくれなく<u>ては</u>明日までに完成できない。

 この場合、後件は未実現のものでなければならず、タ形は使えません。

 (13)' ×彼が手伝ってくれなく<u>ては</u>昨日までに完成できなかった。

◆「PでもしたらQ」はPという望ましくない出来事の結果、Qという望ましくない結果がもたらされるという意味を表します。例えば、(8)は「腰を痛める」ということになると、「仕事ができなくなる」という聞き手にとって望ましくない結果になるということを述べています。
◆「P｛とき(に)は／際(に)は／場合(に)は｝Q」はPの条件が満たされるときにはQを行うという意味で、§34の時間を表す表現と同じですが、Qがル形の場合には時間よりも条件として解釈されることが多いです。「とき」と「際」では「際」のほうが改まった言い方です。
◆以上の形式が前件が起こった場合の後件の内容について述べているのに対し、「P｛とすれば／としたら｝Q」は、Qという意見を述べるためにPという仮定を行うという場合に使われます。例えば、(6)は今100万円あるという状況を提示し、その場合にどうするかという聞き手の意見を尋ねています。この用法では「〜とすると」はやや使いにくいです。また「〜とすれば」と「〜としたら」では「〜としたら」のほうが話しことば的です。

もう少し

◆仮定条件には後件が実現するために必要なのは前件が満たされることだけだという意味を表す用法があります。この用法を**前件に焦点のある条件文**と言いますが、こうした場合は「〜ば」が最もよく使われます。

(14) A：どうすればこの料理を作れるんですか。
　　　B：この本に書いてあるとおりにすれば作れます。

　この、後件が実現するための必要条件という意味を明示するために「〜さえ…ば」という表現が使われることもあります（→§27）。

(14)' B：この本に書いてあるとおりにしさえすれば作れます。

◆「なら」には次のような主題を表す用法もあります（→§26）。

(15) A：田中さんがどこにいるか知ってる？
　　　B：田中さんなら図書館にいるよ。

◆「〜てみろ（〜てみなさい）」は形は命令形ですが、(16)のような無意志動詞、(17)のような話し手の動作、(18)のような第三者の動作などを表せる点で命令形とは異なります。命令形は聞き手の動作しか表せないため、こうした用法では使えません。

(16) 雨が{○降ってみろ／×降れ}大事な試合が中止になってしまう。
(17) 俺が{○行ってみろ／×行け}喧嘩なんかすぐに終わってしまう。
(18) 林が{○手伝ってみろ／×手伝え}宿題なんか10分もかからない。

　ただし、「〜てみろ」が聞き手の動作を表す場合は命令の意味でも使えます。例えば、(19)aと(19)bの違いは「〜てみる」があるかないかだけでどちらも命令を表しています。

(19)a. この酒をちょっと飲んでみなさい。
　　b. この酒を飲みなさい。

◆「PものならQ」は意向形に接続する場合もあります。この形はPをすると重大な結果であるQが起こるという意味を表します。

(20) この不景気なときに増税するなんて言おうものなら選挙で大敗するのは目に見えている。
(21) 明日雨が降ろうものならせっかくの祭りの準備が台無しだ。

◆「〜ては」には次のように動作が繰り返されたことを表す用法もあります。

　　⑵　彼は酒を飲んではため息をついた。
　　⑶　彼は子どものころ、喧嘩をしてはすり傷を作っていた。

◆「〜とすると／とすれば／としたら」が接続詞として使われているのが、「(そう)だとすると／(そう)だとすれば／(そう)だとしたら」です。

　　⑷　東京駅から会場まで１時間かかるそうだ。だとすると、会の開始に間に合うには開始の２時間前に家を出なければならない。

2. 反事実的条件を表すもの

> (1)　羽があったら、今すぐ飛んでいくのに。
> (2)　私が彼ならあんなことはしなかっただろう。
> (3)　あのとき彼が助けなかったら彼女は死んでいた。

これだけは

◆実際には起こらなかったことについて、もしそのことが起こっていた場合はどうだったのかということを述べる条件を**反事実的条件**と言います。反事実的条件を表すのに使われるのは「〜ば」「〜たら」「〜なら」で、「〜と」や「〜のだったら」は使えません。

　　(1)'？羽が{あると／あるんだったら}、今すぐ飛んでいくのに。

◆「〜ものなら」も反事実的条件で使えます。

　　(4)　許されるものなら今すぐ彼に会いたい。

(4)を「〜ば」「〜たら」「〜なら」に置き換えると通常の仮定条件の解釈が強くなります。

(4)′ ｛許されれば／許されたら／許されるなら｝今すぐ彼に会いたい。

もう少し

◆反事実的条件の特徴は前件の内容が正しくないことがわかっている点にあります。例えば、(1)の前件「羽がある」は正しくないことがわかっていますからこの文は反事実的に解釈されます。

◆反事実的条件の文の前件は正しくないことがわかっています。言い換えると前件の否定は正しいことがわかっていますから、意味関係としては理由の文と同じになります。例えば、(5)と(1)は意味内容として同じになります。

(5) 羽がないので、今すぐ飛んでいけない。

しかし、反事実的条件を使ったほうが前件で表される事態が起こらなかったことに対する話し手の気持ち（後悔、安堵など）が表されます。

◆反事実的条件は前件が未実現である点では仮定条件と同じですが、後件にタ形（多くの場合はテイタ形）が使える点が異なります。

(6)a. もし雨が降らなかったら出掛ける。
　　b. もし雨が降らなかったら出掛けた。

(6)aは仮定条件なのに対し、(6)bは反事実的条件となります。なお、(6)bの後件は(6)cのようにテイタ形になるほうが自然です。

(6)c. もし雨が降らなかったら出掛けていた。

前件についても「〜ている」を使うことが多いです。

(6)d. もし雨が降っていなかったら出掛けていた。

特に述語が肯定形の場合はそうです。

(7) もし雨が｛？降ったら／〇降っていたら｝出掛けていなかった。

◆反事実条件文が意図通りに解釈されるためには前件（及び後件）が正しくないということが聞き手（読み手）に理解されなければなりません。そのた

めに次のようにそれとわかる目印が付けられることが多いです。

① 文末に「のに」「けど」などの逆接を表す形式を付ける

「〜のに」「〜けど」は事実的逆接を表す形式であるため、これらを付けると反事実的に解釈しやすくなります。例えば、(8)aは仮定的にも反事実的にも解釈できるのに対し、(8)bは「のに」があることによって、そこで文が終わっていてもそのあとに逆接的な内容の節が想定され、(8)cのような解釈になるため反事実的であることがわかるのです。

(8) a. お金があればあのカメラを買う。
　　b. お金があればあのカメラを買う<u>のに</u>。
　　c. お金があればあのカメラを買う<u>のに</u>お金がないから買えない。

② 後件の述語をタ形にする

上述のように、仮定条件の場合の後件はル形に限られますから後件がタ形であれば反事実的条件であることがわかりやすくなります。この場合、特にテイタ形になることが多いです。

(9) a. 彼が来れば私もパーティーに行く。
　　b. 彼が来れば私もパーティーに行っ<u>た</u>。
　　c. 彼が来れば私もパーティーに行っ<u>ていた</u>。
　　d. 彼が来<u>てい</u>れば私もパーティーに行っ<u>ていた</u>。

(9)aが仮定条件でしかあり得ないのに対し、(9)b〜dは反事実的条件です。ただし、「行った」は通常の過去、「来れば」は仮定条件で使われる形と同じであるため、それと区別するために「〜てい」の形（行っていた、来ていれば）を使うことが多いのです。

30. 複文（1）―条件―

3. 確定条件を表すもの

(1) 10時になっ<u>たら</u>出掛けましょう。
(2) A：今度のパーティーに田中さんが来るそうだよ。
　　B：田中さんが来る{<u>とすると</u>／<u>とすれば</u>／<u>としたら</u>}料理に力入れなきゃな。彼、グルメだから。
(3) A：今度の学会の懇親会の会費、いくらぐらいにしようか。
　　B：そうだなぁ。100人来る<u>として</u>、一人5千円ぐらいかなぁ。

これだけは

＜接続＞ 普 ＋として／とすると／とすれば／としたら

◆条件の中には前件が起こることが間違いないというものがあります。これを**確定条件**と言います。例えば、(1)の前件「10時になる（こと）」は起こることが間違いないのでこれは確定条件です。

◆確定条件で通常使われるのは「〜たら」で、「〜と」「〜ば」「〜なら」は使えません。また「もし」は使えません。

(1)' 10時に{×なると／×なれば／×なるなら}出掛けましょう。
(1)" ×<u>もし</u>10時になったら出掛けましょう。

◆〜とすると・〜とすれば・〜としたらは確定条件を表す用法ではほとんど違いはありません。ただし、「〜としたら」は話しことば的ですし、「〜とすれば」よりも「〜とすると」のほうがよく使われます。確定条件を表す場合、これらの形式は相手から提示された情報を事実として受け入れ、それに対する帰結を述べるために使われます。例えば、(2)は「パーティーに田中さんが来る」ということを事実として受け入れ、それが事実である以上料理に力を入れる必要があるということを述べています。

◆〜としては「〜」の部分が正しいということを前提として認め、そのことの帰結を述べる表現です。例えば、(3)Bは「（懇親会に）100人来る」ということを前提として、それに対する方策として会費を一人あたり5千円に設

定するということを述べています。

もう少し

◆「〜として」と「〜とすると・〜とすれば・〜としたら」の違いは、「として」は「〜」の内容を前提としているのに対し、「〜とすると・〜とすれば・〜としたら」は形式上は「〜」の情報を条件として扱っている点にあります。

◆「〜として」には次のような用法もあります。

(4) 与党側は法案の審議は尽くされた<u>として</u>採決に踏み切った。

この場合の「〜として」は「〜と主張して」といった意味を表します。

◆「〜とすると・〜とすれば・〜としたら」とほとんど同じ意味で使えるのが「〜(の)なら」「〜のだったら」です。

(2)″ B：田中さんが来る{(ん)なら／んだったら}料理に力入れなきゃな。

4. 事実的条件を表すもの

> (1) 窓を{開けると／開けたら}富士山が見えた。
> (2) 彼は家に{○帰ると／?帰ったら}彼女に電話をかけた。
> (3) 彼は部屋に入った{(か)と思うと／(か)と思ったら}すぐに勉強を始めた。
> (4) お気に入りのセーターを洗濯{×すると／○したら}縮んでしまった。
> (5) お気に入りのセーターを洗濯した<u>ところ</u>縮んでしまった。
> (6) 今場所は横綱以外が優勝すると思っていたが、{終わってみると／終わってみれば／終わってみたら}やはり優勝は横綱だった。

これだけは

＜接続＞　タ＋ところ
　　　　　テ＋みると／みれば／みたら

◆条件の中には後件が実現したことを表すものがあります。これを**事実的条件**と言います。事実的条件で使えるのは「～と」と「～たら」で「～ば」「～(の)なら」「～のだったら」は使えません。

 (1)' ×窓を｛開ければ／開ける(の)なら／開けるのだったら｝富士山が見えた。

◆「～たら」は主に話しことば（対話）で使われるのに対し、「～と」は小説の地の文でよく使われます（話しことば（対話）ではあまり使われません）。
◆「～と」と「～たら」の使い分けには次のような原則があります。
 ① 後件が前件の動作・出来事の結果生じる無意志的な出来事の場合
  「～と」も「～たら」も使える（cf. (1)(7)）

 (7) 雨が｛降ると／降ったら｝涼しくなった。

 ② 前件の動作の結果後件が起こった場合
  「～たら」は使えるが「～と」は使いにくい（cf. (4)(8)）

 (8) 指導教官に仲人をお願い｛○したら／?すると｝快く引き受けてくださった。

この場合「～たところ」という言い方も使えます（cf. (5)(9)）。

 (9) 指導教官に仲人をお願い<u>したところ</u>、快く引き受けてくださった。

 ③ 前件と後件が連続する動作・出来事の場合
  「～と」は使えるが「～たら」は使えない（cf. (2)(10)）。

 (10) ドングリはころころと｛○転がると／×転がったら｝池に落ちた。

 ただし、主語が１人称の場合は「～と」も使いにくいです（cf. (11)）。

 (11) 昨日私は家に｛?帰ると／×帰ったら／○帰って｝すぐ寝た。

◆**～てみると／～てみれば／～てみたら**は、前件と後件の間に継起的な関係があるだけでなく、その関係について話し手が事前に何らかの予測を持っていた場合に使われます。例えば、(6)は「横綱以外が優勝する」という予測に

反して横綱が優勝したということを表します。次の例も同様です。

(12) あのビルは地震が来たら危ないと思っていたが、実際に地震が｛起こってみると／起こってみれば／起こってみたら｝意外にも倒れなかった。

◆このように「～てみると／～てみたら」には独自のニュアンスがあるため、これらを「～と」や「～たら」に置き換えるとそうしたニュアンスが失われ、場合によっては非文法的になります。

(6)' ?今場所は横綱以外が優勝すると思っていたが｛終わると／終わったら｝やはり優勝は横綱だった。

もう少し

◆「～と」と「～たら」の間に①～③のような違いが見られるのは両者がそれぞれ次のような特徴を持っているためです。つまり、「～と」は話し手の傍観者的な観察を表すのに対し、「～たら」は話し手の当事者としての認識を表すのです。

(13)　と：前件から後件への出来事の展開を話し手が外部の視点から語る場合に使われる
　　　たら：前件が成立した状況における後件の出来事の成立を話し手がその場で新たに認識したものとして述べるのに使われる

　③の場合に「～たら」が使いにくい理由は次のように考えられます。まず、(2)のような場合、意志的な動作というのは主語の人物によってあらかじめ計画されたものであるため、（たとえ主語が話し手であったとしても）「新たな認識」の対象となりにくいと言えます。また、(10)のような場合、無意志的な出来事の連続は自然の成り行きのままというニュアンスが強いため、やはり「新たな認識」の対象にはなりにくいのです。ただし、(14)のように話し手の認識を表す「～と思う」を入れると認識の主体が話し手であるということがはっきりするので「～たら」も使えるようになります。

(2) 彼は家に{○帰ると／?帰ったら}彼女に電話をかけた。
(10) ドングリはころころと{○転がると／×転がったら}池に落ちた。
(14) ドングリはころころと{転がったかと思うと／転がったかと思ったら}池に落ちた。

一方、(8)のような場合は前件の結果がどうなるかは話し手にわかっておらず後件が話し手の新たな認識の対象になりやすいため「〜たら」が使えます。

また、(11)のような主語が1人称の場合に「〜と」が使いにくいのは「〜と」が話し手の認識を表すためで、自分の行為を外部から観察して述べるということは通常不可能です。

一方、②で「〜と」が使いにくいのは前件と後件を同時に観察しにくいためでもあります。例えば、(4)でセーターが縮んだことがわかるのは洗濯が終わったあとであり、前件と後件を一度に見渡すということは困難です。

◆「〜てみる」はそれ単独では意志動詞とともに使われます。

(15) 雨が{○降った／×降ってみた}。

しかし、「〜てみると／〜てみたら」の用法では無意志動詞でも使えます。これと同様の現象は「〜てみろ」の場合にも見られます。

もう一歩進んでみると

◆条件と理由は共に因果関係を表し、共通性があります。ここで、次の例を考えてみましょう。

(1) 今度の学会、君が行く<u>から</u>、吉田君も行くだろうね。

(1)の「〜から」節は「吉田君が行く」という話し手の判断の根拠を表しています（→§31）。さて、次の例を見てみましょう。

(2) 田中：僕、今度の学会に行くことにしたよ。
　　山田：君が行く{○（の）なら／×から}、吉田君も行くだろうね。

(2)の山田の発話における「君が行く」はやはり話し手の判断の根拠を表していますが、(1)とは違って「〜から」は使えません。これは日本語には次の

ような特徴があるためと考えることで説明できます。

(3) その場で初めて知った情報はすぐには自分の情報とすることはできず、いったん仮定的に捉える必要がある。

　これが一時的な現象であることは次のように同じ情報をそのあと別の人に伝えるときには「〜から」しか使えないことからもわかります。

(4) 山田：((2)の会話のあと武田に) 今度の学会、田中君が行く{×（の）なら／○から}、吉田君も行くだろうね。

◆「〜（の）なら」は前件の内容が正しいと仮定した場合にどのような結論が導かれるかということを述べるものですが、ここで見たような場合には話し手の判断の根拠という「〜から」と近い意味を表します。

○参考文献
網浜（現高梨）信乃（1990）「条件節と理由節－ナラとカラの対比を中心に－」『待兼山論叢』24, 大阪大学
　★話し手がその場で知った情報を「〜なら」で表す場合を中心に、「〜なら」と「〜から」の類似性と違いを論じている。
田窪行則（1993）「談話管理理論から見た日本語の反事実的条件文」益岡隆志編『日本語の条件表現』くろしお出版
　★反事実的条件文について詳しく論じている。
長野ゆり（1998）「仮定を表す「〜てみろ」の用法について」『日本語教育』96, 日本語教育学会
　★「〜してみろ」が条件を表す場合について詳しく述べている。
仁田義雄（1995）「シテ節の「は」による取り立て」『阪大日本語研究』7, 大阪大学
　★「〜ては」に関する最も網羅的な記述。
蓮沼昭子（1993）「「たら」と「と」の事実的用法をめぐって」益岡隆志編『日本語の条件表現』くろしお出版
　★事実的条件における「〜たら」と「〜と」の違いを明解に論じている。
前田直子（1995）「ト、バ、タラ、ナラ」宮島達夫・仁田義雄編『日本語類義表現の文法（下）』くろしお出版
　★条件を表す4形式の使い分けを具体的に示している。

§31. 複文(2) －理由・目的－

　因果関係には前件が事実の場合があります。これが理由ですが、これにはことがらの理由と判断の根拠があります。ここでは様々な理由の表現を取り上げます。また、理由と類似した項目として目的についても考えます。
　ここで取り上げるのは次のような表現です（※は初級編で取り上げたもの）。

１．理由を表す基本的な表現
　　　※～から、※～ので、※～ために、～おかげで、～せいで、～ばかりに
２．「から」を含む理由を表す表現とその周辺
　　　～からこそ、～からといって、～から(に)は、～以上(は)、～上(は)、
　　　～のだから、～ものだから、
３．理由を表すその他の表現
　　　～だけあって、～だけに、～もの、～とあって
４．目的の表現
　　　※～ために、※～ように、～ためには、～ようと、～べく

1. 理由を表す基本的な表現

> (1) 今日は息子の誕生日{だから/なので}早く帰ります。
> (2) 部屋の明かりが消えている{から/ので}彼はいないのだろう。
> (3) 時間がなかったため(に)十分な準備ができなかった。
> (4) 彼が手伝ってくれたおかげで予定通り出発できた。
> (5) 昨日は雨が降ったせいで外出できなかった。
> (6) 100円足りなかったばかりにあのCDを買えなかった。

これだけは

<接続>　普/丁+から
　　　　普/丁+ので（ただし、Na・Nな+ので）
　　　　タ+ため(に)（ただし、Naな/Nの+ため(に)）
　　　　普+おかげで（ただし、Naな/Nの+おかげで）
　　　　普+せいで（ただし、Naな/Nの+せいで）
　　　　タ+ばかりに

◆**理由**を表す最も典型的な語は〜からと〜のでです。
◆理由には「ことがらの理由」と「判断の根拠」があります。

　ことがらの理由というのは動作や出来事が起こる/起こった原因や理由に当たるものです。例えば、(1)は「早く帰る」という動作の理由として「今日は息子の誕生日だ」ということを挙げています。

　一方、**判断の根拠**というのはある判断をする際に基となったことがらです。例えば、(2)は「部屋の明かりが消えている」ということを基に「彼はいない」という判断を下したということを述べています。

◆ことがらの理由と判断の根拠は次のように区別できます。つまり、(1)'のように「どうして〜のですか」という文で質問できる場合はことがらの理由であり、(2)'のように「どうして〜と考えるのですか」という文で質問できる場合は判断の根拠になります（→初級編§23）。

(1)' ○どうして早く帰るのですか。
　　×どうして早く帰ると考えるのですか。
(2)' ×どうして彼はいないのですか。
　　○どうして彼はいないと考えるのですか。

　「～から」も「～ので」も共にことがらの理由と判断の根拠を表せます。
◆「～ため(に)」も理由を表しますが、「～から」「～ので」よりも書きことば的です。なお、「～ため(に)」はことがらの理由しか表せません。

(6)×部屋の明かりが消えている<u>ため(に)</u>彼はいないのだろう。

◆「～おかげで」と「～せいで」は「～ために」に近い意味を表します（どちらも判断の根拠は表せません）。
◆「Pおかげで Q」は、Pが話し手にとって望ましいものであり、その結果Qが起こったということを表します。例えば、(4)は「彼が手伝ってくれた」ということが話し手にとって望ましいことであり、その結果「予定通り出発できた」ということを述べています。
◆「Pせいで Q」は、Pは話し手にとって望ましくないものであり、その結果Qが起こったということを表します。例えば、(5)は「昨日雨が降った」ということが話し手にとって望ましくないものであり、その結果「外出できなかった」ということを述べています。
◆「～せいで」と似た意味の表現に**～たばかりに**があります。この形は「～」が原因で話し手にとって望ましくない結果になったということを表します。「～せいで」は(7)(9)のように望ましくない結果をもたらした主体を想定できる（その人やものに責任を転嫁できる）場合に使われます。一方、「～たばかりに」は(8)(9)のように話し手の行為や話し手にかかわる出来事が原因である場合に使われます。

(7)　彼女が遅れた{○せいで／？ばかりに}会議に間に合わなかった。
(8)　その場に私しかいなかった{？せいで／○ばかりに}私が代表にさせられた。
(9)　電車が遅れた{せいで／ばかりに}会議に間に合わなかった。

もう少し

◆「～ために」の前にはタ形または現在の状態を表す辞書形しか来ません。もし辞書形が来ると目的と解釈されます（→初級編§23）。ただし、目的の場合は意志動詞に限られます。

 ⑽ ハワイへ行くために貯金をした。（目的）
   cf. ハワイへ行ったために貯金が少なくなった。（理由）

理由の場合は意志動詞でも無意志動詞でもかまいません。

 ⑾ 雨が降ったために試合が中止になった。

◆皮肉を言う場合には話し手にとって望ましくないものに対しても「～おかげで」を使います。

 ⑿ A：ごめん。待った？
   B：ゆっくり来てくれたおかげで、途中からゆっくり見られるわ。

◆以下に挙げた形にはすべて「～か」という形があります。この場合の「か」は話し手が文の内容を不確実なものと考えていることを示します（→§21）。

 からか（←から）、のか（←ので）、ため(に)か（←ため(に)）、
 おかげ(で)か（←おかげで）、せい(で)か（←せいで）

 ⒀ 雨が降ったからか涼しくなった。
 ⒁ いつもよりたくさん歩いたためか少し疲れた。

なお、この場合「からか」「のか」はことがらの理由を表す場合に限られ、判断の根拠を表すことはできません。

 ⒂ ×部屋の明かりが消えている｛からか／のか｝彼は出掛けているのだろう。

これは判断の根拠は事実として確定したことであり、それを不確実なものとして扱うことができないためです。

2.「から」を含む理由を表す表現とその周辺

(1) 責任者が謝罪した<u>からこそ</u>事態は丸く収まったのだ。
(2) 責任者が謝罪した<u>からといって</u>すべてが解決したわけではない。
(3) 責任者が謝罪した{<u>からには／以上(は)</u>}こちらにも妥協が必要だ。
(4) 責任者が謝罪した<u>のだから</u>和解したらどうだろうか。
(5) 責任者が謝罪しなかった<u>ものだから</u>住民側は激怒した。

これだけは

<接続> 普+からこそ／からといって／から(に)は／以上(は)／上は
　　　　普+のだから／ものだから（ただしNa・Nな+のだから／ものだから）

◆マンション建設をめぐって建設会社と住民の間に紛争が起こった／起こっているとします。このとき会社の責任者の対応によって住民側の対応が異なりますが、その状況を「～から」を含む表現で表し分けることができます。

◆責任者が謝罪しそのことによって事態が解決したという場合には(1)のように**～からこそ**が使われます。「PからこそQ」は理由を表す「から」に強調を表すとりたて助詞「こそ」が付いたもので、Qの理由としてPを唯一のものとして取り上げ強調する表現です。

◆責任者は謝罪したがそれで全面的に問題が解決したわけではないという場合には(2)のように**～からといって**が使われます。「PからといってQ」はPが正しいということから直ちにQが正しいという結論を出すことはできないという意味で、Qの述語部分には「～わけではない／～とは限らない」などの部分否定を表す形式（→§24）が来るのが普通です。

◆責任者が謝罪したということを事実として認めそれに対する方策が必要だという場合には**～からには**や**～以上（は）**が使われます。「～からは」も使われますが、「～からには」のほうが頻度が高いです。「P｛からには／以上(は)｝Q」はPが事実であることを認め、その場合に必要なこととしてQを提示するという意味で、Qの述語部分には「～必要がある、～なければなら

ない」などの一般的な当為にかかわる表現が来るのが普通です。

◆「〜からには」と同様に責任者が謝罪したことを事実として認め、その当然の帰結としてQを提示するということを述べるのが「PのだからQ」です。

◆責任者が謝罪をせず、住民が激怒したという場合は**〜ものだから**が使われます（話しことばでは**〜もんだから**の形になることが多いです）。「PものだからQ」はPがきっかけでQが起こったことを表します。Pは話し手にとって意外なものであったり、驚きの対象であったりします。

もう少し

◆「〜からこそ」は理由を表す「〜から」を強調するものですから「〜からこそ」節は文の焦点（話し手が最も主張したい部分）になります。そのため、この部分を音声的に強調して（プロミネンスを置いて）発話するのが自然です（→§43。網がけは音声的強調を表す）。

(1) 責任者が謝罪したからこそ 事態は丸く収まったのだ。

◆「〜からには」は「〜から」を主題として取り立てたものですが、「PからQ」と「PからにはQ」には次のような違いがあります。

① 「PからにはQ」のQの述語は義務、意志、推量、確信が多く、単なるタ形は使われない。逆にPの内容が客観的に自明である場合には「からには」のほうが使いやすい。

(6) 日本もアジアの一員｛だから／であるからには｝他のアジアの国と仲良くしなければならない。（義務）
(7) 料理上手の彼女が作ってくれる｛？から／○からには｝今晩の夕食はおいしいにちがいない。（確信）
(8) 昨日は頭が痛かった｛○から／×からには｝学校を休んだ。（タ形）

② 「PからにはQ」のPには疑問詞は含まれない。

(9) 誰が来る｛○から／×からには｝会に出席するのですか。
　　cf.(10) 彼が来る｛から／からには｝会に参加しよう。

◆「〜のだから」は「〜からには」とよく似た意味を表すので、「〜」は事

実であることが明らかなものや起こることが必然的なものである場合に限られます。例えば、(8)' の「昨日頭が痛かった」ということはこの文の聞き手（読み手）にとって自明なことではないので「〜のだから」は使えません。

(8)' 昨日は頭が痛かった｛○から／×んですから｝学校を休みました。

(超)上級学習者でもこの(8)'に類する誤用をすることが多く、「〜のだから」は学習者にとって習得しにくい項目であると言えます。

◆〜上は は「〜からには／〜のだから／〜以上(は)」とほぼ同じ意味です。

(11) 立候補することになった上は是非当選したい。

◆「〜から」と「〜ものだから」の違いは「〜ものだから」のほうが話し手の「意外さ、驚き、あきれ」などの感情が表されるという点にあります。

(12) 夫が急に大声を出した｛ものだから／から｝赤ちゃんが泣き出した。
(13) 冷たいものを飲み過ぎた｛ものだから／から｝お腹が痛くなった。

なお、「〜ものだから」は「〜のだろう／〜のかもしれない／〜のにちがいない」といっしょには使いにくいです。

(13)' 冷たいものを飲みすぎた｛？ものだから／から｝お腹が痛くなった｛のだろう／のかもしれない／のにちがいない｝。

「〜ものだから」が表すあきれなどの感情は「〜ものだ」でも表されることがあります（→§20）。

(14) 寒いのによくアイスクリームなんか食べるものだ。
　cf. (15) 寒いのにアイスクリームを食べたものだからお腹が痛くなった。

3. 理由を表すその他の表現

> (1) この映画は評判がよかっただけあって面白かった。
> (2) この湯飲みは苦労して作ったものだけに割れてしまうと悲しい。
> (3) 昨日は学校を休んじゃった。だって、頭が痛かったんだもの。
> (4) 昨日は日曜日とあって渋谷は大変な人出だった。
> (5) 彼は若いときに苦労しているゆえに他人の苦しみがわかっている。

これだけは

<接続>　V・A普／Naな／Nである／N＋だけあって／だけに
　　　　普＋もの　普（ただし、Na・Nである）＋ゆえに
　　　　V辞／N＋とあって

◆ここでは理由を表すその他の表現について考えます。

◆「PだけあってQ」はPであるということからQであることが不思議ではないという意味を表します。例えば、(1)は「評判がよかった」ということから「面白かった」ということがうなずけることだという意味を表します。この場合、「～だけに」と置き換えられます。

◆「PだけにQ」は「PだけあってQ」と同じ意味の他に、Pが事実であることからますますQであるという意味を表します。Qには話し手の感情、主張、予想などが来ます。

> (6) 日本経済の状態が悪いだけに政治の力が重要だ。（主張）
> (7) 難問だっただけに正解者は少ないだろう。（予想）

◆～ものは「～からだ」に対応する話しことばの形で「だって、～もの」という形で使われることが多いです。女性や子どもがよく使います。また、「～もん」の形になることもあります。

> (8) これは誰にもあげないよ。僕の宝物だもん。

◆「PとあってQ」は「～から／～ので」とほぼ同じ意味で、PとQの間に

納得できる関係が存在するということを表します。例えば、(4)は「日曜日である」ことと「渋谷が大変な人出だった」ということの間に納得できる関係が存在するという意味を表します。

もう少し

◆「〜から／〜ので」とほぼ同じ意味を表すものに**〜ゆえに**があります。これは理由を表す「故」という名詞に由来する表現ですが、硬い表現でありあまり使われません。次のように「普通形＋がゆえに」という形もあります。

(9)　「日本人の血をうけている<u>がゆえに</u>死ぬのであれば、なぜ私を死なせてはくれないのか」。(天声人語1989.5.2)

4. 目的を表す表現

(1)　私は旅行に行く<u>ために</u>貯金をしている。
(2)　私は旅行に行ける<u>ように</u>貯金をしている。
(3)　旅行に行く<u>ためには</u>貯金をすることが必要だ。
(4)　彼はテストでいい点をとろ<u>うと</u>毎日遅くまで勉強している。
(5)　私は旅行に行く<u>べく</u>貯金をしている。

これだけは

<接続>　　V 辞 ＋ために(は)／ように／べく
　　　　　V 意向 ＋と

◆ここでは**目的**を表す表現について考えます。
◆目的を表す代表的な形式は「〜ために」と「〜ように」です。両者の使い分けの基本は**〜ために**の前には意志動詞が来、**〜ように**の前には無意志動詞が来るということです。なお、目的を表すこれ以外の表現については初級編§23も参照してください。
◆「ために」節を主題として取り立てたものが**〜ためには**です。この場合、

「PためにはQ」のQの述語は「必要だ、〜なければならない」などの一般的なものであり、一回的な出来事を表す述語は来られません。なお、目的を表す「ように」節を取り立てた「ようには」という表現はありません。

 (6) 旅行をする{？ためには／○ために}貯金をした。

 こうした「〜ためには」の性質は2で見た「〜からには」、「〜とき(に)は」と共通するものです。

 (7) 留学するからには語学力を身につけなければならない。
 (8) 風邪のときには栄養をとってよく寝たほうがいい。

◆「〜ために」とよく似た意味を表すものに「〜(よ)うと」と「〜べく」があります。
◆〜(よ)うとは「〜」という何らかの行為を行うということを表します。この場合、「〜」には意志動詞の意向形が来ます。ただし、「〜ために」と違って1人称は主語になりにくいです。

 (1)' ？私は旅行に行こうと貯金をしている。

◆〜べくは「〜ために」とほぼ同じ意味を表し、1人称が主語になることもできます（cf.(5)）が、書きことばでしか使われません。

 (9) ゴミを減らすべくリサイクル法案が施行された。
 (10) 今日中に合意すべく話し合いを続けているところだ。

もう少し

◆「〜ように」の前には無意志動詞が来るのが原則ですが、自分以外の人の動作を生じさせるための準備（お膳立て）という意味の場合は「〜ように」の前に意志動詞が来ることができます。

 (11) 鳥が食べるように巣箱に餌を入れておいた。

この場合、意味的に対応する「ために」節では使役形が使われます。

 (12) 鳥に食べさせるために巣箱に餌を入れておいた。

◆〜べくもないは「〜することは不可能だ」という意味を表します。

 (13) お互いに過去にこだわってばかりいては、事態の打開は望む<u>べくもない</u>。イスラエルはPLOを交渉の当事者として認めるべきだ。

(朝日新聞朝刊 1985.11.9)

もう一歩進んでみると

◆ここでは理由について主に考えました。理由と(確定)条件は次のような関係にあります。次の例を見てください。

 (1) 10時になっ<u>たら</u>出発しよう。
 (2) 10時になった{から／ので}出発しよう。

 (1)と(2)は共に「10時に出発する」という内容を表していますが、(1)は10時以前にしか使えないのに対し、(2)は10時以降にしか使えません。これは条件では前件が事実かどうか未定であるのに対し、理由では前件は事実であるためです。この場合、「10時になる」ということ自体は疑いの余地がないことですが、それがまだ実現していない点で未定なのです。

◆ただし、「前件が事実」というのは厳密には話し手の意識の中でそうであればかまいません。例えば、(3)の前件は「明日雨が降るかどうか」について述べたものであり、それが事実かどうかは厳密にはわかりません。その点で(3)と(4)の間には本質的な違いはありません。しかし、(3)の場合話し手は「明日雨が降ること」に疑いを持っておらず、その意味で「話し手にとっては」「明日雨が降る」ことは「事実」なので「〜から」が使えるのです。

 (3) 明日は雨が降る<u>から</u>出掛けない。
 (4) 明日雨が降っ<u>たら</u>出掛けない。

◆「〜のだから」は事実であることが話し手だけでなく聞き手にも明らかなことを取り上げて述べる表現です。これは「から」節を取り立てるということと類似した機能なので「〜からには」とよく似た意味になります。

 (5) 初めてみんなで旅行する{のだから／からには}思い出に残るものにしたいと思います。

○参考文献

岩崎　卓（1995）「ノデとカラ－原因・理由を表す接続助詞－」宮島達夫・仁田義雄編『日本語類義表現の文法（下）』くろしお出版
　★「ので」と「から」に関する様々な問題点を巧みにまとめている。

梅岡巳香・庵　功雄（2000）「「ために」と「ように」に関する一考察」『一橋大学留学生センター紀要』3, 一橋大学
　★「ように」節で意志動詞が使われる場合について述べている。

塩入すみ（1995a）「カラとカラニハ－理由を表す従属節の主題化形式と非主題化形式－」宮島達夫・仁田義雄編『日本語類義表現の文法（下）』くろしお出版

―――（1995b）「タメニとタメニハ－目的を表す従属節の主題化形式と非主題化形式－」宮島達夫・仁田義雄編『日本語類義表現の文法（下）』くろしお出版
　★「から」節、「ために」節を「は」で取り立てた場合の制約を考察している。

中畠孝幸（1995）「ダケニとダケアッテ－通念依存の形式－」宮島達夫・仁田義雄編『日本語類義表現の文法（下）』くろしお出版
　★「だけに」と「だけあって」の違いについて詳しく考察している。

野田春美（1995）「「のだから」の特異性」仁田義雄編『複文の研究（上）』くろしお出版
　★「のだから」について詳しく論じている。

前田直子（1997）「原因・理由を表す「ばかりに」と「からこそ」」『東京大学留学生センター紀要』7, 東京大学
　★「ばかりに」と「からこそ」について詳しく述べている。

§32. 複文(3) －逆接・対比－

　因果関係には前件と後件の関係が社会通念で予想されるものに反する場合があります。そうした場合を**逆接**と言います。
　逆接は大きく、「～けど」類、「～のに」類、「～ても」類に分けられます。
　「～けど」類は客観的に前件と後件を並べるもので、逆接と言うより対比に近い性質を持つ場合もあります。
　「～のに」類は前件から予測される内容と後件の内容が一致しないということを表すもので、最も逆接的な性質を持っています。
　「～ても」類は前件の条件が満たされた場合でも後件が実現することはないということを表すもので、仮定的な性質を持ちます。
　ここでは逆接を以上の3種類に分けて、それぞれの特徴を見ていきます。また、二つのものを対照して述べる**対比**も逆接に近い性質を持つので併せて扱います。ここで扱う項目は以下のものです（※は初級編で取り上げたもの）。

1．「～けど」類
　　※～けど（～けれど(も)、～が）、～ものの、～とはいえ、～のが、
　　～わりには、～にしては、～と思ったら、～と思いきや、～つつ(も)；
　　～に反して、～にひきかえ
2．対比の表現
　　～反面、～一方(で)、～のに対して、～と違って、
　　～とうってかわって、～にひきかえ
3．「～のに」類
　　※～のに、～にもかかわらず、～くせに、～ところを、～ものを、
　　～のを、～ながら(も)；～といえども、～もかまわず

4.「〜ても」類
　　※〜ても、〜（よ）うが〜まいが、〜にせよ／〜にしろ、
　　　〜たところで、〜{に／と}しても；〜にしたって、〜であれ

1.「けど」類－事実的逆接＜客観的、対比的＞－

(1) 昨日は寒かったけど、雪は降っていなかった。
(2) レポートは８割ぐらい書けたものの、最後の部分で苦労している。
(3) 彼は年は若いとはいえ、この仕事に関する経験は十分に積んでいる。
(4) 朝から雨が降っていたのが、午後から雪になった。
(5) 彼は３年間アメリカで暮らしていたわりには英語がうまくない。
(6) 大地震があったにしては被害は少なかった。
(7) おごってくれるのかと思ったら、割り勘だと言われてがっかりした。
(8) 台風が去って天気がよくなるかと思いきや、曇りの日が続いている。
(9) 彼女は私たちに気をつかいつつも自分の主張は曲げなかった。

これだけは

＜接続＞　　普／丁＋けど／が
　　　　　　普＋ものの（ただしNaな／Nである＋ものの）
　　　　　　普＋とはいえ（ただしNa／Nだ＋とはいえ　も可能）
　　　　　　普＋のが（ただしNaな／Nである＋のが）
　　　　　　普＋わりには（ただしNaな／Nの＋わりには）
　　　　　　N／V普＋にしては
　　　　　　普（か）＋と思ったら／と思いきや（ただしNaだ・Nだ＋と思ったら／と思いきや）
　　　　　　Vマス＋つつも

◆「けど」類は前件と後件を比較してそこに逆接的な関係が見られるということを表します。例えば、(1)は、昨日は、「寒かった」ということと「雪は

降っていなかった」という二つの属性を持っているが、両者の関係は逆接的であるということを表しています。

◆〜けどと〜けれどもの違いは文体差で、「〜けど」は話しことば、「〜けれども」は書きことばで使われます。〜がはどちらでも使われます。
◆後件が丁寧形の場合(10)のように「けど（けれども／が）」節も丁寧形になるのが普通です。これは「けど」節の独立度が高い（→§25）ためです。

　　(10)　少し寝坊を{○しました／?した}が、学校には間に合いました。

　ただし、「けど」節が名詞修飾節に含まれる場合には普通形になります。

　　(11)　肉は{○食べる／×食べます}が魚は食べない人が増えています。

◆〜もののは「〜けど」とよく似ていますが、書きことばでしか使われません。また、「〜けど」の前には丁寧形が来ることも可能ですが、「〜ものの」の前には普通形しか来られません。

　　(12)a. 美術館に行きました{○が／?ものの}、休みでした。
　　　 b. 美術館に行った{が／ものの}、休みだった。

◆「PとはいえQ」は、一見PはQであるための条件を満たしていないように見えるが実はそうではないということを表します。例えば、(3)は、「年が若い」ことは「この仕事に必要とされる経験が不足している」ということになりそうだが、実はそうではなく、「この仕事に関する経験は豊富である」ということを述べています。
◆「PのがQ」は「PがQ」と似ていますが、実際はPとQを比較しているのではなく、Pの中の一部の名詞句だけがQと比較されています。例えば、(4)は「朝から雨が降っていた」ことと「午後から雪に変わった」ことを比較しているのではなく、前件の中の「雨」だけを問題として雨が雪に変わったということを述べています。言い換えると、「朝から雨が降っていたのが」という前件は「朝から降っていた雨が」という名詞修飾構造と同じです。こうした構造について詳しくは§29を参照してください。
◆「Pわりに(は) Q／PにしてはQ」はQがPから予測されるレベルにないということを表します。例えば、(5)は彼の英語力が「３年間アメリカで暮

らしていた」ということから予測されるレベルよりも低いということを表しています。

◆「P(か)と思ったらQ／P(か)と思いきやQ」はPであると予想していたら現実はQだったということを表します。「～(か)と思いきや」は主に書きことばで使われます。例えば、(7)は「おごってくれる」という期待に反して「割り勘だ」と言われたということを表しています。

◆「Pつつ(も)Q」はPという状況下でQが行われるということを表します。「Pながら(も)Q」と似ていますが、「～ながら(も)」ほど話し手の不満などを述べるというニュアンスありません。なお、「～つつ(も)」の前にナイ形は来られません。

(13) 複雑な使い方はわからない｛○ながらも／×つつも｝、簡単な使い方はわかった。

もう少し

◆「～けど」類には逆接と言うより対比を表す場合もあります（→§25）。

(14) 私はみかんは好きですが、りんごは嫌いです。

◆「～けど」類には前置きを表す用法もあります（→§23）。

(15) 失礼ですが、田中さんですか。

◆「～けど」類に属する複合格助詞には次のようなものがあります。

(16) 予想に反して田中氏が当選した。
(17) 優秀な成績で大学を卒業した兄にひきかえ、弟は遊んでばかりだ。

2. 対比の表現

> (1) 田舎は、自然が豊かで住みやすい<u>反面</u>、不便でもある。
> (2) 政府は、景気対策を急ぐ<u>一方</u>、財政再建にも取り組んでいる。
> (3) 関西では「なすび」という<u>のに対して</u>、関東では「なす」という。
> (4) アメリカではもめごとを訴訟で解決しようとする<u>のと違って</u>、日本では話し合いによる解決が好まれる。
> (5) 昨日は快晴だった<u>のとうってかわって</u>今朝は激しい雨が降っている。
> (6) 兄がまじめで勉強好きな<u>のにひきかえ</u>、弟はいつも遊んでばかりいる。

これだけは

<接続> 普＋反面／一方(で)／のに対して
　　　　　（ただし、Naな／Nである＋反面／一方／のに対して）
　　　　普＋の＋と違って／とうってかわって／にひきかえ
　　　　　（ただし、Naな＋の／Nな＋の／N＋と違って／とうってかわって／にひきかえ）

◆「反面、一方(で)、のに対して」はいずれも対照的な二つのことがらを並べて対比的に述べるのに使われる表現です。

◆〜反面と〜一方(で) は、一つの事物の持つ二つの対照的な面（ことがら）を示すのに使われます。

> (7) ワープロは便利な｛反面／一方(で)｝使いすぎると漢字を忘れてしまうという弊害もある。

(7)のように両方使える場合もありますが、交換できない場合もあります。

◆〜反面は二つのことがらが文字通り相反するものであることを示す表現です。次のように二つのことがらが特に相反する関係にない場合は使えません。

> (8) 彼は有名な小説家である｛×反面／○一方で｝実業家でもある。

逆に、次のように二つのことがらが明らかに相反する関係にある場合、

「一方(で)」は不自然になります。

 (9) 彼は有能な{○反面／?一方(で)}不注意によるミスも多い。

◆~のに対しては二つの事物が持つそれぞれの性質を対照的に示すのに用いられるのが基本です。

 (10) 日本語と韓国語はとても似ていると言われるが、日本語は発音が簡単な{○のに対して／×反面}、韓国語は発音が難しい。

次のように一つの事物の二つの面について述べる場合には使えません。

 (11) 日本語は発音が易しい{?のに対して／○反面}文法が難しい。

もう少し

◆「一方」は接続詞としても使われます。

 (12) 日本で本格的な歴史書が始めて編集されたのは8世紀のことである。<u>一方</u>、中国では紀元前1世紀にすでに司馬遷による歴史書『史記』が書かれていた。

こうした「一方」は「これに対して／それに対して」と言い換えられます。

◆他に二つの事物（AとB）を対比する表現に「と違って、とうってかわって、にひきかえ」などがあります。

◆~と違ってはAとBに違いがある場合に広く使えます。「AはBと違って~だ」「Bが~のと違って、Aは~だ」の両方の構文が可能です。

 (13)a. 日本<u>と違って</u>アメリカでは女性の社会進出が早くから進んだ。
   b. アメリカで女性の社会進出が早くから進んだの<u>と違って</u>、日本ではいまだに社会で活躍する女性が多いとは言えない。

◆~とうってかわっては変化が大きい場合に使い、「AはBとうってかわって~だ」「Bが~のとうってかわって、Aは~だ」の両方の構文が可能です。

 (14)a. 今年の夏は去年<u>とうってかわって</u>非常に暑い。
   b. 去年冷夏だったの<u>とうってかわって</u>今年の夏は非常に暑い。

いずれも時間的な隔たりのあるA（「今年の夏」）とB（「去年の夏」）の間に大きな違いがあることを表しています。

なお、(14)を「～と違って」に変えても正しい文ですが、変化の意味が出ない点が「～とうってかわって」と異なります。

◆～にひきかえは「～と違って」と似ており、次のような例では置き換えてもあまり違いはありません。

(15)a. 兄が優等生なの{にひきかえ／と違って}、弟は成績が悪い。
　　 b. 優等生である兄{にひきかえ／と違って}、弟は成績が悪い。

ただし、「～にひきかえ」は、(15)のようにA（弟）とB（兄）が対照的な二つのことがら（「兄は優等生だ」「弟は成績が悪い」）に属することが明示されている場合にしか使えません。次の例はそれが明示されていないので「～にひきかえ」は使えず、「～と違って」にする必要があります。

(16)　兄{×にひきかえ／○と違って}弟は成績が悪い。

3.「のに」類－事実的逆接＜主観的＞－

(1) 私がせっかくケーキを作ったのに、彼は食べてくれなかった。
(2) この試験は難しかったにもかかわらず、彼は満点を取った。
(3) あの人は読めないくせにドイツ語の本を何冊も持っている。
(4) いつもなら腹を立てるところを今日は我慢した。
(5) 事情を知っていれば手伝ったものを話してくれなかったのは残念だ。
(6) 彼がこつこつ貯金していたのを私が使ってしまった。
(7) 彼は本当のことを知っていながら私に教えてくれなかった。

これだけは

＜接続＞　普（ただし、Na・Nな）＋のに
　　　　　普（ただし、Na・Nである／Nだ）＋にもかかわらず

普(ただし、Nの／Naな)＋くせに　　V・A普／Nのところを
V普＋ものを　　V普＋のを
Vマス／Vナイ／A／N／Na＋ながら(も)

◆事実的逆接を表すもう一つのグループに「のに」類があります。
◆「けど」類が対比に近い客観的な逆接関係を表すのに対し、「のに」類は前件から予測される命題が成り立たないこととそれに対する不満、意外さなどの話し手が感じる気持ちを表します。例えば、(8)aと(8)bを比べると、(8)aは彼の属性として「野球が上手だ」ということと「バスケットボールが下手だ」ということを対比して述べているだけですが、(8)bは「野球が上手だ」という前件から期待される「野球が上手なら（同じ球技の）バスケットボールも上手だろう」という予測が外れたという話し手の気持ちを表しています。

(8) a. 彼は野球は上手だ<u>が</u>、バスケットボールは下手だ。
　　 b. 彼は野球は上手な<u>のに</u>、バスケットボールは下手だ。

◆「のに」類にはこのような話し手の主観が含まれますから(1)の「せっかく」のように話し手の主観を表す語が含まれるときには「けど」類よりも使いやすくなります。

(1)' 私が<u>せっかく</u>ケーキを作った{のに／?けど}、彼は食べてくれなかった。

逆に、客観的に情報を伝えたいときには「けど」類のほうがよくなります。

(9) （天気予報）明日は天気は回復{○しますが／?するのに}気温は下がるでしょう。

◆〜にもかかわらずは前件の内容からは通常可能／不可能と思われることが実際は不可能／可能だということを表します。例えば、(2)は通常満点を取るのは難しい試験で彼は満点を取ったということを表しています。「〜のに」とよく似ていますが、書きことばでしか使われません。
◆〜くせには前件の内容が後件の内容を満たすためにふさわしい属性を備えていないという話し手の気持ちを表します。例えば、(3)は「(ドイツ語が)読めない」ということは「ドイツ語の本を何冊も持っている」ことにとってふさわしくない／変だという話し手の気持ちを表しています。なお、「〜く

せに」は話しことばでしか使われませんし、聞き手の行為について用いると失礼になるので注意が必要です。例えば、(10)aは「野球が上手→バスケットボールも上手だ」という予測が外れたということを述べているだけですが、(10)bはそれに加え、「バスケットボールが上手なのは当然だ」といったニュアンスを含むため、聞き手に対してより失礼になります。

 (10) a. 君は野球は上手<u>なのに</u>、バスケットボールは下手だね。
   b. 君は野球は上手な<u>くせに</u>、バスケットボールは下手だね。

◆「PところをQ」は「～のに」と同じく、Pから予測されることとQが一致しないということを表しますが、話しことばではあまり使われません（「～ところを」のこれ以外の用法については§29を参照してください）。ただし、次の表現は定型表現としてよく使われます。

 (11) お忙しい<u>ところを</u>ありがとうございます。

◆「～ものを」は「～のに」と似ていますが、「～のに」よりも後件が実現しなかったことに対する不満や後悔を表す傾向があります。また、「…ば～ものを——」という文型で、「…であれば～（な）のに実際は——」という意味を表すために使われることが多いです。例えば、(5)は「事情を知っていれば手伝ったのに、事情を教えてくれなかったから手伝えなかった」ということが残念だという気持ちを表します。なお、「～ものを」は「～のに」よりも硬い言い方であり、話しことばでは使われません。

◆「PのをQ」は「PのがQ」と同じく、Pの中の一部の名詞句だけがQと逆接的な意味関係を持っています。例えば、(6)は「彼がこつこつ貯金したお金を私が使ってしまった」とほぼ同じ意味を表します。

◆「Pながら(も)Q」はPという状況下でQが行われるということを表します。例えば(7)は、彼は本当のことを知っているという状況にあったが、そのことを私に教えなかったということを表しています。

◆「PながらQ」は付帯状況（→§33）を表す形式でもあります。ただし、付帯状況を表す場合はPの述語は動作動詞の肯定形に限られる（テイル形は使えない）のに対し、逆接の場合のPには動作動詞のテイル形、状態動詞、ナイ形が来ることができます。

(12) 彼は本を読みながらごはんを食べることが多い。(付帯状況)
(13) 彼はその本を読んでいながら私には読んでいないと言った。(逆接)
(14) その計画には問題がありながらも何とか進んでいる。(逆接)

ナイ形の場合は動詞だけでなく、形容詞でも可能です。

(15) 彼はあまり読まないながらいろいろなことを知っている。(動詞)
(16) 彼はあまり背が高くないながらも大変な力持ちだ。(形容詞)

付帯条件の場合は「ながらも」の形は使えません。

(12)' ×彼は読みながらもごはんを食べることが多い。

もう少し

◆「〜けど」は文末のモダリティ形式に特に制限はありませんが、「〜のに」は基本的にモダリティ形式を伴わない文か禁止以外は不適当になります。

(17) 雨が降っている{○が／?のに}彼は出掛けるだろう。
(18) 雨が降っている{○けど／?のに}出掛けますか。
(19) 雨が降っている{○けど／?のに}体育館で練習をしなさい。
(20) 雨が降っている{○けど／?のに}出掛けましょう。
(21) 雨が降っているのに出掛けるな。

◆「〜けど」と「〜のに」はどちらもそこで文を終わる言いさしの用法を持っています（→初級編§25）が、両者にはニュアンスの違いがあります。

(22)　　A：この間のお見合いの話、どうしようか悩んでるの。
　　　　Ｂ１：気に入らなければ断ってもいいけど。
　　　　Ｂ２：気に入らなければ断ってもいいのに。

「のに」類は不満などの話し手の気持ちを表すため、(22)B2は聞き手（A）に対する話し手の不満を表すことになるのに対し、(22)B1にはそうしたニュアンスはありません。なお、(22)B1はお見合いをAに勧めた人であると解釈されやすいのに対し、(22)B2は通常そうではないと解釈されます。

◆「～ば…けど。」という文型で言いさした場合は仮定条件としても解釈することができますが、「～ば…のに。」という文型で言いさした場合は反事実的条件としてしか解釈できません。例えば、(23)B1は明日会議があるかどうかが未定（ないし話し手が知らない）の場合にも使えるのに対し、(23)B2は明日会議があることを話し手が知っている場合にしか使えません。

　　(23)　　A：明日いっしょに昼ごはん食べられる？
　　　　　　B1：会議がなければ大丈夫だけど。
　　　　　　B2：会議がなければ大丈夫なのに。

◆「のに」類に属する複合格助詞には次のようなものがあります。

　　(24)　社会的地位の高い人といえども法の下には平等に裁かれる。
　　(25)　彼女は他の人の目もかまわず泣き続けた。

4.「ても」類－仮定的逆接－

(1)　彼は熱があっても学校を休まないだろう。
(2)　成功しようがしまいが、やりたいことができればそれで満足だ。
(3)　彼が犯人ではない｛にせよ／にしろ｝疑わしい行為をしたのは事実だ。
(4)　これから勉強したところで明日のテストでいい点は取れないだろう。
(5)　彼が来るとしても特別に何かを準備する必要はない。

これだけは

<接続>　Ｖテ＋も
　　　　　Ｖ意向＋ようがＶ辞（Ⅰ類）／Ｖナイ（Ⅱ・Ⅲ類）＋まいが
　　　　　普＋にせよ／にしろ
　　　　　タ＋ところで
　　　　　普＋｛に／と｝しても、Ｎ＋｛に／と｝しても

◆「けど」類と「のに」類が事実的な逆接しか表せないのに対し、～てもな

434

どの「ても」類は仮定的な逆接を表せます。仮定的というのは前件が起こるかどうかわからないということで、例えば、(1)は熱があるかどうかはわからないがもしそうであった場合でも学校を休まないという意味を表します。(1)と(6)を比べると、(6)では「熱がある」ということは事実として扱われており、未確定なのは後件の「学校を休まない」という部分だけです。なお、後件が未確定の場合は(7)からわかるように「～のに」は使いにくいです。

(6)　彼は熱がある<u>が</u>学校を休まないだろう。
(7)？彼は熱がある<u>のに</u>学校を休まないだろう。

◆「～ても」は次のように過去の事態について述べる場合にも使えます。

(1)'彼は熱があっ<u>ても</u>学校を休まなかった。

◆疑問語＋てもは前件がどのようなものの場合も後件が成り立つ／成り立たないという意味を表します。

(8)　誰が説明し<u>ても</u>彼は納得しないだろう。

これは「～ても」が並立を表すとりたて助詞「も」を含んでいるためで、(8)は次のような過程を経てできています。

(9)　田中さんが説明しても ⎫
　　　山田さんが説明しても ⎬ 彼は納得しないだろう。
　　　………
　　　誰が説明しても　　　 ⎭

◆～（よ）うが～まいがは「～」は後件に無関係であるということを表します。例えば、(2)は成功するかしないかは「やりたいことができれば満足だ」という結論にとって無関係であるということを表します。
◆～にせよ／～にしろも「～（よ）うが～まいが」と同様の意味を表します。例えば、(3)は彼が犯人であるかどうかということと、彼が疑わしい行為をしたということは別の問題であるということを述べています。
◆～たところでは「～」が後件の成立に影響を与えることはない／無駄だということを表します。例えば、(4)は「これから勉強する」ということは「明

日のテストでいい点をとる」ということにとって重要な意味を持たないという意味を表します。

◆～{に／と}してもは「～」を仮定してもそのために何かをする必要はないということを表します。例えば、(5)は「彼が来る」ということを仮定してもそのために特別のことをする必要はないということを表します。

もう少し

◆「～ても」は次のように実現した出来事について使われる場合もあり、そうした場合は「～けど」とよく似た意味になります。

　　(10) 私が{頼んでも／頼んだが}だめだった。

ただし、「～ても」は複数のものの存在を含むことが可能ですが、「～けど」にはそうした含みはありません。例えば、(11)aは母親を含む複数の人が説得したという場合も使えますが、(11)bでは説得したのは母親だけです。

　　(11)a. 母親が説得しても、犯人は投降しなかった。
　　　 b. 母親が説得したが、犯人は投降しなかった。

◆「ても」類に属する複合格助詞は次のようなものです。

　　(12) 彼にしたって、予算がわからないと企画が立てられないと思うよ。
　　(13) 議長が誰であれ、その決定には従うべきだ。

もう一歩進んでみると

◆ここでは逆接について考えましたが、どのような関係を逆接と見るかについては「雨が降る→出掛ける」のようにある程度社会通念として決まっている場合も多いですが、話し手の認定のしかたによる場合もあります。例えば、P：一生懸命頑張った　Q：3位になった　という二つの命題の場合、PとQの関係を話し手が順当なものだと考えている場合は(1)aのようになり、意外な／残念なものだと考えている場合は(1)bのようになります。

　　(1)a. 一生懸命{頑張って／頑張ったので}3位になった。
　　　b. 一生懸命{頑張ったが／頑張ったのに}3位になった。

逆に言うと、聞き手は話し手が(1)a, bのいずれの形式を使うかによってPとQの関係に関する話し手の捉え方を知ることになります。

◆「のが」「のを」などの節は前述のように前件の一部だけが後件と関係を持っています。例えば、(2)では私が先日読んだのは「あのときの話」です。言い換えると(2)は(2)'と同様の意味を表していますが、レー・バン・クー(1988)はこうした表現を「事態顕述の連体節」と呼んで詳述しています。

　(2)　太郎があのときの話を小説に書いたのを私は先日読んだ。
　(2)'　太郎が小説に書いたあのときの話を私は先日読んだ。

◆ここでは接続詞は扱いませんでしたが、逆接の接続詞のうち「しかし、でも、だって」は「けど」類に対応し、「ところが、それが」は「のに」類に対応します。これらの接続詞については浜田麻里（1993, 1995）を見てください。

○参考文献

浜田麻里（1993）「ソレガについて」『日本語国際センター紀要』3 国際交流基金日本語国際センター
――――（1995）「トコロガとシカシ」『世界の日本語教育』5 国際交流基金日本語国際センター
　★談話のタイプという観点から逆接を扱った好論文。
前田直子（1993）「逆接条件文「〜テモをめぐって」益岡隆志編（1993）『日本語の条件表現』くろしお出版所収
――――（1995）「ケレドモ・ガとノニとテモ」宮島達夫・仁田義雄編『日本語類義表現の文法（下）』くろしお出版所収
　★逆接についての示唆的な記述が多く含まれている好論文。
レー・バン・クー（1988）『日本語研究叢書2　「の」による文埋め込みの構造と表現の機能』くろしお出版
　★「の」を使った様々な埋め込み構造に関して詳しく研究した重要な論文。

§33. 複文(4)
－「〜て」・付帯状況・相関関係など－

ここでは次のような表現を扱います。

1. ※〜て
2. ※〜ないで、※〜なくて、※〜ずに、※〜ず、※〜なく
3. ある動作に他の動作が伴うこと（付帯状況）を表す表現
   ※〜ながら、〜つつ、〜ついでに、〜かたわら、〜がてら、
   〜かたがた
4. ある出来事に加えて他の出来事が成立することを表す表現
   〜だけでなく、〜ばかりでなく、〜ばかりか、〜のみならず、
   〜にとどまらず
5. ある出来事の進展が他の出来事の進展に伴うこと（相関関係）を表す表現
   〜ば〜ほど、〜につれて、〜にしたがって、〜に伴って、
   〜とともに

※印は初級編でも取り上げた表現です。また、以下では、従属節に表された動作や出来事（前件）をＰ、主節に表された動作や出来事（後件）をＱで示します。

1. 〜て

(1) ゆうべは窓を開けて寝た。
(2) 娘は東京で就職して、息子はアメリカに留学しました。

これだけは

◆テ形「～て」は、「PてQ」の文型で、動作や出来事が**継起**したり（(5)）、**並列**的な関係である（(2)）ことを表しますが、PとQの述語の種類や内容によって、Pの意味は様々に解釈されます。

 (3) 手を上げて道路を渡った。（付帯状況）
 (4) 牛乳パックを使っておもちゃを作った。（手段）
 (5) 早くうちに帰ってご飯を食べましょう。（継起）
 (6) 子どもが生まれて、家がにぎやかになりました。（原因・理由）
 (7) おじいさんは山へ行って、おばあさんは川へ行きました。（並列）
 (8) この図書館は広くて新しい。（並列）

 付帯状況とは、ある動作（Q）に他の動作か動作の結果の状態（P）が伴うことです。例えば、(3)では「手を上げる」という動作、(1)では「窓が開いている」という状態がそれぞれ「道路を渡る」「寝る」という動作に伴っていることが表されています。（→初級編§21）

◆「～て」による節は、意味によって構造的にもいくつかの種類（段階）に分かれ、節の中に現れる要素が違います。

 付帯状況や手段を表す「～て」の場合、主語は現れません（主語は必ず主節と同じです）。継起や**原因・理由**の「～て」の場合は、(6)の「子どもが」のように独自の主語を表すことが可能です。並列の「～て」は、主語はもちろん独自の主題を示すこともできます。たとえば(7)の「おじいさんは」は、主節の「おばあさんは」とは別の独自の主題です。

 つまり、並列の「～て」が最も文に近く（文的度合いが高く）、付帯状況や手段の「～て」が最も文から遠い（文的度合いが低い）ことになります。（→初級編§21）

もう少し

◆「～て」による節は、述語が動詞かイ形容詞の場合、**中止形**に置き換えることができます。

 (9) 牛乳パックを使いおもちゃを作った。

(10)　この図書館は広く新しい。

意味にはほとんど違いがありませんが、中止形のほうが書きことば的です。
　また、次のように文が長く続く場合、「～て」ばかりや中止形ばかりが連続する口調の悪さを避けるため、両者を混ぜて使うということも行われます。

　　(11)　太郎はサイドミラーを見て後続車がないことを確認し指示器を出して車線変更した。

◆話し手が特に丁寧に話したいとき、文末だけでなく「～て」を丁寧形にする場合があります。丁寧形へのなりやすさにも文的度合いが関係し、基本的には、文的度合いの高い並列や原因・理由の「～て」のほうが丁寧形になりやすいといえます。

　　(12)　娘は東京で就職しまして、息子はアメリカに留学いたしました。(並列)
　　(13)　事情がありまして、欠席させていただきます。(原因・理由)

しかし、最近の傾向としては、より丁寧に話したい意識から本来丁寧形になりにくい継起や付帯状況の「～て」が丁寧形で使われる場合も見られます。

　　(14)　(駅のアナウンス)
　　　　　特急電車は、降りまして右の３番ホームに参ります。(継起)

2.　～ないで、～なくて、～ずに　etc.

> (1)　窓を閉めないで寝ました。
> (2)　お金が足りなくて、電車に乗れませんでした。
> (3)　他人に頼らずに自分で結論を出しなさい。

＜接続＞　　Vナイ＋ないで／なくて／ずに
　　　　　　　（ただし、Ⅲ「～する」→「～せずに」）
　　　　　　Aナイ／Na・Nでは＋なくて

440

これだけは

◆「〜ないで」「〜なくて」「〜ずに」は、いずれも「〜て」の前に来る動詞が否定形である場合にとる形ですが、「〜て」の持つ様々な用法に対応して、使える場合がそれぞれ限られています。使い分けは次のようです。

(4) 窓を閉めて寝ました。(付帯状況)
　→窓を{○閉めないで／×閉めなくて／○閉めずに}寝ました。
(5) 包丁を使って料理をした。(手段)
　→包丁を{○使わないで／×使わなくて／○使わずに}料理した。
(6) 彼が来て安心した。(原因・理由)
　→彼が{×来ないで／○来なくて／×来ずに}心配した。
(7) 太郎は合格して、次郎は合格しなかった。(並列)
　→太郎は{○合格しないで／○合格しなくて／×合格せずに}、次郎は合格した。

なお、継起を表す「〜て」に対応する否定の形はありません。

◆「〜なくて」は名詞や形容詞にも接続します。

(8) 料理がおいしくなくて、半分残した。(原因・理由)
(9) 彼は医者ではなくて、看護士です。(並列)

◆「〜ないで、〜なくて」は話しことば・書きことばの両方で使えます。「〜ずに」は主に書きことばに用いられます。

もう少し

◆「〜ず」と「〜なく」は、中止形の否定の形に当たるものです。「〜ず」は動詞にのみ、「〜なく」は名詞と形容詞にのみ接続します。

<接続>　V₍ナイ₎＋ず（ただし、Ⅲ「〜する」→「〜せず」）
　　　　A₍ナイ₎／Na・Nでは＋なく

「〜ず」は「〜ずに」が使いにくい、原因・理由や並列の用法でも使えます。

(5)' 包丁を使ず料理をした。(手段)
(6)' 彼が来ず心配した。(原因・理由)

(7)' 太郎は合格せず、次郎は合格した。(並列)
(8)' 料理がおいしくなく、半分残した。(原因・理由)
(9)' 彼は医者ではなく、看護士です。(並列)

3. 〜ながら、〜つつ、〜ついで に　etc.

> (1) 彼は毎朝テレビを見ながら朝食をとります。
> (2) 参列者は故人をしのびつつ手を合わせた。
> (3) 今日都心に出るついでにレコード屋に寄るつもりだ。

<接続>　Vマス＋ながら／つつ
　　　　V 辞・タ／Nの＋ついでに

これだけは

◆これらの表現は、ある動作に他の動作が伴うこと（付帯状況）を表します。いずれの表現でも二つの動作の主語は同一です。次のように異なる主語による二つの動作を表すことはできません。

(4)×太郎がテレビを見ながら、次郎が朝食をとった。
(5)×太郎が病院へ行くついでに、次郎が買い物をした。

◆「PながらQ」は、ある主体が動作Qを行うときに同時に別の動作Pを行うことを表します。

(6) 携帯電話で話しながら運転するのは危険です。

Pは「携帯電話で話す」のように時間的な幅のある動作であることが必要です（→初級編§21）。次の(7)(8)が不適なのはPが時間的な幅のない動作（瞬間的な動作）であるからです。いずれも「PてQ」に置き換えると自然になります。

(7)×電車に乗りながら本を読むのは目によくない。
　cf.電車に乗って本を読むのは目によくない。

(8) ×あのベンチに座り<u>ながら</u>話しましょう。
　　cf. あのベンチに座っ<u>て</u>話しましょう。

◆「ＰつつＱ」は「ＰながらＱ」とほぼ同じ意味で使われますが、書きことば的な表現です。

(9) 二人は酒を酌み交わし<u>つつ</u>思い出話にふけった。

◆「ＰついでにＱ」は動作Ｐを行う機会に別の動作Ｑも行うという意味です。

(10) 町へ出た<u>ついでに</u>秋の服を１着買った。
(11) 彼はいつも食事に出る<u>ついでに</u>たばこを買う。

「ＰながらＱ、ＰつつＱ」のように二つの動作を同時進行させるのではないので、これらの表現と交換はできません。

(10)' ×町へ出<u>ながら</u>秋の服を１着買った
(11)' ×彼はいつも食事に出<u>ながら</u>たばこを買う。

もう少し

◆「ＰながらＱ」「ＰつつＱ」には付帯状況の他、次のように「ＰのにＱ」に近い意味を表す場合もあります。

(12) 私たちは愛し合ってい<u>ながら</u>結婚できない運命だった。
　　cf. 私たちは愛し合っている<u>のに</u>結婚できない運命だった。
(13) 早く返事を書かなければと思い<u>つつ</u>、遅くなってしまいました。
　　cf. 早く返事を書かなければと思っていた<u>のに</u>、遅くなってしまいました。

ＰとＱが同時に成り立つことを表す点では付帯状況と共通しますが、そのＰとＱが本来相容れない関係にあることがらであることから「ＰのにＱ」という逆接の意味が生じています。この用法の場合、Ｐは動作ではなく状態を表す表現であることが多く、「ＰながらＱ」では次のように名詞や形容詞が来る場合もあります。

(14) まりちゃんは小学生ながら大人顔負けの料理を作る。
(15) 狭いながらも楽しい我が家

◆「PついでにQ」のPに来る動詞は辞書形の場合とタ形の場合があります。意志や依頼などQが未実現の動作である場合はPは辞書形をとるのが普通です。

(16) 顔を{○洗う／×洗った}ついでに眼鏡を拭くつもりだ。

一方、Qがタ形ですでに実現した動作である場合、Pは辞書形・タ形の両方が可能です。

(16)' 顔を{洗う／洗った}ついでに眼鏡を拭いた。

ただし、Pがタ形の場合、P→Qの順で行われたことが明示されるのに対し、Pが辞書形の場合は二つの動作の前後関係が曖昧になるという違いがあります。

◆「ついでに」には次のような副詞としての用法もあります。

(17) 今日美容院へ行った。ついでにデパートでスカートを買った。
(18) 夫：たばこを買ってくるよ。
　　 妻：じゃあ、ついでにこの手紙出してきて。

◆「PかたわらQ」はPとQを同時に行うことを表します。

＜接続＞　Ⅴ辞／Nの＋かたわら

(19) 田中さんは小説を書くかたわら俳優活動もしている。
(20) 妹は家事のかたわら弁護士を目指して勉強している。

ただし、普通PとQが職業や立場など長く続くことがらである場合に限られる点で「PながらQ、PつつQ」より使える範囲は狭いです。そのため次のような例は不自然になります。

(1)？彼は毎朝テレビを見るかたわら朝食をとります。

◆「PがてらQ」は、動作Qをする際にPを同時にするという意味を表すや

や古めかしい表現です。
<接続>　Vマス／N＋がてら

　(21)　大家さんに挨拶をしがてら旅行のお土産を渡しに行った。
　(22)　新しい自転車を試しがてら公園をサイクリングした。

ただし、「～ながら、～つつ、～ついでに」と異なり、二つの別の動作をするというより、動作QにPというもう一つの目的・意味合いを持たせるといった意味を表します。また、どんな動作にでも使えるわけではなく、Qは「行く、来る、出掛ける、歩く」といった移動を表す動作に限られます。
　Pは動詞のマス形の他「散歩、買い物、挨拶」といった動作を表す名詞に直接「がてら」が付くこともあります。

　(23)　午後から散歩がてら夕食の買い物に出掛けた。

◆「～がてら」と同様に名詞に直接付いて似た意味を表す表現に「～かたがた」があります。主に手紙文など改まった場合に使われます。
<接続>　N＋かたがた

　(24)　お礼かたがたご連絡申し上げます。
　(25)　ご挨拶かたがたお宅にお邪魔してもよろしいでしょうか。

4.　～だけでなく、～ばかりでなく、～ばかりか etc.

> (1)　このジュースはおいしいだけでなく、栄養満点だ。
> (2)　水泳を始めて、体重が減ったばかりでなく、肩こりも治りました。
> (3)　犯人は現金を奪ったばかりか家に放火して逃げた。

<接続>　普＋だけでなく／ばかりでなく／ばかりか
　　　　　（ただし、Naな／Nである＋だけでなく／ばかりでなく／ばかりか）

これだけは

◆「PだけでなくQ、PばかりでなくQ、PばかりかQ」は、出来事Pに加えて他の出来事Qも同時に成立することを表します。これらの表現間の意味の違いは微妙です。特に前の二つの間の差はほとんどありません。
◆「PばかりかQ」はQに命令・依頼・意志などが来ないという点で他の二つと違います。

　　(4) a. ×人を批判するばかりか、自分のことも反省しなさい。
　　　　b. ○人を批判する{だけでなく／ばかりでなく}、自分のことも反省しなさい。

また、文体差もあり、「〜ばかりでなく、〜ばかりか」は書きことばです。

もう少し

◆「〜ばかりでなく」とほぼ同じ意味でさらに改まった表現に「〜のみならず」「〜にとどまらず」があります。
<接続>　　普+のみならず／にとどまらず
　　　　　　（ただし、Na・Nである+のみならず／にとどまらず）

　　(5) 音楽は人の心を和ませるのみならず、その精神を成長させる。
　　(6) その発見は日本中の注目を集めたにとどまらず、海外にも知られるようになった。

◆いずれの表現も次のように名詞に名詞を付加するのにも使われます（→§27）。

　　(7) このゲームは子どもだけでなく大人も楽しめる。
　　(8) 中国料理はアジアのみならず欧米諸国でも食べられている。

5. ～ば～ほど、～につれて、～にしたがって　etc.

> (1) 赤道に近づけば近づくほど、気温が高くなる。
> (2) 暑くなるにつれて、身体が疲れやすくなります。
> (3) 地震発生から時間がたつにしたがって、被害の大きさが明らかになってきた。

<接続>　V・A バ／Na・NならV・A 辞／Naな／Nである＋ほど
　　　　V 辞／N＋につれて／にしたがって

これだけは

◆「PばPほどQ、PにつれてQ、PにしたがってQ」は、出来事Pの進展に相関して出来事Qも進展するという関係を表します。いずれの表現でも、PとQはいずれも程度や量が漸次的に変化していくような出来事に限られます。次のbではP（娘が二十歳になる）が、cではQ（娘が美容師になる）がそのような出来事でないので不自然になっています。

(4)a. ○娘は成長するにつれて、美しくなった。
　　b. ×娘は二十歳になるにつれて、美しくなった。
　　c. ×娘は成長するにつれて、美容師になった。

◆「PばPほどQ」は次のように「Pば」の部分を省略しても意味は変わりません。

(1)' 赤道に近づくほど、気温が高くなる。

◆「～につれて」と「～にしたがって」の間に特に意味の違いはありません。

もう少し

◆「PばPほどQ」はPの程度や量の変化にQの程度・量が比例するというニュアンスが他の二つの表現より強く出ます。また、Pが次のような例では「PばPほどQ」は使えますが、「PにつれてQ、PにしたがってQ」は不自

然になります。

(5)a. ○食べれば食べるほど胃が大きくなる。
   b. ?食べる{につれて／にしたがって}胃が大きくなる。
(6)a. ○日本語を勉強すればするほど、その難しさがわかってきた。
   b. ?日本語を勉強する{につれて／にしたがって}、その難しさがわかってきた。

これは「PばPほどQ」は「食べる」や「日本語を勉強する」のように普通は漸次的に解釈されない出来事に程度や量の漸次的な変化の意味を持たせることができるのに対し、「PにつれてQ、PにしたがってQ」はPという出来事そのものが漸次的な変化（「成長する」「赤道に近づく」など）でなければ使えないためです。

◆「PばPほどQ」は、P・Qに形容詞や形容詞的な意味を持つ名詞をとる用法もあります。

(7) 夢は大きければ大きいほどよい。
(8) 田村選手は相手が強敵であるほど闘志を発揮する。

この場合、Qの程度がPの程度に相関して変わることを表します。

◆「～につれて、～にしたがって」とほぼ同じ意味で使える表現に「～に伴って、～とともに」があります。

<接続>　V 辞／N＋に伴って／とともに

(9) 子どもが大きくなるに伴って、家が手狭になってきた。
(10) 年を取るとともに、涙もろくなる。

ただし、この二つの表現の場合、PとQは漸次的に変化していく出来事に限られません。次のように瞬間的な出来事とともに使い「～と同時に」に近い意味を表すこともできます。

(11) 社名が変わるに伴って、制服も一新された。
(12) 彼は大学を卒業するとともに、アメリカに渡った。

◆「～につれて・～にしたがって・～に伴って・～とともに」も次のように

何らかの変化を表す名詞とともに使われることがあります。(→§4)

(13) 子どもの成長 { につれて／にしたがって／に伴って／とともに } 家族で過ごす時間が減ってきた。

もう一歩進んでみると

◆3で扱った、ある動作に他の動作が伴うことを表す付帯状況の表現は、二つの出来事が同時に起きることを表すという点で、時間の表現と近い関係にあります。

(1) a. 太郎はごはんを食べながらテレビを見る。(付帯状況)
　　b. 太郎はごはんを食べるときテレビを見る。(時間)
(2) a. 次郎は郵便を出したついでにたばこを買った。(付帯状況)
　　b. 次郎は郵便を出したあとたばこを買った。(時間)

一方、5の相関関係を表す表現は、多くの場合二つの出来事に因果関係が成り立つことから、条件や理由に連なる表現だと言えます。

(3) a. 日が短くなるにつれて、気温が下がってくる。(相関関係)
　　b. 日が短くなると、気温が下がってくる。(条件)
(4) a. 年を取るとともに、物忘れがひどくなってきた。(相関関係)
　　b. 年を取ったため、物忘れがひどくなってきた。(理由)

4の「～だけでなく」「～ばかりでなく」などについては、とりたて「だけ」「ばかり」などから成る表現ですので、§27も参照してください。

〇参考文献

仁田義雄 (1995)「シテ形接続をめぐって」仁田義雄編『複文の研究 (上)』くろしお出版
　★「～て」の用法を詳細に考察している。
日高水穂 (1995)「ナイデとナクテとズニ―テ形の用法を持つ動詞の否定形式―」宮島達夫・仁田義雄編『日本語類義表現の文法 (下)』くろしお出版
　★「ないで、なくて、ずに」の使い分けについて簡潔に整理されている。

§34. 複文(5) －時間－

ここでは時にかかわる次のような表現を扱います。

1. ある出来事が起こるときに他の出来事が起こることを表す表現
   ※〜とき(に)、〜際(に)、〜おり(に)
   ※〜あいだ(に)、※〜うちに、〜最中に、

2. 二つの出来事が（ほとんど）同時に起こることを強調的に表す表現
   〜と同時に、〜た(か)と思うと、〜が早いか、〜や(否や)、
   〜なり、〜か〜ないかのうちに、〜たとたん(に)、〜次第、
   〜そばから

3. ある出来事が他の出来事のあとに起こることを表す表現
   ※〜てから、〜てはじめて、〜てからでないと、〜た上で、
   〜て以来、〜てからというもの

※印は初級編でも取り上げた表現です。
　また、以下では、従属節に表された出来事（前件）をP、主節に表された出来事（後件）をQで示します。

1. 〜とき(に)、〜あいだ(に)、〜うちに　etc.

> (1) 私が帰宅した<u>とき</u>、父はトイレに入っていた。
> (2) 今度お会いした<u>とき</u>に、またご相談しましょう。
> (3) 母親が部屋の掃除をしている<u>あいだ</u>、子どもは外で遊んでいた。
> (4) 日本にいる<u>うちに</u>、しっかり日本語を身につけたいと思う。

＜接続＞　　普 ＋とき(に)（ただしNaな／Nの＋ときに）
　　　　　　V 辞／A 辞／Naな／Nの＋あいだ(に)
　　　　　　V 辞・否／A 辞／Naな／Nの＋うちに

これだけは

◆これらの表現のうち最も使える範囲が広いのは「〜とき(に)」です。

　(5)a. 母が洗濯をしている｛とき／あいだ｝、太郎はテレビを見ていた。
　　 b. 母が部屋に入った｛○とき／×あいだ｝、太郎はテレビを見ていた。

「〜とき(に)」の前には継続的な出来事((5)aの「洗濯をしている」)と瞬間的な出来事((5)bの「部屋に入った」)の両方が来ることができます。一方、「〜あいだ(に)、〜うち(に)」の前に来るのは継続的な出来事であり、瞬間的な出来事が来ることはありません。

◆「〜とき」と「〜ときに」には違いがあります。

　(6)a. 東京に住んでいた<u>とき</u>、よく芝居を見に行った。
　　 b. 東京に住んでいた<u>ときに</u>、明美さんと知り合った。

「PときQ」の場合、Qに(6)aの「よく芝居を見に行った」のような継続的な出来事（この場合は過去の習慣）が来ることが多いのに対し、「PときにQ」のQには(6)bの「明美さんと知り合った」のような一回的な出来事が来やすい傾向があります（→初級編§22）。

◆「〜あいだ」と「〜あいだに」には明確な意味の違いがあります。

34. 複文(5) ― 時間 ―

(7) a. 母が洗濯をしている {○あいだ／×あいだに }、部屋の中に誰もいなかった。
b. 母が洗濯をしている {×あいだ／○あいだに }、電話がかかってきた。

「PあいだQ」はP（(7)では「洗濯をしている」）という時間的範囲においてずっとQという出来事（(7)aの「部屋の中に誰もいない」）が成立していることを表します。一方、「PあいだにQ」はPという時間的範囲のいずれかの時点でQという一回的な出来事（(7)bの「電話がかかる」）が起こることを示します（→初級編§22）。

◆「～うちに」は「～あいだに」と似た表現ですが、二つの用法に分けて考える必要があります。

①「PうちにQ」のQが意志的な動作である場合

(8) 妻が出掛けているうちに、光子に電話をかけた。
(9) 明るいうちに、帰ったほうがいいですよ。

②「PうちにQ」のQが無意志的な変化や現象である場合

(10) おしゃべりに夢中になっているうちに、2時間もたってしまった。
(11) 毎日乗っているうちに、運転が上手になります。

①の用法では、「PうちにQ」には「PでないとQができない（だから、PのあいだにQをする）」というニュアンスが出ます。「PあいだにQ」にはそのようなニュアンスはありません。

(8)' 妻が出掛けているあいだに、光子に電話をかけた。
(9)' 明るいあいだに、帰ったほうがいいですよ。

また、「～うちに」は(12)のように動詞の否定形に後接できますが、「～あいだに」はできません（→初級編§22）。

(12) 暗くならない {○うちに／×あいだに }、帰ったほうがいいですよ。

②の用法では、「PうちにQ」と「PあいだにQ」に違いはありません。

もう少し

◆「～とき(に)」ほぼ同じ意味でやや改まった表現に「～際(に)」と「～おり(に)」があります。

<接続>　V 辞・タ／Nの＋際(に)／おり(に)

「～際(に)」は公文書や張り紙などで、「～おり(に)」は手紙文などでよく使われます。

⒀　(大学での掲示) この書類は就職の際必要になるので、大切に保存すること。

⒁　(手紙) 去年お宅にお邪魔したおりに撮った写真を同封いたします。

「に」の有無による違いは「～とき(に)」の場合と同様です。

◆「～最中に」は、「ちょうど／まさに～しているあいだに」といった意味を表します。

<接続>　V テイル／Nの＋最中に

PというときにQが起こったことが特に好都合だった場合や、逆に不都合だった場合によく使われます。

⒂　泥棒を追いかけている最中に、たまたまパトカーが通りかかった。

⒃　必死で原稿を書いている最中に、パソコンが故障してしまった。

◆「PときQ」と「PときにQ」は、Pが文の焦点(話し手が最も言いたい部分)になるかどうかという点でも異なり、特にQが「のだ」で終わるときに違いが明瞭になります。

⒄a.　東京に住んでいたとき、よく芝居を見に行ったんです。
　b.　東京に住んでいたときに、明美さんと知り合ったんです。

⒄bの「～ときに」という節は焦点として解釈されるのに対し、⒄aの「～とき」は焦点になりません。つまり、⒄bはすでにわかっている「明美さんと知り合った」という出来事についてそれが起こったのが「東京に住んでいたとき」であることを示しており、次のように言い換えても意味が変わりません。

⒄'b. 明美さんと知り合ったのは、東京に住んでいたときです。

一方、⒄aはそうではなく、まず「東京に住んでいたとき」いう時を設定してそこに「よく芝居を見に行った」という出来事が成立したことを述べています。そのため⒄aの意味では次のように言い換えることはできません。

　⒄'a. よく芝居を見に行ったのは、東京に住んでいたときです。

　上のような「に」の有無による違いは、「～際(に)、～おり(に)、～あいだ(に)」の場合も同様です。

⒅a. 母が洗濯をしているあいだに、電話がかかってきたんです。
　　→電話がかかってきたのは、母が洗濯をしているあいだです。
　b. 母が洗濯をしているあいだ、部屋の中に誰もいなかったんです。
　　→部屋の中に誰もいなかったのは、母が洗濯をしているあいだです。

2. 〜と同時に、〜た(か)と思うと、〜か〜ないかのうちに etc.

> ⑴　稲妻が走ると同時に、すさまじい雷鳴がとどろいた。
> ⑵　子どもたちはチャイムが鳴ったかと思うと、運動場へ飛び出していった。
> ⑶　日が昇るか昇らないかのうちに、一行は出発した。
> ⑷　箱のふたを開けたとたん、中から子猫が飛び出した。

<接続>　　V 辞 ＋と同時に
　　　　　　V タ ＋(か)と思うと／とたん(に)
　　　　　　V 辞・タ ＋かV 否 ＋かのうちに

これだけは

◆これらの表現は、二つの出来事ＰとＱが同時に、あるいは、ほとんど間隔

を置かずに起こることを表す表現です。PとQはいずれも「稲妻が走る」「雷鳴がとどろく」のような瞬間的な出来事であり、継続的な出来事（例えば「家にいる」「テレビを見ている」など）が来ることはありません。

　これらの表現は「PときQ、PとQ、PたらQ」などに置き換えても論理的意味は変わりません。

　(1)'稲妻が走った<u>とき</u>、すさまじい雷鳴がとどろいた。
　(2)'子どもたちは、チャイムが鳴る<u>と</u>、運動場へ飛び出していった。

しかし、(1)'(2)'には(1)(2)と違ってPとQがほぼ同時におこることを強調するニュアンスはありません。

◆「〜と同時に」と「〜た(か)と思うと」の間に特に意味の違いはありません。他にも「〜が早いか、〜や(否や)、〜なり」などのほぼ同じ意味で使える表現があります。

　＜接続＞　Ｖ辞・タ＋が早いか
　　　　　　Ｖ辞＋や（否や）／なり

　(5)a. 幕が開く<u>と同時に</u>、主役が登場した。
　　 b. 幕が開い<u>たかと思うと</u>、主役が登場した。
　　 c. 幕が開く<u>が早いか</u>、主役が登場した。
　　 d. 幕が開く<u>や否や</u>、主役が登場した。
　　 e. 幕が開く<u>なり</u>、主役が登場した。

◆「〜か〜ないかのうちに」もほぼ同じ意味ですが、PとQが同時というよりどちらが先かわからないほど早いタイミングでQが起こったというニュアンスがあります。

　(5)'幕が開<u>くか</u>開か<u>ないかのうちに</u>、主役が登場した。

◆「〜たとたん(に)」は「〜と同時にetc.」に大変似ていますが、異なるのはPがきっかけや原因となってQが起こるというニュアンスがあるという点です。

　(6)　お金の話を持ち出し<u>たとたん</u>、相手が怒りだした。

34. 複文（5）―時間―

(7) オーブンから取り出したとたんに、ケーキがしぼんでしまった。

そのような因果関係がなく、単にPとQがほぼ同時に起こったことをいいたい場合には、「～たとたん（に）」は不自然になります。

(8) ×彼は家に着いたとたん、会社に電話をかけた。
　　cf. 彼は家に着くや否や、会社に電話をかけた。
(9) ×空が暗くなったとたんに、雨が降ってきた。
　　cf. 空が暗くなったかと思うと、雨が降ってきた。

「に」の有無による意味の違いはありません。

もう少し

◆「～次第」は、Qに来るのが意志的な動作に限られる点が特徴です。
＜接続＞　Vマス＋次第

(10) 詳しい日程が決まり次第、ご連絡します。
(11) 準備ができ次第、参加者に知らせてください。
(12) 部長が到着し次第、会議を始めましょう。

Qに無意志的な変化や現象が来ることはありません。

(12)' ×部長が到着し次第、雨が降ってきた。

また、Qは普通、命令・依頼・意志などの表現であり、過去のことを述べるのには使われません。

(10)' ×詳しい日程が決まり次第、連絡した。
(11)' ×準備が出来次第、参加者に知らせた。

◆「～そばから」は、Pの直後にQが起こるという関係が何度も繰り返されることを表します。
＜接続＞　V 辞・夕 ＋そばから

普通QにはPと反対の動作やPを無効にするような動作が来て、「何度PしてもすぐQする（だから、Pが進まない）」という関係を表します。

(13) ここの雑草は伸びるのが早い。抜いた<u>そばから</u>生えてくる。
(14) 新しい単語を覚える<u>そばから</u>忘れてしまうので、なかなか英語がうまくならない。

◆ここで挙げた表現は、基本的に二つの出来事ＰとＱがほぼ同時に起こる（または、起こった）という現実を描写する表現です。従って、Ｑには命令・依頼・意志などや話し手の判断を表す「だろう、かもしれない、はずだ」などの表現が来ることはありません。(ただし、「～と同時に」と「～次第」は例外です)

(15)a. ×7時になったとたんに、晩ごはんを食べ始めなさい。
 b. ×7時になる<u>や否や</u>、晩ごはんを食べ始めるつもりだ。
 c. ×7時になる<u>が早いか</u>、晩ごはんを食べ始めるだろう。

3. ～てから、～てはじめて、～てからでないと、～た上で、～て以来 etc.

(1) 家に着い<u>てから</u>、会社に忘れ物をしたのに気がついた。
(2) 彼に出会っ<u>てはじめて</u>、生きる喜びを知りました。
(3) 一人暮らしを始め<u>て以来</u>、実家には一度も帰っていない。
(4) 何事も実際に経験し<u>てからでないと</u>わからないものだ。
(5) 結婚相手は十分つき合った<u>上で</u>決めるべきだ。

<接続>　Ｖテ＋から／はじめて／からでないと／からというもの／以来
　　　　　Ｖタ＋上で

これだけは

◆これらの表現は、いずれもＰのあとにＱが起こるという前後関係を表す表現です。「～てから」はこのうち最も基本的な表現と言えますが、次の二つの用法に分ける必要があります。
　① Ｑに一回的な出来事（(6)の「母に電話をかける」）が来る場合

(6) ごはんを食べてから、母に電話をかけた。

② Qに継続的な出来事（(7)の「体調が悪い」）が来る場合

(7) 先週風邪を引いてから、ずっと体調が悪い。

◆①の「PてからQ」は「PたあとでQ」と意味が近く、使い分けが問題になります。

(6)' ごはんを食べたあとで、母に電話をかけた。

(6)と(6)'のように両者は置き換え可能な場合が多いですが、「PてからQ」がPに関心がある表現であるのに対し、「PたあとでQ」はPとQの前後関係を客観的に述べたものです（→初級編§22）。また、「PてからQ」は「PまでQしない」というニュアンスを帯びる場合が多いという違いもあります。次のようにQがPに先行しない（または、先行してはいけない）ことに重点を置いて言いたい場合には、「〜てから」のほうが適当です。

(8) A：おやつ、ちょうだい。
　　 B：だめよ。ちゃんと手を洗っ{○てから／?たあとで}食べなさい。

◆「PてはじめてQ」は「PてからQ」の①に類似した表現ですが、単にPがQに先行するという前後関係だけでなく、Pが必須的な条件となってQが起こる（PでなければQではない）という関係を表します。

(9) 自分が子どもを持ってはじめて、親のありがたさがわかるものだ。
(10) 外国で暮らしてはじめて、自分が日本人であることを痛感させられた。

また「PてからQ」と異なり、Qに意志や依頼などの表現が来ることはありません。

(11) 風呂に入っ{×てはじめて／○てから}ビールを飲もう。
(12) ノックをし{×てはじめて／○てから}入室してください。

◆②の「PてからQ」にほぼ相当する表現に「Pて以来Q」があります。

(7)′ 先週風邪を引いて以来、ずっと体調が悪い。
(13) あの店で餃子の味に感動して以来、週に2回は通っている。

Qには継続的な出来事や繰り返される出来事が来ます。

> **もう少し**

◆「PてはじめてQ」には、次のような用法もあります。

(14) 本は読む人がいてはじめて意味があるのだ。
(15) 人生は苦労してはじめておもしろい。

これらの例ではPかQ（もしくは両方）が「いる」「ある」「おもしろい」などの出来事の表現になっており、PとQの時間的前後関係から離れて、PがQの必須条件であることが表されています。

◆「〜てからでないと」は主に「PてからでないとQない」のように後件に否定を伴って使われます。

(16) 夫宛の小包なので、夫が帰宅してからでないと、開けられない。
(17) 両親に相談してからでないと、お返事できません。

「Qない」には「開けられない、お返事できない」など可能の否定の表現が来ます。P（「夫が帰宅する」「両親に相談する」）がQ（「開けられる」「お返事できる」）に先行し、かつQの必須条件であることを示す点では「PてはじめてQ」と共通しています。

「〜てからでないと」の後件には、次の「難しい」「〜にくい」のように困難を表す表現が来ることもあります。

(18) 大学を卒業してからでないと、この資格を取るのは難しい。
(19) このタオルは一度洗濯してからでないと使いにくい。

◆「Pた上でQ」も「PてからQ」の①に似た表現です。次の例はいずれも「〜てから」に交換可能です。

(20) a. よく考えた上でお返事をください。

b. よく考えてからお返事をください。
(21) a. 家族に相談した上で就職を決めました。
　　　b. 家族に相談してから就職を決めました。

しかし、「Pた上でQ」ではPとQが同一主語の意志的な動作に限られ、Qの前にその準備としてPが行われるという関係を表します。それ以外の場合に用いられる「PてからQ」は「Pた上でQ」に置き換えられません。

(22) a.　太郎が帰宅してから、次郎が出掛けた。（PとQの主語が異なる）
　　　b. ×太郎が帰宅した上で、次郎が出掛けた。
(23) a.　会社に着いてから、日曜日なのに気がついた。（Qが無意志的)
　　　b. ×会社に着いた上で、日曜日なのに気がついた。

◆「PてからというものQ」は「Pて以来Q」に似た表現です。PとQの関係は「Pて以来Q」とほぼ同じであり、先の(7)'(13)はいずれも「～てからというもの」に交換できます。

　(7)"　先週風邪を引いてからというもの、ずっと体調が悪い。
　(13)' あの店で餃子の味に感動してからというもの、週に2回は通っている。

しかし、「Pて以来Q」が単にP以後Qの出来事が続いていることを表すのに対し、「PてからというものQ」にはPという出来事に対する話し手の嘆きや喜びなどの心情が表されます。

◆「～た上で」に関連して、「上で」が動詞の辞書形に接続した形があります。

　(24)　この仕事をしていく上で語学力はとても重要だ。
　(25)　パーティを成功させる上で一番大切なのは会場の広さだ。

もう一歩進んでみると

◆以上、時にかかわる表現を見てきました。これらの各表現の意味と特徴をつかむためには、PとQに来る二つの出来事ががそれぞれ、瞬間的な出来事か継続的な出来事か、意志的な動作か無意志的な現象か、また、PとQの因果関係があるかどうかなどに注意を向ける必要があります。

また、すでにいくつかの表現の用法の中で見たように、時の表現は条件表現にも深くかかわりますので、§30も参照してください。

○**参考文献**
寺村秀夫（1983）「時間的限定の意味と文法的機能」渡辺実編『副用語の研究』明治書院（寺村秀夫（1992）『寺村秀夫論文集Ⅰ　日本語文法編』くろしお出版に再録）
　★「までに」「まで」「うちに」「てから」などの意味・用法を表現意図の点から考察している。
益岡隆志（1997）『新日本語文法選書2　複文』くろしお出版
　★「とき」と「ときに」など格助詞の有無による意味の違いについて詳しい。

§35. 接続詞

　接続詞は、文と文との関係を表示して、文章・談話の構成に重要な役割を果たすものです。ここでは、接続詞をその機能（文と文とのどんな関係を示すか）によって次のように分類します。

1. 順接
   ・［原因・理由－帰結］型
   　　　　　　　※だから、※それで（で）、※そのために（そのため）、
   　　　　　　　そこで、その結果、したがって、ゆえに、それゆえに
   ・［条件－帰結］型
   　　　　　　　※すると、※それなら（だったら）、
   　　　　　　　※それでは（それじゃ、では、じゃ）
2. 理由述べ　　なぜなら、なぜかというと、というのは、だって
3. 逆接　　　　※しかし、※けれども、※だけど、※が、※でも、
   　　　　　　しかしながら、
   　　　　　　※それなのに、なのに、にもかかわらず、
   　　　　　　※ところが、それが、
   　　　　　　とはいえ、とはいうものの
4. 言い換え・例示　つまり、すなわち、要するに、
   　　　　　　例えば、いわば
5. 並列・添加　※そして、※それから、※それに、また、
   　　　　　　そのうえ、しかも、おまけに、さらに、
   　　　　　　そればかりか、そればかりでなく、のみならず、
   　　　　　　それどころか、および、ならびに、かつ

6．補足	なお、ただし、ただ、もっとも、ちなみに	
7．選択	または、それとも、あるいは、ないしは、もしくは	
8．対比	一方、逆に、反対に	
9．転換	ところで、※それでは（それじゃ、では、じゃ）、さて、話は変わりますが、それはそうと、それはさておき	
10．総括	このように、以上のように、こうして	

※印の付いたものは初級編でも扱った接続詞です。

1．順接
1－1．だから、それで、そのために etc.－［原因・理由－帰結］型－

> (1) 急いでいるんです。だから、早くしてください。
> (2) 天気が悪かった。｛それで／そのため｝、洗濯物が乾かなかった。
> (3) 約束の時間まで1時間あった。そこで、本屋に入ることにした。

これだけは

◆**順接**の［原因・理由－帰結］型は、基本的に「～から、～ので」などの理由を表す複文と共通する関係で、前件と後件をつなぐものです。
◆その中で最も基本的なものは「だから、それで、そのために」です。このうち「だから」は後件に事実・話し手の判断・命令・依頼・意志などいろいろな表現を述べることができます。「それで、そのために」は、通常、後件に来るのは事実で、判断や命令・依頼・意志などは使えません（→初級編§23）。

> (4) 昨日は体調が悪かった。｛○だから／○それで／○そのために｝、アルバイトにいけなかった。（事実）
> (5) もうすぐクリスマスだ。｛○だから／×それで／×そのために｝、レストランは込んでいるだろう。（判断）

(6) 体調が悪いんです。{ ○だから／×それで／×そのために } 早退させてください。（依頼）

◆「それで」には「で」、「そのために」は「そのため」という省略した形があり、同様に使えます。
◆「そこで」は用法が限られており、後件に来るのは話し手のすでに行った意志的行為を表す表現に限られます。

(7) 電話ではゆっくり話せなかった。そこで、電子メールを書いた。

後件が判断や命令・依頼・意志などの場合は、「それで、そのために」と同様、「そこで」も使えません。

(5)' ×もうすぐクリスマスだ。そこで、レストランは込んでいるだろう。（判断）
(6)' ×体調が悪いんです。そこで、早退させてください。（依頼）

もう少し

◆「だから」と「それで」は会話で相手の発言を受けて使うこともできます。（→初級編§23）
　① 帰結に当たる事実をすでに知っている状況で、相手から理由を聞き、納得したことを表す

(8) A：陽子さんは3歳からヴァイオリンを習っているそうですよ。
　　B：なるほど。{だから／それで}、音感がいいのか。

この用法の場合、「だから・それで」にはプロミネンス（卓立）が置かれます。
　② 相手に発言の続きを述べるよう促す

(9) 部下：今日は娘の誕生日なんです。
　　上司：{だから／それで}（↑）
　　部下：残業、勘弁してもらえないでしょうか。

このような「だから／それで」は目上の人に使うと失礼になります。

③　相手との意見や感情の食い違いがあるような状況で、自分の主張を再度強調して述べる。（「だから」のみの用法）

　　⑽　子：お小遣い足りないんだ。あと1000円ちょうだい。
　　　　母：だから、今月はお金ないの。昨日も言ったでしょ。

　自分の意見や気持ちがなかなか相手に伝わらないという、いらただしさの込もった言い方になるので、使う相手や場面に注意する必要があります。
◆「その結果」は、前件に原因、後件に帰結としての事実を述べる場合に使われます。話しことば・書きことばの両方で使えますが、やや硬い表現です。

　　⑾　この町には昨年大きな化学工場ができた。その結果、美しかった川の水が汚染されてしまった。

◆「したがって、ゆえに」は、論理的な説明に用いられる接続詞です。前件に理由、後件に帰結として話し手の判断を述べるのが普通です。

　　⑿　外部から人の入った形跡はない。したがって、内部の者の犯行としか考えられない。
　　⒀　角Aは直角、角Bは30度である。ゆえに、角Cは60度である。

　いずれも硬い表現であり、特に「ゆえに」は⒀のような数学の証明問題など限られた場合にのみ使われます。
◆「それゆえに」は「ゆえに」と同様硬い表現ですが、用法は異なり、主に前件に原因、後件に帰結としての事実を述べる場合に使われます。

　　⒁　正夫は孤児だった。それゆえに、彼は子どものときから数々の苦労を味わわねばならなかった。

1−2. すると、それなら etc. −[条件−帰結]型−

> (1) ドアをノックした。<u>すると</u>、すぐに返事が返ってきた。
> (2) A：今晩はすきやきにするわ。
>   B：本当。{それなら／それじゃ}、早く帰ってこよう。

これだけは

◆ [条件−帰結]型は、「～と、～なら」などの条件を表す複文と共通する関係で、前件と後件をつなぐものです。
◆ 「すると」は、前件が契機となって後件が起こる ((1))、または後件を発見する ((3)) という関係を表します。(→初級編§24)

> (3) ドアを開けた。<u>すると</u>、知らない女性が立っていた。

この用法の「すると」は主に書きことばで使われます。
◆ 「それなら」「それでは」は、前件を前提に推論した帰結を後件に述べる接続詞です (→初級編§24) が、多くの場合、(2)のように会話の中で相手の発言を受ける場合に使われます。

ただし、場面や話題を転換する用法 (9を見てください) は、「それでは」のみにあり、「それなら」にはありません。
◆ 話しことばでは、「それなら」は「だったら」に、「それでは」は「それじゃ、では、じゃ」になることがあります。

もう少し

◆ 「すると」にも会話の中で相手の発言を受ける用法があります。次の例は「それなら／それでは」とほぼ同じ意味です。

> (4) A：申し込みの締め切りは20日です。
>   B：{すると／それなら／それでは}、あと2週間ありますね。

ただし、「それなら／それでは」の後件には(4)のような話し手の判断の他、

命令や意志など様々な表現が来ますが、「すると」の後件には命令や意志などを使うことはできません。

(4)' A：申し込みの締め切りは20日ですよ。
B：{×すると／それなら／それでは}、すぐ手続きします。

2. なぜなら、というのは etc. －理由述べ－

> (1) 私は車を持っているが通勤には使わない。{なぜなら／なぜかというと／というのは}、会社の近くに適当な駐車場がないからだ。

これだけは

◆理由述べの接続詞は、前件の原因・理由を後件に述べるものです。前件と後件の関係は、順接の［原因・理由－帰結］型の逆になります。
◆理由述べの典型的な接続詞は「なぜなら、なぜかというと、というのは」です。後件には理由を述べるので、文末を「からだ」か「のだ」にしないと不自然です。

(1)' ×{なぜなら／なぜかというと／というのは}、会社の近くに適当な駐車場がない。

話し手自身で「帰結→原因・理由」のように説明を展開していく場合((1))にも、相手に原因・理由を問われた場合((2))にも使うことができます。

(2) A：車を持っているのに、どうして通勤に使わないんですか
B：なぜかというと、会社の近くに適当な駐車場がないんです。

いずれも話しことば・書きことばの両方で使えますが、「なぜなら」はやや硬い表現です。

もう少し

◆「というのは」は、厳密な理由だけでなく、もう少しゆるやかに前件の背景になる状況を述べる場合にも使われます。

 (3) 今夜うちに夕食を食べに来ませんか。<u>というのは</u>、親戚からカニをたくさん送ってきたんです。

 (3)を「なぜなら／なぜかというと」に置き換えると、不自然になります。

 (3)' ?今夜うちに夕食を食べに来ませんか。{ なぜなら／なぜかというと }、親戚からカニをたくさん送ってきたんです。

◆「だって」はくだけた会話でのみ使われる接続詞です。主に(4)のように相手に理由を問われて答える場合に使います。

 (4) A：あれ、珍しくネクタイしてる。どうして？
   B：<u>だって</u>、今日は大事な会議があるからね。

また、次のように、相手から非難されたり何らかの行為を促されたりしているような場面で、自分の態度の理由を釈明するような場合もあります。この用法では文末に終助詞「もの（もん）」がよく使われます。

 (5) 母：お魚も食べなさい。
   子：<u>だって</u>、骨があるんだ<u>もん</u>。

3. けれども、しかし、それなのに etc. －逆接－

> (1) アルバイトは大変だ。<u>けれども</u>、貴重な経験だと思う。
> (2) 私は毎日彼にメールを書いている。<u>それなのに</u>、彼は一度も返事をくれない。
> (3) 今朝は空が晴れ渡っていたので、傘を持たないで出掛けた。<u>ところが</u>、午後から急に雨が降ってきた。

これだけは

◆**逆接**の接続詞は、広い意味で、前件から予想されるのとは反対のことがらを後件に述べるのに使われます。

◆「けれども、けれど、だけど、でも、しかし、しかしながら、だが、が」は、意味用法の上で一つのグループにまとめられるものです（以下、「けれども」で代表）。

「けれども」は、単に前件と後件を相反することがら、対比的なことがらとして並べる場合に使われ、後件には事実の他、話し手の判断、命令・意志など様々な表現が来ることができます（→初級編§25）。

(4) 父は私の決心に反対するかもしれない。<u>けれども</u>、話せばきっと許してくれるだろう。（判断）

(5) この道は厳しい。<u>けれども</u>、絶対あきらめないつもりだ。（意志）

文体的な特徴には違いがあり、「だけど」は話しことば的、「けれども、だが、が」は書きことば的です。その他は両方で使えますが、「しかしながら」は硬い表現です。

◆「それなのに、なのに、にもかかわらず」も一つのグループにまとめられます（以下「それなのに」で代表）。「それなのに」は複文「～のに」と共通する性格を持っています。（→初級編§25）

第一に、「それなのに」を使うと、前件から予想されるのとは食い違う後件が成立することに対する驚き・不満などが表現されます。

(6) 精一杯勉強した。<u>それなのに</u>、試験に合格できなかった。

また、「けれども」とは異なって、後件に来るのは基本的に事実に限られ、話し手の判断、命令・意志などの表現を使うことはできません。

(7)×精一杯勉強した。<u>それなのに</u>、合格できないだろう。（判断）
(8)×精一杯勉強した。<u>それなのに</u>、もうやめよう。（意志）

ただし、疑問や禁止の表現は可能です。

(9) 熱があるんでしょう。<u>それなのに</u>、仕事に行くんですか。（疑問）

(10) 熱があるんでしょう。<u>それなのに</u>、仕事なんかしちゃだめよ。(禁止)

　グループの中では文体的な違いがあります。「なのに」は話しことばでのみ使われ、「だのに」になることもあります。「にもかかわらず」は話しことば・書きことばの両方で使えますが、硬い表現です。

◆「ところが」は、後件が予想と食い違うことに対する驚きが表される点と、後件に話し手の判断・命令・意志などが来ない点は、「それなのに」と似ています。

(11) 山田選手は金メダル最有力といわれていた。{ところが／それなのに}、故障で試合に出られなくなってしまった。

しかし、「ところが」は単に意外な後件を述べるだけでなく、話し手が前件と後件の食い違いや予想外の展開をあらかじめ承知した上で、それを効果的に演出して語るといったニュアンスがあります（→初級編§25）。

(12) 昨日デパートへ靴を買いに行ったのよ。何足も試着してやっといいのが見つかってね。<u>ところが</u>、お金を払おうとしたら、財布がないの。もう、参っちゃった。

◆「けれども」は相手の発言を受けて使うことができますが、「それなのに」はできません。

(13) 　A：森田先生は厳しいね。
　　　B：{○けれど／×それなのに}、授業のとき以外はすごく気さくでやさしいのよ。

もう少し

◆「ところが」も(13)の文脈では不自然になります。

(13)' 　A：森田先生は厳しいね。
　　　B：×<u>ところが</u>、授業のとき以外はすごく気さくでやさしいのよ。

しかし、相手の発言を受けられないわけではなく、次のように相手（ここで

はA）の発言（前件）を自ら誘導しておいて、予想外の後件を述べるような場合には可能です。

(13)" B：森田先生って厳しいと思うでしょ。
　　A：うん。すごく厳しいよね。
　　B：ところが、授業のとき以外はすごくきさくでやさしいのよ。

◆「それが」は、基本的に相手の発言を受けて使う接続詞です。

(14)　A：昨日のコンサート、どうでしたか。
　　B：それが、急用ができて行けなかったんですよ。
(15)　A：田中君は相変わらず仕事で忙しいんだろうね。
　　B：それが、彼、最近会社を辞めたらしいんだよ。

上のように、相手の質問や確認に対して、相手がまったく予想していないような答えを返すときにその先触れとして使われます。
　書きことばで使われることはありません。

◆「とはいえ、とはいうものの」は、前件を正しいものとして認めた上で、それに対立する考えを後件に提出する場合に使われます。後件は話し手の判断や感情の表現に限られます。

(16)　大学は勉強するところだ。とはいえ、勉強だけでは楽しくない。
(17)　オリンピックは参加することに意義がある。とはいうものの、自分の国の選手にはやはり勝ってほしい。

いずれもやや硬い表現ですが、話しことば・書きことばの両方で使われます。

4.　つまり、要するに、例えば etc. －言い換え・例示－

(1)　彼は私の母の弟の息子 {つまり／すなわち} いとこです。
(2)　{つまり／要するに} 彼女はやる気がないんだ。
(3)　日本の電化製品、例えばテレビや冷蔵庫などは性能がいいと言われている。

これだけは

◆**言い換え・例示**の接続詞は、単語や文を言い換えたり、具体例を挙げたりするのに用いられるものです。そのうち、「つまり、すなわち、要するに」は互いに似た接続詞ですが、細部には違いが見られます。

◆「要するに」は(4)のように言いたいことやそれまで述べてきたことを要約して述べるのに使われます。

　　(4)　彼は決まりを守らないし、人の言うことに耳を貸さない。要するに、自己中心的な男だ。

◆一方、「すなわち」は、補足説明のために単語や文を別のことばで言い換えるもので、表現がかえって長くなるような場合にも使われます。

　　(5)　あの人は私の大叔父、すなわち祖父の弟だ。
　　(6)　人間は社会的存在である。すなわち、人間は他人と関係を持つことなしに生きることはできないのだ。

「すなわち」は主に書きことばで使われる硬い表現です。

◆「つまり」は、要約と補足説明の両方に使うことができます。

　　(4)'　彼は決まりを守らないし、人の言うことに耳を貸さない。つまり、自己中心的な男だ。
　　(5)'　あの人は私の大叔父、つまり祖父の弟だ。
　　(6)'　人間は社会的存在である。つまり、人間は他人と関係を持つことなしに生きることはできないのだ。

◆(2)(6)(6)'のように「要するに、すなわち、つまり」の後件にはよく「のだ」が用いられます。この場合の「のだ」は「言い換え」の用法（→§23）です。

◆「例えば」は具体例を挙げるのに使われます。(3)のように直前の名詞（電化製品）を説明するための例示もできますが、(7)のようにそのような名詞がなくても使えます。

　　(7)　A：パーティーにはどんな料理を出そうか。

　　　　B：そうね、例えばおでんとか手巻き寿司なんかどうかな。

もう少し

◆「いわば」はものやことがらを比喩を用いて端的に説明する場合に使います。多くの場合、後ろに比喩の「ようだ」が来ます。

　(8)　うちの両親の喧嘩は、いわば毎日のレクリエーションのようなものだから、いちいち心配する必要はない。

「いわば」は「言うならば、言ってみれば」という条件節が接続詞化したもので、それらに言い換えることができます。

5. そして、それから、それに etc. －並列・添加－

(1)　代表は森本、松田、{そして／それから／それに} 木山の3人だ。
(2)　和美さんは美人でスタイルがいい。{そして／それから／それに} おしゃれに敏感だ。
(3)　この県は農業が盛んだ。また、地下資源も豊富である。

これだけは

◆**並列・添加**の接続詞は、複数のものやことがらを並列的に述べたり、付け加えて述べるときに使われます。
◆「そして、それから、それに」は、ものやことがらを付加的に並べるのに使われます。多くの場合、(1)(2)のように互いに言い換え可能です。
　ただし、次のように会話で言い忘れたことを後から付け加えるような場合は、「それから」が自然です（→初級編§22）。

　(4)　連絡は以上です。…あ、{○それから／？そして／？それに}、次の会合は火曜日に行いますので、よろしく。

「そして、それから」は時間的に連続して起こる二つの出来事をつなぐ用法もあります（→初級編§22）。

(5) オルガンが厳かに鳴り始めた。{ そして／それから }、花嫁とその父親が登場した。

◆「また」は、(3)のように一つのものやことがらに関する別の情報を付け加える場合に使われます。(2)の例でも使えますが、(1)のような名詞の付加には使えません。

「また」はやや硬い表現ですが、話しことばでも用いられます。

◆「そのうえ、しかも、おまけに、さらに」は、「そしてetc.」と似ていますが、「～だけでなく～も」という強調的な感情を込めて付け加える場合に使われます。

(2)' 和美さんは美人でスタイルがいい。{ そのうえ／しかも／おまけに／さらに }おしゃれに敏感だ。

また、「さらに」を除いては、「そしてetc.」とは異なり、名詞の付加に用いることはできません。

(1)' 代表は森本、松田、{×そのうえ／×しかも／×おまけに／〇さらに }木山の3人だ。

もう少し

◆「そればかりか、そればかりでなく、のみならず」は「そのうえetc.」とほぼ同義ですが、文体差があります。「そればかりか、そればかりでなく」は話しことばでも使えますが、やや硬い表現です。「のみならず」はほぼ書きことばでのみ使われます。

(6) その通行人は、気分が悪くなった私をタクシーに乗せ、そればかりか病院までつきそってくれました。

(7) 科学の発展は自然を破壊した。のみならず科学は人類を一瞬にして破滅させる可能性をはらんでいる。

これらの接続詞には対応する複文「PばかりかQ、PばかりでなくQ、PのみならずQ」もあります。(→§33)

◆「それどころか」は、一見「そればかりかetc.」に似ていますが、独自の意味を持っています。

(8) 痩せるために１ヶ月朝食を抜いたが、全然痩せなかった。{それどころか／？そればかりか}、逆に２キロ太ってしまった。

「それどころか」は、前件（全然痩せなかった）に比べてはるかに重大もしくは極端なことがらとして後件（２キロ太ってしまった）を付け加える表現です。そのため、「それどころか」は、前件を問題にならないものとして打ち消す意味を持つところから、次のように相手の予想と反対のことがらを示すこともできます。

(8)' A：朝食抜いて、少しは痩せた？
　　　B：{○それどころか／×そればかりか}、２キロ太ってしまったよ。

「そればかりかetc.」は、単純に前件に後件を付加する表現なので、(8)ではやや不自然ですし、(8)'では使えません。

◆「および、ならびに」は名詞の並列・添加にのみ使われます。

(9) 日本は本州、北海道、九州、四国および多くの島々からなる。
(10) 先生方ならびにご来賓の方々に心からお礼申し上げます。

いずれも改まった硬い表現です。

◆「かつ」は、主にものや人の性質や様子を同時に成り立つものとして並列的に述べる場合に用います。硬い表現ですが、話しことばでも使われます。

(11) 香山さんは優秀な医者でかつ研究者でもある。
(12) 非常の場合は、冷静かつ迅速に対処してください。

6. なお、ただし、ただ etc. －補足－

> (1) 今日の会議はこれで終わります。<u>なお</u>、次回は15日の予定です。
> (2) 展覧会は10日までです。<u>ただし</u>、月曜日は休館なのでご注意ください。
> (3) 川田選手は技術、体力ともに申し分ない。<u>ただ</u>、少し精神的に弱いところがある。

これだけは

◆補足の接続詞は、前件に述べたことがらについての補足的な情報を後件として述べる場合に使います。

◆「なお」は、(1)のように前件に関連して比較的重要な情報を補足する場合に使われます。

◆「ただし、ただ」は、(2)のように前件で述べたことの例外や但し書きを述べる接続詞です。

もう少し

◆「もっとも」は、前件の内容やそれから予想されることを一部訂正したり、条件を付けたりするような場合に使われます。後件の文末はしばしば「～が、～けど」などの形になります。

> (4) 明日は初滑りだ。<u>もっとも</u>、雪があればの話だが。
> (5) 4歳からピアノを弾いています。<u>もっとも</u>、まったくの独習ですけど。

◆「ちなみに」は、中心的な話題からは外れるが、参考になるような情報を補足するときに使われます。

> (6) 本学には学部生が500名、大学院生が50名在学しています。<u>ちなみに</u>、そのうち3割が女性です。

次のように後件が参考になる情報を求める質問になる場合もあります。こ

のような質問を導く用法は「なお」など他の補足の接続詞にはありません。

(7)　A：本学には学部生が500名、大学院生が50名在学しています。
　　 B：ちなみに、そのうち女性は何割ぐらいですか。

7.　または、それとも etc. －選択－

(1)　鍋が熱くなったら、バターまたはサラダ油で牛肉を炒めてください。
(2)　ピラフは電子レンジで温めてください。または、フライパンで炒めてもいいです。
(3)　コーヒーにしますか、それとも、紅茶にしますか。

これだけは

◆**選択**の接続詞は複数の選択肢を示すのに使われます。
◆「または」によって示される選択肢は、(1)のように名詞の場合も、(2)のように句や文の場合もあります。
　いずれも助詞「か」による次のような文とほぼ同じ意味を示します。

(1)'　バターかサラダ油で牛肉を炒めてください。
(2)'　ピラフは電子レンジで温めるか、フライパンで炒めてください。

　選択肢が名詞で三つ以上あるときは、「A、B、(…) またはC」のように最後の選択肢の前に「または」が来ます。

(4)　バター、サラダ油、またはオリーブ油で牛肉を炒めてください。

◆「それとも」は、(3)のような選択疑問文（相手に選択を要求する疑問文）で選択肢を示すのに使います。

もう少し

◆「あるいは、ないしは、もしくは」は「または」とほぼ同じ意味の硬い表

現です。

 (5) バター｛あるいは／ないしは／もしくは｝サラダ油で牛肉を炒めてください。

 (6) ピラフは電子レンジで温めてください。｛あるいは／ないしは／もしくは｝、フライパンで炒めてもいいです。

◆「あるいは」は、「かもしれない」など可能性を表す表現とともに用いて、「もしかすると」に近い意味を表すこともあります。

 (7) この雲の様子では、あるいは午後から雪になるかもしれない。

8. 一方、逆に、反対に －対比－

> (1) 兄の一郎は弁護士だ。一方、弟の二郎は会社を経営している。
> (2) カーテンは夏には日除けになります。｛逆に／反対に｝、冬には防寒の機能を果たします。

これだけは

◆**対比**の接続詞は、関連する二つのことがらを対比的に並べて述べるのに使われます。

◆「逆に／反対に」は文字通り二つのことがらが相反するものである場合にしか使えません。(1)のような例ではこれらの接続詞は不自然です。

 (1)' 兄の一郎は弁護士だ。｛×逆に／×反対に｝、弟の二郎は会社を経営している。

9. ところで、それでは、さて etc. －転換－

> (1) A：今朝は冷え込みますねえ。
>   B：ほんとに。…<u>ところで</u>、今日は資源ゴミの日でしたっけ？
> (2) お陰様でこちらはみんな元気です。<u>ところで</u>、先日ささやかな品をお送りしたのですが、届いていますでしょうか。
> (3) 時間になりました。{<u>それでは</u>／<u>さて</u>}、朝礼を始めましょう。
> (4) <u>じゃ</u>、行ってきます。

これだけは

◆**転換**の接続詞は、話題や場面を転換させるときに使われます。
◆「ところで」は話題転換の代表的な接続詞です。会話で使われる場合（(1)）も、文章の中で使われる場合（(2)）もありますが、多くの場合後件には質問文が来ます。
◆「それでは（では、じゃ）」は場面を転換する接続詞です。典型的には、後件に勧誘（(3)）や意志（(4)）の表現をおいて、自分もしくは相手と自分が新しい行為に入ることを宣言するときに使われます。
◆「ところで」と「それではetc.」は普通互いに置き換えられません。

(1)' B：ほんとに。…×<u>では</u>、今日は資源ゴミの日でしたっけ？
(3)' 時間になりました。×<u>ところで</u>、朝礼を始めましょう。

◆「さて」は、「それではetc.」と似ていますが、次のように独り言でも使える点が異なります。

(5) 5時か。{○さて／？じゃ}、夕飯を作ろう。

もう少し

◆「ところで」は、まったく別の話題に転換するというより、同じ話題に関する不足した情報についてさかのぼって尋ねるような場合にも使われます。

(6) (旅行から帰ったBがAにお土産を渡している)
　　A：ありがとう。おいしそうなお菓子ね。
　　B：おいしいよ。あのへんの名産だからね。
　　A：ところで、どこへ行ってきたんだっけ？

◆「話は変わりますが（話は変わりますけど、話は変わるけど…）」は「ところで」に似ていますが、まったく別の話題に移るときにのみ使われます。

(7) (旅行の話をしたあとで)
　　A：話は変わるけど、佐藤さんのこと、聞いた？
　　B：え、佐藤さんがどうかしたの？

(6)のような「ところで」を「話は変わりますが」に置き換えることはできません。

◆「それはそうと、それはさておき」も「ところで」に近い意味の接続詞です。いずれも基本的に話しことばですが、「それはさておき」のほうがやや改まった表現です。

(8) 夫：財布知らない？
　　妻：はい、ここよ。……それはそうと、ゆうべ何時に帰ってきたの？

(9) (教室で)
　　教師：以上名前を呼ばれた人は後で残ってください。……それはさておき、来月は期末試験ですね。時間割を発表します。

「それはそうと、それはさておき」も(6)のような場合にはあまり使われません。

10.　このように、こうして etc. －総括－

(1) { このように／以上のように }、市の資源回収率はまだまだ低い状況です。広報活動に一層力を入れる必要があるでしょう。
(2) こうして、白雪姫は王子様と幸せに暮らしました。

これだけは

◆**総括**の接続詞は、文章やスピーチの終わりで最終的な結論・結末を述べるときに使います。

◆「このように／以上のように」は、(1)のように、それまで述べてきた具体的で細かい内容を総括するときに使います。やや改まった表現ですが、話しことば・書きことばの両方で用いられます。

◆「こうして」は、(2)のように、細かい経緯を述べたあと、結末を示すときに使います。物語などで使われる書きことば的な表現です。

もう一歩進んでみると

◆以上見てきたように、接続詞の正しい使い方を知るには、それが結びつける単位が語、句、文のどんな単位なのか、文単位の場合、前件・後件にどのような表現が来るのか、文体的にどんな性格を持つのかなど、様々な点に注意する必要があります。

◆接続詞は、近年研究が盛んになりつつある談話文法に属する問題です。

○参考文献

石黒　圭（2001）「換言を表す接続語について－「すなわち」「つまり」「要するに」を中心に－」『日本語教育』110　日本語教育学会
　★「すなわち」「つまり」「要するに」の用法を詳しく分析している。

川越菜穂子（1995）「トコロデと話ハ変ワリマスガ－話題を転換する形式－」宮島達夫・仁田義雄編『日本語類義表現の文法（下）』くろしお出版
　★「ところで」「話は変わりますが」の用法が述べられている。

浜田麻里（1991）「「デハ」の機能」『阪大日本語研究』3 大阪大学
　★「では」「それなら」などの接続詞の機能を情報のやりとりと推論という観点から分析しており、示唆的。

―――（1995）「トコロガとシカシ：逆接接続語と談話の類型」『世界の日本語教育』5 国際交流基金
　★「ところが」と「しかし」に代表される逆接の接続語の機能を談話の類型と結びつけて明快に論じている。

§36. 待遇表現

　待遇表現とは、人間関係、場面、扱う内容を特別に配慮していることを表したい場合に用いる表現です。初級編では待遇表現のうち話題の人物や聞き手を高く待遇するプラスの待遇表現として**敬語**を扱いました（→初級編§32）。中上級編では、敬語以外のプラスの待遇表現から話題の人物や聞き手を低く待遇することを表すマイナスの待遇表現まで待遇表現全般を広く扱います。また、形式面での待遇表現だけでなく、運用面での待遇方略についても述べます。

　礼儀作法や服装、身振り、表情などの非言語的な待遇は、広い意味では待遇表現に含まれますが、ここでは扱いません。

1. 待遇表現の全体像

> (1) 先生はあそこでお茶を<u>飲んでいらっしゃる</u>。（素材待遇（尊敬語））
> (2) 先生は<u>あちら</u>でお茶を飲んでいらっしゃい<u>ます</u>。（対者待遇（丁寧語））
> (3) 先生の研究室をぜひ<u>拝見</u>したいです。　　　（素材待遇（謙譲語））
> (4) 私はただ今自宅に<u>おり</u>ます。　　　　　　　（対者待遇（丁重語））
> (5) お茶、入れて。
> 　→お茶<u>でも</u>入れて<u>くれない</u>？　　（丁寧に話すための運用的な方略）

これだけは

◆待遇のしかたを言語で表す手段には、大きく分けて、形式面での待遇表現

と運用面での待遇方略とがあります。

◆形式面での待遇表現は話し手が「話題の人物や聞き手などをどう扱うか」という「待遇」のしかたを形式に反映させたものです。話題の人物や聞き手を高く扱いたい場合には**プラスの待遇表現**、低く扱いたい場合には**マイナスの待遇表現**を用います。話し手が特に配慮を表したいと思わない場合には、待遇表現のない表現、すなわち、中立的な表現になります。

   (6)　あの方がいらっしゃった。（プラスの待遇表現）
   (7)　あの人が来た。　　　　　（中立的な表現）
   (8)　あいつが来やがった。　　（マイナスの待遇表現）

◆プラスの待遇表現は単に上下関係を表すためにだけ用いるものではありません。プラスの待遇表現が用いられるのは次のいずれかの場合です。

   ①　話題の人物や聞き手を｛目上の人／ソトの関係の人｝として扱っていることを示したい場合
   ②　改まりを示したい場合
   ③　丁寧さを示したい場合

◆形式面での待遇表現はさらに素材待遇と対者待遇に分類されます。(1)～(4)がその代表例です。

◆**素材待遇表現**とは話題の人物に対する配慮を表すために用いる待遇表現です。動作の主体を高めることによって敬意を表す**尊敬語**、逆に低めることによって敬意を表す**謙譲語**といった素材敬語はこれに含まれます。

◆**対者待遇表現**とは聞き手に対する配慮を表すために用いる待遇表現で、丁寧語、丁重語がこれに含まれます。**丁寧語**は、丁寧なことばを使うことにより聞き手への敬意を表す表現、**丁重語**は、「おる、参る」のような、動作の主体を低めることにより聞き手に対する敬意を表す表現です。(→初級編§32)

◆待遇を表す手段には、形式面での待遇表現の他に**丁寧に話すための運用的な方略**があります。これは話し手が聞き手との人間関係を円滑に運ぶためにできるだけ不快感を和らげて丁寧に話そうとする場合に任意で用いられる運用上の方略です。(5)のように、聞き手に不快感を与える危険のある発話を和らげるために用いるものなので、形式面での待遇表現と組み合わせて用いる

こともできます。

(9) コーヒーでも召し上がりませんか？
（尊敬語＋丁寧に話すための運用的な方略）

＜待遇を表す手段＞
```
┌ 形式面での待遇表現
│           ┌ 素材待遇 ┌ ＋ 素材敬語（尊敬語、謙譲語（→初級編§32））
│           │         └ － 軽卑表現、尊大表現
│           └ 対者待遇 ┌ ＋ 対者敬語（丁寧語、丁重語（→初級編§32））
│                     └ － 卑罵表現
└ 運用面での待遇方略 ── 丁寧に話すための運用的な方略
```

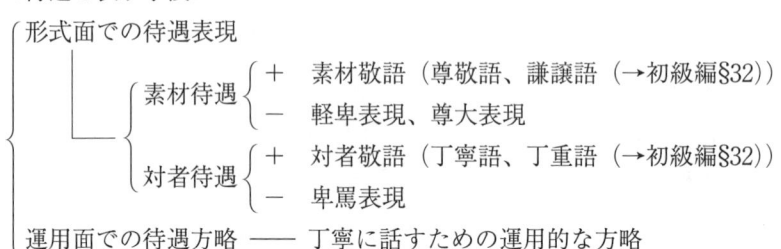

もう少し

◆聞き手が敬意を払う必要のない相手である場合には、(1)のように話題の人物「先生」に対する敬意（素材待遇）だけしか表しません。(2)のように聞き手が敬意を払う必要のある相手である場合にはそれに加えて聞き手に対する敬意（対者待遇）も表します。このように、一つの文の中に素材待遇表現と対者待遇表現の両方が混在する場合があり、これが学習者の混乱を招く原因の一つになっているので、両者の違いを正しく理解させることが大切です。

◆丁寧に話すための方略は聞き手に対する配慮を表すという点では丁寧語、丁重語と同じですが、あくまでも運用上の問題なので特に体系はありません。

◆軽卑表現、尊大表現、卑罵表現は待遇表現の体系に入っていますが、学習者に使用できるように指導する必要はなく、その意味が理解できればいいものだとされています。（→2-1、2-2）

2. 初級で学習した敬語への補足的事項
2－1. 素材待遇

> (1) a.　先日仕事で大阪に｛○参りました／×伺いました｝。（丁重語）
>   b.　先日先生のお宅に｛参りました／伺いました｝。　　（謙譲語）
> (2) a.　×弟を京都のお寺にご案内しました。　（謙譲語）
>   b.　○弟を京都のお寺に案内いたしました。（丁重語）
> (3) a.　私が先に先生の部屋に参ります。（謙譲語）
>   b.　もうすぐタクシーが参ります。　（丁重語）

これだけは

◆話題の人物を高く待遇するプラスの素材待遇として初級編では「尊敬語」「謙譲語」を取り上げ、その基本について述べました（→初級編§32）。中上級編では初級で学習したことをうまく使いこなせるようにするために細かい注意を与えます。

◆謙譲語は動作の主体を低めることにより、相対的に動作の受け手を高めるものなので、(1)aのように動作の受け手が存在しない場合、謙譲語を用いることはできません。これに対して、丁重語は動作の主体を低めることによって聞き手への敬意を表すものなので、受け手の存在しない動作にも用いることができます。

◆謙譲語はウチの関係にある人を動作の受け手にすることができませんが、丁重語では可能です。((2))

◆謙譲語は主語は基本的に１人称（および、ウチの関係にある人）ですが、丁重語は主語が１人称でなくてもかまいません。

◆基本的にマス形語幹が１音節の動詞は謙譲語で「お・ご～する」の形にせず、特別の形を用います。

(4)　見ます→×お見する、○拝見する
　　　します→×おしする、○いたす

◆使役文は基本的に謙譲語にすることができません。

　　(5)×先生をお怒らせした。→〇先生を怒らせてしまった。

◆謙譲語を可能形にするときは、「お・ご～できる」になります。

　　(6)　お見せできません
　　　　ご招待できません

もう少し

◆謙譲語の可能形「お・ご～できる」を尊敬語として使ってしまう誤用が最近日本語母語話者にも増えているので注意が必要です。

　　(7)×「当店でご利用できるカード」→〇「当店でご利用になれるカード」
　　(8)×この電車はご乗車できません。→〇ご乗車になれません

◆素材待遇には「尊敬語」「謙譲語」とは反対に、話題の人物を低く待遇するマイナスの素材待遇（軽卑表現、尊大表現）もあります。**軽卑表現**とは話題の人を低めてぞんざいに扱うマイナスの素材待遇ですから、話題の人物を高める尊敬語とは対照的です。

　　(9)　弟のやつが買ったばかりのラジカセをこわしやがったんだ。

・代名詞（あいつ、てめえ、きさま、やつetc.）
・接尾辞（やつめ、食べやがる etc.）
・接頭辞（くそおもしろくない etc.）

　尊大表現とは、話題の人物、特に自分を高めて逆に相手を低める表現です。これは自分を低めて相手を高める謙譲語と対照的なものですが、あえて傲慢な印象を与えたいときにしか用いません。

　　(10)　お祝いにおれ様が歌を歌ってやる。

２－２．対者待遇

> (1) 今日は来てくれて本当にありがとう。
> →本日はお越しくださいまして、誠にありがとうございます。（丁寧）

これだけは

◆表現を丁寧なものに変えることによって聞き手に対する配慮を表すことがあります。初級編ではその典型例としてデス・マス体を使うことによる**丁寧語**を示しました。中上級段階では丁寧さを表す以下の語彙が補足されます。

中立的な表現	丁寧な表現	中立的な表現	丁寧な表現
私（わたし）	私（わたくし）	さっき	さきほど
明日（あした）	明日（あす）・明日（みょうにち）	あとで	のちほど
昨日（きのう）	昨日（さくじつ）	こんど	このたび
今日	本日	もう	もはや
あさって	明後日	本当に	誠に
おととい	一昨日	で（場所）	において
この間	先日	から	より

◆丁寧さを表す語彙は、フォーマルなスピーチ、研究発表などの改まった場面で用いられます。
◆この他、改まった場面では漢語を用いることが多いという傾向があります。

> (2) データを集めた結果平均気温が上がっていることがわかりました。
> →データを収集した結果、平均気温が上昇していることが判明しました。

もう少し

◆デス・マス体を用いると聞き手に対する丁寧さが表せますが（→初級編§32, 33)、「でございます」は「です」よりさらに丁寧な形として用いられる

ことがあります。「であります」も「です」の代わりに用いられるものですが、改まった場面でのスピーチなどでしか用いられません。

 (3) 粗茶でございます。
 (4) 我々は日本を代表する選手としてスポーツマンシップにのっとり、正々堂々と競技する決意であります。（結団式での宣誓）

◆聞き手を軽く見てぞんざいに扱うマイナスの対者待遇は**卑罵表現**（ののしり）と呼ばれています。

 (5) くそったれ。てめえなんかくたばっちまえ。

3.　丁寧に話すための運用的な方略

> (1)　ペンを貸してください。→ペンか何か貸してください。
> (2)　ペンを貸してください。
> →a. ペンを貸して｛くれますか／くださいますか｝。
> 　b. ペンを貸して｛くれませんか／くださいませんか｝。
> (3)　静かにしてください。→もう少し静かにしてください。
> (4)　ペンを貸してください。→ペン、ありますか。
> (5)　ご意見、大変興味深く聞かせていただきましたが、最後の提案には賛成できません。

これだけは

◆たとえ敬語を使っていても次の例のように必ずしも丁寧な話し方をしていることにならない場合があります。

 (6)×コンピュータが動かなくなってしまいました。こちらへいらっしゃって、コンピュータの調子をご覧になってください。

このような聞き手に不快感を与える危険がある発話には**丁寧に話すための**

運用的な方略が用いられます。

(6)' ○コンピュータが動かなくなってしまいました。お忙しいところすみませんが、こちらへ来てコンピュータの調子をちょっと見ていただけませんか。

◆中上級段階で新たに学習する待遇表現の項目として最も重要なのは、「丁寧に話すための運用的な方略」です。これは、聞き手に不快感を与える危険があるような発話をする場合に、聞き手との人間関係を円滑に運ぶためにその不快感を和らげて少しでも丁寧に話そうとする配慮の現れです。

◆「聞き手に不快感を与える」というのは次のような発話をする場合です。
・聞き手に負担をかける働きかけ（命令、依頼、勧誘、禁止）

(7) ペンを貸してください。

・聞き手に否定的なことを言う発話

(8) タバコは吸わないほうがいいですよ。

・聞き手の私的な情報に触れる発話

(9) ご家族は何人いらっしゃいますか。

このような場合には、任意で丁寧に話すための方略を選択して（あるいは、複数の方略を組み合わせて）用いることができます。

◆丁寧に話すための運用的な方略には「幅を持たせる」「控えめにする」「遠回しに表現する」「前置きをつける」の四種類があります。

① **幅を持たせる**

「幅を持たせる」というのは、対象を限定せずに何か他にもあるような印象を与えることです。(1)では「か何か」を用いることで何か他のものの存在を暗示しています。(10)も同様です。（→§28）

(10) お茶を飲みませんか。→お茶でも飲みませんか。

疑問文を用いて聞き手に否定する余地を与えることも幅を持たせることになります。(2)aも(2)bは疑問文なので(2)に比べて幅を持たせた表現に

なっています。(2)bは否定疑問文なので(2)aより丁寧です。

② **控えめにする―程度を控えめに示す**（(3)）

(11) タバコを吸わないほうがいいですよ。
　　→あまりタバコを吸わないほうがいいですよ。

③ **遠回しに表現する**

　話し手が言いたいことを直接的に表すことを避け、別の発話を用いることによって遠回しに意図を伝えようとすることがあります。例えば(4)では、話し手は「ペンがあるかどうか」という字句通りの意味で尋ねているのではなく、「ペンを借りたい」という意図を遠回しに表しています。

(12) すみません、赤ん坊が寝ているんですが…。
　　（＝静かにしてください）
(13) この部屋は暑いですね。（＝窓を開けてください）
(14) 明日は3時から別の約束があるんです。（＝明日は行けません）

④ **前置きを付ける**（→§23、§26）

　聞き手に不快感を与える危険性がある場合、(5)のように前置きを用いて表現を和らげることができます。

(15) <u>大事な会議がある日にすみませんが</u>、祖母の容態が急変したという知らせが入りましたので、早退させていただきたいのですが。
(16) <u>お話し中申し訳ありませんが</u>、ちょっとこちらに来ていただけませんか。
(17) <u>個人的なことで恐縮なんですが</u>、ご家族は何人いらっしゃいますか。

もう少し

◆丁寧に話すための運用的な方略は言語によって異なることもあります。
　学習者が母語の運用的な方略をそのまま日本語で用いてしまうと誤用を招くので以下のような注意が必要です。

① 答えがYesとわかっている簡単な内容の依頼をするとき、遠回しに表現するために可能表現（→§14）は使ってはいけない。

⑱ a. ×(食堂で) 塩を取れますか。(Can you pass me the salt?)
　 b. ○塩を取ってください。

答えがYesではないかもしれない場合はその限りではありません。

⑲　この調子では今日中に作業が終わりそうにありませんね。時間外の仕事で申し訳ないんですが、もう少し残れますか。

② 答えがYesとわかっている勧誘や申し出をするとき、遠回しに表現するために聞き手の願望を尋ねる表現を使ってはいけない。

⑳ a. ×いっしょに行きたいですか。(Do you want to come with us?)
　 b. ○いっしょに行きましょう。

◆「幅を持たせる」「控えめにする」「遠回しに表現する」などの方法は発話を丁寧にするために用いるものです。

㉑　もう少しゆっくり話してくださいませんか。

しかし、聞き手の利益になることを勧める場合は例外でかえって失礼になってしまいます。

㉒ a. ×遠慮せずにもう少し食べてくださいませんか。
　 b. ○遠慮せずにもっと食べてください。

◆敬意を示すべき相手から利益を受ける発話の場合、敬語よりも授受の表現の使用を優先しなければなりません。(→§13)

㉓ a. ×向こうに急病人がいるんです。先生、いらっしゃいませんか。
　 b. ○向こうに急病人がいるんです。先生、来てくださいませんか。

逆に、敬意を示すべき相手に利益を与える場合、授受の表現を用いてはいけません。

㉔ a. ×先生、お荷物を持ってさしあげます。
　 b. ○先生、お荷物をお持ちします。

◆依頼表現に幅を持たせるためには、否定・疑問化の他にも以下のような方法があります。

 ⑵5) 貸していただけませんでしょうか。(「でしょう」を用いる)
 ⑵6) お貸し願えませんか。(謙譲語＋願えませんか)
 ⑵7) 貸していただけるとありがたいのですが。(条件節＋ありがたい)

◆依頼表現に幅を持たせるかどうかは、場面や依頼内容によって決まります。
 ① 決定権が話し手にある簡単な事務的依頼は基本的には否定や疑問化によって幅を持たせる必要がありません。

 ⑵8) その箱の中に保険証を入れて待合室でお待ちください。
 ⑵9) (電話の取り次ぎで)少々お待ちください。

幅を持たせるとかえって不自然になります。

 ⑵8)' a. ?その箱の中に保険証を入れて待合室でお待ちくださいませんか。
   b. ?その箱の中に保険証を入れて待合室でお待ちくださるとありがたいのですが。
 ⑵9)' a. ?少々お待ちくださいませんか。
   b. ?少々お待ちくださるとありがたいのですが。

 ② 決定権が聞き手にある依頼で、聞き手に多大な困難を伴うと思われることを依頼する場合には否定疑問、条件節を用いて幅を持たせるのが普通です。

 ⑶0) a. 保証人になって{?くださいますか／?いただけますか}。
   b. 保証人になって{くださいませんか／いただけませんか}。
   c. 保証人になってくださいませんでしょうか。
   d. 保証人になってくださるとありがたいのですが。

◆授受の表現「てもらう」「ていただく」は決定権が話し手にある形式的な依頼としても用いることができます。「～ください」「～願います」と言い換えることもできます。

492

(31) 明朝は朝食後9時にホテルロビーに<u>集合していただきます</u>。その後免税店に寄ってからバスで空港に参ります。
（＝ご集合ください／ご集合願います）

「ください」「願います」は聞き手に決定権を委ねる依頼には不適です。

(32) 教科書を忘れたので、｛×貸してください／×お貸し願います／○貸してくださいませんか／○貸していただけませんか｝。

◆「～させてもらう」、及び、それを謙譲語化した形「させていただく」は、待遇的配慮を含んだ宣言や許可を求める表現として用いることができます（→§13）。

(33) では、発表を<u>始めさせていただきます</u>。
(34) 午後は<u>早退させていただきたいんですが</u>。

断定する場合は聞き手に選択の余地を与えずに話し手の強い意志を表す宣言としても用いることもできます。

(35) <u>実家に帰らせていただきます</u>。

そのため、「～させてもらう／させていただく」は失礼だと受け取られる場合もあるので注意が必要です。以下のように幅を持たせた表現にすると聞き手に選択の余地を与えることができるので、失礼な感じが和らげられます。

(36) 会議の開始時間はこちらで<u>決めさせていただきます</u>。
→会議の開始時間はこちらで｛決めさせていただけませんか。／決めさせていただきたいんですが。／決めさせていただけるとありがたいです。｝

もう一歩進んでみると

◆待遇表現は、丁寧に話すことと関係がありますが、**丁寧さ**は敬語の丁寧語や文体として用いられる丁寧体とは異なるレベルの用語です。待遇表現で用いられる「丁寧さ」はいわゆる**ポライトネス（politeness）**と言われるもの

で、聞き手を配慮して聞き手のメンツを保つこと、聞き手のメンツを傷つけることを避けるように話すことを指します。ポライトネスについては、Brown and Levinsonによる『Politeness』(1987：訳書なし) が詳しいです。(生田少子 (1997) がこの内容を日本語で簡潔にまとめて紹介しています。)

◆「丁寧に話すための運用的な方略」は、聞き手との円滑なコミュニケーションを考えるという意味で**運用論**（あるいは、語用論）（**pragmatics**）と呼ばれる分野で扱われるものです（コラム「運用論」）。特に、遠回しに話し手の意図を伝達しようとする発話は、**間接発話行為**（indirect speech act）と呼ばれるものに相当します（リーチ (1987)、レヴィンソン (1990)）。

○参考文献

生田少子 (1997)「ポライトネスの理論」『言語』26-6 大修館書店
　★Brown and Levinson (1987)『Politeness』について簡単にまとめてある。
蒲谷宏・川口義一・坂本恵 (1998)『敬語表現』大修館書店
　★言語の運用的な側面から敬語について広く体系的にまとめられている。
菊地康人 (1997)『敬語』講談社学術文庫
　★日本語学的視点で敬語について体系的に述べられている。
国立国語研究所 (1992)『日本語教育指導参考書17,18　敬語教育の基本問題 (上) (下)』国立国語研究所
国立国語研究所 (1979)『日本語教育指導参考書2　待遇表現』国立国語研究所
南不二男 (1987)『敬語』岩波新書
　★日本語学的視点での敬語がコンパクトにまとめられている。
宮地裕 (1976)「待遇表現」『国語シリーズ　別冊4　日本語と日本語教育文字・表現篇』国立国語研究所
　★日本語教育で必要な待遇表現についての基本事項が述べられている。
リーチ, G.N.. (1987)『語用論』紀伊国屋書店
　★英語学の運用論 (Pragmatics) の基本書。
レヴィンソン, S.C.. (1990)『英語語用論』研究社出版
　★英語学の運用論 (Pragmatics) の基本書。

コラム
運用論（pragmatics）

　文には字句通りの意味とその文が実際に使われたときに解釈される意味があります。

　　(1)　A：時計、持ってる？　　B：もうすぐ3時だよ。

　例えば、(1)Aは字句通りには聞き手が時計を持っているかどうかということを尋ねる疑問文です。しかし、相手が時間を知りたがっているという場面で用いられた場合、「今何時ですか。」と同じ機能を持つと解釈されます。この場合、「はい、私は時計を持っています。」と答えても、コミュニケーションは成立しません。

　文の字句通りの意味だけではなく、話し手と聞き手との人間関係や場面を配慮しながら文をどう運用するか、また、発せられた文（発話（utterance））がどんな機能を担うかを考えるのが運用論（pragmatics）です。"pragmatics"は「語用論」と訳されることも多いですが、「語」ではなく文が発せられ「運用」されたときの機能を考えるという意味で「運用論」と訳されることもあります。

　運用論では、「人間関係」「場面」などの文脈（context）が考慮されます。例えば、次の例は文脈抜きで考えれば文法的に正しい文ですが、先生に対する発話としては失礼になり、運用論的には正しいとは言えません。

　　(2)#先生は何歳ですか。（#は運用論的に許容できないことを表す）

　(2)のような聞き手の私的情報にかかわる発話は文脈によっては使用が制限されることがあります。この他、待遇表現や指示詞も文脈によって使う形式を変えなければならないものです。発話することによって聞き手に働きかける表現になるかどうか（間接発話行為）も運用論的な問題です。

　　(3)　この部屋はちょっと暑いね。（＝ちょっと窓を開けて。（間接発話行為））

　日本語教育の初級レベルでは使える文法項目が限られていることから、運用論的には許容できない発話でも導入・練習を行うこともあります。

　　(4)#先生、すみませんが窓を開けてください。

　しかし、中上級レベルになると使える形式も増えてくるので、「運用論的に適切か」を考慮して発話することができるようになります。（→§36）

§37. 話しことばにかかわる表現形式

　日本語では話しことばと書きことばの間にかなり大きな違いがあります。例えば、話しことばではデス・マス体が使われることが多いですが、書きことば（特に報道文、論文、論説文）では基本的にデス・マス体は使われません。また、語彙に関しても(1)(2)のような違いがあります。

(1)　この教室を使う場合は使用届を出してください。（話しことば）
(2)　当教室を使用する場合は使用届を提出されたい。（書きことば）

　ここでは主に話しことばにのみ見られる文法的特徴について考えます。

1.　名詞句の表し方

(1)　A：昨日林に会ったけど、あいつ相変わらず元気そうだったよ。
　　　B：何を食べたらあいつみたいに元気でいられるのかな。
(2)　A：友達に林｛って(いう)／という｝奴がいるんだけど、そいつ面白い奴なんだ。
　　　B：へぇ、で、その人どんな仕事してるの？
(3)　A：昨日初めてタピオカというものを食べました。
　　　B：タピオカって何ですか。

これだけは

◆話しことばと書きことばの最大の違いは**聞き手**の存在です。書きことばで

は聞き手の存在が問題になりませんが、話しことばでは非常に重要です。
◆日本語の話しことばでは聞き手が知っているかどうかによって形式が異なります。例えば、話し手も聞き手もその名詞が指すものを直接知っている場合は⑴Aの「林」のようにその名詞に何も付けない形を使います。

　一方、話し手、聞き手の少なくとも一方が名詞が指すものを直接は知らない場合は⑵Aの「林って（いう）奴」、⑶Aの「タピオカというもの」のように「N_1＋という／って（いう）＋N_2」という形が使われます。この場合、「って（いう）」は「という」よりもインフォーマルな形です。

もう少し

◆「という／って（いう）」が使われる場合その名詞句を指示詞で受けるにはソ（場合によってはコ）が使われるのに対し、「という／って（いう）」が使われない場合その名詞句を受けるにはアが使われます（→§1）。

　⑴'　A：×昨日林に会ったけど、そいつ相変わらず元気そうだったよ。
　⑵'　A：×友達に林っていう奴がいるんだけど、あいつ面白い奴なんだ。

◆「N_1＋という／って（いう）＋N_2」でN_2はN_1が属するものの種類を表します。例えば、⑷は「パグ」が「犬」の一種であることを表します。

　⑷　私の家ではパグという犬を飼っている。

◆主題を表す「というのは」が話しことばで「って」になることがあります。

　⑸　デジカメ{というのは／って}面白い。

ただし、定義を表す場合には「って」は使いにくいです。

　⑹　デジカメ{○というのは／？って}デジタルカメラのことだ。

相手が言ったものがどういうものかわからないときは「って」も使えます。

　⑺　A：うちではパグを飼ってるんだ。
　　　B：(その)パグ{って／というのは}何？

◆指しているものが明らかなのに「という／って」を付けることがあります。

(8) 私ってバカね。
(9) 君という人は何を考えてるのかがわかりにくい人だ。

これは、「って／という」を付けることによって知っているものをあえて知らないもののように扱い、感嘆やあきれなどの気持ちを表す用法です。

2. 無助詞

(1) （田中さんに）田中さんφこの本φ読んだことがある？
(2) 私φ明日のパーティーに行く。
(3) 見て。向こうにあんな車φ止まってるよ。
(4) 東京φ行ったとき、くつを買ってきてください。

これだけは

◆書きことばでは助詞が脱落することはありませんが、話しことばでは助詞はかなり頻繁に脱落します。こうした助詞の脱落の結果、名詞（句）が助詞を伴わないことがよくあります。ここではこうした**無助詞**について考えます。
◆無助詞は機能的に二つの種類に分けられます。
◆一つは名詞（句）が文の主題の場合で、この場合無助詞名詞（句）は文頭に来ます。(1)(2)がその例で、この場合「田中さん」「私」は文の主題です。
◆もう一つは無助詞の名詞（句）が主題になっていない場合で、この場合無助詞名詞（句）は文頭には来ません。(1)の「この本」、(3)の「あんな車」、(4)の「東京」がその例で、それぞれ「この本を」「あんな車が」「東京｛に／へ｝」の「を」「が」「に／へ」が脱落したものです。

もう少し

◆主題的ではない場合、脱落できる格には制約があります（→初級編コラム「格の階層性」）。脱落できる格とできない格はそれぞれ次の通りです。

　脱落できる格：ガ格、ヲ格、ニ格（方向）、ヘ格

脱落できない格：ニ格（相手）、デ格、ト格、カラ格、マデ格、ヨリ格

(5) あっ、雨φ降ってる。（←雨が）
(6) 田中さん、ケーキφ食べる？（←ケーキを）
(7) 向こうφ着いたら知らせてください。（←向こうに／へ）
(8) ×この本を君φあげる。（←君に）
(9) ×子どもたちは公園φ遊んでる。（←公園で）
(10) ×昨日友達φ喧嘩した。（←友達と）
(11) ×両親が田舎φ出てきた。（←田舎から）
(12) ×駅φ送るよ。（←駅まで）
(13) ×この服はあれφいいよ。（←あれより）

◆助詞がない場合、格関係は通常語順と対応する形で解釈されます。例えば、(14)は普通(14)'と解釈され、(14)"とは解釈されません。

(14) 田中さんφ吉田さんφ愛してるみたいだよ。
(14)' 田中さんが吉田さんを愛しているみたいだよ。
(14)" 田中さんを吉田さんが愛しているみたいだよ。

◆文頭の無助詞の名詞は通常主題になります。このタイプの主題は名詞の主題性が高い場合に使われます。主題性というのはその名詞が指すものが聞き手にとって明らかである度合いのことです。例えば、「私」「あなた」という1、2人称代名詞や発話の現場にあるものなどは主題性が高いです。

◆こうした名詞句に「は」を付けると対比性が高くなるため、ゼロが使われます。例えば、(15)(16)の「私」「田中さん」は対比性が強いため、対比的な文脈でない限り、「は」を省略するか名詞（句）全体を省略する必要があります。(17)も同様で、「は」を省略するのが普通です（→§25）。

(15) 私はこのかばんφ買う。
(16) （田中さんに）田中さんはこのかばんφ買う？
(17) あの人はきれいだ。

◆文頭の無助詞の名詞は主題と解釈されるので、名詞が主題となっているときとそうでないときで語順が変わってきます。例えば、(18)では「例のセール

スマン」は主題ではないので(18)B2は不自然です。一方、(19)では「例のセールスマン」が主題なので(19)B1が不自然になります。

(18)　　A：最近何かニュースあるかい。
　　　　B１：うん。昨日例のセールスマンφ来たんだ。
　　　　B２：うん。？例のセールスマンφ昨日来たんだ。
(19)　　A：例のセールスマンどうした？
　　　　B１：？昨日例のセールスマンφ来たんだ。
　　　　B２：例のセールスマンφ昨日来たんだ。

◆次のような場合「は」や「が」は省略しにくいです（→§39）。
　①　対比的な文脈では「は」は省略しにくい。

(20)　僕{は／？φ}パーティーに出るけど、君{は／？φ}どうする？

　②　総記的な文脈では「が」は省略しにくい。

(21)　　A：今度の会議、誰{が／×φ}行ってくれるのかな。
　　　　B：私{が／？φ}行きます。

3.　その他の現象

(1)　　A：明日のパーティーには出ないよ。
　　　　B：そんなこと言われちゃ困るよ。＜ては＞
(2)　田中さん、パーティーには来ないって言ってたよ。＜と＞
(3)　留守中に田中さんって人が来たよ。＜という＞
(4)　買ったんだよ、このパソコン、新宿で。
(5)　こんなにたくさん食べれない。

これだけは

◆ここでは話しことばにのみ見られる現象のうち、その他のものを見ます。

◆最初のものは**縮約形**です。中上級レベルで特に注意すべきなのは「って」です。これには(2)のような「と」に対応するものと(3)のような「という」に対応するものがあります。この他にも「ては→ちゃ」「では→じゃ」などにも注意が必要です。縮約形については初級編§33も参照してください。

◆二つ目は**倒置**です。日本語の書きことばではほぼ例外なく述語が文の最後に来ますが、話しことばでは(4)のように語順が変わることがよくあります。こうした文は**後置文**と呼ばれますが、詳しくは初級編§34を見てください。

◆三つ目は**ラ抜きことば**です。ラ抜きことばというのはⅡ類動詞および「来る」の可能形として「－られる」ではなく「－れる」を使うことです（→初級編§8）。このラ抜きことばは規範的な立場からは誤用とされていますが、現在ではごく普通に使われています。ただし、書きことばではほとんど使われないので、論文やレポートなどでは避けたほうがよいでしょう。

もう一歩進んでみると

◆話しことばと書きことばの最大の違いは聞き手がいるかどうかです。日本語の話しことばでは聞き手があるものを（直接）知っているかそうでないかを区別することが多いです。1で取り上げた名詞に「という」を付けるかどうかや、§1で取り上げた名詞をソで指すかアで指すかといった問題はこうした区別の1例です。こうした問題は田窪行則と金水敏が**談話管理理論**という枠組みで精力的に研究しています（金水敏・田窪行則（1992）etc.）。

○参考文献

大谷博美（1995a, b）「ハとガと φ」「ハとヲと φ」宮島達夫・仁田義雄編『日本語類義表現の文法（上）』くろしお出版
　★無助詞の問題を考える上で重要な指摘がある。
金水　敏・田窪行則（1992）「日本語指示詞研究史から／へ」金水敏・田窪行則編（1992）『日本語研究資料集　指示詞』ひつじ書房
　★談話管理理論の立場から指示詞の問題を考えたもの。
田窪行則（1989）「名詞句のモダリティ」仁田義雄・益岡隆志編『日本語のモダリティ』くろしお出版
　★「という」の有無の問題に関する重要な指摘が見られる。
野田尚史（1996）「第27章　話しことばの無助詞」『新日本語文法選書1「は」と「が」』くろしお出版
　★話しことばにおける無助詞の問題が扱われている。

§38. 文体

　日本語では話しことばと書きことばで異なる点がかなりあります。一方、これとは別に、述語の形式として「ダ体、デアル体、デス・マス体」を選ぶ必要があります。こうした文末の形式（の選択）を文体と呼びますが、ここではこうした文体に関する問題を扱います。

1. 文体とは

> (1)　彼はまじめな人<u>です</u>。銀行に勤めています。（デス・マス体）
> (2)　彼はまじめな人物<u>だ</u>。銀行に勤務している。（ダ体）
> (3)　彼はまじめな人物<u>である</u>。銀行に勤務している。（デアル体）

これだけは

◆日本語の文章・談話では文末の形式が一定に保たれます。これを**文体**と言います。「文体」は日常言語では文章家の書き癖などの意味（e.x.「夏目漱石の文体」）で使われますが、日本語教育ではそうした文学的な意味ではなく、文末の述語の形式の選択という限定された意味なので注意が必要です。
◆文体は常体（非デス・マス体）と敬体（デス・マス体）に分けることもありますが、デス・マス体、ダ体、デアル体に分けるほうが多いです。なお、ダ体とデアル体が異なるのはナ形容詞、「名詞＋だ」、「のだ」など「～だ」で終わるモダリティ形式だけで、動詞とイ形容詞では両者は同じ形式です。

(4)

	デス・マス体	ダ体	デアル体
動詞	〜ます e.x. 行きます	辞書形 e.x. 行く	
イ形容詞	〜です e.x. 高いです	辞書形 e.x. 高い	
ナ形容詞 名詞＋だ のだ etc.	〜です e.x. きれいです e.x. 学生です	〜だ e.x. きれいだ e.x. 学生だ	〜である e.x. きれいである e.x. 学生である

　初級後半から中級前半にかけてデアル体が導入されたときに学習者がよく犯す間違いはイ形容詞の場合にも「〜である」という形を使ってしまうことです（e.x.×高いである　○高い）。これは次のような比例式に基づく類推によるものですが、イ形容詞のデアル体は辞書形なので注意が必要です。

　(5)　静かです（ナ形容詞）：静かである＝高いです：X

◆デス・マス体は基本的に話しことばで使われ、デアル体は論文、論説文などの書きことばで使われます。ダ体は親しい友人間の会話のような話しことばや日記、コラムなどの書きことばで使われます。

◆文体は同一の談話・テキストの中では一定に保たれるのが原則です。従って、(1)を(1)'のようにすることは通常できません。

　(1)'×彼はまじめな人です。銀行に勤めている。

　ただし、これには例外があります。この点は2と3で見ていきます。

もう少し

◆文体は狭義には文末の述語の形式の問題ですが、実際は、(1)と(2)(3)の違いに見られるように話しことばと書きことばでは使われる語彙などにも違いがあります。これについては§37や初級編§33などを参照してください。

2. 文体の混交(1) －従属的な文の場合－

> (1) a. チャンピオンになり<u>たい</u>。b. 彼はいつも<u>そう</u>言っていました。
> (2) 50歳で会社を辞めて海外で<u>暮らす</u>。<u>これ</u>が私の理想です。

これだけは

◆1で見たように、日本語の文章・談話では同一のテキスト（一つの会話や文章）の中では一つの文体が一貫して使われるのが原則です。ただし、この原則が破られることもあります。ここではデス・マス体が基調である文章・談話の中でダ体・デアル体が使われる場合について考えます。

◆このタイプの混交の特徴はダ体・デアル体の部分が従属節に近い内容である点です。例えば、(1)の「チャンピオンになりたい。」という文はそれだけで終われば話し手の意志を表す文になります。

(1)' チャンピオンになり<u>たい</u>。

ところが、(1)の場合は(1)'に相当する(1)a文を「そう」が受けており、実質的には(1)"と同じ内容を表すことになっています。

(1)" チャンピオンになり<u>たい</u>と彼はいつも言っていました。

もう少し

◆ここで扱ったのは「デス・マス体も使えるがあえてダ体・デアル体（＝非デス・マス体）を使っている」場合ではなく、デス・マス体が使えない場合です。実際、(3)aや(4)aは話し手の意志を表す文として使えますが、(3)bや(4)bは不自然な文連続になります。これは(1)における「チャンピオンになりたい」や(2)における「50歳で会社を辞めて海外で暮らす」という部分がデス・マス体との区別を持たないことを示しています。

(3) a. チャンピオンになり<u>たい</u>です。
   b. ?チャンピオンになり<u>たい</u>です。彼はいつも<u>そう</u>言っていました。

(4) a. 50歳で会社を辞めて海外で暮らします。
b. ?50歳で会社を辞めて海外で暮らします。これが私の夢です。

3. 文体の混交(2) －独立した文の場合－

(1) 頼む。手伝ってくれ。君の助けが必要なんだ。お願いします。
(2) リストラされて自殺する中高年が増えています。他人の命を簡単に奪う若者も増えています。このままでは日本はどうなるのだろう。

これだけは

◆2で扱ったのは、デス・マス体とダ体、デアル体（＝非デス・マス体）の選択の余地がなく、非デス・マス体が使われる場合でした。ここでは、デス・マス体も非デス・マス体も使えるが基調となる文体と異なる文体が使われる場合について考えます。ここで扱うケースは次の二つになります。

① 非デス・マス体が基調の文章・談話でデス・マス体が使われる場合
② デス・マス体が基調の文章・談話で非デス・マス体が使われる場合

① 非デス・マス体が基調の文章・談話でデス・マス体が使われる場合
◆これは(1)のような場合です。こうした場合、デス・マス体の部分は改まりの気持ちを表します。例えば、同期入社の社員の一方が部長で他方が課長である場合、二人だけのときにはダ体（非デス・マス体）で話すとしても、他の人がいる場面ではデス・マス体になるのが普通です。これは対者敬語である丁寧語の使用が話し手と聞き手の間に距離を保つ（改まりの気持ちを表す）機能を持っているためです。
◆書きことばでの例は次のようなものです。

(3) 森首相にせよ、国民会議のメンバーの多くにせよ、いわゆる戦後教育で育った人々である。彼らは、戦後のゆがんだ教育で、自分の人間としての成長が損なわれて、出来損ないの人間になってしまっ

たと自覚しているのだろうか。（中略）
　国民会議は、「戦後の日本の教育は『他人と違うこと』『突出すること』をよしとしなかった」、だから、「個性の発揮を停滞させた」と強調しているが、森さん、江崎玲於奈座長、他の人々も、だから自分は無理矢理に個性のない平凡な人間にさせられたと思っているのでしょうか。
　　　（田原総一郎「田原総一郎のギロン堂」『週刊朝日』2000.10.20号）

　こうした場合、デス・マス体の部分は書き手が文章の中に顔を出して読み手に話しかけているという印象を読み手に与えます。

② 　デス・マス体が基調の文章・談話で非デス・マス体が使われる場合
◆これは(2)のような場合です。こうした場合、非デス・マス体の部分は話し手（書き手）の独白的な部分であるのが普通です。独白（独り言）は聞き手を意識しないものなので非デス・マス体が使われるのです。

もう少し

◆ここで見たのはデス・マス体と非デス・マス体の区別がある場合です。従って、(1)の「お願いします」を「お願いする／お願いだ」に変えたり、(2)の「どうなるのだろう」を「どうなるのでしょう」に変えることもできます。ただし、傾向としてはここで見たような文体の変更が行われることが多く、その背景には以上述べたような心理が働いているのが普通です。

4. 従属節の従属度と丁寧形

> (1) 今日は車に{○乗らずに／×乗りませずに}歩いてきました。
> (2) 日曜日{○だから／?ですから}道が込んでいるのでしょう。
> (3) 今日は日曜日{?だから／○ですから}彼は家にいるでしょう。
> (4) 私は医者{?だが／○ですが}、弟は歌手です。
> (5) 雨が{降ったら／降りましたら}試合は中止になります。
> (6) 名古屋でこだまにお乗り換えの方は{○降りた／?降りました}ホームでお待ちください。

これだけは

◆従属節には従属度による違いがありますが、この従属度の違いに応じて丁寧形をとるかどうかに違いが出てきます。
◆まず、(1)の「～ず(に)、～ないで、～て、～ながら」のような動作の様態を表す従属節は基本的に丁寧形を持ちません。
◆原因・理由を表す「～から／ので」の場合、(2)のようにことがらの理由を表す場合は主節が丁寧形でも普通形のほうが自然ですが、(3)のように判断の根拠を表す場合は主節が丁寧形なら従属節も丁寧形になるほうが自然です。
◆逆接・対比を表す「～が、～けど、～けれど（も）」の場合は主節が丁寧形なら従属節も丁寧形になるほうが自然です。
◆以上の場合以外は基本的に、主節が丁寧形の場合従属節は普通形でも丁寧形でもかまいません（cf. (5)）。ただし、(6)のような主節が聞き手に対する丁寧な働きかけ（命令、勧誘など）の場合は従属節では丁寧形を使わないほうが自然で、丁寧形を使うとかえって失礼な表現になります。

もう少し

◆(6)のような場合、丁寧に表現するには丁寧形（対者敬語）ではなく尊敬語（素材敬語）を使う必要があります。

(6)' 名古屋でこだまにお乗り換えの方は<u>お降りになった</u>ホームでお待ちください。

この場合、「お降りになりました（ホームで）」も使えますが、重要なのは「なる」の部分を丁寧形にする必要はないということです。

もう一歩進んでみると

◆最初にも述べたように、日本語教育で言う文体というのは文末の述語の形式の選択という限られた意味の問題です。ただし、日本語では基本的には同一の談話・文章には基調となる文体（デス・マス体か非デス・マス体か）が存在し、それ以外の文体が使われる場合には何らかの効果が感じられます。
◆4で取り上げた従属節の従属度と丁寧形の関係は次のように考えられます。まず、基調がデス・マス体であれば独立した2文ではどちらもデス・マス体をとるのが普通です。

(1) 昨日息子が熱を｛○出しました／×出した｝。仕事を休み<u>ました</u>。

このことから、従属節の従属度が低い（＝独立した文に近い）ほど主節がデス・マス体のときには従属節もデス・マス体になりやすくなると言えます。
◆以上のような点を踏まえて三尾砂は調査を行いました（三尾砂（1942））。調査の内容は小説・戯曲の会話部分から主節がデス・マス体であるものをすべて取り出し、各従属節ごとに、その中で従属節もデス・マス体であるものの割合を出すというものです。その結果は次のようになりました。

(2) 丁寧化百分率

が	94.5（%）
けれど	86.0
から	73.0
し	58.0
ので	28.0
と	7.3

例えば、「から」の場合、主節がデス・マス体で終わっているもののうち73.0%では従属節もデス・マス体であったということです。三尾はこの割合

を「丁寧化百分率」と呼んでいますが、この割合が高いほど従属節の独立度が高いということになります。
◆三尾の調査は重要なものですが、現在はこれとは別に従属節内の丁寧形の使用の割合が増えています。(3)のような本来誤用である言い方がかなり広く使われるようになりつつあるのもその結果です。

 (3)？名古屋でこだまにお乗り換えの方は<u>降りました</u>ホームでお待ちください。

　このことの背景には素材敬語から対者敬語への敬語の単純化の流れがあるものと思われます。つまり、尊敬語や謙譲語のような、話し手と聞き手の関係ではなく話し手と話題の人物との関係によって規定される敬語はその運用に訓練が必要なため敬遠されるようになり、丁寧語のような話し手と聞き手の関係だけで規定される敬語が使われるようになってきているのです。これは敬語が廃れたということではなく、対者敬語はむしろ過剰になってきています。従属節の中にデス・マス体が使われる割合が高くなってきている背景にはこうした「できるだけ丁寧に話そう」という話し手の意識がかかわっているのです。こうした点については井上史雄（1998）が参考になります。
◆2で取り上げた従属節に相当する文のことを野田尚史（1989）は「真性モダリティを持たない文」と呼んでいます。

○参考文献

井上史雄（1998）『日本語ウォッチング』岩波新書, 岩波書店
 ★現在進行しつつある日本語の様々な変化について書かれており有益。
中北美千子（2000）「談話におけるダロウ・デショウの選択基準」『日本語教育』107
 ★談話における「だろう」と「でしょう」の使い分けの問題を論じている。
野田尚史（1989）「真性モダリティを持たない文」仁田義雄・益岡隆志編『日本語のモダリティ』くろしお出版
 ★文の中に実質的に従属節に相当するものが存在することを指摘している。
─── （1998）「「ていねいさ」から見た文章・談話の構造」『国語学』194
 ★文体の混交の問題を多角的に捉えている。文体について考える際の必読文献。
三尾　砂（1942）『話言葉の文法（言葉遣編）』くろしお出版から復刊（1995）
 ★当時まだあまり関心を持たれていなかった話しことばを研究対象とした好著。

§39. 省略

　日本語では文中の要素がよく省略されます。ただ、同じく「省略」と言ってもその理由や働きは異なります。ここではこうした問題を考えます。

1. 名詞句の省略(1) －1、2人称の場合－

> (1)　愛してる。
> (2)　今日は田中さんと外食をする。
> (3)　A：「タイタニック」見た？　B：うん、見た。
> (4)　田中さんはパーティーに来ないと思う。
> (5)　昨夜吉田さんが電話をかけてきた。

これだけは

◆述語が文として完結した意味を表すために必要とする名詞句をその述語の**補語**と言い、補語の中で最低限必要なものを**項**と言います（→初級編§38）。英語では項は基本的に省略できませんが、日本語では頻繁に省略されます。例えば、(1)は(1)'という意味ですが、(1)'のような言い方は普通使われません。これは基本的に(1)"という項を省略しない言い方しか許されない英語との大きな違いです。

　(1)'　私はあなたを愛している。
　(1)"　I love you.

◆1人称が主語や目的語であるとき、「私」（に相当する語）は使わないことが多いです（→§40）。この場合、次のような文法的手段によって、主語や目的語であることがわかります。

①　意志動詞のル形、タ形の主語は通常1人称

(2)のような意志動詞のル形は話し手の意志を表すため、要素が省略されていればそれは1人称と解釈されます。

②　「と思う、と思われる」などの主語は1人称

「と思う、と思われる」などの基本形の引用表現の主語は1人称に限られます（→§15）。例えば、(4)の構造は(4)'aであって(4)'bではありません。「と思われる」は書きことばにおいて「と思う」に対応する形ですが、主語に関する特徴に関しては「と思う」と同様です。

(4)' a. (私は) [田中さんはパーティーに来ない] と思う。
　　　b. 田中さんは [ϕ（は）パーティーに来ない] と思う。

③　「(〜て)くれる」「〜てくる」を述語とする文のニ格目的語は1人称

日本語では1人称が主語になる傾向が強く、1人称が関与する出来事でそれ以外のものを主語にするには「〜てくれる、〜てくる」を述語に付ける必要があることが多いです（→§13）。例えば、(5)'は吉田さんが第三者に電話をかけた場合は文法的ですが、1人称に電話をかけたという場合は使えず、(5)のように「〜てくる」または「〜てくれる」を付ける必要があります。

(5)' 昨夜吉田さんが電話をかけた。

◆(3)のような質問文の主語は2人称に決まっているので通常省略されます。

もう少し

◆ここでは「省略」という言い方をしていますが、以上見たような場合はそもそも「私」や「あなた」といった要素を言わないのが普通であり、対比など特別な必要がある場合にそうした要素を表現するというのが実情に即しています。この意味で、こうした場合を「省略」というのは厳密にはふさわしくなく、むしろどのような場合に要素が「顕現」するのかを考えたほうがよいと言えますが、ここでは通例に従って「省略」という表現を使います。

2. 名詞句の省略(2) －3人称の場合－

> (1) 田中さんが部屋に入って、(φが) 電気をつけた。(φ＝田中さん)
> (2) 田中さんが部屋に入ると、(φが) 電気をつけた。(φ≠田中さん)
> (3) 林さんは趣味の多い人だ。{?林さんは／○φ} 昨日は釣りに出かけた。
> (4) 林さんは趣味の多い人だ。{林さんは／φ} 釣同好会の会員でもある。
> (5) 林さんは昨日釣りに出かけた。{○林さんは／×φ} 釣同好会の会員だ。

これだけは

◆主語が3人称の場合は省略された要素は他の要素と同じものを指す（**照応する**）ことになります。この問題は従属節の従属度（→§38）と関係があります。例えば、(1)のような連続を表す「～て」節は従属度が低く独自の主語を持てないため、その主語は常に主節の主語と一致します。一方、(2)のような「～と」節は独自の主語を持つため、(2)の主節の主語は田中さん以外の人になります。「～て」節と同じ性質を持つのは付帯状況を表す「～ながら」節であり、それ以外の従属節は「～と」節と同じ性質を持ちます。

◆一方、独立した文連続の中で繰り返された主題が省略されるかどうかというのも談話や文章について考える際に重要です。この問題について考える際には述語の種類が問題になります。つまり、(3)のような、静的述語を述語とする文（属性叙述文）→動的述語を述語とする文（事象叙述文）という文連続の場合は2文目で主題が省略されるのが普通であるのに対し、(5)のような、事象叙述文→属性叙述文という文連続の場合は2文目の主題は省略されないのが普通であり、(4)のような、属性叙述文→属性叙述文という文連続の場合は2文目の主題は省略してもしなくてもいいということです。

もう少し

◆(1)と(2)で見た問題では「は」と「が」の違いも重要です。例えば、(1)(2)の「田中さんが」を「田中さんは」に変えるとともに「電気をつけた」のは「田中さん」になります。これは「は」が文末まで係るためです（→§25）。

◆(3)と(5)で見た問題については事象叙述文→事象叙述文（e.x.(6)）という文連続の場合は主題は省略されるのが普通です。

 (6) 林さんは昨日釣りに出かけた。{？林さんは／○φ}10匹も釣った。

3. 助詞の省略 (→§37)

> (1)　私{○φ／#は}結婚することになりました。
> (2)　田中さんがこの本{φ／を}書いたそうだ。

これだけは

◆名詞句以外の省略で重要なのは助詞が使われない場合です。これには二つの種類があります。一つは(1)のような無助詞の主題の場合です。これは「は」や「が」を付けると対比や総記の意味になる場合にそれを避けるために使われます。もう一つは(2)のような格助詞の省略で、この場合は助詞がある場合と意味の違いはありません。いずれにしても、このように助詞が現れないのは話しことばに限られ、書きことばでは起こりません。

もう一歩進んでみると

◆ここで考えた問題は今後の談話文法の大きな研究課題です。

○参考文献
清水佳子（1995）「「NPハ」と「φ（NPハ）」」宮島達夫・仁田義雄編『日本語類義表現の文法（下）』くろしお出版
 ★文連続において主題が顕現する条件を文の類型との関連から考えている。
三上　章（1953）『現代語法序説』くろしお出版から復刊（1972）
 ★複文の中での省略された要素の特定に関する考察がある。
山田敏弘（2001）「日本語におけるベネファクティブの記述的研究—ベネファクティブによる参与者追跡(1)(2)—」『日本語学』20-1, 2
 ★省略された項がどのように特定されるかを詳しく考察している。

§40. 名詞・代名詞

　ものや人を直接指すことばを**名詞**と言い、何かを受けて間接的に指すものを**代名詞**と言います。初級編では主だった名詞の分類と1、2人称の代名詞について述べましたが、ここでは、1、2人称の代名詞についてもう少し詳しく見る他、3人称の代名詞について考えます。また、初級編で扱ったもの以外の名詞として相対性を持つ名詞を取り上げます。また、親族を表す名詞などにも注意すべき用法があるので併せて扱います。

1. 代名詞
1-1. 1人称代名詞（主語を表す場合）

> (1) 山田：林さんは来週のパーティーに行きますか。
>   林：はい、{φ／?私は}行きます。
>   いいえ、{φ／?私は}行きません。
> (2) 今度のパーティー、{僕は／?φ}行くけど、君はどうする？

これだけは

◆1人称を表す代名詞には次のようなバリエーションがあります。

(3) ＜待遇的に中立＞私(わたし)；僕（主に男性）
　　＜謙譲的＞私(わたくし)
　　＜ぞんざい、仲間語＞俺（主に男性）、あたし（主に女性）
　　＜書きことば（論文、論説文）のみ＞筆者

◆複数形は「たち」を付けて作りますが、「私(わたくし)」には「ども」を付けるのが普通です。また、「僕」「俺」には「ら」を付けられますが、「私ら(わたくしら)」「あたしら」は方言形です。「私(わたくし)」「筆者」には「ら」は付けません。
◆「僕」は成人の男性でも使えますが、会議など改まった場では避けられる傾向が強く、その場合は「私(わたし)」や「私(わたくし)」が使われます。
　「あたし」は「わたし」の［w］音が弱まってできたものですが、仲間内でしか使えない語であり、学校や職場では使えないので注意が必要です。
　「筆者」は書きことば（ただし、論文や論説文など出版されるものに限る）で使われる形式です。

　(4)　衆院の予算委員長に浜田幸一氏が起用されるときいた時、これは、テレビの裏表に詳しい陰の演出者がたくらんだ芝居ではないか、と筆者は思った。　　　　　　　　　　　　　（天声人語1988.2.9）

◆(3)のようなバリエーションに共通する性質として、これらが常に使わなければならないものではないことに注意が必要です。1人称代名詞は「省略」されるというより、必要な場合に「顕現」すると考えたほうが実態に即しています。これは2人称代名詞の場合も同様ですが、このことは（命令文などを除いて）原則的に常に主語が必要とされる英語などとの大きな違いです。
◆1人称代名詞が現れないほうが自然なのは次のような場合です。
　①　真偽質問文に対する答え
　　(1)のような真偽疑問文の答えの文では1人称代名詞は通常現れません。これはこのとき主語は旧情報である（新情報は「はい」「いいえ」）ためです。
　②　感覚を表す文
　　(5)や(6)のような感覚を表す文では1人称代名詞は通常現れません。

　(5)　ああ、{ φ／？私は } 頭が痛い。薬、ありませんか？
　(6)　{ φ／？私は } 寒い。凍えそうだ。

◆1人称代名詞が現れるほうが自然なのは次のような場合です。
　①　対比を表す場合
　　(2)のような対比を表す文では1人称代名詞は現れるほうが自然です。
　②　総記を表す場合

(7)のような総記（→§25）の場合も1人称代名詞は現れるほうが自然です。

(7)　部長：今度の出張、誰が行ってくれるのかな？
　　　田中：{私が／？φ}行きます。

③　個人の来歴にかかわる動詞文
　　次のような個人の来歴を表す動詞文でも1人称代名詞は通常現れます。

(8)　{私は／？φ}1967年に生まれた。
(9)　{私は／？φ}10年前にこの会社に入った。

もう少し

◆「筆者」は3人称を表すこともあります。

(10)　例の語尾を上げる話し方が問題になっている。若い世代に広がっている独特の抑揚をもったしゃべり方だ。これが話し方の根本を変えるかもしれないとの見方もある。アメリカでの議論である。最近の米紙で論評されていて、実におもしろかった。（略）疑問文のように語尾を上げる話し方は、「uptalk」と称されている。起源は不明だが、十代では普通の話し方であり、とくに若い女性の間に広がっているという。<u>筆者</u>は日本のことはご存じないらしく、アメリカ英語特有の傾向と見ている。　　　　　（朝日新聞朝刊1993.9.25）

「著者、作者」は「筆者」と似ていますが1人称代名詞として使えません。
◆(11)のように、真偽疑問文に対する答えの文で1人称代名詞が現れると対比性が強くなります。

(11)　山田：田中さんはパーティーに行きますか。
　　　田中：いいえ、{φ／私は}行きません。妻は行きますが。

◆上で挙げた場合以外は1人称代名詞は現れても現れなくてもかまいませんが、現れると対比性が出る場合が多いです。

(12)　{私は／φ}昨日、友達と映画を見た。

「は」を省略すると対比的ではなくなります（→§37）。

(13) ｛私は／私φ／φ｝アイスクリームφ大好き。（「私は」は対比的）

1－2．2人称代名詞（主語を表す場合）

(1) 田中：｛林さんは／？あなたは／φ｝来週のパーティーに行きますか。
　　林：はい、行きます。／いいえ、行きません。
(2) 山田：僕の考えは今言ったとおりだ。それで、｛？φ／○君は／○田中君は｝どう思う？
　　田中：いいと思うよ。

これだけは

◆2人称を表す代名詞には次のようなバリエーションがあります。

(3) ＜待遇的に中立に近い＞あなた
　　＜友人、目下＞君
　　＜ぞんざい、仲間語＞あんた、お前、てめぇ；貴様（年輩者のみ）

◆複数形は「たち」または「ら」を付けて作ります。なお、「あなた」には「ら」は付きません。「あなた」に「方（がた）」を付けると「たち」より丁寧になります。
◆2人称代名詞は目上の人には使えません。敬意を表す必要がある人が聞き手の場合は、相手の名前、職階、敬称（例：先生）などを使います。例えば、次のようになります。

(4) （指導教官に）｛×あなたは／先生は／φ｝明日は何時ごろ大学にいらっしゃいますか。（敬称）
(5) （上司に）｛×あなたは／部長は／φ｝明日は何時ごろ会社にいらっしゃいますか。（職階）

◆次のような場合には2人称代名詞が現れることが多いです。ただし、待遇

上の問題がある場合は敬称や職階などを用います。
  ① 対比を表す場合
     (6)のような対比的な場合には２人称代名詞が現れることが多いです。

  (6) 今度のパーティー、僕は行くけど、{君は／？φ}どうする？

  ② 総記を表す場合
     (7)のような総記を表す場合も２人称代名詞は通常現れます。

  (7) A：このプロジェクトの責任者は吉田君がいいと思います。
      B：いや、吉田君じゃだめだ。{君が／？φ}責任者になってくれ。

１－３．３人称代名詞（人を表す場合）

  (1) 山田：吉田さんはまだ大阪に住んでいますか？
      田中：彼は東京に引っ越したと思いますよ。
  (2) 山田：昨日、吉田君に会ったよ。
      田中：えっ、{×彼／○吉田さんって／×あの人／○その人}誰？。

これだけは

◆人を表す３人称代名詞には次のようなバリエーションがあります。

  (3) 彼、彼女、彼ら、彼女ら、彼女たち

◆「彼女たち（彼女ら）」は先行詞がすべて女性のときにのみ使います。
◆３人称代名詞は基本的にア系統指示詞と同じ使い方をします。従って、(1)のように話し手も聞き手も知っている人物を指すのに使うのが一般的です。
◆(2)のように話し手が指示対象を知らないときはアは使えません（→§1）が、この場合は３人称代名詞も使えません。なお、(4)のように聞き手が指示対象を知らないだろうと話し手が想定する場合もアは使えません（→§1）が、この場合に３人称代名詞を使う日本語母語話者もいます。

(4) 山田：昨日、吉田という大学時代の友人に会ったんだけど、
　　　　　｛？彼は／×あいつは／○そいつは｝ひょうきんな奴でね、
　　　　　いろんな隠し芸を持っているんだよ。
　　田中：おもしろそうな人ですね。今度是非紹介してください。

その他(5)のように指示対象が不特定の場合も３人称代名詞は使えません。

(5) 優しい人がいたら、｛×彼／×あの人／○その人｝と結婚したい。

◆「彼、彼女」は目上の人物を指す場合には使えません。

(6) 山田：吉田先生は明日大学にいらっしゃるかな？
　　田中：｛×彼は／○先生は｝集中講義だから大学にはいらっしゃら
　　　　　ないと思いますよ。

もう少し

◆英語などではものを指す"it"なども３人称代名詞とされていますが、日本語では「これ、それ、あれ」は特に代名詞的な使い方をするわけではないので、３人称代名詞には含めません。
◆日本語では普通名詞の単数と複数は厳密に区別しません。例えば、(7)の「本」や(8)の「子ども」は単数でも複数でもかまいません ((8)のような人を表す名詞の場合は「たち」を付けて複数であることを表すことが可能ですが、(7)のようなものを表す名詞には普通「たち」は付けられません)。

(7) 机の上に本がある。
(8) 公園で子どもが遊んでいる。

しかし、代名詞に関しては単数と複数が厳密に区別されます。指示対象（３人称の場合は先行詞）が複数の場合は必ず「たち」などを付けて複数であることを示さなければなりません。
◆日本語の３人称代名詞と英語の３人称代名詞（"he, she"など）とは使い方が異なる場合があります。例えば、英語では(2)に対応する(2)'のような場合でも３人称代名詞を使えます。

(2)' Yamada: I met Yoshida yesterday.
　　　 Tanaka: Who is he?

　これは英語の3人称代名詞が文中のことばだけを受けられるのに対し、日本語の3人称代名詞は基本的に固有名詞に相当する機能を持っているため、固有名詞が使える(1)のような場合でしか使えないのです。
　◆「彼、彼女」には異性の恋人という意味もあります。
　(9)a.（女性に）彼はいるの？
　　 b.（男性に）彼女はいるの？

2. 名詞
2－1. 相対性を持つ名詞

> (1)　司馬遼太郎は亡くなったが、その作品は今後も読まれ続けるだろう。
> (2)　カキ料理は広島が本場だ。

これだけは

◆**相対性を持つ名詞**というのは、それだけでは何を指すかが決まらず、常に「～の」に当たる部分が必要な名詞です。例えば、「作品」という名詞は「誰かの作品」であり、「誰かの」の部分が決まらないと指すものが決まりません。一方、「絵」などは「誰かの」がなくても指すものが決まります。

もう少し

◆相対性を持つ名詞がかかわる文法現象をここでは二つ取り上げます。
◆第一は(1)のように「この／その」が3人称代名詞に対応する場合（→§1）です。これは被修飾名詞が相対性を持つ名詞の場合に限られます。
◆第二は一部の「ハーガ構文」にかかわるものです。この構文は(2)の例にちなんで「カキ料理構文」と呼ばれることもありますが、その特徴は「XはY

がZだ」という構文が「XのZはYだ」という形に対応する点にあります。例えば、(2)は(2)'に対応します。

(2)' カキ料理の本場は広島だ。

これは、通常の「ハーガ構文」では次のように「XはYがZだ」が「XのYはZだ」に対応する（→初級編§31）のと異なります。

(3) 象は鼻が長い。
(4) 象の鼻は長い。

カキ料理構文が成り立つのもZが相対性を持つ名詞の場合に限られます。

２－２．親族を表す名詞

(1) 父は後から来ます。
(2) 弟さんはいつ帰っていらっしゃるんですか。
(3) お兄ちゃんも出掛けるの？

これだけは

◆親族を表す名詞（**親族名詞**）も相対性を持つ名詞の１種ですが、日本語では英語の所有代名詞に当たる「〜の」は多くの場合省略します。しかし、(4)のような規則から誰のことを指しているかが了解されるのが普通です。

(4) 家族以外の人と話すときには、
  a. １人称（話し手）の親族には敬称（〜さん、〜様）を付けない。
  b. ２人称（聞き手）、３人称（第三者）で敬意の対象となる人物の親族には敬称を付ける。

(4)aから(1)の「父」は話し手の父親であり、(4)bから(2)の「弟さん」は（通常）聞き手の弟であることがわかります。

◆１人称の親族と２，３人称の親族に関する主な語形は次の通りです。

(5) ＜1人称の親族＞
父、母、息子、娘、
夫（主人）、妻（家内）、祖父、祖母、兄、
姉、弟、妹、伯父（叔父）、伯母（叔母）、孫、
いとこ、甥、姪
＜2，3人称の親族＞
*お父さん、*お母さん、息子さん、娘さん（*お嬢さん）、
*ご主人、*奥さん、*おじいさん、*おばあさん、*お兄さん、
*お姉さん、弟さん、妹さん、*おじさん、*おばさん、お孫さん、
いとこさん、甥御さん、姪御さん

このうち、*を付けた語は「さん」の代わりに「様」を付けることもできます（「様」のほうが改まった言い方です。なお、「ご主人」は「ご主人様」になります）。また、下線を付けた語は家族の中でも使えます。また、破線を付けた語は「さん」を「ちゃん」に代えると家族の中で使えます（「〜さん」の形で使う家庭もあります。なお、下線の語にも「ちゃん」を付けられます）。

(6) 兄：お父さん（お父ちゃん）はどこにいる。
弟：台所だよ。

◆日本語母語話者の中にも(4)aを守らず、(7)のように話す人もいますが、好ましくない印象を持たれる傾向が強いので避けたほうがいいでしょう。

(7) お父さんは後から来ます。

もう少し

◆男性の配偶者を指す語として伝統的によく使われるのは「主人」（2，3人称の親族の場合は「ご主人」）ですが、「主」ということばが持つ含意を嫌って使わない人もいます。2，3人称の親族の場合の「旦那（さん）」も同様です。1人称の親族に関しては中立的な語として「夫」がありますが、2，3人称の親族に関してはそうした語がないため、「旦那（さん／様）」が使わ

れることが多いです。

◆女性の配偶者を指す語として伝統的には「家内」がよく使われてきましたが、最近は使わない人が増えてきています。1人称の親族の場合、中立的な語として「妻」が使われるようになっています。2，3人称の親族の場合「奥さん／奥様」が多く使われますが、「奥」という語の含意を嫌う人もいます。

◆ダ体で話す相手の親族を指す場合、男性は(5)の他に次の(8)のような形を使うこともあります。年輩者は「息子」の代わりに「せがれ」を使うこともあります。なお、これらの形は1人称の親族を指すためにも使えます。

(8) 親父(おやじ)(さん)／父(とう)ちゃん＜父＞、お袋(ふくろ)(さん)／母(かあ)ちゃん＜母＞、
旦那(さん)＜夫＞、女房（嫁さん）＜妻＞、
じいさん／じいちゃん＜祖父＞、ばあさん／ばあちゃん＜祖母＞、
兄ちゃん／兄貴(あにき)＜兄＞、姉ちゃん／姉貴(ねえき)＜姉＞、おじちゃん、
おばちゃん、孫、甥っ子、姪っ子

(9) A：お袋さんは元気かい。
B：ありがとう。元気だよ。

◆「父／母」が1人称の親を指すのに対し、「父親／母親」は3人称の親を指します。なお、後者は話しことばではあまり使いません。

(10) ｛○父／×父親｝はすぐ参りますので、しばらくお待ちください。

(11) 彼は母子家庭で育った。｛？父／○父親｝は彼が生まれるとすぐに病死したのだ。

◆親族名詞の中には2人称代名詞として使える（＝聞き手に対して使える）ものもあります。2人称代名詞として使えるのは次のようなものです。

(12) (お)父さん（親父、父ちゃん）、(お)母さん（お袋、母ちゃん）、
おじいちゃん、おばあちゃん、兄さん（兄貴、お兄ちゃん）、
姉さん（姉貴、お姉ちゃん）、おじさん、おばさん

このように、2人称代名詞として使えるのは自分より年長の親族を指す語に限られ、「弟、いとこ」のように自分より年下の（またはその可能性がある）親族を指す語は2人称代名詞としては使えません。なお、年下の親族に

40. 名詞・代名詞

対しては名前を使えますが、年上の親族に対しては名前は使えません。従って、兄の名前が浩、弟の名前が健の場合、次のようになります。

　(13)　健：○お兄ちゃんも出掛けるの？　cf. ×浩も出掛けるの？
　(14)　浩：×弟も出掛けるの？　cf. ○健(ちゃん)も出掛けるの？

もう一歩進んでみると

◆ここで取り上げたように、日本語には相対性を持つ名詞が多いですが、文中に「～の」が明示されることはあまりありません。それは親族名詞について見たように、「～の」が誰を指すのかがわかるような語彙の使い分けなどが行われることが多いためです。

◆日本語の親族名詞には社会言語学的に興味深い特徴がありますが、これについては鈴木孝夫（1973）を参照してください。

○参考文献

庵　功雄（1995）「コノとソノ」宮島達夫・仁田義雄編『日本語類義表現の文法（下）』くろしお出版
　★相対性を持つ名詞（この論文では「１項名詞」）についての考察がある。

木村英樹・田窪行則（1992）「中国語、日本語、英語、フランス語における３人称代名詞の対照研究」大河内康憲編『日本語と中国語の対照研究論文集（上）』くろしお出版
　★３人称代名詞に関する重要な考察が述べられている。

鈴木孝夫（1973）『ことばと文化』岩波新書
　★親族名詞に関する興味深い考察が述べられている。

野田尚史（1996）『新日本語文法選書１「は」と「が」』くろしお出版
　★カキ料理構文や類似構文について詳しく述べられている。

まとめ（親族名詞）

	1人称の親族 （ ）は家族で話す場合	2人称の親族・3人称の親族	
		（敬意あり）	（敬意なし）
父	父（(お)父さん・父ちゃん・親父）	お父さん・お父様	父ちゃん・親父(さん)
母	母（(お)母さん・母ちゃん・お袋）	お母さん・お母様	母ちゃん・お袋(さん)
息子	息子・せがれ	息子さん	息子・せがれ
娘	娘	娘さん・お嬢さん・お嬢様	娘
夫	夫・主人・旦那	ご主人・ご主人様・旦那様	旦那(さん)
妻	妻・家内・女房・嫁さん	奥さん・奥様	女房・嫁さん
祖父	祖父（(お)じいちゃん）	おじいさん・おじい様	じいさん・じいちゃん
祖母	祖母（(お)ばあちゃん）	おばあさん・おばあ様	ばあさん・ばあちゃん
兄	兄（*兄さん・(お)兄ちゃん・兄貴）	お兄さん・お兄様	兄ちゃん・兄貴
姉	姉（*姉さん・(お)姉ちゃん・姉貴）	お姉さん・お姉様	姉ちゃん・姉貴
弟	弟	弟さん	弟
妹	妹	妹さん	妹
おじ	おじ（おじさん・おじちゃん）	おじさん・おじ様	おじちゃん
おば	おば（おばさん・おばちゃん）	おばさん・おば様	おばちゃん
孫	孫	お孫さん	孫
甥	甥・甥っ子	甥御さん	甥っ子
姪	姪・姪っ子	姪御さん	姪っ子
いとこ	いとこ	いとこさん	いとこ

*「お兄さん、お姉さん」を使う家庭もある。

§41. 接辞

　接辞とは単語または単語の中核をなす部分（語基）に付く形式で独立して用いられないものです。日本語には次のような種類の接辞があります。

　　接頭辞：<u>不</u>安定・<u>非</u>公式・<u>大</u>失敗・<u>未</u>公開…
　　接尾辞：学生<u>らしい</u>・食べ<u>方</u>・湿<u>っぽい</u>・工事<u>中</u>・広<u>さ</u>…
　　接頭辞＋接尾辞：尊敬語の「お～なる」・謙譲語の「お～する」

　接辞の働きには大きく分けて、①品詞を転換させることと、②意味を加えたり変化させたりすることの二つがあります。両方の働きを兼ねている場合も多いですが、どちらの働きが主であるかに注目すると、接辞は次のように分類できます。

　1．主に品詞を転換させる働きをする接辞
　　　○～的、※～らしい、※～さ、○～化、※～まる／める、
　　　※～がる、※～方、～よう、～上
　2．主に意味を加えたり変化させたりする働きをする接辞
　　　○非～、○不～、○未～、○無～、○反～（否定）
　　　～たち、～ども、～方（がた）、～ら、諸～（複数）
　　　～人、～者、～家、～員、～士、～師、～屋（人）
　　　～賃、～費、～金、～料、～代（金銭）
　　　～式、～風、～流（様式）、～向け、～向き、～用（使用者・使用目的）
　　　～中、～時、～代（時間）、～だらけ、～まみれ、～ずくめ（様態）
　　　～げ、～がち、～気味、～っぽい（傾向）
　　　真～、大～（大（だい）賛成、大（おお）嘘）（強意）
　　　○～性、再～、当～、本～（その他）

以上は、ある程度生産的に用いられる（いろいろな語基と結びつく）接辞ですが、この他に、一応接辞と認められるものの非生産的である（限られた語基としか結びつかない）ものとして、次のようなものがあります。

　3．非生産的な接辞
　　うち～、ぶち～、つき～、もの～、～み、～様（ざま）、～めく、～ばむ、～じみる、～たらしい、～がましいetc.

　○印は「漢語」（→§42）のところで詳しく解説してありますので、そちらを見てください。なお、※印は初級編で取り上げたものです。

1．主に品詞を転換させる働きをする接辞

> (1) 彼は経済的な理由で大学をやめた。
> (2) 今日は春らしい陽気になりました。
> (3) リビングの広さは寝室の２倍以上ある。
> (4) この大学は国際交流の活性化をはかっている。
> (5) 試験が近づき、緊張感が高まってきた。
> (6) 頭を打って痛がる子どもを病院へ連れていった。
> (7) 私には私のやり方がある。
> (8) 大学入試に失敗したからこそ今の僕がある。ものは考えようだ。
> (9) テレビのつけっぱなしは教育上望ましくない。

これだけは

◆主に品詞を転換させる働きをする接辞には次のようなものがあります。
　① 名詞→形容詞　　○～的、※～らしい
　② 形容詞→名詞　　※～さ
　③ 名詞→動詞　　　○～化、※～まる／める
　④ 形容詞→動詞　　～がる
　⑤ 動詞→名詞　　　※～方、～よう

⑥　名詞→副詞　　～上
◆「～的」については§42を見てください。
◆「～らしい」は名詞に付いてその名詞の表す典型的な性質が表れていることを意味する形容詞を作ります（→初級編§42）
　　例：男らしい、子どもらしい、人間らしい、田中さんらしい etc.
◆「～さ」は形容詞に付いて程度を表す名詞を作ります。
　　例：高さ、厚さ、うれしさ、おもしろさ、勤勉さ、スポーティーさ etc.
「高さ、長さ、広さ、深さ」などは尺度を表す用法もあります。尺度を表す名詞は程度の大きいほうの形容詞から作ります。（→初級編§42）

　⑽　この部屋の{○広さ／×狭さ}は約8畳です。

◆「～化」については§42を見てください。
◆「～まる、～める」はイ形容詞の語幹に付き、それぞれ「～くなる」という意味の自動詞と「～くする」という意味の他動詞を作ります。
　　例：薄まる・薄める、固まる・固める、丸まる・丸める　etc.
「～まる、～める」は「～くなる、～くする」よりも抽象的な意味になりやすい傾向があります（→初級編§42）。

　⑾　噂があっという間に{○広まった／×広くなった}。
　⑿　家具を移動して部屋が{×広まった／○広くなった}。

◆「～がる」は主に感情形容詞の語幹に付いて動詞を作ります。普通、感情形容詞は、単独で言い切った場合には主語に第三者をとりませんが、「～がる」を付ければ、第三者の感情を表すことができます。（→初級編§42）

　⒀a.　×ひろし君は寂しい。
　　b.　　ひろし君は一人になるとすぐ寂しがる。
　　c.　　ひろし君は寂しがっている。

bのように「～がる」は習慣など恒常的な場合にのみ使われ、一時的な場合には「～がっている」が使われます。
◆「～方」は動詞のマス形について方法や動作の様子を表す名詞を作ります（→初級編§42）。

例：話し方、歩き方、笑い方、寝方　etc.
目的語などを含む動詞句全体を名詞にすることもあります。この場合、目的語などは「(格助詞＋)の」で表されます。」
　　　例：パソコンの使い方（←パソコンを使う）、大学への行き方（大学へ
　　　　　行く）　etc.
◆「～よう」は動詞のマス形について動作の様子を表す名詞を作ります。
　　　例：言いよう、聞きよう、やりよう、騒ぎよう
　　手順とか方法といった意味で使われるのは「～方」で「～よう」はあまり使われません。

　　⒁　パソコンの{使い方／×使いよう}を教えてください。

　　次のような例では「～方」と「～よう」の両方が使え、意味もほとんど同じです。

　　⒂　同じ事を言うのでも{言い方／言いよう}によっては誤解される。

◆「～上」は主に漢語名詞に付いて、「～としては、～の観点から見ると」といった意味の副詞を作ります。
　　　例：事実上、形式上、経験上、教育上、手続き上　etc.
　　⒃　この書類には手続き上両親のサインが必要です。
　　⒄　あの二人は戸籍は入っていないが、事実上、夫婦同然だ。

2.　主に意味を加えたり変化させたりする働きをする接辞
2－1.　～たち、～ども、～方、～ら、諸～　－複数－

　⑴　留学生たちは初めて見る富士山に歓声を上げた。
　⑵　お世話になった先生方に改めてお礼申し上げます。

これだけは

◆「たち」は、「学生たち、子どもたち、私たち、自分たち」のように、人を表す名詞や代名詞に付いて複数を表します。ただし、「彼たち」のように使わない名詞もあるので、注意が必要です。

固有名詞など特定の人を表す名詞に付いて、「その人を含む複数の人」という意味で用いられることもあります。

　　(3) 山田さんたちは後から来るそうです。
　　　　（＝山田さんとその他の誰か）

◆人の複数を表す他の接辞に「〜ら、〜ども、〜方」があります。

「〜ら」は、「〜たち」と同様に名詞や代名詞に付いて複数を表します。ただし、「私ら、あなたら」は共通語では使われません。「彼女ら」は全員が女性の場合にしか使われず、それ以外は「彼ら」が使われます。

◆「〜ども」は、「野郎ども、役人ども、女ども」など比較的いろいろな名詞に付きます。マイナスの待遇的態度を帯びており、「わたしども、わたくしども」など特定の１人称代名詞に付いて謙譲語を作ることもあります。

◆逆に、「〜方（がた）」はプラスの待遇的態度を帯びていますが、「先生方、お客様方、皆様方、あなた方」など、使える場合は限られています。

◆「諸〜」は「諸国、諸研究、諸大学」など様々なものを表す漢語に付いて、複数を表します。生産性は高いですが、文体的に硬く、主に書きことばで用いられます。

2－2. 〜人、〜者、〜家、〜員、〜士、〜師、〜屋
　　　　－人－

(1) 日本人には世界的な学者が少ないと言われている。
(2) 病院には医者の他、看護師、薬剤師、事務員など多くの人が勤務している。

これだけは

41. 接辞

◆「人（じん）」は名詞のあとに付いて次のような意味を表します。
　① 「～出身の人」
　　　例：日本人、ドイツ人、大阪人、外国人　etc.
　② 「～界の人、～の分野で働いている人」
　　　例：芸能人、大学人、経済人、舞台人　etc.
　③ その他（傾向など）
　　　例：文化人、風流人　etc.
「人（にん）」は主に動作を表す名詞のあとに付いて、「その動作をする人」という意味を表します。
　　　例：通行人、世話人、弁護人、保証人、支配人、勤め人　etc.

◆「～者」は、主に漢語名詞のあとに付いて、次のような意味を表します。
　① 「その動作をする人」
　　　例：作者、記者、研究者、出席者　etc.
　② 「それを持っている人」という意味を表します。
　　　例：人格者、経験者、関係者、技術者　etc.

◆「～家」は、主に漢語のあとに付いて、次のような意味を表します。
　① 「～を職業・専門とする人」
　　　例：音楽家、政治家、小説家、芸術家、宗教家　etc.
　② 「～する傾向が強い人」
　　　例：努力家、勉強家、倹約家、情熱家　etc.
　③ 「～の家」
　　　例：農家、旧家、名家

◆「～員」は、主に漢語のあとに付いて、「～の職務に就いている人」という意味を表します。
　　　例：乗員、教員、職員、銀行員、警備員　etc.

◆「～士」は、主に漢語のあとに付いて、次のような意味を表します。
　① 「～の専門の職に就く資格を持っている人」
　　　例：弁護士、保育士、航海士、歯科衛生士、自動車整備士 etc.
　② 「さむらい」

例：藩士、浪士
③ 「教養・学徳のある人」
例：名士、紳士

◆「〜師」は、名詞のあとに付いて、「〜の技能を持っている人」という意味を表します。
例：医師、看護師、教師、美容師、理髪師、薬剤師、手品師　etc.

◆「〜屋」は、主に名詞のあとに付いて、次のような意味を表します。
① 「〜を売っている店」
例：肉屋、果物屋、文房具屋、パン屋、米屋
② 「〜する傾向が強い人」
例：めんどくさがり屋、恥ずかしがり屋、照れ屋
　　お天気屋（気分や態度がよく変わる人）

もう少し

◆次のような語のペアは、意味の違いについての注意が必要です。
① 「弁護士－弁護人」「作家－作者」「運転士－運転者」
前者は職業、後者は一時的な立場を表す。

(3) 「草枕」の作者は近代日本の最も偉大な作家夏目漱石である。

② 「使用者－使用人」「役者－役人」
まったく別の意味を表す。

(4) 彼の家には使用人が３人もいる。（＝使われる人）
(5) この部屋の使用者はノートに名前を書くこと。（＝使う人）

③ 「教員－教師」、「医者－医師」
ほぼ同じ意味を表す。

2-3. ～賃、～費、～金、～料、～代 －金銭－

> (1) 我が家の交通費のほとんどはガソリン代だ。
> (2) 家賃と授業料を払ったら、手持ち金がなくなってしまった。

これだけは

◆「～賃、～費、～金、～料、～代」はすべて「お金」を表す接尾辞ですが、どんな名詞とも結びつくわけではなく、それぞれ使用範囲が決まっています。

◆「～賃」は主に交通機関を表す名詞や一部のサービスを表す名詞に付きます。
　　例：運賃、電車賃、手間賃、仕立て賃

◆「～費」は行為・活動や設備などを表す名詞に付いて、それにかかる金銭という意味を表します。
　　例：食費、生活費、交際費、光熱費、交通費、住居費、組合費　etc.

◆「～金」は文字通り「お金」という中立的な意味なので、いろいろな場合に使われます。
　　例：敷金、手付け金、一時金、前金、お祝い金、契約金、奨励金、所持金、分配金

◆「料」は主に行為・活動を表す名詞に付いてそれに対する見返りとして払われる金銭を表します。
　　例：授業料、講演料、郵送料、使用料、サービス料、キャンセル料

◆「代」はものや行為を表す名詞に付き、それらの代金もしくは見返りとして払われる金銭という意味で使われます。かなり生産的にいろいろな名詞に付くことができます。
　　例：食事代、電気代、ガス代、部屋代、地代、コーヒー代、消しゴム代、修理代、仕立て代、印刷代

2-4. ～式、～風、～流 －様式－

> (1) このゴシック式建築はどこか北欧風だ。
> (2) 田中さんは自己流の健康法で若さを保っている。

これだけは

◆「～式」「～風」「～流」は多くの場合後ろの名詞を修飾するのに使われます。
◆「～式」は「～の方式」という意味を表します。
　例：旧式のストーブ、二段式(の)ベッド、日本式(の)建築、正式の場、
　　　略式の結婚式、仏式の葬儀、西洋式のお辞儀etc.
◆「～風」は「～の雰囲気・特徴を具えた」という意味を表します。
　例：関西風のおでん、昔風のやり方、南国風の家、今風のファッション、
　　　ウィーン風(の)カツレツ、ロシア風(の)料理
◆「～流」は「～のやり方」といった意味を表します。
　例：観世流の能、自己流のやり方、我流の料理、田中さん流の表現

もう少し

◆次のように「に」を介して動詞を修飾するのに使われることもあります。

> (3) 一郎君は髪を良家の坊ちゃん風に切っている。
> (4) 香港で食べた料理を私流に工夫して作ってみました。

2-5. ～向け、～向き、～用 －使用者・使用目的－

> (1) この本は海外の日本語教師向けに書かれた文法書です。
> (2) このゲレンデは上級者向きです。
> (3) こちらの水着は男性用です。

これだけは

◆「〜向け、〜向き、〜用」は「Nは〜向け／向き／用だ」もしくは「〜向け／向き／用のN」の形などで用いられて、「〜」がNの使用者・使用目的として想定されていることを表す表現です。

◆「〜向け」は「(ある方向に) 向ける」という動詞に由来する接尾辞です。あるものの使用者・使用目的として意図される対象を表します。

(4) その番組は子ども向けだ。
(5) この絵本の著者は、難しい物語を子ども向けに書き直した。
(6) このチャンネルはNHKの海外向けの放送です。

◆「〜向き」はあるものの使用者・使用目的として適している対象を表します。

(7) この番組は科学が好きな子ども向きだ。
(8) この服はパーティ向きで、普段は着られない。

(7)と(4)を比べると、(4)は番組を作った人が子どもが見ることを意図しているように感じられるのに対し、(7)は番組を見た人がそれは科学が好きな子どもに適していると考えたことを表している点で違っています。

◆「〜用」は単純に使用者を表す接尾辞です。「〜向け・〜向き」のように意図や適しているかどうかは問題となりません。

(9) このトイレは男性｛○用／×向け／×向き｝です。

次のように使用目的を示す場合もあります。

(10) このパンは明日の朝食用です。

2－6. ～中、～時、～代 －時間－

(1) 今週中にこの仕事を仕上げる予定だ。
(2) 就労時には必ずこの制服を着てください。
(3) 彼は昭和40年代の生まれだ。

これだけは

◆「～中（ちゅう）」は「今週、3月、来年」など時間や期間を表す語や、「仕事、食事、会議」など一定の時間持続する動作を表す名詞に付いて、その期間のうちであることを示します。「～中だ」の形で述語になることもあります（→初級編§42）。

(4) 社長は会議中です。

◆「一晩中、夏中、町中、世界中」のように、「じゅう」と読んで、「その期間ずっと」や「その場所全体」を表すこともあります。（→初級編§42）

(5) 母は私を一晩中看病してくれた。

◆「～時（じ）」は人の動作やものの変化を表す名詞に付き「～する時」という意味を表します。
　例：通勤時、通学時、始業時、到着時、日没時、混雑時 etc.

◆「～代」は年代や世代を表します。
　例：1950年代、明治30年代、2000年代
　　　10代、20代……

もう少し

◆次のように変化を表す名詞に付いてその結果の状態を表すことは、本来あまり望ましくありません。
　例：故障中、停電中、点灯中、品切れ中 etc.

2－7. ～だらけ、～まみれ、～ずくめ －様態－

(1) 弟は友達と喧嘩をして全身傷だらけで帰ってきた。
(2) 掃除をしたら全身ほこりまみれになってしまった。
(3) 三男の誕生に長男の入学と、今年の春はいいことずくめだ。

これだけは

◆「～だらけ、～まみれ、～ずくめ」はすべて名詞に付いて「全体に渡って～という特徴を帯びていること」を表す接尾辞です。
◆「～だらけ」は全体に渡って同質のものが多量に存在していてよくない状態になっていることを表します。

(4) 汚いなあ、この部屋。床もテーブルもほこりだらけだ。
(5) ホテルの部屋には傷だらけのスーツケースが一つ置いてあった。

好ましい物が多量に存在する場合には使いません。

(6) 庭は花{×だらけ／○でいっぱい}だった。

比喩的に「借金、間違い」などにも使います。

(7) 事業に失敗して借金だらけで年も越せない。
(8) 間違いだらけの車選び（書名）

◆「～まみれ」は「～」が「血、汗、どろ」などの液体や「ほこり、粉」などの粉状のものに限られる点で「～だらけ」と異なります。

(9) そのカバンは傷{○だらけ／×まみれ}だった。
(10) そのころは借金{○だらけ／×まみれ}だった。

また「～だらけ」は多量に存在すれば使えますが「～まみれ」は裏表全体に渡ってまんべんなく付着していないと使うことはできません。

⑾　子どもが砂場で遊んで帰ってきたので家の中が砂｛○だらけ／×まみれ｝になった。
　⑿　ぬれた手を砂に突っ込んだので手が砂｛○だらけ／○まみれ｝になった。

◆「～ずくめ」は「存在するものすべて～」や「～ばかりが続いて起きる」ことを表します。良し悪しに関しては中立的です。

　⒀　門の外に黒ずくめの服装をした男が立っていた。
　⒁　90年の夏は就職、結婚とめでたいことずくめだった。

ただし色とともに用いる場合、「黒」以外には付きません。

2－8. ～げ、～がち、～気味、～っぽい －傾向－

　⑴　なにやら怪しげなかっこうをした人が門の所に立っている。
　⑵　一つ悪いことがあると何でも悪く考えがちだ。
　⑶　最近、仕事のミスが続いて落ち込み気味だ。
　⑷　私の上司は非常に怒りっぽい性格で意見することすらできない。

＜接続＞　A 語幹 ＋げだ／げなN／げにV
　　　　　Vマス（／N）＋がちだ／がちなN／がちにV
　　　　　Vマス／N＋気味だ／気味なN／気味にV
　　　　　Vマス／A 語幹 ／Na 語幹 ／N＋っぽい

これだけは

◆「～げ、～がち、～気味、～っぽい」はいずれも「～」という傾向が強いことを表す接尾辞です。「～」が表す傾向には2種類あります。
　①　「～」が変化や動作を表す動詞の場合（例：⑵～⑷）
　　　「～」の変化や動作が生じやすい傾向を持っていることを表します。
　⑸　秋は天候の変化が大きいので風邪を引きがちだ。

538

「いつも、よく」など時を表す副詞とともによく用いられます。

② 「〜」が状態を表す形容詞や名詞の場合（例：(1)）
完全にそうとは言えないが「〜」の表す状態に近いことを表します。

(6) ここ1週間ほど風邪気味で頭が痛い。

(7) この部屋は閉め切ってあったせいかなんだか湿っぽい。

◆以上をまとめると下の表のようになります。

	〜げ	〜がち	〜気味	〜っぽい
①	×	○	△	○
②	○	×	○	○

△は典型的ではないがそのような例が見られる場合です。

もう少し

◆テイル形もしくは辞書形が状態を表す動詞が「〜がち、〜気味」とともに用いられると、上の②の意味を持ちます。

(8) 日程に無理があるのか、作業が遅れがちだ。（≒遅れている）

(9) どうも最近、少し太り気味だ。（≒太っている）

この場合、「×遅れていがち、×太ってい気味」のようなテイル形は使われません。

◆「〜げ、〜がち、〜気味、〜っぽい」の使い分けについては微妙な場合も多いのですが次の特徴が見られます。

「〜げ」はもっぱらイ形容詞とともに用いられ必ず②の意味を表します。また「楽しげ、苦しげ、悲しげ、懐かしげ」など感情を表すイ形容詞とともに使われると外観から状態を推察して述べる言い方になります。これは「そうだ①」（→初級編§13）と同じ意味です。

◆「〜がち」は好ましくない変化や動作が生じやすいという①の意味で使われます。そのため「病気」などの一部の名詞を除いて基本的には動詞とともに用いられます。

◆「〜気味」は好ましい場合好ましくない場合の両方に用いられます。基本

的に②の「近い状態である」ことを表しますが、「値段が上がり気味だ」などのように①に近い意味を持つこともあります。

◆「～っぽい」は基本的に第三者の状態を客観的に描写するのに用いられる点で、話し手自身の状態をも表す「～気味」とは区別されます。ただし「熱っぽい」のように話し手自身の病状には使うことができます。その他の「～っぽい」の特徴については初級編§42を見てください。

2-9. 真～、大～ －強意－

(1) <u>真</u>ん丸お月様が<u>真</u>夜中の空に浮かんでる。
(2) <u>大</u>掃除なんて<u>大</u>嫌いです。

これだけは

◆「真（ま）～」は色彩を表す形容詞や若干の名詞に付いて典型的であることを表す接頭辞です。次に来る形容詞や名詞の最初の音によって「まん～、まっ～」などの音になることもあります。

　　色彩）真っ赤、真っ青、真っ白、真っ黒、真っ黄色、真っ茶色
　　形状）真ん丸、真四角、まっすぐ
　　位置）真上、真下、真横、真正面、真向かい、真東、真西、真北、真南
　　状態）真新しい、真っ暗、真っ裸、真っ二つ、真っ逆さま
　　時間・時期）真昼、真っ昼間、真夜中、真っ最中、真夏、真冬

◆「大～」は名詞や一部のナ形容詞、および動詞のマス形などに付いて程度や規模が大きいことを表します。基本的に和語の前では「おお」、漢語の前では「だい」と読まれますが、例外（△印）もあります。下線の「大地震」は両方の読み方があります。

　　例：「おお」：大騒ぎ、大けが、大雪、大広間、大あくび、大当たり、
　　　　　　　　大慌て、△大火事、△大掃除、△大文字、△大道具、△<u>大地震</u>etc.
　　　　「だい」：大賛成、大満足、△大好き、△大嫌い、大歓声、大音量、
　　　　　　　　<u>大地震</u>、大事故、大邸宅,、大学者、大歌手、大選手 etc.

2-10. その他（再〜、当〜、本〜）

> (1) 小・中学校の荒廃から教師の<u>再</u>教育の必要が叫ばれている。
> (2) <u>当</u>店では夕方５時から６時までタイムサービスを行っております。

これだけは

◆「再〜」は動作を表す名詞に付き、「もう一度〜する」という意味を表します。
　例：再教育、再確認、再認識、再出発、再履修、再逮捕　etc.
◆「当〜」と「本〜」は名詞に付いて「この、その〜、今話題にしている」といった意味を表し、多くの場合、互いに言い換え可能です。
　例：当〜）当人、当事件、当病院、当ホテル、当デパート etc.
　　　本〜）本人、本事件、本病院、本ホテル、本デパート etc.
ただし、(2)の「当店」は「この店」を指すのに対し、「本店」は「中心になる店（⇔支店）」の意味で使われるのが普通です。
　「当〜、本〜」共に話しことば・書きことばの両方で用いられますが、やや硬い表現です。

3. 非生産的な接辞

> (1) 太郎は花子に正直な気持ちを<u>うち</u>明けた。
> (2) 彼のふざけたスピーチで披露宴は<u>ぶち</u>こわしになった。
> (3) 苦労して書いたレポートを先生に<u>つき</u>返されてしまった。
> (4) このあたりの荒れた風景を見るといつも<u>もの</u>悲しい気持ちになる。
> (5) 彼の悲し<u>み</u>が私には痛いほどわかります。
> (6) 教育に生涯を捧げた山口先生の生き<u>様</u>は多くの人に希望を与えた。
> (7) 一日ごとに日射しが春<u>めい</u>てきました。
> (8) 今日は少し歩くと汗<u>ばむ</u>ような陽気だ。
> (9) そんな言い訳は子ども<u>じみ</u>ている。
> (10) 彼女のいやみ<u>たらしい</u>態度が我慢できない。
> (11) 親切も度を過ぎるとおしつけ<u>がましく</u>感じられる。

これだけは

◆「うち～」は次のような強調に使われる接頭辞です。
　① 動作の力強さを表す
　　例：うち倒す、うち破る
　② 感情や様子について「すっかり～だ」という意味を表す
　　例：うちしおれる、うち沈む
その他「うち消す（→否定する）、うち切る（→中止する）、うち明ける（→告白する）」など、別の意味を持つ動詞を作る場合があります。

◆「ぶち～」は「こわす、抜く」などの動作の荒々しさを表す接頭辞です。次に来る動詞の頭の音によって音便形「ぶん～、ぶっ～」になることもあります。

> (12) 生意気なことを言うから<u>ぶん</u>殴ってやった。
> (13) てめえ、<u>ぶっ</u>殺すぞ。

「ぶち～」は「ぶちのめす、ぶち込む」のように現在では単独で「のめす、

込む」とは使えない動詞との組み合わせもあります。
◆「つき〜」は「細いもので押す」という意味の「突く」に由来する接頭辞です。その意味で「突き刺す、突き抜ける」などの複合動詞もありますが、一方で「返す、詰める、走る」などの動詞に付いて、単に勢いよくその動作をするという意味を加えるためにも用いられます。

「込む、かかる」などの前では「つっ〜」になることもあります。また「走る、張る」などハ行の音が最初に来る動詞とともに用いる場合には「つっ走(ぱし)る、つっ張(ぱ)る」のようにハ行音がパ行の音になります。

 ⒁ つき詰めて考えてみると、日本語は難しい言語ではない。
 ⒂ 夜の高速道路をつっ走った。

◆「もの〜」は形容詞の前について「どことなく〜な様子だ」といった意味を表します。「もの悲しい、もの寂しい、もの静か」などがあります。
◆「〜み」は形容詞のあとについて「そういう性質を持っている部分」といった意味の名詞を作ります。「高み、深み、強み、ありがたみ」などがあります。
◆「〜様（さま／ざま）」は動詞の表す動作のしかたや状態を表す名詞を作ります。ただし、現在ではあまり生産的ではなく「生き様、死に様、ありさま」などの名詞や「続けざまに」などの副詞としてだけ用いられます。
◆「〜めく、〜ばむ、〜じみる」は特定の名詞や動詞とともに用いられて、その名詞が表す状態へ変化することを表します。

「〜めく」が付く語としては⑺の「春めく」のほか、「きらめく、うごめく、はためく、ひらめく、いろめく、ときめく」などがあります。これらはそれぞれ動詞として辞書にも載っています。
◆「〜ばむ」は⑻のような「汗ばむ」の他、「気色（けしき）ばむ、黄ばむ」などがあります。
◆「〜じみる」は「田舎、所帯、年寄り」などの名詞に付いて「〜のような状態でなかったものが〜の状態になる」という意味を表します。好ましくないという意味で使われる場合が多いです。
◆「〜たらしい」は名詞や形容詞の語幹などに付いて「いかにも〜のような様子だ」という意味を表します。「いやみたらしい」の他、「恨みたらしい、自慢たらしい、憎たらしい、長たらしい、未練たらしい」などがあり、好ま

しくないことに用いられるのが普通です。
◆「～がましい」は主に名詞に付いて「～に近い様子である」という意味を表します。「言い訳がましい、未練がましい、弁解がましい、恩着せがましい、おしつけがましい」など、好ましくないことに用いられます。

もう少し

◆「～さ」と「～み」の両方が存在する場合、意味の違いが問題になります。「高さ（尺度）－高み（高いところ）」「深さ（尺度）－深み（深いところ）」のように対立がはっきりした組み合わせもありますが、「楽しさ－楽しみ」「苦しさ－苦しみ」「悲しさ－悲しみ」など大きな意味の違いがない組み合わせもあります。
◆「～様」も、1で見た「～よう」と同じく、基本的に「～方」で言い換えることができます。ただし、「続けざまに」の場合は「×続け方に」と言うことはできません。

もう一歩進んでみると

◆接辞はそれ自体が独立して用いられることはありませんが、動詞に由来するものも含まれています。これらを複合動詞とするか接辞＋動詞と見るかは動詞の意味がどのぐらい残っているかによります。例えば「突く」の意味の残る「突き刺す」は複合動詞的ですが「突く」の本来的な意味を欠く「つっ返す」などの「つっ」は接頭辞的です。

○参考文献

鈴木一彦／林巨樹編（1973）『品詞別日本文法講座10　品詞論の周辺』
　★接辞の網羅的なリストがある。
阪倉篤義他（1986）『日本語学』3月号（特集：接辞）明治書院
　★接辞に関する包括的で詳細な記述がある。

コラム
ことばの変化

(1) 私も田中さん<u>みたく</u>ばりばり仕事がしたいですよ。
(2) お探しなのはスーツ<u>です</u>。↑

(1)(2)はいずれも最近使われるようになってきた新しい表現です。

(1)では「みたいな」の活用形として「みたいに」ではなく「みたく」を使っています。これは、「みたいな」はナ形容詞であるものの、言い切りの際に(特に女性は)「彼も行くみたい。」のように「−だ」のない形で使うことが多いため、イ形容詞と分析されイ形容詞として活用されたものです。

(2)は「〜ですか」の「か」の代わりに上昇調イントネーションを使ったもので、デパートなどの接客場面で聞かれるようです(井上史雄(1998))。

「〜ます↑」は一般に問題ありません。また、(3)のように疑問語が述語の場合は「〜ます、〜です」のいずれでも「か」のない形が許容されます。

(3) 窓ガラスを割ったのはだれです。

疑問語疑問文	○だれが行きますか／○ます	○彼はだれですか／○です
真偽疑問文	○彼も行きますか／○ます↑	○彼は学生ですか／×**です↑**

表からわかるように、丁寧形で「か」を付けない疑問文が使えないのは図の白抜きの部分だけです。こうした場合を**体系の空白**と言います。(2)のような表現はその空白を埋める働きがあります。また、井上史雄(1998)によれば、「〜ます↑」が使われるようになったのは昭和の初めごろと推定されるようですから、「〜です↑」という表現は「〜ます」で起こった変化が遅れて「〜です」でも起こりつつある現象とも解釈できます。

このように、ことばの変化には合理的な理由があるのです。これについては井上史雄(1998)、小松英雄(1999)、中島由美(1997)などが参考になります。

○参考文献
井上史雄(1998)『日本語ウォッチング』(岩波新書)岩波書店
小松英雄(1999)『日本語はなぜ変化するか』風間書房
中島由美(1997)「カレシ考」『一橋論叢』117-4, 一橋大学(日本評論社)

§42. 漢語

　日本語には外国語から輸入された語（外来語）が数多くあります。このうち、中国語から輸入されたものを**漢語**と言います（漢語の中には日本で作られた「社会、自然」などの和製漢語もあります）。漢語は通常漢字で書かれ、音読みされます。ここでは漢語に関する文法現象をまとめます。

1. 漢語の文法的分類

> (1) 私は日本の<u>大学</u>で<u>経済学</u>を<u>研究する</u>つもりだ。
> (2) 彼の<u>研究</u>はユニークなものだった。
> (3) これは<u>重要</u>な点ですからよく考えて答えてください。
> (4) これは<u>人工</u>の湖です。
> (5) この商品には<u>多少</u>きずがあるが、使うのに支障はない。

これだけは

◆漢語は文法的性質からいくつかに分類できます。
◆第一は「大学、経済学」のように名詞としてのみ使われるものです。
◆第二は「研究」のように、名詞として使えるとともに「する」を付けると動詞としても使えるものです。こうした語の場合「する」を付けた形を**サ変動詞**と言います。
　従って、「研究する」はサ変動詞、「研究」はサ変動詞の語幹となります。サ変動詞の語幹を**動名詞**、動詞的名詞と言うこともあります。ここではこの

部分をVNで表すことにします。

◆第三は形容詞的な性質を持つもので、これには二つのタイプがあります。

一つは「重要」のようにナ形容詞になるもので、これらは名詞を修飾するときの形が「－な」で終わります。

もう一つは「人工」のような語です。これらは品詞としては名詞ですが、意味的には形容詞に近いと言えます。「重要」などとの違いは名詞を修飾するときの形が「－の」になることです。

◆第四は「多少」のように副詞として使われるものです。

もう少し

◆サ変動詞には「早起きする、陰干しする」のように「和語＋する」であるもの、「プレゼントする、アドバイスする」のように「外来語＋する」であるもの、「どきどきする、わくわくする」のように「擬声語・擬態語＋する」であるものなどもありますが、ここでは「漢語＋する」のみを扱います。

◆形容詞的性質を持つものは基本的には名詞を修飾するときの形「－な」になるか「－の」になるかが決まっていますが、次に挙げるような語はどちらの形でも使われます。意味は同じです。

　　肝心、高度、同等、特別、別、良質……

　(6)　この病院では{高度な／高度の}医療を受けられるだろう。

2. サ変動詞
2－1. 基本的な性質

(1)　吉田さんがアメリカから{帰国した／帰国をした}。
(2)　庭の草花が{○成長した／？成長をした}。
(3)　田中さんは{経済学を研究している／経済学の研究をしている}。
(4)　警察は{○犯人を逮捕した／×犯人の逮捕をした}。

これだけは

◆サ変動詞には(1)(2)のような自動詞用法と(3)(4)のような他動詞用法があります。それぞれの文型は次のようになります。

　　自動詞用法：〜が（...に、で、からetc.）VNする
　　他動詞用法：〜が...をVNする

◆自動詞用法の場合、(1)のように「VNする」の部分を「VNをする」と言い換えられる場合と、(2)のように言い換えられない場合があります。一般に、VNが意志的な動詞の場合は言い換えが可能ですが、VNが無意志的な動詞の場合は言い換えはできません。これは「VNをする」という言い方をした場合、形式上はVNの部分が他動詞「する」の目的語となり、他動詞は通常意志的な動作を表すものであるためです。

◆他動詞用法にも、「〜をVNする」を「〜のVNをする」と言い換えられる(3)のような場合と、言い換えられない(4)のような場合があります。

　言い換えられるのはVNが意志的な動詞で継続性を持つ場合です。例えば、「研究、洗濯、翻訳」などがこれに当たり、「汚れ物を洗濯する→汚れ物の洗濯をする、小説を翻訳する→小説の翻訳をする」のように言い換えられます。なお、このように言い換えられる場合でも次のような言い方はできません。これは一つの文（厳密には節）に二つのヲ格が現れることはできないためです。

　　(5)　×田中さんは経済学を研究をしている。

　一方、言い換えられないのはVNが無意志的な動詞であるか継続性を持たない動詞である場合です。例えば、「中断、痛感、逮捕、卒業」などがこれに当たり、「○責任を痛感する→×責任の痛感をする、○大学を卒業する→×大学の卒業をする」のように言い換えることはできません。

もう少し

◆目的語がヲ格以外の場合は上記のような言い換えはできません。

　　(6)○新人に注目（を）する　？新人への注目をする（ニ格）

(7)○政界から引退(を)する　？政界からの引退をする（カラ格）
(8)○東京で生活(を)する　　？東京での生活をする（デ格）
(9)○恋人と結婚(を)する　　？恋人との結婚をする（ト格）

◆「〜のVNをする」が不自然な場合でも「〜のVN」が名詞句としては使える場合があります。

(10)　犯人の逮捕は警察の最大の仕事だ。（？犯人の逮捕をする）
(11)　帰宅が遅くなったのは試合の中断のためだ。（？試合の中断をする）

２−２．自動詞用法と他動詞用法

(1) a. お湯が沸騰した。
　　b. 彼はインスタントラーメンを食べるためにお湯を沸騰させた。
(2) a. 銀行を救済するために公的資金が投入された。
　　b. 政府は銀行を救済するために公的資金を投入した。
(3) a. 駅前に新しいスーパーが開店した。
　　b. 大手のスーパーが駅前に新しい店舗を開店した。

これだけは

◆サ変動詞には自動詞用法と他動詞用法があります。自動詞と他動詞が対応する場合、和語では自動詞と他動詞は（形は似ているものの）別の形ですが、漢語では自動詞と他動詞の対応はこれとは異なります。
◆サ変動詞の自動詞用法と他動詞用法の対応には三つの種類があります。

　第一は(1)のような「する−させる」型、つまり、自動詞用法が「する」で他動詞用法が「させる」になる場合です。この場合、自動詞用法が基本で、他動詞用法の場合には使役形を使うことになります。
　第二は(2)のような「される−する」型、つまり、他動詞用法が「する」で自動詞用法が「される」になる場合です。この場合、他動詞用法が基本で、

自動詞用法の場合は受身形を使うことになります。

　第三は(3)のような「する－する」型、つまり、自動詞用法の場合も他動詞用法の場合も「する」になる場合です。

　それぞれの例は次の通りですが、最も多いのは「される－する」型（他動詞型）、次に多いのは「する－させる」型（自動詞型）、最も少ないのは「する－する」型（自他同形型）です。

　　「する－させる」型（自動詞型）
　　　開通、回転、下降、乾燥、混乱、上昇、停車、分散……
　　「される－する」型（他動詞型）
　　　延期、開始、改訂、開発、確認、吸収、激励、攻撃、採用、指示、展示、導入、売買、変更、放置、模索……
　　「する－する」型（自他同形型）
　　　解決、開店、拡大、確定、加速、完成、継続、中断、停止……

もう少し

◆和語にも「する－させる」型に相当する場合、つまり、他動詞の意味を表すために使役形が使われる場合があります（→§11）。例えば、(4)bの「光らせる」は「光る」に対応する他動詞の意味を表すために使われています。

　　(4)a. 暗闇で懐中電灯が光った。
　　　b. 誰かが暗闇で懐中電灯を光らせた。

◆サ変動詞の中には「（～を）する」の代わりに「～を与える」などが使えるものがあります（→§9）。

　　(5)a. 田中教授は学生に注意(を)した。
　　　b. 田中教授は学生に注意を与えた。

　この場合、受身に相当するものは「～を受ける」などで表されます（→§9）。

　　(6)a. 学生は田中教授{に／から}注意(を)された。
　　　b. 学生は田中教授から注意を受けた。

2-3. 名詞化

> (1) a. ジャイアンツが優勝したのは4年ぶりだ。
> 　　b. ジャイアンツの優勝は4年ぶりだ。
> (2) a. 上野動物園ではパンダを飼育している。
> 　　b. パンダの飼育は難しいそうだ。
> (3) a. 彼は審判に抗議した。
> 　　b. 彼の審判｛への／に対する｝抗議は認められなかった。
> (4) a. 彼らはミクロネシアで調査をしている。
> 　　b. ミクロネシア｛での／における｝調査の結果が公表された。
> (5) a. 小林秀雄が本居宣長を深く研究したことはよく知られている。
> 　　b. 小林秀雄｛による／の｝本居宣長の研究はすばらしい。

これだけは

◆サ変動詞は語幹の部分（動名詞）に「する」を加えるという構造をしています。そのため、動詞として使うことも名詞として使うこともできます。ここでは、名詞として使うとき（**名詞化**）の問題を考えます。

◆サ変動詞の名詞化の基本的な規則は次の通りです。

　　N｛が／を｝VNする→NのVN
　　N｛に／へ｝VNする→NへのVN
　　N｛で／から／まで／と｝VNする→N｛での／からの／までの／との｝VN

　ガ格、ヲ格では「が、を」が脱落します。ニ格の場合は「にの」という形はなく「への」になります。それ以外の場合は「格助詞＋の」になります。

もう少し

◆「への、での」の場合は意味を明確にし、「の」の連続を避けるためにそれぞれ「に対する、における」が使われることもあります。

◆「VNする」が他動詞の場合、ガ格とヲ格が共に文中に現れるため、単純

に名詞化すると「N_1のN_2のVN」となりますが、「の」が連続すると意味が不明確になるため、ガ格に対応する「の」を「による」に変えるのが普通です。

◆一般に、名詞化された表現は動詞による表現より硬いものになります。例えば、(6)aは(6)bよりも硬いため、避けたほうがよい場合が多いです。

 (6)a. このような状況では必然的な赤字<u>の</u>発生がある。
  b. このような状況では必然的に赤字が発生する。

3. 重要な接辞

 漢語とともに使われる接辞はいくつかありますが、ここでは、①品詞を変えるもの　②否定にかかわるもの　について取り上げます。それ以外のものについては§41を参照してください。

3－1. 品詞を変える接辞

> (1)　松本清張は社会<u>的</u>な作品を数多く残した。
> (2)　日本は明治維新のあと、短期間で近代<u>化</u>した。
> (3)　問題の重要<u>性</u>をよく考えてください。

これだけは

◆ここでは「～的、～化、～性」について扱います。
◆**～的**は名詞(的な要素)をナ形容詞に変えます。「～」の部分に来るのは「社会、専門、全国」のように単独で名詞として使えるものの他、「一般、客観、消極」のように単独では使えないものがあります。
 「～的」は「～という性質を持った」といった意味のナ形容詞を作ります。例えば、「社会的な」は「社会(の問題)にかかわる」という意味です。
 「～的」が可能なものの中には「～性」を付けて名詞化することができる

ものがあります。次のようなものがその例です。

　　一般、婉曲、革新、規則、近代、芸術、実用、社会、消極、専門、抽象、
　　独創、人間、必然、民族、連続……

◆**〜化**は名詞(的な要素)を「〜(の状態)になる、〜(の状態)にする」といった意味のサ変動詞の語幹(動名詞)に変えます。例えば、「近代化」は「近代の状態になる・する」という意味を表します。
◆**〜性**は形容詞(的な要素)を「〜であること」という意味の名詞に変えます。例えば、「重要性」は「重要であること」という意味です。
◆名詞化を表す接辞には「〜性」の他に「〜さ」があります。
　原則として、「〜的」が付く語には「〜性」が付き、「〜的」が付かず「〜な」になる語には「〜さ」が付きます。

　　独創的な→○独創性・×独創さ　　必然的な→○必然性・×必然さ……
　　臆病な→○臆病さ・×臆病性　　　簡単な→○簡単さ・×簡単性……

　なお、「〜な」の語には次のように「〜性」が付くこともあります。

　　安全な(安全さ／安全性)、快適な(快適さ／快適性)……

もう少し

◆「〜性」が「〜である度合い」という意味を表すこともあります。例えば、(4)の「安全性」は「安全である度合い」という意味であり、程度性を持つため、「高い、低い」などと述べることができます。

　　(4)　この車は安全性が高い。

◆形容詞的な意味を持つ漢語には「〜的な」、「〜な」、「〜の」の三つのタイプがあります。このうち、「〜的な」と「〜な」を共にとれるものは少ないですが、「健康、平和」はその例です。この場合、「〜的な」と「〜な」では意味がやや異なります。

　　(5)a. 林さんは{○健康的な／?健康な}顔をしている。
　　　 b. 林さんは{?健康的な／○健康な}体がほしいと言っていた。

(6)a. 問題の{○平和的な/×平和な}解決が望まれている。
　 b. 私は{×平和的な/○平和な}暮らしを望んでいる。

　つまり、「健康的な」は「健康そうな」、「平和的な」は「平和な状態の」という意味であり、「健康な」「平和な」はそれぞれ「健康である」「平和である」という意味になります。

◆これに対し、「～的な」と「～の」を共にとれるものは次のようにかなりありますが、この場合はどちらの場合もほとんど意味は変わりません。

　　一般、仮定、基礎、究極、驚異、原始、個別、自衛、衝撃、人工、専門、相互、短期、長期、本来、予備……

(7)　この壁画には{原始的な/原始の}力がみなぎっている。
(8)　彼女は{衝撃的な/衝撃の}事実を私に告げた。

　ただし、一般的には「～的」が付けられるものと「～の」が付けられるものとは重ならないことが多いので注意が必要です。

(9)　ここは{○普通の/×普通的な}商店ではありません。
(10)　このパソコンは{○最新の/×最新的な}機種です。

　中国語や韓国語を母語とする学習者はこうした「～的」の過剰使用に基づく誤用をすることが多いので注意が必要です。

3－2．否定を表す接辞

> (1)　彼には多くの<u>未</u>完成の作品がある。
> (2)　この山では<u>無</u>計画な伐採が続いている。
> (3)　彼は<u>反</u>民主主義的な言動を繰り返している。
> (4)　彼女は<u>不</u>健康な生活をしている。
> (5)　この国では<u>非</u>効率的な公共工事が数多く行われている。

これだけは

◆ここでは否定を表す接辞を扱います。取り上げるのは「未−」「無−」「反−」「不−」「非−」です。

◆**未−**は「まだ～ていない」という意味を表します。例えば、「未完成」は「まだ完成していない」という意味です。「未−」は形容詞的性質を持ちますが、「～の」になることが多く（未完成、未実現、未定etc.）、「～な」になる場合（未成熟etc.）は少ないです。「～的」は付きません。

◆**無−**は「～がない」という意味を表します。例えば、「無計画な」は「計画性がない」という意味を表します。「無−」は「計画、条件、理解」のような2字漢語に付くことも多いですが、「無益、無理、無力」のように漢字1字に付くことも多いです。漢字1字に付く場合は「～な」になるのが普通ですが、2字漢語に付く場合にはそうでないことが多いです。

◆**反−**は「～に反する」という意味を表します。例えば、「反民主主義的」は「民主主義(の考え方)に反する」という意味を表します。「反−」は通常「～的」の語に付くため、ナ形容詞になるのが普通です。

◆「**不−**」と「**非−**」は共に「～ではない」という意味を表します。

　不−は「安定、自然、自由」のような2字漢語に付くことも、「不利、不調、不満」のように漢字1字に付くこともあります。「不−」が付いたものは通常「～な」になります。

　非−は「効率的、生産的、人道的」のような「～的」の語に付くのが普通ですが、「非情な、非行」のように漢字1字に付くこともあります。

もう少し

◆「無−」「不−」では「無−」「不−」の有無で形が変わることがあります。例えば、「意識」には「的」が付きますが、「無意識」には「的」は付きません。また、「健康」には「的」が付くことができます（ただし、「的」の有無で意味は少し変わります）が、「不健康」には「的」は付きません。

　(6)a. 私はその道を通るのを{○意識的に／×意識に}避けていた。
　　 b. 私はその道を通るのを{×無意識的に／○無意識に}避けていた。

(7) 彼女は健康な体がほしいと言っていた。
(8) 彼女は｛○健康的な／○不健康な／×不健康的な｝生活をしている。

◆「反〜的」「非〜的」という形の語の場合、「反」「非」と「〜的」の間に短いポーズがあるのが普通です。「未、無、不」の場合はそのあとの要素との間にポーズは入りません。

(9) 反民主主義的（○はん・みんしゅしゅぎてき）
　　　　　　　　（×はんみんしゅしゅぎてき）
(10) 非効率的（○ひ・こうりつてき／？ひこうりつてき）
cf.(11) 不安定（×ふ・あんてい／○ふあんてい）
　(12) 未完成（×み・かんせい／○みかんせい）

◆「無−」の反対は「有−」ですが、「無−」と「有−」が対になる語は「無益な−有益な」「無力な−有力な」などあまり多くありません（なお、「有力な」は「無力な」の反対の意味ではありません）。

もう一歩進んでみると

◆サ変動詞になるものは動作・出来事を表すもの（e.x.質問、爆発）か継続的な状態を表すもの（e.x. 休憩、渋滞）であり、属性を表すものはサ変動詞にはなれないのが普通です。「教師する、銀行員する」などが言えないのはこのためです。ただし、この場合「教師をする、銀行員をする」という表現は可能です。なお、(1)(2)のような場合、述語の形は「〜している／〜していた」になり、「〜する／〜した」にはなりません。

(1) 私は東京で｛×教師／○教師を｝しています。
(2) 弟は｛×銀行員／○銀行員を｝している。

しかし、属性であれば常に「〜をする」の形が使えるわけではなく、むしろ(1)(2)のように言えるほうが少数派です（言えるのは主に職業を言う場合です）。例えば、(3)(4)のような言い方はできず、それぞれcf.のような言い方をする必要があります。

(3) ?妹は東京で大学生をしています。
　　　cf. 妹は東京の大学で勉強しています。／妹は東京の大学にいます。
　(4) ?洋子さんは去年からお母さんをしている。
　　　cf. 洋子さんは去年お母さんになった。

◆ただし、最近の話しことばでは「大学生する、フリーターする、お母さんする」のような言い方が（若い人を中心に）かなり使われるようになってきています。例えば、(5)(6)のような言い方が増えてきています。

　(5)　A：最近どうしてるの？
　　　B：フリーターしてる。
　(6)　（赤ちゃんをあやしているのを見て）洋子さんもお母さんしてるね。

ただし、こうした言い方は臨時に作られたような印象が強いため、改まった話しことばや書きことばでは避けるべきです。

○参考文献

今村和宏（2000）「第1章漢字熟語－二字漢語とその組み合わせ」『留学生のための上級日本語教科書　専門分野の語彙と表現』一橋大学経済学研究科
　★経済学・商学のテキストの分析に基づいて漢語について詳細に記述している。
影山太郎（1993）『文法と語形成』ひつじ書房
　★漢語の語形成に関する詳しい考察がある。
阪倉篤義他（1986）『日本語学』5-3,（特集：接辞）明治書院
　★接辞に関する包括的で詳細な記述がある。
平尾得子（1990）「サ変動詞をめぐって」『待兼山論叢』24, 大阪大学文学部
　★サ変動詞に関する重要な指摘が述べられている好論文。

§43. 文法と音声の関係

　音声現象の中にはアクセントや連濁のようにあまり文法と関連がないものもありますが、イントネーションやプロミネンス（卓立）のように文法と密接な関係にあるものもあります。ここでは後者について考えます。

1. 文の意味とイントネーション
1-1. 基本的なイントネーション

> (1)　彼は学生ですか。↑　（上昇調）
> (2)　彼は学生です。→　　（自然下降調）
> (3)　彼は学生ですか。↓　（下降調）

これだけは

◆文末の音調のことを**イントネーション**（文音調）と言います。イントネーションには(1)のような**上昇調**、(2)のような**自然下降調**、(3)のような**下降調**があり、いずれも文の意味と密接な関係があります。

もう少し

◆専門書では「自然下降調」のことも「下降調」と呼んでいることが多いですが、自然下降調は意識的に下降させているわけではない（上昇させているわけでもない）場合であり、意識的に下降させている下降調とは厳密には区別する必要があります。なお、イントネーションは意識的に上昇調か下降調

にしなければ自然下降調になります。

1−2. 文のタイプとイントネーション

> (1) 彼は学生です。→　　　（平叙文・確言）
> (2) 彼は学生でしょう。→　（平叙文・概言）
> (3) 彼は学生でしょ(う)。↑（質問文・確認）
> (4) 彼は学生ですか。↑　　（質問文・疑問）

これだけは

◆文にはいくつかの種類がありますが（→初級編コラム「文の種類」）、その中に平叙文と質問文（疑問文と言うこともある）があります。これとイントネーションの関係は次のようになります。

◆**平叙文**は話し手が情報を伝達する文であり、聞き手は存在しないか、存在する場合でも話し手のほうが聞き手より文の内容について多くの情報を持っている場合に使われます。平叙文には、(1)のように特定のモダリティ表現を伴わず文を断定的に述べるものと、(2)のようにモダリティ表現を伴って命題の文を非断定的に述べるものがあります。

◆一方、**質問文**は話し手が聞き手に情報を要求する文であり、聞き手のほうが話し手より文の内容について多くの情報を持っている場合に使われます。質問文には、(4)のように話し手が文の内容（この場合では「彼が学生であるか否か」）についてまったく情報を持っていない場合のものと、(3)のように話し手が文の内容についてある程度の確信は持っているものの完全にそれが正しいと言い切れず聞き手に確認を求める場合のものとがあります。前者は典型的な「質問」の場合であり、後者は「確認」と呼ばれます（→§21）。

◆上昇調のイントネーションの基本的な機能は聞き手に尋ねることにあります。疑問と確認の場合に上昇調が使われるのはこのためです。

◆文のタイプとイントネーションの基本的な関係は、平叙文は自然下降調と、質問文は上昇調と結びつくというものですが、質問文でも自然下降調になる

場合があったり、確認を表す「ね」のように形式的には平叙文であっても必ず上昇調になるものがあるなどやや複雑です。
◆文末に「か」がつく質問文は基本的には上昇調になりますが自然下降調も可能です。特に(5)のような疑問語疑問文では自然下降調もよく使われます。

(5) 彼はどんな人ですか。

　これは聞き手に尋ねるという意味が「か」や疑問語の存在から明らかなため、上昇調によってその意味を特に表さなくてもよいということによります。
◆これに対し、「か」を欠き、疑問語を含まない文が質問文になるためには上昇調を伴うことが必要です。大部分の述語は上昇調をとることで質問文になれます。これは「か」がなくても上昇調があれば聞き手に尋ねるという機能が満たされるためです。ただし、「〜だ↑／〜です↑」は問い返しを除いて質問文にはなりません（→初級編§29）。

(6) ×彼は学生｛です。↑／だ。↑｝（問い返しを除いて不適）

もう少し

◆下降調をとる文は納得を表します。

(7)　A：田中さんは会社に勤めてるんでしょ。
　　　B：いいえ、彼は今年4年生ですよ。
　　　A：そうですか。彼は学生ですか。↓

◆モダリティ表現の中で形式上質問文になれるのは「だろう」だけです。例えば、(8)aに対してそれに「か」を付けた(8)bも文法的です。

(8)a. 彼は学生｛だろう／でしょう｝。
　　b. 彼は学生｛だろうか／でしょうか｝。

　ただし、(8)bは上昇調をとれません。「だろうか」が上昇調をとれないのは「だろうか」が疑いの表現で、聞き手に尋ねていないためです（→§21）。

(8)'b. ×彼は学生｛だろうか↑／でしょうか↑｝。

「だろうか」は聞き手に尋ねる文ではないため、次のように聞き手が答えられないような場合に使えます。

(9) （A、Bとも初めて入る店の前で）
 A：この店、おいしい<u>だろうか</u>。→
 B：さあ、どうだろうね。

この場合、聞き手がこの店に来たことがあることがわかっている場合には通常の疑問文が使われます。

(10) （Bが以前来たことがある店の前で）
 A：この店、おいしい<u>φ</u>？↑
 B：うん、おいしいよ。

◆「だろう」に対して「だろうか」が存在する一方、(11)aに対し(11)bは不自然で、「か」を付けるには(11)cのように「のだ」を付ける必要があります。これは他のモダリティ形式の場合も同様です。

(11)a. 明日は雨{かもしれない／かもしれません}。
 b. ?明日は雨{かもしれないか／かもしれませんか}。
 c. 明日は雨かもしれないの（です）か。

◆「だろう／でしょう」の中には聞き手の知識を活性化するための用法があります（→§21）。確認との違いは「ほら」などの間投詞を挿入できるか否かですが、この場合もイントネーションは上昇調です。

(12)a.（○ほら）あそこに高いビルが見える<u>でしょ</u>。↑（知識の活性化）
 b.（×ほら）彼は学生<u>でしょ</u>。↑（確認）

◆平叙文、質問文とイントネーションは密接な関係にありますが、平叙文、質問文は次に示すように連続的なものです。

⒀　A：〜φ／〜モダリティ表現。　　　（典型的な平叙文）
　　　　e.x. 田中さんは会社員{だ／だろう}。→　　　↑
　　B：〜だろうか。　　　　　　　　　　　情報提供的
　　　　e.x. 田中さんは会社員だろうか。→
　　C：確認。　　　　　　　　　　　　　　情報要求的
　　　　e.x. 田中さんは会社員だろ(う)。↑　　　↓
　　D：〜か／〜φ↑。　　　　　　　　　（典型的な質問文）
　　　　e.x. 田中さんは会社員φ？↑

　典型的な平叙文の機能は聞き手に情報を与えることにあり、典型的な質問文は聞き手から情報を得ることにあることから、⒀のAに近いものほど情報提供的であり、Dに近いものほど情報要求的であると言えます。ここで話し手、聞き手の情報量とイントネーションの関係は次のようになります。

⒁

	A	B	C	D
話し手の情報量	◎	×	○	×
聞き手の情報量	?	?	◎	◎
イントネーション	→	→	↑	↑／→

（◎：完全に持っている　○：持っている　×：持っていない　?：不明）

1−3．終助詞の種類とイントネーション

⑴　彼は学生ですか。　↑／→（疑問）／↓（納得）
⑵　A：会議は7時からですね。↑（確認）
　　B：はいそうです。
⑶　彼は学生ですよ。　↑／→（注意喚起）

これだけは

◆イントネーションは文末に現れますが、これと関連が深いのが同じく文末

に現れる終助詞です。ここでは両者の関係を整理します。

◆「か」にはすでに見たように疑問の場合と納得の場合があります。

◆「ね」には(2)Aのように聞き手に対する確認（念押し）を表す用法がありますが、この場合は聞き手に尋ねることになるため、「だろう」の場合と同じく上昇調が使われます。

◆「よ」は基本的に聞き手の注意を喚起するために使われます。この場合、上昇調でも自然下降調でもかまいませんが、上昇調を使うと相手の反応を伺いながら話すニュアンスが出るため、丁寧でやわらかい感じが出ます。自然下降調の場合はこうしたニュアンスは出ません。

もう少し

◆「ね」には(4)Aのように聞き手に同意を求める用法があります（→§22）。この場合は聞き手に尋ねているわけではないので上昇調ではなく自然下降調が使われます。なお、こうした場合聞き手も「ね」を使わなければなりませんが、その音調も上昇調ではなく自然下降調です。

(4) 　A：今日もいい天気ですね。{×↑／○→}
　　　B：そうですね。{×↑／○→}

◆一方、(5)Aのように「ね」を長く延ばすと詠嘆を表します。この場合は自然下降調より下降調のほうが自然です。

(5) 　A：毎日雨ですねぇ。↓
　　　B：そうですねぇ。↓

　詠嘆は「なぁ」でも表せます。「ねぇ」と「なぁ」の違いは「ねぇ」では聞き手の存在が前提とされているのに対し、「なぁ」は基本的に独り言である点にあります。

(6) 　毎日雨だなぁ。{?→／○↓}

◆「よ」はその文が聞き手に向けられていることを明示する機能を持っています（→§22）が、それを上昇調で言うと聞き手に対する配慮を表すことになり丁寧な表現になります。

2. 情報の新旧とプロミネンス
2-1. 基本的なプロミネンス

> (1)　A：**誰が**洋子さんと結婚するんですか。
> 　　　B：**田中さんが**洋子さんと結婚するんです。
> (2)　　A：田中さんは**誰と**結婚するんですか。
> 　　　B1：○田中さんは**洋子さんと**結婚するんです。
> 　　　B2：×**田中さんは**洋子さんと結婚するんです。

これだけは

◆**プロミネンス**（卓立）というのは文中の要素を音声的に際立たせることです。プロミネンスは文中で最も新しい情報に置かれます。例えば、(2)Aに対する答えとしては(2)B1のように(2)Aの疑問語に対応する要素にプロミネンスを置くのが一般的であり、(2)B2のように文脈上旧情報である要素（「田中さん」）にプロミネンスを置くとその談話は不自然になります。こうしたことからプロミネンスが置かれる最も典型的な文中の要素は疑問語疑問文中の疑問語、及び、それに対応する答えの要素ということになります。

もう少し

◆「が」には総記の用法があります（→初級編§27、中上級編§25）。この場合、「XがY（だ）。」におけるYは旧情報で、Xが新情報ですから、(3)Bのような「総記の「が」」にはプロミネンスを置くのが普通です。

> (3)　A：田中さんはいらっしゃいませんか。
> 　　　B：**私が**田中ですが。（？私が**田中**ですが。）

◆質問文やその答えでなくても、文中の要素にプロミネンスを置くことで、話し手の意図を明確に伝えることができます。こうした強調は質問文では質問の意図を明確にし、平叙文ではその要素を他の要素と区別して主張することになります。例えば、(4)は質問の意図が「借りた」のかどうか（例えば

「もらった」のか）を尋ねることであるということを明確化しています。なお、こうした場合「のだ」が必要です（→初級編§29）。

(4)　田中さんは吉田さんにそのお金を<u>借りた</u>んですか。

一方、(5)A2では焼肉以外の料理としてイタリア料理が主張されています。

(5)　　Ａ１：田中さん、夕食いっしょに焼肉でもどうですか。
　　　　Ｂ：私、昨日も焼き肉だったんです。
　　　　Ａ２：そうですか。じゃ、今日は**イタリア料理**にしましょう。

２−２．語順転換とプロミネンス

> (1) <u>太郎は暑い中並んで花子のためにケーキを買ってきた</u>。**そのケーキを**花子は食べてみもしないでゴミ箱に捨てた。
> (2) <u>彼は世界各国で演奏をしている音楽家だ</u>。**その彼**と私たちは家族ぐるみでおつきあいをしている。

これだけは

◆日本語は語順の制約が比較的緩やかだと言われていますが、基本的な語順は存在します（→初級編§34）。その基本語順が変更される要因はいろいろありますが、その一つに(1)(2)のように強調したい要素を文頭に持ってくるということがあります（→初級編§34）。このようにして文頭に持ってこられた要素にはプロミネンスを置くのが普通です。

もう少し

◆倒置によって文頭に持ってこられた要素は意味的に強調されます。これは「総記の「が」」と同様の性質なので、「総記の「が」」と同様、そこにプロミネンスを置くのが自然なのです。なお、この場合、文頭に置かれる要素には「その」が付くことが多いです。

２−３. 対比とプロミネンス

> (1) **田中さん**はパーティーに来ましたが、**山田さん**は来ませんでした。
> (2) 私は**小説**が読みたいのではありません。**専門書**が読みたいのです。
> (3) 私は**お金**がほしいわけじゃない。**仕事**がしたいだけだ。
> (4) 　Ａ：私、熱があるみたい。
> 　　　Ｂ：**みたい**じゃなくてこれは**ひどい熱**だよ。

これだけは

◆プロミネンスのもう一つの機能は**対比**を表すことです。例えば、(2)では読みたいものとして「小説」と「専門書」が対比されていますが、こうした場合、対比される二つの要素双方にプロミネンスを置くのが一般的です。

◆対比を表す文型には「Ａは〜が、Ｂは…」(→§25) や「〜のではない」「〜わけではない」(→§24) などがありますが、(4)のように「の」や「わけ」がない文も使われます。

もう少し

◆「Ｘは〜。」という文で「Ｘは」の部分にプロミネンスを置くと「他は知らないが少なくともＸは〜」という対比の意味が強く出ます。例えば、(5)は「他の人はともかく私はパーティーに出席する」という意味を表します。

　　(5) **私**はパーティーに出席します。

このように、「は」がついた要素（「Ｘは」）にプロミネンスを置くと対比的なニュアンスが強く出るのは次のような理由によります。まず、プロミネンスを置かれたことで「Ｘは」は新情報と解釈されますが、主題になるものは旧情報でなければならないため、「Ｘは」は主題になれず、対比と解釈されることになるのです。

２−４．制限的修飾／非制限的修飾とプロミネンス

> (1)　綾：明日、どんな映画を見ようか。
> 　　　浩：{×綾が好きな**映画**／○**綾が好きな**映画}を見よう。（制限的）
> (2)　綾：明日、何しようか。
> 　　　浩：{○綾が好きな**映画**／?**綾が好きな**映画}を見よう。（非制限的）

これだけは

◆§29で見たように、名詞修飾節には制限的なものと非制限的なものがあります。被修飾名詞が固有名詞や代名詞などの場合は名詞修飾節は常に非制限的になりますが、被修飾名詞が普通名詞の場合は制限的になるか非制限的になるかは文脈によって決まります。

◆(1)では「綾」の発言によって話題が「映画」になっているため、続く「浩」の発言における「綾が好きな映画」（の中の「綾が好きな」）は制限的に解釈されます。これに対し、(2)では話題が「何かをする」ということであるため、「映画」が重要であり、「綾が好きな」はそれに情報を付加するだけ、つまり、非制限的になっています。

◆一般に、制限的名詞修飾節では名詞修飾節のほうが意味的に重要なのでそちらにプロミネンスが置かれるのに対し、非制限的名詞修飾節では被修飾名詞のほうが意味的に重要なのでそちらのほうにプロミネンスが置かれます。

もう少し

◆理由を表す「から」（「ので」）には、(3)のようにことがらの理由を表す場合と(4)のように判断の根拠を表す場合があります（→§31）。

> (3)　林さんが行くから吉田さんも行くのでしょう。（ことがらの理由）
> (4)　林さんが行くから吉田さんも行くでしょう。　（判断の根拠）

この場合、ことがらの理由の場合は「〜から」のほうが意味的に重要であるので「〜から」にプロミネンスを置くほうが自然であるのに対し、判断の根

拠を表す場合は主節のほうが意味的に重要なので主節にプロミネンスを置くほうが自然です。これは、主節を被修飾名詞に、「～から」を名詞修飾節に対応させて考えた場合の制限的修飾、非制限的修飾に対応します。

もう一歩進んでみると

◆近年、特に若い女性を中心に、文の途中で上昇調になる話し方がよく行われています。この場合文末は非上昇調ですから質問文ではありません。

(1) 昨日、ゆりかもめ↑に乗ったよ。→
(2) 山田さんはフランス語↑話せるそうよ。→

この音調の正式な呼び方はありませんが、これは話し手が内容について確信を持てない場合に使われるようです。例えば、(1)は昨日乗ったものの名前が「ゆりかもめ」であるかどうかがはっきりしないときに使われます。この場合、伝統的な言い方では(1)'のように言います（→§15）が、文中の上昇調はこの「とかいう」などの要素の代わりをしていると言えます。

(1)' 昨日、ゆりかもめとかいう（名前の）電車に乗ったよ。

こうした音調が広がりつつある背景には最近の若い人の話しことばに見られる断定を避けようとする心理があると考えられます。こうした点について詳しくは井上史雄（1998）などを参照してください。

○参考文献

安達太郎（1999）『フロンティアシリーズ11 日本語疑問文における判断の諸相』くろしお出版
　★平叙文と質問文の関係の連続性について詳しく述べられている。
井上史雄（1998）『日本語ウォッチング』（岩波新書）岩波書店
　★現在日本語で進行しつつある様々な変化について社会言語学的観点から考察が行われている。
金水　敏（1986）「連体修飾成分の機能」松村明先生古希記念論文集編集委員会編『松村明教授古希記念国語研究論集』明治書院
　★制限的修飾／非制限的修飾とプロミネンスの関係など、名詞修飾に関する重要な指摘がある。

森山卓郎（1989）「文の意味とイントネーション」宮地裕編『講座日本語と日本語教育　第1巻　日本語学要説』明治書院
　★文の意味とイントネーションの関係を論じた重要な論文。

コラム
日本語は特殊な言語か

　初級編と合わせて千ページにわたって日本語の文法を説明されると、「ああ、日本語はなんて面倒な言語なんだ。こんなに面倒な規則ばかりあるのはきっと日本語が特殊なせいだ」と考える人がいるかもしれません。実際、日本人の中には「日本語は特殊な言語だ」と考えている人もいますが、日本語は本当に特殊な言語なのでしょうか。

　確かに漢字・カタカナ・ひらがなを混用する表記方法については特殊かもしれません。しかし、音声・音韻、語彙、文法のいずれをとっても日本語は特殊な言語というよりもむしろごく標準的な言語と言えるでしょう。

　日本語は主語 - 目的語 - 述語を基本語順とします（→初級編§34）。言語の数え方にもよりますが、世界には英語型の主語 - 述語 - 目的語の語順よりも日本語型の主語 - 目的語 - 述語の語順のほうが多いという調査結果もあります。日本語の語順はむしろ多数派なのです。

　また、否定やモダリティ表現が最後に置かれることから、「日本語は最後まで聞かないとわからない言語だ」という批判がされることがあります。実際には多様な副詞（→初級編§40）などを用いて、これから述べる文が否定か肯定か、あるいはどのようなモダリティ表現が用いられるかがある程度予想されているという研究もあります。

　学習者を悩ませる待遇表現や授受表現も決して日本語だけのものではありません。待遇表現はヨーロッパの言語を含め、多くの言語に見られますし、授受表現も韓国語、タイ語、シンハラ語、グルジア語、カザフ語などにあります。

　どの言語も他の言語との違い（＝特徴）を持っていますが、「すべてが特殊な言語」などはありません。

○参考文献
角田太作（1991）『世界の言語と日本語』くろしお出版
　★日本語が特殊な言語でないことを特に文法の面に関して詳述した本。
寺村秀夫（1987）「聞き取りにおける予知能力と文法的知識」『日本語学』6-3（寺村秀夫（1993）『寺村秀夫論文集Ⅱ－言語学・日本語教育編』）
　★日本語が最後まで聞かないとわからない言語ではないことを実験によって実証した論文。

コラム
文と文のつながりの二つのパターン

(1) a. 私は紅茶が好きだ。b. この飲物はいつも疲れを癒してくれる。
(2) a. 私は紅茶が好きだ。b. 飲物はいつも疲れを癒してくれる。

(1)と(2)は共に意味的にまとまりをなしています。こうしたまとまりを**テキスト**と言いますが、(1)と(2)には少し違いがあります。

(1)と(2)を比べると、(1)は自然につながっているように感じられるのに対し、(2)はややつながり方がぎこちないように感じられるのではないでしょうか。それは、(1)のa文とb文が「この」という文法的な要素によってつながっているのに対し、(2)のa文とb文が「紅茶は飲物である」という一般的知識に基づく推論によってつながっているためです。

(1)のように文法的な要素によって作られるテキストには**結束性**（cohesion）があると言い、(2)のように推論によって作られるテキストには**一貫性**（coherence）があると言います。全ての文連続（**連文**）はテキストであり、全ての連文には一貫性がありますが、テキストを文法的に研究しようとする際には一貫性よりも結束性のほうが重要です。

(3)も結束性があるテキストですが、この場合はb文のガ格とヲ格が省略されていることが結束性を作り出しています。

(3) a. 田中さんはケーキが大好きだ。b. 昨日も二つ食べた。

述語（動詞、形容詞、名詞＋だ）がとる補語のうち、必ず必要なものを項と言います（→初級編§38）が、項の内容は文中で特定されなければなりません。(3)bのように項が省略されている場合はその文だけでは項の内容が特定されないため、前の文を参照する必要が出てきます（参照するのは後ろの文や状況である場合もあります）。(3)ではそうした参照の結果、「食べた人＝田中さん」「食べたもの＝ケーキ」ということになり、2文が全体で1つのテキストを作ることになるのです。

こうした結束性の研究は始まったばかりですが、その先駆けとなる林四郎（1973）のような研究もあり、今後の研究に大きな示唆を与えています。

参考文献
庵　功雄（2001）「20 談話・テキスト」『新しい日本語学入門』スリーエーネットワーク
林　四郎（1973）『文の姿勢の研究』明治図書

あとがき

　本書は『初級を教える人のための日本語文法ハンドブック』の続編として、中上級で扱うべき項目をできるかぎり網羅的に扱い、それらを日本語文法の専門的な知識を持たない人にもわかりやすい形で提示していくことを理念として編みました。

　特に中上級では項目を網羅していこうとすると語彙的なものを多く扱う必要がでてきます。本書でも複合格助詞、モダリティ表現、複文、とりたてなどの複合的な形式をできるだけ多く取り入れています。これらの形式はよく語彙として辞書を引くべきものとされますが、本書では初級の項目や関連する表現と結びつけながら、できるだけ文法的な位置づけが明確にわかるように配慮して解説しました。

　一方で指示詞や受身・使役などのヴォイスの表現のように、形としてはすでに初級で出てきたものであっても、談話の中での実際の用いられ方や周辺的な用法についての学習が初級では不十分なものもいくつかあります。これらは項目としての既習・未習にとらわれていると見落とされがちですが、中上級で繰り返し扱わなければならない項目です。本書では初級とのつながりに配慮しながらより高度な用法に対する説明を行っています。

　中上級で扱う項目に関しては、初級編で扱った項目のようにある程度研究が進んでいるものがまだまだ多くありません。このため、解説を書くのは容易ではありませんでした。特にどこまでの情報を日本語教育に必要なものとして盛り込むか、またどのような枠組みによってそれらをまとめるかについては、著者、監修者、編集者の間で議論が戦わされたところです。

　あえて過去の日本語や外国語、さらには方言の情報を入れたり言語学の概念の紹介を行ったところもあります。これは周囲を知ってこそ目標とする対象（＝日本語）を客観的かつ正確に位置づけることができると考えたからです。将来の発展的学習・研究に資するものとなれば幸いです。

最後になりますが、本書の監修の労をお取り頂いた広島大学の白川博之先生には長時間の会議にもご参加頂き有益なご示唆を多々頂戴いたしました。特に記してお礼を申し上げます。また、スリーエーネットワークからは安藤節子さんと佐野智子さんにご協力いただきました。お礼を申し上げます。

2001年8月
著者一同

事項索引

凡例　○○（△・□）：○○、○○△、○○□という形式を含む
　　　例　使役（的・文）：「使役」「使役的」「使役文」を含む
　　　矢印（→）：参照ページを表す

あ

アスペクト　**82**
改まり　483, 505
暗示　**331**

い

言い換え　7, **284**, 472
言いさし　433, 434
意外さ　**358**, 359, 360, 363, 369, 371, 375, 379, 382, 383, 418, 431
意向形　176, 232, 233
意志　146, 152, 153, 155, 168, 207, 209, **232**, 233-239, 277, 289, 341, 417
意志的　94, 95, 127, 147, 234, 294, 452, 456, 460, 464, 548
意志動詞　26, 133, 165, 175, 181, 182, 311, 415, 511
1人称代名詞　514, 515
1人称の語り　196
位置変化　139, 156
一貫性　**571**
一般人称の語り　196
意味役割　172

依頼

依頼　121, 135, 176, 490, 492
因果関係　**398**, 410, 412, 424, 449
イントネーション　254-256, 261, 266, 273, **558**, 562
引用表現　**188**, 197

う

ヴォイス　102, 171, 172
受け手　104-108, 119, 163, 164, 172, 485
受身　**102**
受身形　109, 153, 157, 193, 196, 550
受身文　15, 27, 103, 104, 106-108, 110, 111, 114, 152-154, 166
有情名詞　**105**, 118, 127, 128, 138, 142
疑い　**263**, **264**, 560
内の関係の名詞修飾　**384**
ウナギ文　**325**
運用論　**494**

え

詠嘆　**242**, 244-246, 277, 334, 379, 380, 563
遠因　26, 27
婉曲的　239, **380**, 381

575

遠心的　166, 171

お

応答（文）　260, 273, 275, 276
恩恵　121, 123, 134, 164, 166, 167, 171, 173
音声的に強調　303, 319, 417

か

開始　**91**
解釈　**283**, 295
概数　353-355, 378
解説　226, **314**, 325, **332**, 334
回想　225
カキ料理構文　520
確信　**210**, 261
確定条件　**406**
確認　**254**, 257, 274, 559, 560, 563
影の意味　**331**
過去　68, 74, 75
下降調　261, **558**, 560, 563
過去完了　69, 87, 88
硬い文体　8, 57, 341, 345
傾き　**312**
偏った立場　106
価値判断　45
過程　93, 146, 148, 149, 158
仮定条件　**399**, 401, 434
仮定的（な）逆接　434
可能形　155, 175, 176, 191, 486

可能性　175, 178, 179, 183, 211, **213**, 214, 359, 368
可能文　155
含意　**330**, 331, 359
漢語　**546**
間接受身（文）　**102**, 103, **116**, 117, 118, 121
間接関与表現　124
間接発話行為　**494**
喚体　250
感嘆　**242**, 243, 245, 246, 250, 498
勧誘　**232**, 274, 311, 383, 491
完了　69, 70, 78, **87**
関連づけ　253, 282-285, 288, 291

き

期間　31, 34, 536
聞き手　3, 167, 232, 233, 236, 252, 254, 258, 263, 265, 272-274, 276, 279, 280, 288, 289, 311, 316, 328, 333, 393, 483, 484, 490, 491, **496**, 497, 501, 509, 559, 562
聞き手の知識の活性化　**254**
記述文法　**271**
規範文法　**271**
基本的な否定　301
義務　220, 222, 228
疑問語疑問文　309, 560, 564
逆接　7, 322, 389, 395, 405, **424**, 436, 443, **469**, 507
旧情報　321, 564, 566
求心的　166, 171

強制　**126**, 130, 135, 138, 142
矯正　132
許可　135, 175, 220, 493
虚偽　239
許容　**126**, 130, 134, 220
際立ち　**347**
禁止　220, 222, 278

く

区切りの時　32
くだけた文体　58, 66
繰り返し　69, 70

け

継起　20, 100, 147, 156, 165, 388, 389, 392, 408, **439**, 440, 441
経験・経歴　**83**, 84-86, 100
敬語　54, **482**, 483-485, 488, 491, 493, 505, 507, 509
継続　81-86, **92**, 96-100, 190, 342, 375, 451, 455, 458-460, 548, 556
軽卑表現　484, **486**
結果　26, 86, 93, 122, 146, 148, 153, 158, 177, 317, 386, 388, 401, 402, 408, 414, 439, 536
結果残存　**82**, 83-86, 100, 101, 149, 154
決心　169, 238
結束性　**571**
原因　5, 22-27, 33, 44, 60, 117, 128-130, 133, 152, 214, 226, 256, 317, 326, 384, 413, 414, **439**, 440-442, 455, 462, 463, 465, 467, 507
言外の意味　**330**, 383
現在完了　69, 87, 88
謙譲語　136, 167, 482, **483**, 484-486, 492, 493, 509, 526, 530
現象文　108, **320**, 324
限定　**340**, **341**, 342, 344-346, 350
現場指示　**2**, 9, 316, 324

こ

項　510
後悔　129, 221, 404
後項　156, 157
後置文　**501**
後方照応　**13**
語基　526, 527
語順　317, 499, 501, 565
ことがらの理由　412, **413**, 414, 415, 507, 567
語用論　→　運用論
困難　174, 181-183, 459

さ

再帰的な他動詞文・再帰文　149, **150**
再認識　**72**, 73, 74, **286**, 287
先触れ　274, **288**, 289, 393, 471
サ変動詞　50, 59, 109, 181, **546**, 548-551,

553, 556
三項動詞　103, 104, 122
3人称代名詞　518-520

し

使役　**102**
使役受身（文）　**102**, 126, 133, 134
使役形　131, 136, 137, 139, 150, 157, 549, 550
使役的　165
使役文　126-132, 136, 138-142, 144, 147, 486
字句通りの意味　**383**
指示詞　2, 3, 11-13, 316, 497, 518
指示対象　**13**, 316, 317, 518, 519
事実的　165
事実的（な）逆接　425, 430, 431, 434
事実的条件　**408**
自然下降調　254, 255, 273, 274, 276, **558**, 559, 560, 563
自他の対応　144, 151
知っている　3, 4, 17, 254, 256-258, 274, 276, 280, 289, 290, 309, 332, 333, 434, 464, 497, 498, 501, 518
質問　**252**, 253, 261, 268, 289, 413, 476, 477, 559, 564
質問文　479, 511, 515, **559**, 560-562, 564
指定指示　**13**
指定文　**322**
自動詞　93, 123, 133, 134, 136-142, **144**, 145-158, 163, 177, 528, 548-550

自動詞文　140, 144-146, 149, 151-155
社会言語学的特徴　278
社会通念　224, 225, 358, 359, 361-363, 367, 398, 424, 436
習慣　**83**, 92, 100, 238, 451, 528
終結　**94**
終助詞　170, 216, 217, 272, 274, 275, 277-280, 468, 562, 563
従属節　30, 39, 68, 77, 78, 234, 261, 267, 326-328, 504, 507-509, 512
従属度　507, 508, 512
重大なエピソード　108, 111
主観性　196, 197
主観的　128, 210, 297, 383, 430
主観的（な）評価　**358**, 361, 382, **383**
縮約形　**501**
主語　16, 61, 62, 73, 105-108, 110, 112, 117, 119, 120, 122, 128, 129, 141, 145, 147, 152, 157, 163, 167, 171-173, 175, 177-179, 189, 190, 192, 301, 311, 324, 326, 393, 394, 421, 439, 442, 460, 485, 511, 512, 514, 515, 517, 528
授受動詞　**160**
授受の表現　173, 491, 492
授受の補助動詞　124, 127, 134, 166-168, 171, 173
主節時　78
主題　167, 212, 243, **314**, 315, **316**, 317, 318, 324, 325, 330, 331, **332**, 333, 335-338, 402, 417, 420, 439, 497-500, 512, 566
主題化　18, 102, 110, 111, 123, 151, 199, 301,

423

主題性　499

主題の受取り　**336**

手段　22-24, 32, 44, 147, 156, 439, 441

主(要)部内在型関係節　396

順序助詞　**44, 47**, 48

順接　398, 462, **463**, 467

照応　**512**

状況可能　175

条件(文)　28, 35, 38, 65, 168, 344, **398**, 403, 404, 406, 407, 410, 422, 449, 458, 461, 462, 466

条件節　332, 348, 354, 473, 492

上昇調　254-256, 263-266, 269, 270, 273, 274, **558**, 559-561, 563, 568

小説の地の文　76, 81, 287, 408

状態　16, 44, 69, 74, 75, 83-85, 92, 93, 99, 114, 148, 149, 153, 177, 180, 287, 343, 375, 415, 439, 443, 536, 553, 556

焦点　**303**, 401, 417, 453

情報源　28

情報のなわばり理論　**279**, 280

使用目的　526, 534, 535

省略　8, 46, 47, 117, 164, 167, 173, 190, 279, 280, 332, 396, 510, 511-513, 515, 517

所有物　119, 120, 123

知らない　3, 4, 17, 196, 256, 274, 279, 289, 333, 334, 434, 497, 498, 518

進行中　**82**, 83, 84, 88, 89, 100

新情報　108, 320, 321, 327, 391, 515, 564, 566

真性モダリティを持たない文　509

親族名詞　**521**, 523-525

身体部位　119, 120, 131

心理動詞　26

す

遂行動詞　**71**

推論　283, 291-293, 296, 297, 308, 466

数量の見積もり　**340**, 353

勧め　221, 236

せ

制限的名詞修飾　**384**, 386, **387**, 567

責任　129, 130, 141

接辞　**526**

接続詞　56, 57, 65, 462, 481

絶対テンス　**78**

接頭辞　**526**

接尾辞　**526**

前件に焦点のある条件文　**401**

前項　156

先行詞　3, **13**

選択　**477**

選択的列挙　**56**, 64

前提　253, **309**, **331**, 359, 382

前提を持つ疑問文　309

線的　81, **98**, 99

全部列挙　**56**, 57

前方照応　**13**

そ

総括 **481**

相関 **447**

総記 **321**, 322, 323, 348, 500, 513, 516, 518, 564, 565

相互文 **102**, 112, 113

総称的 224

相対性を持つ名詞 **8**, 317, **520**

相対テンス **78**

属性 75, 79, 85, 177, 286, 333, 556

素材敬語 483, 507, 509

素材待遇表現 **483**, 484

外の関係の名詞修飾 195, **384**, 385, 392

尊敬語 236, 482, **483**, 485, 507, 509

尊大表現 484, **486**

た

待遇表現 **482**, 483

体系の空白 **545**

代行指示 **13**

第三者 105, 117, 175, 234, 237, 528, 540

対者敬語 484, 505, 507, 509

対者待遇表現 **483**, 484

対照研究 **43**

対比 **318**, 322, 327, 335, 387, **424**, **478**, 513, 515, 518, **566**

対比性 499, 516

対比的 7, 111, 301, 302, 318, 319, 353, 354, 389, 428, 469, 478, 500, 518

代名詞 **514**

対話 252, 254, 400

対話における文脈指示 **3**, 4

夕形 68, 69, 72, 73, 75, 76, 78, 79, 98, 100, 228, 287, 404

ダ体 502, 503, 523

立場 44, 45, 47

脱落できない格 499

脱落できる格 498

妥当 221, 222

他動詞 136, 137, **144**, 147, 148, 156, 548-550

他動詞文 136, 138-140, 142, 149

男女差 278

談話 12, 167, 173, 391

談話管理理論 **501**

ち

知識の活性化 254-256, 269, 276

忠告 343

中止形 **439**, 440, 441

中立叙述 **319**, 320, 323

中立の立場 106

直接受身(文) **102**, 103, **116**, 121

直前 **89**, 90, 91, 96, 234, 393, 394

つ

付け加え **340**, **349**

て

デアル体　502, 503
定義　333, 497
丁重語　482, **483**, 484, 485
程度副詞　198, 200, 203
程度を表す疑問詞　244
丁寧化百分率　509
丁寧形　49, 54, 309, 426, 440, 507-509
丁寧語　482, **483**, 484, **487**, 505, 509
丁寧さ　483, 487, **493**
丁寧に話すための運用的な方略　482, **483**, 484, **488**, 489, 490, 494
低評価　367, 369
テイル形　**82**
テ形　**439**
デス・マス体　487, 502-506
転移　**43**
添加　**473**, 475
転換　320, **479**, 526
テンス　68, 80, 320
点的　81, **98**, 99
伝聞　190, **215**, 216, 217

と

同一　8
同意　**274**, 563
道具　22
統合的な関係　**356**
動作主　24, 105, 111, 117, 146, 149, 152, 155, 173, 182
動作の受け手　→　受け手
動詞型引用表現　189, 193
倒置　**501**, 565
動名詞　**546**
独立度　326, 426, 509
取り合わせ　58, 66
とりたて助詞　315, 330, 331, 356, 383

な

納得　210, 261, 292, 295, 420, 560
難易　174

に

二重敬語　54
二重否定　**305**
2人称代名詞　515, 517, 518, 523
認識　148, 165, 189, 259, 261, 290, 409

ね

念押し　**257**, 258-260, 275, 563

の

能動形　109, 133, 197
能動文　103, 193
能力可能　175, 178
ののしり　**488**

は

把握 295, 297
発見 **72**, 73, 147, 165, 258, 261, 262, 277, **285**, 286, 320, 324
話しことば 496-498, 501
話し手 2-4, 105, 106, 124, 129, 130, 141, 162, 166, 169, 171, 175, 196, 248, 252, 254, 258-261, 274, 279, 280, 288, 289, 333, 358, 409, 414, 422, 436, 492, 497, 505, 509, 518, 559, 562, 568
話し始めの文 316, 317, 320
「は」も「が」も使えない文 **323**
範囲 22, 33, 34, 46, 47, 201, 314, 332, 340, 341, 344, 345, 350, 366, 367, 374, 452
反事実(的条件) **76**, 77, **88**, 89, 96, 287, 400, **403**, 404, 405, 434
判断の根拠 26, 28, 262, 326, 410, 413, 415, 507, 567
範列的な関係 **356**

ひ

非意志的自動詞 69
被害 119, 120, 122, 154
比較 **198**, 199, 201, 203, 205, 318, 426
被修飾名詞 48, 195, **384**, 385-387, 389, 394-396, 520, 567, 568
非制限的名詞修飾 **384**, 386, **387**, 388, 390, 392, 393, 397, 567
非存在的状況 30, 38

非対比的 302, 319
非断定 **207**, 218, 559
否定疑問文 255, 257, 266-268, 270, 300, **310**, 311-313, 490
否定形 65, 182, 221, 223, 224, 227, 230, 236, 267, 294, 301, 307, 310-312, 319, 320, 441, 449, 452
否定文 296, 297, 301, 327, 345, 353-355, 359, 365, 370, 372-374
非デス・マス体 502, 504-506, 508
一人語り 76, 81
独り言 4, 209, 232, 258, 263-265, 273, 277, 290, 479, 506, 563
非難 130, 170, 237, 255, 256, 258, 269, 274, 276, 290, 468
卑罵表現 484, **488**
非変化動詞 83
評価 16, 45, 62, 120, 228, 229, 231, 330, 331, 341, 353-355, 358, 364, 366, 368, 370, 371, 374-377, 382, 383, 386, 401
　→　低評価、主観的(な)評価

ふ

不確実 217, 252, 260-262, **266**, 415
不可能 174, 177, 180, 182, 306, 422, 431
不可避 228, 229
複合格助詞 **14**, 19, 20, 22, 24, 25, 29, 30, 33, 42, 44, 48, 49, 52-54, 117, 199, 427, 434, 436
複合動詞 112, 155, 156, 543, 544

付帯状況　26, 30, 39, 41, 46, 388, 389, 392, 432, 438, **439**, 440-443, 449
普通形　189, 277, 282, 309, 318, 420, 426, 507
物理的状況　40, 41, 47
部分否定　**293**, 297, **302**, 303, 416
部分列挙　59, 61
不満　221, 273, 427, 431, 433, 469
プラスの待遇表現　482, **483**
プロミネンス　417, 464, 558, 564-568
文章における文脈指示　2, **5**
文体　8, 23, 24, 141, 178, 221, 218, 469, 470, 481, 493, **502**, 503-506, 508, 530
　　→　硬い文体、くだけた文体、文体差、文体の混交
文体差　216, 426, 446, 474
文体の混交　504, 505
文的度合い　439, 440
文頭　73, 110, 255, 291, 315, 317, 318, 498, 499, 565
文副詞　381, **382**
文法化　**21**
文脈指示　**2**, 3-5, 12, 13

へ

平叙文　**559**, 560-562, 564
並立　348, 353, 355, 356, 358, 360, 363, 371, 375, 377-381, 435
並列　37, 58, 326, **439**, 440-442, 462, **473**, 475

　　→　並列助詞、並列節、全部列挙、部分列挙、選択的列挙
並列助詞　**56**, 65, 112
並列節　327
変化　23, 30, 35, 36, 82, 83, 85, 93, 96, 130, 145, 149, 176, 177, 245, 345, 379, 380, 393, 394, 429, 430, 447-449, 452, 456, 526, 529, 536, 538, 539, 543
　　→　変化動詞、変化点、変化の原因、変化の結果、変化の基準、位置変化、非変化動詞
（位置）変化　139, 156
変化点　83, 85, 94
変化動詞　79, 83, 93, 96
変化の基準　24
変化の結果　82, 148, 153
変化の原因　23, 152

ほ

方向性　162, 166, 167, 169-173
放任　**126**, 141
補語　297, 303, **510**
補助動詞　160, 233, 379
　　→　授受の補助動詞
補足　463, 472, **476**, 477
ポライトネス　**493**, 494

ま

マイナスの待遇表現　482, **483**

583

前置き　12, 257, 288, **289**, 332, **337**, 338, 427, 489, 490

み

見込み　208, 254, 258, 260, 266-268, 300, 310-312
未来　68-70, 73, 74, 86, 87, 99
　→　未来完了
未来完了　69, 87, 88

む

無意志的　26, 164, 176, 234, 408, 409, 452, 456, 460, 548
無意志動詞　24, 91, 95, 133, 134, 181, 306, 311, 402, 410, 415, 420, 421
無情物　145
無情名詞　**107**, 108, 127, 129, 131, 139, 142, 157, 161, 164, 179
無助詞　324, 328, **498**, 499
無生物主語　183
無対動詞　157

め

名詞　**514**
名詞化　248, **551**, 552, 553
名詞型引用表現　194, 195
名詞修飾節　42, 49, 195, 221, 326-328, **384**, 385-396, 426, 567, 568

名詞修飾表現　79, 80, 194, 384, 386, 392-397
名目　40, 45
命令　26, 39, 215, 273, 274, 290, 351, 385, 402, 446, 456, 457, 463, 464, 467, 469, 470, 489, 507
命令形　65, 217, 402
命令文　515
迷惑　103, 104, 118, 119, 121, 123, 124

も

目的　40, 47, 127, 176, 223, 226, 227, 230, 239, 262, 288, 412, 415, 420, 421, 445,
　→　使用目的
目的語　10, 45, 102, 110, 117-119, 122, 123, 144, 149-152, 157, 179, 188, 189, 324, 393, 394, 511, 529, 548
目的語が主題化した「YはXがV」型構文　**110**
モダリティ　231, 252, 269, 383, 509
　→　モダリティ形式
モダリティ形式　76, 77, 279, 280, 283, 433, 502, 561
モダリティ表現　39, 64, 189, 196, 218, 559, 560, 562
持ち主の受身文　**118**, 119, 120, 124, 395

や

役割　41, 47

→ 意味役割

やりもらい動詞　→　授受動詞

ゆ

有情名詞　→　有情（うじょう）名詞

有対他動詞　177

有対動詞　157

よ

予想　203, 216, 259, 359, 363, 369, 375-378, 380, 419, 424, 427, 469-471, 475, 476

ら

ラ抜きことば　501

り

理由　5, 8, 22, 24-27, 33, 40, 41, 47, 180, 182, 210, **282**, 283, 291, 294, 295, 309, 326, 327, 343, 384, 388, 389, 392, 401, 404, 410, 412, **413**, 414-417, 419, 420, 422, **439**, 440, 441, 449, 462, 463, 465, 467, 468, 507, 567

理由述べ　462, **467**

量を表す疑問詞　244

る

累加　56, **58**, 59, 66

ル形　68-72, 74-76, 78-80, 89, 98-100, 232, 233, 235, 238, 311, 320, 394, 401, 405, 511

れ

例示　462, 471, **472**

列挙　56, 57, 59-62, 336, 363

→　全部列挙、部分列挙、選択的列挙

連体　55

→　連体形

連体形　55

連文　100, 314, 327, **571**

連用　55

→　連用形、連用中止形

連用形　382

連用中止形　19, 20

「XはYがV」型構文　116, 123, 124

「YはXがV」型構文　102, **110**, 111

形式索引

凡例　矢印（→）：参照ページを表す

あ

ア　3-5, 497
相−　113
〜あいだ　451, 452
〜あいだに　451, 452
〜合う　112, 113
与える　161
〜あとで　→　〜たあとで
ありがとう（ございます）　70, 164
あるいは　64-66, 477, 478
あれ　4, 5
〜合わせる　113

い

〜いかんで　36, 53
〜以上　416
〜以上に　199, 200
以上のように　481
一番　201, 202
（〜）一方　428, 478
いわば　473
一員　531

う

〜上で　→　〜た上で
〜上は　418
受ける　161, 162
うち−　542
〜うちに　452
〜得る　178, 183

お

〜終える　95, 96
〜(の)おかげ｛か／で｝　25, 53, 261, 414, 415
〜恐れがある　213
おまけに　474
および　57, 66, 475
〜おり(に)　453
〜終わる　95, 96

か

か＜終助詞＞　253, 260-262, 415, 560, 561
か＜並立助詞＞　64, 66
が＜格助詞＞　7, 315, 317, 320-323, 326, 500
が＜複文＞　425

一家 531
－化 553
かい＜終助詞＞ 253
～かぎりだ 248
～かけ｛る／だ／の｝ 89-91
かしら＜終助詞＞ 263
一方（かた） 528, 529
一方（がた） 530
～がたい 182, 183
～かたがた 445
～(の)かたわら 444
～がち 538, 539
かつ 475
～がてら 444, 445
かな＜終助詞＞ 175, 263, 264
～か～ないかのうちに 455
必ずしも～(では)ない 305
～かねない 213, 214
～かねる 180
～が早いか 455
～がましい 544
～かもしれない 213, 267
から＜格助詞＞ 26, 27, 34, 48
から＜順序助詞＞ 44, 47
から＜とりたて助詞＞ 375
から＜複文＞ 326, 389, 410, 413, 414, 422
～からか 261, 415
～からこそ 416, 417
～からだ 283, 467
～からといって 294, 305, 416
～からには 416, 417

－がる 528

き

～気だ 237
一気味 538, 539
疑問語＋ても 435
逆に 478
～きる 94, 95
～きわまりない 202
一金 533

く

～くせに 431
～ください 492
～くらい／～ぐらい 368-370, 374, 376
～くらいなら 370
～くらいは 370
くれる 116, 160, 163, 511
　→ ～てくれる、～させてくれる

け

－げ 539
～けど 318, 326, 405, 425, 427, 433, 436, 476
「けど」類 425, 431, 434, 437
(～)けれども 426, 469, 470

こ

コ　9, 12
「こういう」類　11
こうして　481
こそ＜とりたて助詞＞　346-348
こそ〜が　349
〜ことか　243, 244
〜ことがある　→　〜たことがある
〜ことができる　178, 183
〜ことだ　226, 227, 246
〜ことだろう　243, 244
〜ことなしに　39
〜ことに　247, 382
〜ことにしている　238
〜ことにする　238, 239
〜ことになる　86, 238, 239, 292
〜ことはない　227
この　7
このうえない　202
このように　481
「この」類　11
これ　5
これは　5
「こんな」類　11

さ

-さ　528, 544, 553
再-　541
〜際(に)　453
〜最中に　453
〜際(に)は　401
さえ＜とりたて助詞＞　358-361, 371-373, 376
さえ〜ば　344
授ける　163
〜させてくれる　134
〜させてもらう　134, 135, 493
〜させてやる　134
さて　479
-様（ざま）　542, 543
さらに　200, 474
〜ざるをえない　228

し

-士　531
-師　532
-時（じ）　536
しか＜とりたて助詞＞　376
しかし（ながら）　437, 469
しかも　474
-式　534
〜次第　456
〜次第で　36, 53
したがって　465
失礼します　71
〜じみる　543
-者　531
〜じゃない　255, 256
〜じゃないですか　256, 269

諸ー　530
ー上（じょう）　529
ー人（じん）　531

す

〜ず　441
数量詞　353, 374, 378
数量詞＋は　355
数量詞＋も　353-355, 377
ーずくめ　538
すなわち　472
〜ずに　441
〜ずにはいられない　228, 229
すみません　70, 71, 165, 176
すら＜とりたて助詞＞　360
すると　466, 467

せ

ー性　553
〜せい{で／か}　25, 53, 261, 414, 415

そ

ソ　2-5, 12, 497, 501
ぞ＜終助詞＞　277, 278
そう　10
そうだ＜伝聞＞　189
そうだ＜様態＞　175
そして　473, 474

その　6-8, 322, 565
そのうえ　474
その結果　465
〜そばから　456
それ　5, 6
それが　437, 471
それから　473
それで　463, 464, 466, 479
それでは　466, 479
それどころか　475
それとも　477
それなのに　469, 470
それなら　466, 481
それに　59, 473
そればかりか　462, 474, 475
そればかりでなく　462, 474
それはさておき　480
それはそうと　463, 480
それゆえに　462, 465

た

〜たあとで　458
〜たい　135, 168, 246, 491
大ー　540
ー代　533, 536
〜た上で　457, 459, 460
だから　255, 463-465
だけ＜とりたて助詞＞　340-344, 346-348, 351, 449
〜だけあって　343, 412, 419

～だけしか 346
～だけだ 341-343
～だけでなく 341, 349-352, 445, 446, 449
～だけど 469
～だけに 343, 412, 419
～たことがある 86, 87
出す 162, 163
～だす 91, 92, 156
ただし 476
－たち 515, 517, 519, 530
～だったら 336, 403, 407, 466
だって＜接続詞＞ 419, 437, 468
だって＜とりたて助詞＞ 362
(ん) だって＜モダリティ形式＞ 216, 217,
たとえば 472
～た (か) と思うと 455
～たところ 394, 408
～たところだ 96-98
～たところで 425, 434, 435
～だとしたら 403
～だとすると 403
～だとすれば 403
～たとたん (に) 455, 456
だに＜とりたて助詞＞ 361
だの＜並列助詞＞ 59, 60, 66
～たばかりだ 98
～たばかりに 414
～ためか 261,
～ために 54, 127, 414, 415, 420
～ためには 412, 420, 421
～たら (タラ節) 147, 165, 224, 399, 400, 403, 406-409
～たらいい 229, 230
－だらけ 537
－たらしい 543
～たりとも 377
～だろう 207-209, 218, 243, 254-259, 263, 264, 276, 560, 561, 563
～だろうか 175, 264, 265, 560, 561

ち

ちなみに 476
～ちゃ 401, 501
－中 526, 536
－賃 533

つ

(～)ついでに 442-445, 449
つき－ 543
～つくす 95
～っけ＜終助詞＞ 277
～っこない 212
～ったらありゃしない 249
～ったらない 242, 247-249
～つつ (も) 424, 425, 427, 438, 442-445
～つつある 93
～続く 93
～続ける 92, 93
～って 3, 195, 216, 217, 334, 497, 501
－っぽい 526, 538-540

つまり　472
〜つもりだ　235-237, 239, 240
〜つもりで　237, 238
〜つもりはない　236
〜づらい　181-183

て

で＜接続詞＞　464
〜て（か）　147, 261, 401, 439-441, 447, 448, 512
〜で＜格助詞＞　14, 22-29, 31, 32, 45, 51, 345, 393, 394
〜てあげる　166-169, 173
〜てある　149
〜であれ〜であれ　61-63, 65, 66
〜ていた　87, 395, 405
テイタ形　69, 77, 79, 80, 84, 85, 88, 89, 96, 98-100, 404, 405
〜ていただく　160, 492
〜ていたところだ　96
〜て以来　457-460
〜ている　114, 148, 149, 153, 154, 173, 177, 318
テイル形　52, 69, 71, 79, 80, 83-89, 92, 93, 96-100, 177, 181, 191, 388, 394, 539
〜ているところだ　96, 97
〜てから　457-459
〜てからでないと　457, 459
〜てからというもの　460
一的　552-556

〜てくれる　116, 120-123, 133, 164, 167, 169-173, 511
〜てさしあげる　167
〜てしかたがない　247, 248
〜てしまう　124, 129, 179
〜でしょうか　264, 265, 560
〜てしょうがない　247
〜てたまらない　242, 247, 248
〜てならない　242, 248
〜ては　401, 403
〜では　28, 224, 293, 303
〜てはいけない　222
〜てはじめて　457-459
〜ではないか　255-259, 269, 276, 311, 312
〜てみたら　407, 408, 410
〜てみると　407, 408, 410
〜てみれば　407, 408
〜てみろ　65, 399, 400, 402, 410
〜ても　37, 424, 434-436
でも＜接続詞＞　437, 469
〜でも＜とりたて助詞＞　361-366, 369-372, 489
〜でもしたら　398, 399, 401
〜でもって　30-33
〜でも〜でも　61-63, 65, 66
〜てもらう　116, 120-122, 124, 127, 135, 164-166, 170, 171, 173, 492
〜てもらえる　165, 166
「ても」類　434, 436
〜てやる　127, 134, 160, 166-170, 173, 233
〜てやれ　169

と

と＜複文＞（ト節）　165, 407-409, 455, 512
と＜並立助詞＞　56, 57, 66
〜とあって　53, 419
〜といい　229, 230
〜といい〜といい　61, 62, 65, 66
〜という　3, 189, 195, 196, 216, 292, 384-386, 497, 501
〜ということだ　28, 216
〜ということだが　337
〜というと　335, 336,
〜というのは　332-334, 462, 467, 468, 497
〜というもの　108, 375, 460
〜というような　194, 195
〜といえば　335, 336
〜と言える　191
〜といった　188, 194, 195,
〜といったような　194, 195
〜といったら　249, 335, 336
〜といったらない　248
〜といわず〜といわず　61-63, 65, 66
当―　541
〜とうってかわって　424, 428-430
〜と思いきや　425, 427
〜と思う・〜と思っている　189-191, 197, 208, 209, 232, 511
〜と思える　191, 192,
〜と思ったら　407, 425, 427
〜と思われる　26, 191-193, 197, 511

とか＜終助詞＞　217
とか＜並立助詞＞　61, 66
〜とかいう　196, 568
〜とか〜とか　59, 60
〜と考えられる　191, 193
〜と考える・〜と考えている　189, 190, 196
〜とき　395, 401, 451, 453, 454
〜ときに　451, 453
〜とき(に)は　398, 399, 401, 421
〜とくれば　336
〜ところ　97, 393-395, 397, 408
ところが　470
〜どころか　351, 352,
〜ところだ　90, 96-98, 393
〜ところで　479, 480
〜ところを　394, 395, 424, 430, 432
〜とされる　194
〜としたら　399, 401, 403, 406, 407
〜として　44-47, 53, 377, 398, 406
〜としては　45
〜|と/に|しても　425, 436
〜と信じる　188, 189
〜とする　194, 196
〜とすれば　399, 401, 403, 406, 407
〜と違って　424, 428-430
〜と同時に　454, 455
〜とともに　35, 36, 53, 448, 449
〜との　195
〜とは　245, 333, 334
〜とはいうものの　462, 471

〜とはいえ　424-426, 462, 471
〜とは限らない　214, 215
〜と見られる　191, 193
〜と見る　190
ーども　530
ともかく　344, 345

な

なあ＜終助詞＞　277, 563
〜ないことだ　227
〜ないことにはQない　401
〜ないこと{は／も}ない　306
ないしは　463, 477, 478
〜ないつもりだ　236
〜ないで　38, 39, 441
〜ないではいられない　228, 229, 249
〜ないとも限らない　215
〜ないものだ　224
〜ないわけにはいかない　228, 229, 306
なお　476, 477
〜ながら(も)　352, 389, 424, 427, 430-432, 438, 442-445, 449, 507
〜なく　441
〜なくして　30, 38, 53
〜なくて　441
〜なく{は／も}ない　306
〜なければいけない　222, 228
〜なしで　30, 38, 39, 53
〜なしに　30, 38, 39, 53
なぜかというと　462, 467, 468

なぜなら　462, 467, 468
〜など　366, 367, 373, 374
〜なら　335, 336, 370, 399, 400, 402, 403, 406, 407, 410
〜ならでは　344, 345
ならびに　56-58, 66, 475
〜なり　455
〜なり〜なり　63, 64, 66
〜なんて　243, 245, 358, 366-368, 374
〜なんと　243

に

に＜格助詞＞　14, 25-27, 31
に＜並立助詞＞　56, 58, 66
〜に＜複文＞　59
〜において　31, 33, 53, 62
〜に応じて　36, 53
〜における　33, 551
〜にかかわらず　36, 37, 53
〜にかかわる　18-20, 53
〜に限って　341, 344, 345
〜に限らず　350
〜に限り　341
〜に限る　345
〜にかけて　34, 53
〜にかけては　344, 345
〜に関して　16-18, 53
〜にきまっている　211, 212
〜にくい　132, 181-183, 459
〜に比べて　199, 200, 205

～にしたがって　36, 53, 447, 448
～にして　32, 33, 53
～にしては　198, 203-205, 424
～にしても～にしても　61, 62, 65, 66
～にしろ～にしろ　61, 62, 65
～にすぎない　341, 342
～にせよ（～にせよ）　62, 435
～に相違ない　211
～に即して　29, 53
～に沿って　29, 53
～に対して(の)　15, 16, 18, 53, 54
～に対する　15, 551
～にちがいない　210, 211, 283, 418
～について　14, 16-18, 20, 52, 53
～につき　26, 27, 53
～につれて　36, 49, 53, 447
～にて　31, 32, 53
～にとって　16, 45-47, 53
～にとどまらず　350, 351, 446
～に伴って　439, 448, 449
～には及ばない　307, 308
～にひきかえ　424, 427-430
～にまつわる　18, 19, 53
～にもかかわらず　431, 469, 470
～に基づいて　29, 53
～にもまして　199, 200, 205
～によって　14, 23-26, 35, 37, 53, 117
～によらず　37
～による　552
～によると　28, 53
～によれば　28, 53

～にわたって　34, 53
一人（にん）　531

ね

ね＜終助詞＞　170, 216, 217, 257, 259, 260, 263, 264, 274-277, 279, 280, 560, 563
ねぇ＜終助詞＞　563
～願います　492, 493

の

の＜形式名詞・準体助詞＞　52, 62, 243, 263, 265, 286, 395, 396, 566
の＜終助詞＞　277, 278
の＜連体助詞＞　151, 547, 551, 552
～のいかんを問わず　37
～の至り　198, 202
～のおかげで　→　～おかげで
～のか　261, 415
～のが　426, 437
～のかたわら　→　～かたわら
～の極み　198, 202
～のこと　50-52
～のことだが　337
～のことだけれど　337
～のせいで　→　～せいで
～のだ　73, 170, 253, 258, 261, 262, 277, 282-288, 290, 295-297, 303, 309-311, 467, 472, 502, 561, 565
～のだが　89, 289

595

〜のだから　417, 418, 422
〜のだった　73, 286, 287
〜のだったら　398-400, 403, 407
〜のために　→　〜ために
〜のだろう　243, 268, 284
〜ので　326, 389, 414, 419, 420, 463, 507, 567
〜のではあるまいか　208
〜のではない　297, 302, 303, 566
〜のではないか　207-209, 266-270, 312
〜のではないだろうか　208
〜のではなかろうか　208
〜のに　89, 389, 404, 424, 430-435, 437, 469, 470
〜のに対して　428, 429
「のに」類　430, 431, 433
のみ　340-342
のみならず　341, 349, 446, 462, 474, 475
のを　432, 437

は

は＜とりたて助詞＞　7, 18, 108, 151, 199, 204, 215, 234, 301, 302, 304, 305, 314-318, 320, 322-328, 330, 332, 333, 338, 353, 354, 411, 499, 500, 512, 513, 517, 566
〜ば　399-401, 403, 406, 407, 447
　　　→　さえ〜ば、〜とすれば
〜場合(に)は　399, 401
〜ばいい　229, 230

〜は言うまでもなく　352
〜はおろか　351, 352
〜ばかり　343
〜ばかりか　349-351, 377, 445, 446, 475
　　　→　そればかりか
〜ばかりだ　→　〜たばかりだ
〜ばかりでなく　349, 351, 445, 446, 449, 475
　　　→　そればかりでなく
〜ばかりに　414
〜はしない　304
〜始める　91, 92, 156
〜はずがない　179, 211, 212, 294, 308
〜はずだ　175, 210, 211, 283, 292, 457
〜はというと　335, 336
話は変わりますが　480
〜はぬきにして　39
〜ば〜ほど　447, 448
－ばむ　542, 543
〜はもちろんのこと　349-352
〜はもとより　351
反－　526, 554-556
反対に　478
反面　428, 429

ひ

非－　526, 555, 556
－費　533
〜必要がある　227, 228, 230, 416
〜必要はない　230, 308

ふ

不— 555, 556
—風 534
ぶち— 542

へ

～べきだ 220-223
～べく 221, 223, 420, 421
～べくもない 422
～べし 223

ほ

～ほうがいい 222, 223, 229
～ほうがまし 229, 230
～ほしい 246
～ほど～は(い)ない 201
ほら 561
本— 541

ま

真— 540
～まい 207
また 474
まだ～ていない 69, 555
まだ～ない 69
または 56, 63-66, 477
～まで＜格助詞＞ 34, 48
～まで＜順序助詞＞ 44, 47
～まで＜とりたて助詞＞ 349, 358, 363-365, 373
～までだ 342, 343
～までは 365
～までもない 230, 307, 308
—まみれ 537
—まる 527, 528

み

未— 555, 556
—み 543, 544

む

無— 555, 556
—向き 535
—向け 535

め

—めく 543
—める 528

も

も＜とりたて助詞＞ 46, 215, 235, 305, 330, 331, 340, 348, 349, 353-355, 358-360, 363, 364, 370, 371, 375-377, 379-383, 435, 474

597

〜もさることながら　352
もし　399, 400, 406
もしくは　63, 64, 66, 477
〜｜も／さえ｜しない　304
もっとも　476
最も　201
〜もの　419
〜ものだ　170, 220, 223-226, 231, 242, 245,
　　　246, 334, 418
〜ものだから　416-418
〜もので　246
〜ものではない　224
〜ものなら　170, 399, 400, 402, 403
〜ものの　425, 426
〜もらう　27, 104, 160-163, 173
　　　→　〜てもらう、〜させてもらう

や

や＜並列助詞＞　59, 66
ー屋　532
〜や（否や）　455
〜やがる　124, 486
やら＜並列助詞＞　59, 60, 66

ゆ

〜ゆえに　25, 53, 419, 420, 465

よ

よ＜終助詞＞　272-275, 277, 563
〜よう（目的）　176
〜よう　→　意向形
〜よう＜接尾辞＞　529, 544
ー用　535
〜ようがない　180, 181
要するに　471, 472
〜ように（目的）　188, 420, 421
〜ようにする　238, 239
〜ようになる　177
〜（よ）うが〜まいが　434, 435
〜（よ）うと　127, 421
〜（よ）うとしたところ　394
〜（よ）うとしない　234
〜（よ）うとする　91, 158, 233, 234, 239
〜（よ）うにも〜ない　235
よく　245
〜由　218
〜予定だ　236
よね＜終助詞＞　275-277
より＜格助詞＞　14, 199-201, 205

ら

ーら　530
〜らしい　28, 77, 175, 215, 216, 236, 237,
　　　248
〜らしい＜接尾語＞　526-528

り

一流　534
一料　533

わ

わ＜終助詞＞　276, 277
〜わけがない　210, 212, 293, 294, 307, 308
〜わけだ　231, 282, 291-293, 295-297, 309
〜わけだが　289
〜わけではない　11, 293, 294, 297, 302-304,
　　　307, 308, 416, 566
〜わけない　212
〜わけにはいかない　174, 294, 307, 308
　　　→　〜ないわけにはいかない
渡す　103, 160, 162, 163
〜わりに　203-205, 424-426

を

〜をおいて…ほかにない　346
〜をかぎりに　344, 345
〜を禁じ得ない　179
〜を通じて　22-24, 30, 33, 34, 53, 54
〜を通して　24, 34
〜を問わず　36, 37, 53, 63
〜をぬきにして　38, 53
〜をめぐって　16, 17, 48, 49, 53
〜をもって　22-24, 30-32, 53

ん

〜んだって　→　（ん）だって

XをYに　30, 39, 41, 47

599

監修者紹介

白川博之（しらかわ　ひろゆき）　広島大学大学院人間社会科学研究科教授
筑波大学大学院博士課程文芸・言語研究科単位取得満期退学
博士（学術・広島大学）
日本語文法学会評議員
主要著書：『コミュニケーションのための日本語教育文法』共著，2005，くろしお出版
　　　　　『「言いさし文」の研究』2009，くろしお出版

著者紹介 (50音順)

庵　功雄（いおり　いさお）　一橋大学国際教育交流センター教授
大阪大学大学院文学研究科現代日本語学講座博士課程修了
博士（文学・大阪大学）
主要著書：『新しい日本語学入門　ことばのしくみを考える　第2版』, 2012, スリーエーネットワーク
　　　　　『やさしい日本語──多文化共生社会へ』（岩波新書），2016，岩波書店
　　　　　『日本語指示表現の文脈指示用法の研究』, 2019, ひつじ書房

高梨信乃（たかなし　しの）　関西大学外国語学部教授
大阪大学大学院文学研究科現代日本語学講座博士後期課程中退
博士（言語文化学・大阪外国語大学）
主要著書：『新日本語文法選書4　モダリティ』共著，2002，くろしお出版
　　　　　『評価のモダリティ－現代日本語における記述的研究－』, 2010, くろしお出版

中西久実子（なかにし　くみこ）　京都外国語大学外国語学部日本語学科教授
大阪大学大学院文学研究科日本語教育学講座博士後期課程単位満期取得退学
博士（学術・大阪府立大学）
主要著書：『日本語文法演習　話し手の気持ちを表す表現－モダリティ・終助詞－』共著, 2003, スリーエーネットワーク
　　　　　『日本語文法演習　助詞－「は」と「が」、複合格助詞、とりたて助詞など－』共著, 2010, スリーエーネットワーク
　　　　　『使える日本語文法ガイドブック－やさしい日本語で教室と文法をつなぐ－』共著, 2020, ひつじ書房

山田敏弘（やまだ　としひろ）　岐阜大学教育学部教授
大阪大学大学院文学研究科現代日本語学講座博士後期課程単位取得退学
博士（文学・大阪大学）
主要著書：『日本語のベネファクティブ～「てやる」「てくれる」「てもらう」の文法』, 2004, 明治書院
　　　　　『日本語のしくみ《新版》』, 2015, 白水社
　　　　　『岐阜県方言辞典』, 2017, 岐阜大学

中上級を教える人のための日本語文法ハンドブック

```
2001年10月10日  初版第1刷発行
2025年 2月21日  第 22 刷 発 行
```

著 者 庵 功雄 高梨信乃 中西久実子 山田敏弘
発行者 藤嵜政子
発　行 株式会社スリーエーネットワーク
　　　　〒102-0083　東京都千代田区麹町3丁目4番
　　　　　　　　　　トラスティ麹町ビル2F
　　　　電話　営業　03 (5275) 2722
　　　　　　　編集　03 (5275) 2725
　　　　https://www.3anet.co.jp/
印　刷 倉敷印刷株式会社

ISBN978-4-88319-201-4 C0081

落丁・乱丁本はお取り替えいたします。
本書の全部または一部を無断で複写複製（コピー）することは
著作権法上での例外を除き、禁じられています。